TEORÍA Y TÉCNICA DE LA PRODUCCIÓN AUDIOVISUAL

TEORÍA Y TÉCNICA DE LA PRODUCCIÓN AUDIOVISUAL

JAVIER MARZAL FELICI
FRANCISCO LÓPEZ CANTOS
(coordinadores)

tirant lo blanch
Valencia, 2008

© JAVIER MARZAL FELICI
FRANCISCO LÓPEZ CANTOS

© TIRANT LO BLANCH
    EDITA: TIRANT LO BLANCH
    C/ Artes Gráficas, 14 - 46010 - Valencia
    TELFS.: 96/361 00 48 - 50
    FAX: 96/369 41 51
    Email:tlb@tirant.com
    http://www.tirant.com
    Librería virtual: http://www.tirant.es
    DEPOSITO LEGAL: V -
    I.S.B.N.: 978 - 84 - 9876 - 220 - 4
    IMPRIME: GUADA IMPRESORES, S.L. - PMc Media, S.L.

ÍNDICE

CAPÍTULO 4
LOS RECURSOS PARA LA PRODUCCIÓN EN VÍDEO Y TELEVISIÓN, *por Francisco López Cantos*

Capítulo 5
ELABORACIÓN DE PRODUCTOS AUDIOVISUALES,
por Francisco López Cantos

Capítulo 6
LA PRODUCCIÓN DE LA INFORMACIÓN
AUDIOVISUAL, *por Andreu Casero Ripollés*

Capítulo 7
LA PRODUCCIÓN CINEMATOGRÁFICA Y TELEVISIVA DE FICCIÓN: ASPECTOS GENERALES,
por Agustín Rubio Alcover

Capítulo 8
ELEMENTOS DE PRODUCCIÓN DE CONTINUIDAD Y PROGRAMACIÓN DE TELEVISIÓN
GENERALISTA, *por Cesáreo Fernández Fernández*

Capítulo 9
EL GUIÓN EN LA PRODUCCIÓN AUDIOVISUAL DE FICCIÓN, *por Francisco Javier Gómez Tarín*

Capítulo 10
GESTIÓN ECONÓMICA Y FINANCIACIÓN DE PRODUCCIONES AUDIOVISUALES, *por Francisco López Cantos*

Capítulo 11
PRODUCCIÓN MULTIMEDIA E HIPERMEDIA, *por*
Emilio Sáez Soro

INTRODUCCIÓN: LA PRODUCCIÓN AUDIOVISUAL EN LA ERA DIGITAL

JAVIER MARZAL FELICI Y
FRANCISCO LÓPEZ CANTOS

Es bien sabido que cualquier producto audiovisual posee una naturaleza *interdisciplinar*, resultado de un *trabajo en equipo*. En efecto, dada la complejidad de los procesos de producción en los campos de la fotografía, el cine, la televisión, la radio, etc., cada vez resulta más necesaria la participación de numerosos profesionales y especialistas, procedentes de los más diversos ámbitos, como documentalistas, escenógrafos y directores de arte, guionistas, iluminadores, operadores de fotografía, especialistas en ambientación musical, actores y actrices, decoradores, carpinteros, eléctricos, etc. Cada uno de los distintos campos de la producción audiovisual plantea su propia idiosincrasia, unas peculiaridades que examinaremos con cierto detenimiento a lo largo de la presente obra.

Sin embargo, como en cualquier trabajo en el que participa un nutrido grupo de profesionales y especialistas, es necesaria la existencia de un líder, de un responsable que dirija y organice las tareas a realizar hasta la obtención del producto final. En el ámbito de la producción audiovisual, y más concretamente, en el sector de la producción cinematográfica y televisiva, a esta figura se la conoce con el nombre de *productor ejecutivo*, una figura reconocida como absolutamente esencial en el proceso de producción de cualquier obra audiovisual.

No obstante, a pesar de la importancia estratégica que representa el *productor* y los *procesos de producción* en el sector audiovisual, podemos constatar un notable déficit de estudios, ensayos y análisis en torno a esta cuestión, contrariamente a lo que cabría esperar. En efecto, no abundan los estudios sobre producción o sobre la figura del productor, como se puede constatar en la bibliografía incluida al final de este estudio. Por otra parte, no es frecuente encontrar en los actuales planes de estudio de *Ciencias de la Información* o *Ciencias de la Comunicación* (con sus especialidades en campos como la *Comunicación*

Audiovisual, la *Publicidad y las Relaciones Públicas* y el *Periodismo*) o en *Bellas Artes*, más de una o dos asignaturas que traten de forma monográfica el estudio de la producción audiovisual, a lo largo de los estudios de licenciatura o de los nuevos grados universitarios.

Alguien que cargue sobre sus espaldas la responsabilidad de dirigir y liderar grupos de profesionales tan amplios debe tener un profundo conocimiento de la *naturaleza* de los procesos de producción implicados y, por tanto, del campo audiovisual. De este modo, el productor es un profesional que debe poseer amplios conocimientos, puesto que para tomar decisiones hay que conocer en profundidad el medio en el que se trabaja. Dada la complejidad de dichos procesos (para producir un film, un espot publicitario, una cuña de radio, un programa de televisión o de radio, o, incluso, una campaña gráfica publicitaria), el *productor* habrá de tener un conocimiento exhaustivo sobre todas las profesiones que cualquier producción audiovisual involucra. No obstante, el productor no es un realizador, no *ejecuta* por sí mismo ninguna de las tareas implicadas en la elaboración de un producto audiovisual, si bien habrá de *supervisarlas* todas, y tendrá que tener criterios y argumentos para juzgar la calidad de los diferentes procesos implicados.

Es este uno de los primeros tópicos que nos proponemos combatir en esta obra: si bien la *producción* y la *realización* audiovisuales son dos actividades mutuamente implicadas, se trata de dos ámbitos de trabajo distintos, que deben ser diferenciados convenientemente. Diríamos, incluso, que merecen un tratamiento independiente, ya que el productor y el realizador o director representan dos concepciones o aproximaciones a la factura del producto audiovisual desde perspectivas opuestas, al menos en apariencia.

Producción		Realización

Por otro lado, se detecta un segundo tópico muy extendido: las tareas del *productor* están relacionadas con el ámbito de la gestión, de ahí el tópico de su espíritu "frío" y "calculador", mientras que el *realizador* es considerado un "artista". Veremos cómo estos clichés no responden en absoluto a la realidad profesional en la actualidad, ya que un buen productor en el ámbito de la producción de ficción cinematográfica ha de ser, además de un excelente gestor y organizador, un profesional muy *creativo* y con una gran *sensibilidad*.

Decíamos que el *productor*, en tanto que *organizador*, debe conocer en profundidad el trabajo que ha de organizar, como ha señalado Martín Proharan (1988: 16). Esto implica un conocimiento de las personas (profesiones) que intervienen y hacen posible el progreso de la producción —los técnicos y artistas que intervienen—, de los equipos que los técnicos manejan —cámaras, películas, unidades móviles, equipos de sonido, etc.— y de los procesos productivos de un film, serie o programa de televisión —preproducción, rodaje, postproducción, distribución del producto, etc.—.

De forma esquemática, podríamos sintetizar la cuestión de la siguiente forma:

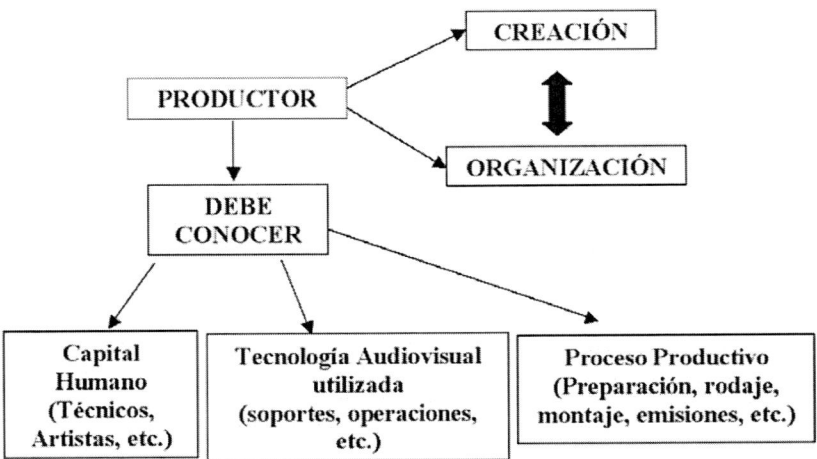

Es obvio que las características del productor varían, de forma notable, según el ámbito profesional en el que nos movamos. En el campo de la producción de *ficción cinematográfica*, el productor es un profesional que ha de tener un fuerte instinto *artístico*, si bien en otros campos, como en la producción de informativos para televisión, el productor ha de ser sobre todo un profesional con una gran capacidad para conseguir recursos en las situaciones más extremas (por ejemplo, en la corresponsalía de un conflicto bélico), y para organizar los equipos humanos y técnicos implicados en la producción.

En otros ámbitos, apenas puede reconocerse la existencia de la figura del productor, como sucede en el campo de la publicidad. En los estudios sobre la estructura del sector publicitario, es frecuente omitir incluso su existencia (Castellblanque, 2001). El sector publicitario ha sido tal vez uno de los sectores audiovisuales más sensibles a los cambios surgidos como consecuencia de una economía cada vez más globalizada y competitiva, en la que los procesos de producción ya no pueden ser un asunto ajeno a los intereses de anunciantes, y de directivos, creativos y ejecutivos de las agencias de publicidad.

Algunos creativos como Teófilo Marcos[1] (1995) sitúan la existencia de *productores* en la Agencia publicitaria en el Departamento Creativo, junto a especialistas en "copy" (responsables de titulares y textos de los anuncios) y directores de arte (responsables de la imagen gráfica de un anuncio). Los productores en la Agencia publicitaria son los responsables de la visualización del anuncio, de su forma visual. Como señala Raúl Eguizábal (2001: 58-59), en la agencia se encuentran divididas las áreas de producción gráfica (anuncios impresos) y de producción audiovisual (producción de espots y cuñas de radio). El responsable de *producción gráfica* habrá de tener un profundo conocimiento de los estudios y laboratorios fotográficos, de los fotógrafos que existen en el actual mercado (de sus estilos, especialidades, *cachés* económicos, etc.), de las empresas de tratamiento digital, bancos de imágenes, imprentas, etc. El responsable de *producción audiovisual* debe conocer las productoras de cine, vídeo y televisión, las agencias de modelos, los estudios de sonido, las bibliotecas musicales, los realizadores, directores artísticos y directores de fotografía más relevantes de la profesión (sus especialidades, estilos y técnicas de trabajo), etc. La figura del *productor* es cada vez más relevante en la agencia publicitaria en la medida en que serán las empresas de servicios audiovisuales las encargadas de realizar y ejecutar el proyecto diseñado y concebido en la agencia a medida de las necesidades del anunciante, una vez haya sido analizado y aprobado el presupuesto ofrecido por la productora.

De este modo, el productor es una figura en alza en el contexto de la agencia publicitaria, y con más motivo en este momento histórico de fuerte competencia en el que la *eficiencia* en la gestión empresarial se

---

[1]   Teófilo Marcos es un creativo publicitario muy conocido en España, de la Agencia "Contrapunto", que ha participado en campañas como el cuponazo de la ONCE o la campaña contra el SIDA "Póntelo, pónselo".

ha convertido en un objetivo de primer orden. Aunque el presupuesto de cualquier campaña publicitaria de primer nivel, en especial en televisión, se dedica en más de un 95% a la compra de espacios publicitarios para su emisión, cada vez es más valorado el ahorro de costes, incluso en el campo de la producción audiovisual. En este sentido, el *productor* está destinado a ocupar un papel relevante en la empresa publicitaria en la medida en que es el profesional de la agencia capaz de juzgar la calidad del producto audiovisual, y de descifrar la justificación de costes, demoras, dificultades, etc., que la productora externa puede plantear en el proceso de producción de un espot televisivo, de una cuña de radio o de una serie de fotografías.

En esta obra, *Teoría y técnica de la producción audiovisual*, vamos a tratar de ofrecer una visión panorámica del campo de trabajo que representa la producción audiovisual, lo que implica un examen no sólo del mundo de la producción cinematográfica y televisiva, sino también el análisis de otros ámbitos de la producción como la fotografía, la radio o el sector de la producción multimedia o hipermedia. Se trata, por tanto, de un manual introductorio que pretende ofrecer las claves fundamentales para abordar cualquier producción audiovisual, entendida de una manera amplia, en los campos anteriormente señalados, desde sectores tan poco propicios a hablar en términos de producción como en el caso de la fotografía, que consideramos esencial para la formación de futuros profesionales de la comunicación, a otros tan tradicionales como el cine y la televisión, hasta un sector emergente muy específico y complejo como el de la producción hipermedia. Hemos de expresar una deuda importante hacia una serie de estudios monográficos que son una referencia en este campo, como los estudios de Cabezón y Gómez-Urbá (1999), Antonio Cuevas (1999), Fernández Díez y Martínez Abadía (1996), Gómez Bermúdez de Castro (2005), Jacoste Quesada (1996), Martín Proharán (1988) o Sáinz (1996).

No obstante, la obra que presentamos no pretende ser un manual docente más en el mercado, sino que es resultado de una profunda y extensa reflexión sobre la naturaleza de la producción audiovisual en su dimensión más práctica. Esto no significa que la teoría sobre la producción audiovisual carezca de importancia; por el contrario, no es posible desarrollar, por ejemplo, una actividad en el campo de la producción cinematográfica, sin tener un profundo conocimiento de la historia, la narrativa o la teoría del cine, aspecto que ha sido subrayado por numerosos expertos como Jean-Pierre Geuens (2000). No podemos olvidar que esta obra está dirigida a un público universitario, y en el actual contexto de la universidad española, en pleno proceso de convergencia europea, la teoría y la práxis no deben verse como actividades enfrentadas sino como mutuamente necesitadas. De este modo, *Teoría y técnica de la producción audiovisual* debe verse como un texto general de teoría de la producción que se propone ofrecer una serie de herramientas organizativas y de gestión que han de servir para que una producción determinada, en cualquiera de los campos mencionados, sea una realidad.

En efecto, creemos que la principal aportación de la obra que presentamos es el catálogo de documentos de producción que venimos utilizando en las Licenciaturas de Comunicación Audiovisual y Publicidad y Relaciones Públicas desde febrero de 2003, y que el lector podrá encontrar en formato electrónico en la página web del *Laboratorio de Comunicación Audiovisual y Publicidad* de la Universitat Jaume I, www.labcap.uji.es, y que ha sido utilizado habitualmente por nuestros estudiantes, con muy buenos resultados desde entonces. Este catálogo de documentos de producción corresponde a un Trabajo de Investigación realizado por el profesor Dr. Francisco López Cantos (2004) y dirigido por el Dr. Javier Marzal Felici. Hay que señalar, en este sentido, que se trata de una iniciativa muy singular en el panorama de la formación audiovisual de nuestro país, ya que la existencia de un catálogo de documentos de producción constituye una estrategia docente muy pertinente para que los estudiantes se acostumbren a planificar con extremo cuidado cada una de las producciones audiovisuales que han de realizar en cualquiera de los campos citados, como la fotografía, la radio, el cine (cada vez más identificado con el sector de la producción videográfica), la televisión o el hipermedia. De este modo, los contenidos tratados en este estudio no están dirigidos en particular a una serie de asignaturas concretas de los actuales planes de estudio. Por el contrario, los contenidos examinados en el libro son de aplicación y uso en la mayoría de asignaturas específicas de los planes de estudio que impliquen la realización de prácticas audiovisuales. De ahí la importancia de este libro y el hecho de que tenga una vigencia, más allá de los cambios de denominación en las asignaturas que puedan tener lugar en un futuro con la implantación de los nuevos Grados en Comunicación Audiovisual, Publicidad y Relaciones Públicas, Periodismo o Bellas Artes.

La obra que presentamos es fruto del trabajo en equipo de una serie de profesores del Departamento de Ciencias de la Comunicación de la Universitat Jaume I, sin cuya participación habría sido imposible culminar la redacción de este libro y que, en sí mismo, resulta coherente con la naturaleza interdisciplinar y de la labor en equipo que es consustancial al trabajo en el campo de la producción audiovisual. El capítulo primero (Javier Marzal Felici) ofrece una caracterización general del concepto de producción audiovisual. El capítulo segundo (José Aguilar García, Hugo Doménech Fabregat y Maria Soler Campillo) se centra en el estudio de la producción en el campo de la fotografía, cuyo conocimiento es esencial para el desarrollo profesional en el campo de la imagen en movimiento. El capítulo tercero (Roberto Arnau Roselló y Pablo Ferrando García) se detiene en el estudio de los principales elementos que conforman la producción en el sector radiofónico. Los capítulos cuarto y quinto (Francisco López Cantos) presentan un resumen de los principales recursos empleados en el campo de la producción en vídeo y televisión y los sistemas de organización en la elaboración de productos audiovisuales. El capítulo sexto (Andreu Casero Ripollés) se centra en el estudio de la producción de la información audiovisual. A continuación, el capítulo séptimo (Agustín Rubio Alcover) examina la producción cinematográfica y televisiva en el campo de la ficción. El capítulo octavo (César Fernández Fernández) ofrece una información detallada sobre el trabajo en la continuidad en televisión. El capítulo noveno (Francisco Javier Gómez Tarín) se ocupa del estudio del guión en la producción audiovisual de ficción. A continuación, el capítulo décimo (Francisco López Cantos) ofrece algunas orientaciones sobre la gestión económica y financiera de las producciones audiovisuales. Finalmente, el capítulo undécimo (Emilio Sáez Soro) se centra en la producción en campo multimedia e hipermedia. El libro se cierra con un extenso apéndice en el que se reproduce el catálogo de documentos de producción que está a disposición del lector, en formato electrónico, en la página web citada, www.labcap.uji.es, y la bibliografía empleada para la redacción de esta obra.

Por último, no queremos finalizar esta introducción sin hacer referencia al importante trabajo desarrollado por la plantilla de técnicos del *Laboratorio de Comunicación Audiovisual y Publicidad* de la Universitat Jaume I, Juan José García Ansuategui, Rubén Lledó Sandemetrio, Oscar Martín García, Oscar Navarro Pechuán, Alberto Peña Rubio, Juan Manuel Plasencia García, bajo la Coordinación Técnica de Longinos Gil Puértolas, sin los cuales el desarrollo de las prácticas de producción audiovisual no habría sido posible en estos años. Asimismo, y para terminar, queremos expresar nuestro agradecimiento más sincero al Dr. Rafael López Lita, Catedrático de Comunicación

Audiovisual y Publicidad de la Universitat Jaume I, que ha sido una fuente de inspiración para el trabajo que hemos venido desarrollando en esta universidad desde 1999. Deseamos extender estos agradecimientos al resto de compañeros del Departamento de Ciencias de la Comunicación y, muy especialmente, a los numerosos estudiantes de Comunicación Audiovisual y Publicidad y Relaciones Públicas de quienes hemos aprendido tanto en estos años. A ellos está dedicada esta obra.

Castellón, a 10 de febrero de 2008

Dr. Javier Marzal Felici
Dr. Francisco López Cantos
(coordinadores)
Universitat Jaume I

CAPÍTULO 1
LA PRODUCCIÓN AUDIOVISUAL: GENERALIDADES Y FUNDAMENTOS

Javier Marzal Felici

1.1. HACIA UNA DEFINICIÓN DEL CONCEPTO DE PRODUCCIÓN

Vamos a comenzar proponiendo una definición de lo que entendemos por "producción audiovisual":

> "*Organización, control y coordinación* de los diferentes *procesos de elaboración* de un film, programa de televisión o producto audiovisual, en general, con el fin de obtener la mayor calidad con el mínimo tiempo y costes posibles, mediante la correcta gestión de los recursos materiales, técnicos, humanos y financieros, cuyo objetivo es obtener un adecuado *equilibrio entre costes e ingresos*, con el fin de obtener beneficios".

En la definición anterior, podemos destacar una serie de elementos fundamentales:

- Hablar de *organización, control y coordinación* lleva implícita la idea de planificación. En este sentido, toda producción implica una *planificación*, es decir, una *previsión y ordenación* de los plazos y de los costes de los recursos materiales y humanos implicados a asumir en el proceso.

- Cuando se menciona la existencia de *procesos de elaboración* se hace referencia a la utilización de ciertas *rutinas de trabajo* que se siguen durante el proceso de producción con el fin de obtener el producto audiovisual.

- Finalmente, el objetivo último de cualquier producción audiovisual es la obtención de *beneficios*, lo que implica conseguir durante el proceso un equilibrio, al menos, entre costes y beneficios: el análisis de resultados de la *eficacia* en la gestión es un aspecto clave a la hora de juzgar la calidad de la producción, con el fin de adquirir experiencia para futuras producciones.

La clave del éxito a la hora de buscar el *equilibrio* entre gastos e ingresos descansa en guardar un cuidado extremo en todos los pasos del proceso de producción. De forma muy sintética, vamos a subrayar las siguientes fases en el cuadro adjunto, aplicado al ámbito de la producción de ficción cinematográfica y televisiva, un tema que retomaremos de manera más sistemática más adelante.

	Fase de producción	Características
1	Redacción del Proyecto	El proyecto de producción debe tener calidad y ha de ser atractivo.
2	Elaboración del Guión Literario	La idea del guión debe ser original y habrá de conectar con el público, lo que no implica que deba ser necesariamente "comercial", en un sentido tradicional. El guión literario habrá de mostrar los conflictos, personajes, espacios, etc., bien descritos, con una profusión de detalles.
3	Elaboración del Guión Técnico	El guión técnico debe ser imaginativo y eficaz, muy detallado y preciso, permitiendo así una cómoda visualización de la puesta en escena.
4	Desgloses del Guión Técnico	Se debe proceder a un análisis exhaustivo de todas las necesidades de la producción como decorados, atrezzo, figurantes, exigencias técnicas como iluminación, equipos especiales, sonido, etc., mediante la elaboración de desgloses minuciosos y detallados.
5	Diseño del Plan de Trabajo	A partir de un minucioso guión técnico se habrá de diseñar un detallado Plan de Trabajo en el que se reflejen todos los plazos de ejecución, incluyendo todas las jornadas de trabajo necesarias para llevar a término la producción, en sus distintas fases.
6	Elaboración del Presupuesto	A la luz de los datos anteriores, es posible realizar una estimación cuantitativa del presupuesto de producción. Con este dato es posible buscar fuentes de financiación y la elaboración de un calendario para el proyecto de producción.
7	Supervisión del calendario de ejecución	A lo largo del proceso de rodaje y postproducción del film o programa televisivo, el productor debe velar por el cumplimiento estricto del calendario de producción previsto, mediante una organización y vigilancia escrupulosas. Entre otras cosas, se cuidará la confección de órdenes de trabajo, gestiones de permisos de rodaje, preparación de planes alternativos, contratación de artistas (actores y actrices) y técnicos, alquiler de equipos, gestión del alojamiento y comidas del equipo de producción, confección del plan de convocatorias a los actores y actrices, etc.

8	Seguimiento del Presupuesto	El productor ejecutivo debe prestar una atención permanente al seguimiento del presupuesto inicial y calcular las desviaciones que van apareciendo en el proceso de producción.
9	Promoción del Producto	Las gestiones para la distribución, exhibición y emisión del producto, en definitiva, para su comercialización, son clave en la actualidad, incluso el diseño de productos de *merchandising*, de las campañas de publicidad y promoción del film o serie de televisión.

El término "producción" procede del campo de la economía y de la gestión empresarial. Sin embargo, la producción audiovisual posee una complejidad y una serie de peculiaridades que distinguen el sector productivo audiovisual de otros sectores, un aspecto que no puede ser omitido.

- En primer lugar, frente al sistema de producción *fordiano*, cada producción audiovisual debe considerarse como única (Sáinz, 1996). Cualquier film, programa de televisión, producción musical, doblaje, etc., es, en el fondo, un *prototipo* único e irrepetible, precisamente por la alta complejidad de los procesos implicados. Esta circunstancia nos aleja de lo que es habitual en el campo de la producción industrial.

- En segundo lugar, la producción de una película o de un programa de televisión exige una importante inyección de capital, mientras que la *recuperación* de esta inversión, a través de la explotación comercial del producto es, en general, muy lenta, costando incluso varios años, en muchos casos.

- En tercer lugar, ningún país del mundo, ni siquiera los Estados Unidos (considerada la primera potencia mundial), es *autosuficiente* en el campo de la producción audiovisual.

- Finalmente, no existe una *relación unívoca y proporcionada* entre la inversión realizada en una producción audiovisual y la calidad final del producto, aunque la gestión de la misma haya sido impecable. Esto es debido a que *no existe un criterio universal* para producir películas, programas de televisión o de espots publicitarios, con garantías de éxito comercial, de ahí la complejidad de este sector productivo, no en vano considerado por la banca como un sector de alto riesgo. La incógnita del éxito, una vez producido el film, la exposición fotográfica o la campaña televisiva, es similar a la que puede sentir un novelista, incluso de renombre, cuando escribe su última novela, o un artista cuando se dispone a presentar sus últimas pinturas o esculturas.

De este modo, la producción audiovisual es una realidad *ambigua*, ya que tratamos un sector que puede ser considerado, al mismo tiempo, *arte*, *industria* y una *actividad comercial*, puesto que sin público no hay posibilidad de supervivencia para cualquiera que sea el producto fabricado. De este modo, la figura del productor se mueve entre la ambivalencia de su consideración simultánea como *artista* y como *hombre de negocios*, como vamos a ver a continuación.

1.2. LA CONTROVERTIDA FIGURA DEL PRODUCTOR

"La persistente banalidad de las películas se debe a la *visión* de sus fabricantes. Y por fabricantes no entiendo a los guionistas y a los directores. Las órdenes vienen de las tiendas de una docena de invisibles generales. Suya es la *visión*. Su ojo visionario sigue pegado al hecho de que cuanto más bajo es el nivel de un producto de entretenimiento, más gente lo compra" (Ben Hecht[1], citado por Trueba, 1997: 224)

Probablemente, uno de los films actuales que mejor recogen más eficazmente la "leyenda negra" del productor cinematográfico como hombre de negocios sin escrúpulos es la película de los hermanos Joel y Ethan Cohen *Barton Fink* (Estados Unidos, 1991). Ambientada a finales de los años treinta, el film, con claros tintes surrealistas, narra la tormentuosa relación de un escritor de gran éxito en Broadway que es contratado como guionista para trabajar en uno de los grandes estudios de Hollywood. A lo largo de la película asistimos al deterioro progresivo del protagonista, que llega incluso al borde de la locura, atrapado por un sistema industrial que poco sabe de la creación artística. Las palabras de Ben Hecht de la cita anterior son una sintética descripción del productor retratado en el film de los Cohen.

---

[1]   Ben Hecht fue un prolífico guionista y productor de algunos films en Hollywood, entre cuyas obras podemos destacar *Scarface* (Howard Hawks, 1932), *El prisionero de Zenda* (John Cromwell, 1937), *Cumbres borrascosas* (William Wellman, 1939), *Encadenados* (Alfred Hitchcock, 1946) o *Me siento rejuvenecer* (Howard Hawks, 1952), y productor de films como *Actor's and Sin* (Lee Garmes, 1952), *Specter of the Rose* (Ben Hecht, 1952), *Ángeles sobre Broadway* (Lee Garmes, 1940) o *Crimen sin pasión* (Charles MacArthur, Ben Hecht, 1934).

Pero, más allá de este tópico, ampliamente transitado en la historia del cine[2], la primera idea que debemos aceptar es que el cine, la fotografía, la televisión y la radio son *medios de comunicación de masas*: se trata de manifestaciones culturales de marcado carácter industrial aunque, en ocasiones, reúnan también cualidades *artísticas*. Como ha señalado José Jacoste (1996: 10), el carácter *industrial* del medio cinematográfico explica su extraordinario desarrollo a lo largo del siglo XX.

Decíamos anteriormente que el cine como espectáculo depende en gran medida de la acogida por parte del público. En este sentido, el productor se presenta, en última instancia, como "intérprete de los deseos del gran público" (Jacoste, 1996). Esto no significa en absoluto que el productor arriesgue siempre su capital personal: la mayoría de las veces la financiación procede de otras personas, físicas o jurídicas (empresas), de entidades financieras, grupos de comunicación, particulares, etc. En cualquier caso, el productor debe ser un experto en comunicación, ya que su papel es concebir, promover, organizar y, también, *controlar* las producciones audiovisuales bajo su responsabilidad, sea en el campo que fuese. Y muy a menudo lo que está en juego es el prestigio y credibilidad del propio productor ante sus colegas y ante la industria. Paulo Branco afirmaba que "si no hay riesgo, no se es productor"[3], una máxima aplicable a cualquier actividad empresarial.

El instinto "mercantilista" que todo productor ha de poseer (para sobrevivir en el competitivo mercado audiovisual) no es en absoluto incompatible con la creatividad y el talento artístico. En la historia del cine y de la televisión podemos encontrar productores de gran

---

[2]   En el film de Wim Wenders *El estado de las cosas* (Alemania, 1983), un equipo de producción se queda sin financiación a mitad del rodaje de una película de ciencia-ficción. Al final, el productor del film es asesinado. Hay críticos y estudiosos del cine que han visto en la trama de *El estado de las cosas* un reflejo de la frustración del propio director que, durante el rodaje de este film, estaba rodando también otro film, *Hammett o el hombre de Chinatown* (Estados Unidos, 1983), film producido por Francis Ford Coppola, quien, al parecer le hizo numerosas imposiciones, como el rodaje en color del film.

[3]   Paulo Branco ha producido más de 140 películas en últimos veinticinco años, entre cuyos títulos podemos destacar *En la ciudad blanca* (Alain Tanner, 1983), *El hombre que perdió su sombra* (Alain Tanner, 1991), *Madregilda* (Francisco Regueiro, 1993), *Lisbon Story* (Wim Wenders, 1994), *La carta* (Manuel de Oliveira, 1999).

talento, que han destacado por su peculiar sensibilidad y habilidad para sacar adelante sus proyectos. Hoy en día son un referente clásico, por poner algunos ejemplos, los trabajos de Harry Cohn, al frente de la Columbia, como productor de más de un centenar de films, entre los que podemos destacar *Sucedió una noche* (Frank Capra, 1934) o *La dama de Shangai* (Orson Welles, 1945); Irving Thalberg, productor de medio centenar de películas al frente de la Universal y de la Metro Goldwyn Mayer, como *Y el mundo marcha* (King Vidor, 1928), *Una noche en la ópera* (Sam Wood, 1935) o *Melodías de Broadway* (Roy de Ruth, 1937); Darryl Zanuck, y la producción del ciclo de películas de gangsters para la Warner Bros (entre otras, *El pequeño César*, Mervyn LeRoy, 1931; *El enemigo público*, William A. Wellman, 1931; *Soy un fugitivo*, Mervyn LeRoy, 1932).

El panorama de los productores es realmente muy heterogéneo en la historia del cine. Las producciones de David O. Selznick, fundador de Selznick International, llegó a ganarse un prestigio "artístico" como productor, que rivalizó con los mejores realizadores de su tiempo (a destacar, entre otros muchos, los films *Ha nacido una estrella*, William A. Wellman, 1937; *Lo que el viento se llevó*, Victor Fleming, 1939; *Duelo al sol*, King Vidor, 1946; *Encadenados*, Alfred Hitchcock[4], 1946; *Jennie*, William Dieterle, 1948; etc.). En el seno de la estructura más férrea de la industria hollywoodiense, se encuentran casos tan llamativos como el de Val Lewton, cuyas producciones para la R.K.O. son consideradas actualmente como "obras maestras", films como *La mujer pantera* (1942), *Yo anduve con un zombie* (1942) o *El hombre leopardo* (1943), dirigidos por Jacques Tourneur; *La maldición de la mujer pantera* (1944) de Robert Wise y Gunther von Fritsch; o *El ladrón de cadáveres* (1945) de Robert Wise; producciones todas ellas que revelan un exquisito gusto y una factura personal que transciende la tópica concepción del productor como simple gestor financiero y organizativo de la realización de películas.

El productor Roger Corman es considerado actualmente uno de los productores más prolíficos y hábiles de la historia del cine. Corman trabajó frenéticamente para la *American International Pictures* (la

---

[4]   Fue especialmente productiva, en el terreno artístico, la relación entre Selznick y Hitchcock que hizo posible la producción de *Rebeca* (1940, *Recuerda* (1945), *Encadenados* (1946) y *El proceso Paradine* (1947). Para conocer con detalle este interesante relación, se recomienda la lectura del texto de Leornard J. Leff (1991), *Hitchcock & Selznick*.

gran productora independiente norteamericana) en los años cincuenta y sesenta, moviéndose entre las fuertes presiones de los grandes estudios. El sistema de producción que llegó a poner en marcha le permitía abaratar significativamente los costes de producción, mediante una constante reutilización de decorados y otros elementos. Merece la pena recordar el ciclo de películas producidas y dirigidas por Roger Corman, adaptaciones de cuentos de Edgar Alan Poe, con los magníficos Vincent Price, Peter Lorre y Boris Karloff, como *El hundimiento de la casa Usher* (1960), *El péndulo de la muerte* (1961) o *El cuervo* (1962). Se da la circunstancia de que algunos grandes cineastas actuales como Martín Scorsese, Francis Ford Coppola, Robert de Niro o Jack Nicholson comenzaron su carrera bajo su tutela. Con apenas 50.000 dólares de presupuesto y planes de rodaje de 10 días, Corman era capaz de producir un film que para los grandes estudios habrían costado diez veces esa cantidad (Corman, 1992).

En la actualidad, algunos actores y directores de cine como Mel Brooks o Michael Douglas desarrollan su carrera como productores, de forma paralela a su actividad principal (la dirección o la interpretación, respectivamente). Mel Brooks es muy conocido por su faceta como director y actor, aunque como productor ha contribuido a impulsar la carrera de cineastas como David Lynch (*El hombre elefante*, 1980). Michael Douglas también ha desarrollado y desarrolla en la actualidad una importante actividad como productor de films, entre los que destacan títulos como *Alguien voló sobre el nido del cuco* (Milos Forman, 1975), *El síndrome de China* (James Bridges, 1979) o *Starman* (John Carpenter, 1986), grandes éxitos de taquilla.

Como podemos constatar, el productor cinematográfico es, sobre todo, un experto en comunicación que tiene una gran capacidad para prever la favorable acogida del público hacia el film que produce. Aunque no es necesario que el productor invierta dinero en las películas que produce, la tendencia actual es que el productor arriesgue su propio capital económico en sus films. En Europa, el productor es principalmente un *inversor*, además de ser un organizador, una figura que desarrolla la función de arbitraje en una producción, imponiendo orden en el grupo de profesionales que participan en la producción del film. Son pocos los productores europeos que se han integrado plenamente en el corazón del sistema de producción hollywoodiense, entre los que destacan Dino de Laurentiis (*Guerra y paz*, King Vidor, 1956; *Las noches de Cabiria*, Federico Fellini, 1957; *Los tres días del condor*, Sydney Pollack, 1975; *Flash Gordon*, Mike Hodges, 1980; o *Ragtime*,

Milos Forman, 1981; entre más de 140 films producidos entre 1949 y 2007) o Mario Kassar (*El corazón del ángel*, Milos Forman, 1987; *Instinto básico*, Paul Verhoeven, 1992; *Chaplin*, Richard Attenborough, 1992; o *Terminator 3*, Jonathan Mostow, 2003).

En nuestro país, debemos destacar la labor en el campo de la producción cinematográfica de productores como Pepón Coromina (*Bilbao*, Bigas Luna, 1978; *Pepi, Luci, Bom y otras chicas del montón*, Pedro Almodóvar, 1980; *Caniche*, Bigas Luna, 1979); Gerardo Herrero (*Guantanamera*, Tomás Gutiérrez Alea, 1995; *Tierra y libertad*, Ken Loach, 1995; *Martín Hache*, Adolfo Aristaráin, 1997); Andrés Vicente Gómez (*Fraude*, Orson Welles, 1973; *Remando al viento*, Gonzalo Suárez, 1988; *Matador*, Pedro Almodóvar, 1985; *Belle epoque*, Fernando Trueba, 1992; *¡Ay Carmela!*, Carlos Saura, 1990); o Elías Querejeta (*La caza*, Carlos Saura, 1962; *El espíritu de la colmena*, Víctor Erice, 1973; *El desencanto*, Jaime Chávarri, 1976; *El sur*, Víctor Erice, 1983; *Las cartas de Alou*, Montxo Armendáriz, 1990; *Barrio*, Fernando León de Aranoa, 1998).

En el mundo de la televisión también tienen una importancia sobresaliente los productores, quizás mayor que en el mundo del cine, tal vez porque el campo de la producción televisiva está más "industrializado", más sometido a rutinas de producción estrictas, que el campo de la producción cinematográfica. No obstante, la producción de ficción (series) para televisión presenta una complejidad comparable, en términos artísticos, a la producción en cine. En efecto, también en televisión podemos encontrar producciones de ficción que compiten en calidad e interés con muchas producciones cinematográficas. En el campo de la producción de series de ficción destacan figuras clásicas como Aaron Spelling, productor de series de ficción desde los años setenta como *Los invasores*, *Los ángeles de Charlie*, *Dinastía* o *Sensación de vivir* (*Beverly Hills 90210*); Stephen Bochco, productor de series como *Canción triste de Hill Street* o *La ley de Los Angeles*; en los ochenta y principios de los noventa; Chris Carter, productor de la serie de éxito *Expediente X*; Joshua Brand, productor de la original serie *Doctor en Alaska*; David Chase, productor de la serie *Los soprano*, de una calidad excepcional; Allan Ball, productor de las series *Cybill* o *A dos metros bajo tierra*, y que anteriormente había trabajado como guionista en la oscarizada y genial *American Beauty* (Sam Mendes, 2000); o David Shore, guionista y productor ejecutivo entre otros de *House*. De hecho, cada vez resulta más frecuente que cineastas de gran prestigio realicen trabajos para la televisión (como David Lynch, productor de la serie *Twin Peaks*), y que productores y profesionales de la televisión terminen haciendo cine. Cabe señalar, en este sentido, que esta situación de trasvases entre ambos medios está relacionada con la evolución de la propia estructura del mercado audiovisual, en la que cada vez es más difícil distinguir entre cine y televisión como mercados diferenciados, como veremos.

1.3. ALGUNAS CONSIDERACIONES HISTÓRICAS

Como hemos señalado, el cine es la referencia histórica de los modelos actuales de producción en el campo audiovisual, en especial en el ámbito de la producción en vídeo y televisión. De manera general, resulta llamativo el hecho de que la historiografía del cine ha olvidado la importancia que ha tenido en la historia del medio cinematográfico las tareas de planificación, las labores creativas y las funciones de distribución y explotación llevadas a cabo por los *directores de producción* que, en cierto, sentido, han hecho posible la misma existencia del hecho fílmico. Esto no ha sucedido, sin embargo, con la figura del director o con los actores y actrices, fuertemente mitificados por la historiografía al uso, minimizando así la labor de muchos profesionales que participan en el proceso de creación y producción cinematográfica (como directores de fotografía, directores artísticos, guionistas, técnicos de sonido, etc.).

Una de las primeras ideas que deben ser subrayadas cuando se analiza la historia del cine es que la producción cinematográfica, entendida como sistema de gestión y organización en la realización de los films, sólo pudo surgir en el momento en que el cine se convierte en un objeto cultural, con una fuerte demanda por parte del público y, por tanto, cuando se hace necesario desarrollar rutinas de trabajo que garantizaran un nivel de producción acorde con la fuerte demanda existente.

En cierto sentido, la aparición del concepto de producción cabe situarla en el momento en que el cine se convierte en un arte de masas, en un producto industrial que atrae el interés de los grandes capitales económicos, en definitiva, cuando Wall Street percibe que el cine se puede convertir en un negocio de grandes proporciones, como se ha podido comprobar en el siglo XX (Gomery, 1992). No en vano, se dice que la industria del cine, y del entretenimiento en general, es el sector productivo más importante actualmente de la economía norteamericana.

Se podría decir que el oficio de productor comenzó, quizás, con la explotación de todos los inventos precursores del cine, desde 1833, como el diorama, el panorama o la linterna mágica (de donde procedía Georges Méliès, por ejemplo). Curiosamente, ni los hermanos Lumière ni Edison, inventores del cine en Francia y los Estados Unidos casi simultáneamente, pudieron adivinar su futuro comercial. Tal vez uno de los primeros productores fue Charles Pathé, creador del estudio "Pathé Frères", que organizó un sistema de distribución para alquilar películas, a través incluso de filiales fuera de Francia. En los primeros años de existencia del nuevo medio cinematográfico, este país ocupó un lugar predominante. En poco tiempo, Georges Méliès se convirtió en un referente mundial, que conoció un gran éxito entre el público. Pero, a diferencia de Edison y de los cineastas estadounidenses, los cineastas franceses no registraban sus equipos de rodaje y exhibición, ni por supuesto sus películas. En pocos años, los films de Méliès eran exhibidos en todo el mundo, sin devengar los derechos pertinentes al autor, "pirateado" por los exhibidores sin escrúpulos.

Todos los estudios de la época, la Edison Company, la Vitagraph, la American Biograph, la Mutual, etc., estaban permanentemente enzarzados en fuertes luchas en los tribunales. En 1908, se forma en los Estados Unidos la *Motion Pictures Patents Company*, MPPC, con lo que la alianza entre estos estudios significó la creación de un monopolio en la producción y distribución de películas (a través de la *General Film Company*). Este hecho representó en la historia del nuevo medio el nacimiento del cine como industria, con una estructura similar (salvando las distancias) a la que conocemos en la actualidad. No obstante, el otro factor clave, la exhibición, pasaría a fundirse con productoras y distribuidoras en la *era de los estudios*. Como hoy sabemos, la exhibición es un factor clave, ya que es el que determina un control real sobre el mercado: si no hay salas de exhibición, no existe ninguna posibilidad de dar a conocer las producciones cinematográficas, por muy buenas que sean éstas. Por ello, no debe extrañarnos en absoluto que los grandes responsables de las *Majors*, los grandes Estudios de Hollywood, empezaran en el negocio del cine como exhibidores, controlando decenas, centenares y miles de salas de exhibición: Carl Laemmle que fundaría años después la Universal; Adolph Zukor, la Paramount; Louis B. Mayer y Samuel Goldwyn, la Metro Goldwyn Mayer; William Fox, la Fox; los hermanos Warner, la Warner Brothers.

La consolidación del cine narrativo americano, también conocido como "modelo de representación institucional" —expresión acuñada por Noël Burch (1987)— o "modo de narración clásico" —en palabras de David Bordwell (Bordwell, Thompson y Staiger, 1995)—, coincide necesariamente con la consolidación del cine como industria. Como señala Noël Burch, en sus orígenes el cine estaba asociado a la gente más humilde y a las clases sociales más desfavorecidas. La burguesía no sentía ningún interés por el cine por distintas razones: las deficientes condiciones de las salas de exhibición cinematográficas (sesiones muy largas, con fuertes olores, ya que se trataba muchas veces de barracas de feria y después salas mal acondicionadas); el riesgo de incendios era muy elevado (la película de nitrato era muy inflamable, y los incendios bastante frecuentes, lo que ahuyentaba a un público más culto); deficiencias en la calidad de proyección, debido a la ausencia de un sistema de doble obturación en la proyección y una cadencia pobre (entre 12 y 18 fotogramas por segundo); finalmente, una evidente falta de prestigio social que "espantaba" a la clase burguesa de las salas de exhibición.

El desarrollo del espectáculo cinematográfico hacia finales de la primera década del siglo XX, con la aparición de las grandas salas de exhibición mejor acondicionadas, atrajo la atención de los financieros y del mundo de la banca. Esto tenía un efecto colateral importante: para controlar las inversiones realizadas y asegurar la rentabilidad de cualquier producción financiada, era necesario contar con la presencia de un gestor: el productor se convirtió así en una garantía del resultado comercial de la operación. A partir de los años diez, gracias en especial a profesionales como Thomas Ince (Marzal, 1998), a quien podemos considerar como uno de los primeros productores de la historia del cine, surge lentamente lo que se conocerá posteriormente como el *sistema de los estudios*, cuyo esplendor se sitúa entre los años veinte y los años cuarenta (Gomery, 1992; Mordden, 1998). Precisamente, Thomas Ince sería uno de los primeros productores en emigrar a la costa oeste de los Estados Unidos, por las excelencias del clima, la riqueza y variedad de paisajes californianos, pero también por la proximidad de la frontera mexicana, para poder escapar de los matones enviados por la MPPC.

En este periodo, toda la producción se planificaba rigurosamente según criterios industriales y se tenía un control muy férreo del negocio de la distribución y exhibición de los films. El desarrollo y generalización de la técnica del *block booking system*, consistente en obligar al exhibidor a comprar paquetes de películas, entre las cuales está el último film del actor o director de éxito pero también una docena de films sin interés alguno, provocó la colonización cultural, a nivel mundial, que llegará hasta nuestros días, entre otras razones menos sutiles, como el poder económico y militar de los Estados Unidos.

En los grandes estudios las figuras clave son el *presidente* de la sociedad y el *responsable de producción*, en general, desconocidos para el gran público pero con un enorme poder en la industria del cine. El *sistema de los estudios* se basa en la especialización de tareas: en la producción de los films intervienen grandes equipos de profesionales, cuyas funciones están perfectamente definidas, como si se tratase de una cadena de montaje de una empresa manufacturera. La llegada del cine sonoro a finales de los años veinte acentúa la necesidad de cuidar, más aún, la organización del trabajo, ya que la introducción de la tecnología de sonido sincronizado para cine supondrá un encarecimiento de los costes de producción muy notable (equipos muy difíciles de insonorizar y necesidad de cuidar la toma de sonido).

A finales de los años cuarenta, dos hechos marcaron el comienzo del declive de la era de los estudios. Por un lado, la aparición de una sentencia del Tribunal Supremo norteamericano que dada la razón a las productoras independientes en un litigio de muchos años contra las *Majors* por prácticas monopolísticas, al controlar la producción, distribución y exhibición de las películas: se abre la puerta a la posibilidad de abrir salas sin exclusividad con los grandes estudios. Por otro lado, el surgimiento de la televisión que, en la práctica, supondrá una revolución en el mercado, con una paulatina bajada en el número de espectadores. Los grandes estudios se irán reconvirtiendo en grandes empresas que darán pie a la aparición de grandes empresas de televisión que terminarán absorbiendo los estudios de cine y se terminarán convirtiendo en los grupos de comunicación que hoy podemos encontrar (CBS, ABC, FOX, WARNER, etc.).

No obstante, hemos hablado en estas páginas de la industria norteamericana, referente obligado cuando se habla de producción audiovisual. Existe un tópico que es necesario combatir: la supuesta creencia de que el cine norteamericano compite con el cine europeo en igualdad de condiciones, sometido a las neutrales leyes del mercado. Gracias a las ventajosas leyes fiscales y al desmedido proteccionismo del mercado estadounidense, el cine europeo no se puede distribuir y exhibir al otro lado del Atlántico sin cumplir numerosos requisitos administrativos y salvar muchas dificultades burocráticas (además de la ausencia de una tradición en el campo del doblaje —puesto que en Estados Unidos los films extranjeros son subtitulados, no doblados—, lo que dificulta aún más la exhibición de films de habla no inglesa). Se trata, pues, de prácticas poco sutiles que hacen difícil la supervivencia de cinematografías distintas a la norteamericana, al menos en el mundo occidental. Sólo la India posee una industria fílmica impermeable a la colonización cultural, gracias a la existencia de una cultura propia bien definida que determina la existencia de un tipo de cine, bien diferente al occidental[5]. El panorama actual subraya la necesidad de contar en la precaria industria cinematográfica europea, en especial con guionistas y productores, auténticas figuras clave para el desarrollo de una cinematografía propia.

Se ha hecho referencia con anterioridad a la proverbial falta de entendimiento entre productores y realizadores. Aunque el productor debe cumplir la función de enlace entre las dimensiones artística y comercial-industrial del cine, lo cierto es que lo más habitual es que interfiera en el proceso creativo de forma sistemática. Decía Billy Wilder que "la labor principal del productor creativo consiste en organizar y encauzar una producción sin interferencias en el trabajo de los creadores que ha escogido" (Jacoste, 1996: 17). Es por ello que muchos cineastas actuales han terminado siendo directores y productores simultáneamente, como Robert Altman, los hermanos Cohen, Sidney Lumet, Martin Scorsese, David Lynch, Clint Eastwood, Steven Soderbergh, Alejandro González Iñárritu, Peter Jackson, etc. En el ámbito de la producción independiente es ésta la práctica más habitual. Un cine independiente del que está muy pendiente el cine comercial hollywoodiense, ya que depende en gran medida de él, tanto para renovar las técnicas de puesta en escena (para mantener el interés del público y mantener vivo este medio) como para nutrirse de nuevas ideas y contenidos.

No obstante, el campo de la producción audiovisual trasciende el ámbito de la producción cinematográfica, abarcando campos muy diversos. Es momento de pasar a realizar una somera descripción del amplio panorama de sectores implicados en la industria audiovisual.

---

[5]   Cabe destacar que la India es el primer país productor de películas del mundo, cuyas características son muy distintas al cine comercial occidental: la duración media de los films es superior a los 200 minutos, y la estructura narrativa de dichos films es el melodrama más elemental, que incluye con frecuencia números musicales y de baile.

1.4. LA PRODUCCIÓN Y LA INDUSTRIA AUDIOVISUAL: PANORAMA SECTORIAL

En efecto, el campo de la producción audiovisual es uno de los más amplios y complejos de la actualidad, como se puede constatar fácilmente.

El sector de la fotografía engloba actividades como la toma fotográfica, en general bajo la responsabilidad de los estudios fotográficos; los laboratorios fotográficos; las empresas de diseño gráfico, especializadas en el tratamiento de imágenes y su maquetación con textos, dibujos, etc.; y finalmente, también se pueden encontrar empresas de pre-impresión gráfica (las tradicionales imprentas) que, con creciente frecuencia, también ofrecen servicios de tratamiento digital y maquetación, e incluso de toma de imagen. Hay que destacar que en la realización de reportajes fotográficos, trabajos de fotografía industrial, fotografía arquitectónica, etc., se siguen unas pautas para la organización y planificación del trabajo a realizar, que exigen un análisis de las necesidades materiales (de los recursos materiales, técnicos, humanos, etc.) y, especialmente, una reflexión previa sobre el planteamiento que se va a exigir en el desarrollo del trabajo fotográfico. En este sentido, cabe señalar que en el campo de la fotografía se puede hablar, por tanto, de la existencia de una serie de rutinas de trabajo que se enmarcan en el contexto de lo que se conoce como "producción audiovisual". En la medida en que todo trabajo fotográfico de cierto nivel y complejidad requiere siempre una planificación y reflexión previas, es posible hablar de *producción* fotográfica.

El sector de la producción cinematográfica presenta, en la actualidad, una estructura cada vez más convergente con el televisivo, en especial desde el punto de vista del negocio de la distribución y la exhibición o emisión de producciones, así como desde un punto de vista tecnológico (Rubio, 2006; Izquierdo, 2007). Muchas cadenas de televisión son, sobre todo en Europa, co-productoras de películas, las llamadas "TV movies", antes también conocidas como "telefilms". El sector de la producción cinematográfica está en nuestro país sumido en una profunda crisis (Alonso García, 2003), que se podría calificar de *estructural*, víctima de una paulatina pérdida de cuota de pantalla (alrededor de un 15%), como consecuencia de insuficientes medidas de protección del mercado nacional y europeo frente al omnipresente cine norteamericano. La tendencia en los últimos años ha sido la concentración de empresas de cine y televisión en grandes grupos de comunicación, como el caso de la multinacional Sony que ha comprado los estudios Columbia de Hollywood y tiene grandes intereses en el campo de la televisión y de los servicios en internet. Un caso paradigmático es asimismo el de los Estudios Warner, la CNN y American On Line que ha dado lugar a la creación de un grupo de comunicación de inmensas proporciones (Bustamante, 2002, 2003).

En este sentido, la evolución de la propia tecnología cinematográfica, como consecuencia de la adopción de estándares digitales, no permite entrever un cambio de tendencia en lo que respecta a la hegemonía de los Estados Unidos en el mercado audiovisual europeo. El mundo del cine tampoco está siendo ajeno a la revolución digital. Sin duda, no es un fenómeno nuevo, ya que el proceso comenzó hace más de una década, primero en el campo del sonido para cine y después en los procesos de postproducción, con el uso de telecines digitales, filmadoras o escáneres digitales, etc. También en este sector podemos constatar una convivencia de tecnologías fotoquímicas y digitales. El soporte fotoquímico no sólo se utiliza en el campo de la producción de cortometrajes y largometrajes de ficción. También es empleado, de forma sistemática, en los campos del *cine publicitario* y de la producción de *series de ficción* y *documentales de calidad* para televisión. En estos últimos casos, lo habitual es que todos los procesos de postproducción de imagen y sonido sean realizados en soporte videográfico digital. De este modo, las productoras de cine, los laboratorios cinematográficos y las productoras de vídeo y televisión mantienen estrechas relaciones. Entre las principales empresas que podemos hallar en el ámbito de la producción cinematográfica, podemos destacar las productoras, las empresas de alquiler de equipos, los laboratorios cinematográficos, cada vez más especializados en temas digitales, y numerosas empresas de servicios, cuya amplitud es notable (pensemos en todos los profesionales que intervienen en la producción de un film, desde actores, decoradores, pintores, estilistas, dobles especialistas, músicos, etc.).

El mundo del sonido profesional presenta una gran complejidad, dada la gran cantidad de servicios y especializaciones que existen en este sector productivo. Entre los principales campos de trabajo del sector de la producción sonora, hemos de destacar, por un lado, el campo del doblaje. Los principales clientes de los Estudios de Doblaje son las cadenas de televisión y las distribuidoras de cine y vídeo, un sector productivo muy importante ya que en nuestro país el volumen de producciones dobladas (series de televisión, dibujos animados, películas, etc.) es realmente muy elevado. La postproducción de sonido para cine y vídeo es otra especialidad que desarrollan los estudios de sonido. El sector de la producción musical es, sin lugar a dudas, el más exigente en lo que respecta a la calidad de las tecnologías empleadas y al rigor en los sistemas de trabajo. Asimismo, hay que subrayar la existencia de numerosas especialidades dentro de este sector: especialistas en toma de sonido, en sonorizaciones en directo, en efectos especiales de sonido, en mezcla y postproducción, etc., e, incluso, las especialidades van en función de los tipos de músicas, familias de instrumentos, etc. La tipología de Estudios de Producción Musical es realmente muy amplia, ya que podemos hablar de pequeños estudios de grabación, los llamados "Home Studios", hasta grandes Estudios que pueden tener Salas de Grabación de grandes dimensiones para albergar grandes formaciones musicales.

El mundo de la producción radiofónica ha permanecido, en general, un poco más rezagado con respecto a la introducción de las tecnologías de sonido digitales, si lo comparamos con los campos de la producción musical, el doblaje o la postproducción de sonido para vídeo. No obstante, las grandes cadenas de radio ya han migrado hacia las tecnologías digitales, en especial en los sistemas de continuidad radiofónica para la inserción de cuñas publicitarias, programas grabados o desconexiones y conexiones con las emisoras locales o autonómicas de las grandes cadenas, que son actualmente digitales. El tamaño de estas empresas de producción radiofónica es muy variable, desde el pequeño estudio diseñado para ofrecer una programación en el ámbito local hasta las grandes cadenas de radio. La producción publicitaria es un campo que exige la colaboración de distintos tipos de empresas de servicios en la producción de cuñas, publirreportajes para radio, etc.. que pueden ser registrados y producidos en centros de producción de programas de radio, pero también en estudios de doblaje, "Home-Studios" o estudios de producción musical, según los casos.

Como ocurre con el mundo del cine, el campo de la producción videográfica y televisiva está dominado igualmente por el mercado norteamericano, el más exportador del planeta, no sólo de producciones sino sobre todo de "formatos" de televisión. La clave del éxito es haber heredado las estructuras y los métodos de producción del medio cinematográfico. A pesar de las leyes antimonopolísticas y las normas de la *Federal Communications Commission* (FCC), la tendencia a la concentración en el cine que dio lugar a la aparición de las *majors* (grandes estudios) se ha reproducido en el campo de la televisión, con el surgimiento de las *networks*. Así pues, podemos reconocer la existencia de grandes sociedades de producción y distribución de programas de televisión como la NBC (*National Broadcasting Corporation*), la CBS (*Columbia Broadcasting Systems*), la ABC (*American Broadcasting Corporation*), la CNN, la cadena FOX, la cadena de pago HBO (Home Box Office), etc.

También el universo del vídeo y de la televisión ha experimentado en los últimos años profundos cambios que han sido impulsados por la irrupción de las tecnologías digitales. En la práctica, toda la cadena de producción videográfica, desde la toma de imagen hasta la emisión ya se realiza digitalmente, algo impensable hace pocos años. La tecnología informática de las redes ha introducido nuevas estructuras y formas de organización del trabajo que apuntan hacia una expansión de las funciones de los periodistas, en especial en el contexto de la producción de informativos, donde el redactor ya puede realizar montajes "off-line" o sonorizar sus montajes, gracias a la existencia de servidores de audio y vídeo que interconectan cabinas de edición ENG, los puestos de trabajo de la redacción y los controles de continuidad de la cadena. De este modo, el *periodismo audiovisual* está conociendo un desarrollo espectacular, hacia una integración de los dos mundos, el del periodismo y el del especialista en imagen, como ha señalado Javier Pérez de Silva (2000).

En la producción de *espots publicitarios*, de forma destacada, *vídeos promocionales* o *vídeos de empresa* es habitual la utilización de paletas gráficas para la producción de imágenes de síntesis, gráficos con animación, cabeceras con efectos de vídeo, trabajo con múltiples capas de vídeo, utilización de *chroma-keys* y escenarios virtuales, etc. La producción de programas de televisión, para su emisión en directo o diferida, también ha evolucionado hacia un modelo discursivo en el que cada vez es más frecuente la utilización de todo este tipo de recursos digitales. En las salas de postproducción y en los controles de realización de los estudios de televisión es habitual encontrar *librerías digitales* (anglicismo que designa los bancos de datos formados por imágenes digitalizadas), cuya utilización está muy extendida. La televisión digital ha abierto nuevas posibilidades en el desarrollo y difusión de programas interactivos, especialmente con la implantación de la Televisión Digital Terrestre (TDT), cuyos límites están todavía por explorar. En este sentido, Emili Prado y Rosa Franquet han señalado que los pasos a dar en el terreno de la televisión interactiva han de ser cautos, ya que las infraestructuras tecnológicas no están mejoradas aún para desarrollar esta interactividad de un modo rentable, más si se observa que las infraestructuras tecnológicas actuales no han previsto todavía el ancho de banda necesario para la inclusión de los servicios interactivos que las nuevas tecnologías de la televisión digital permiten (Prado, Franquet y otros, 2006).

La oferta televisiva digital se dirige actualmente hacia la emisión de canales temáticos de televisión, mediante las llamadas "plataformas digitales" (por cable, satélite o Televisión Digital Terrestre), la oferta de servicios (como la "televenta", la descarga de software *on-line*, el *video on demand*, *pay-per-view*, etc.), las emisiones de televisión por internet, etc. Todo ello indica que "nos encontramos ante un inestable modelo de televisión", como señalaba José María Álvarez Monzoncillo hace algunos años (2000: 254), un diagnóstico certero que sigue teniendo vigencia hoy. En el contexto actual, las incertidumbres tecnológicas, junto con otros factores como la politización del escenario mediático y la falta de una regulación estable, aspectos que comprometen seriamente el desarrollo de una sociedad democrática (Bustamante, 2006), y la incertidumbre en la demanda de servicios, apuntan a una futura convivencia de los modelos de televisión tradicionales, una oferta televisiva heterogénea y una progresiva presencia de *videoservicios*.

Finalmente, cabría hacer referencia al sector de la producción multimedia. El término "multimedia" engloba no sólo el *discurso hipermedia* sino además el medio *internet*, la producción de *imágenes de síntesis* así como la *convergencia* de la radio y la televisión e internet. El desarrollo de la tecnología informática y de sus aplicaciones en el campo del tratamiento del sonido y de la imagen ha hecho posible el espectacular crecimiento de este sector productivo. Destaca, de forma muy especial, el sector de la producción de videojuegos, cuya pujanza es realmente muy relevante en estos momentos, ya que está íntimamente ligada a la producción de películas y de programas de televisión, de cuya popularidad se sirve para extender su presencia en el mercado audiovisual. Las aplicaciones de este tipo de productos audiovisuales en el campo de la telefonía móvil abren enormes expectativas de negocio.

La elaboración de lo que se conoce como "producción multimedia" encierra una gran complejidad, puesto que además de suponer un dominio en el uso de las anteriores tecnologías (fotografía, sonido, vídeo), hay que conocer las herramientas informáticas, programas específicos como "Photoshop" o "Aperture" (tratamiento de fotografías); "Sound Forge", "Audacity", "Pro-Tools", "Logic Pro" (tratamiento de sonido); "Final Cut", "AVID", "Combustion" (edición de vídeo); "3D Studio Max", "Maya" (animación en 3D); "Director" (para producción de CD-ROMs), etc., y dominar las *rutinas de trabajo* en la producción audiovisual. Este último aspecto que suele pasar desapercibido es especialmente importante, ya que una producción "multimedia" exige la utilización de numerosos recursos, los guiones técnicos son realmente muy complejos, puesto que han de prever la *interactividad* y, por consiguiente, el *desglose* de necesidades para la producción habrá de ser siempre bastante más complejo y riguroso que en el desglose de cualquier relato lineal.

Tras esta extensa introducción, es momento de iniciar un examen pormenorizado de los diferentes sectores que hemos presentado muy brevemente en estas páginas.

CAPÍTULO 2
LA PRODUCCIÓN EN EL CAMPO DE LA FOTOGRAFÍA

José Aguilar García
Hugo Doménech Fabregat
María Soler Campillo

Hemos visto cómo el concepto de producción audiovisual, entendido como organización y control del proceso de realización de un producto audiovisual, en el que es necesario gestionar equipos materiales, recursos humanos y técnicos así como la toma de decisiones creativas, es una noción aplicable también al sector de la *producción fotográfica*. Uno de los ámbitos profesionales en el que se puede reconocer la necesidad de un productor, en el marco de la producción fotográfica, es en el *sector publicitario*. En efecto, en la Agencia de Publicidad existe la figura del *productor gráfico*, bajo cuya responsabilidad cae la supervisión de la producción de fotografías para carteles, vallas publicitarias y otros soportes que, además, suelen incluir mensajes escritos que acompañan a las imágenes, a cargo del *copy* (persona encargada de la elaboración del mensaje publicitario escrito), y que, por tanto, implican un trabajo de diseño y *maquetación* de textos e imágenes.

No obstante, la realización de cualquier tipo de producción fotográfica exige una cuidadosa planificación, de cuyo rigor dependerá el éxito del trabajo a realizar. En la realización de reportajes fotográficos o trabajos de fotografía industrial, es imprescindible definir, antes de la ejecución del trabajo, el estilo y las técnicas que se van a utilizar, teniendo en cuenta la naturaleza del encargo (del producto, de la empresa, del objeto(s) o sujeto(s) que se ha de fotografiar) que ha llegado al Estudio o al fotógrafo. Ello exige un análisis previo en profundidad, de naturaleza documental, sobre el tema que se va a fotografiar, mediante el examen de otros trabajos fotográficos realizados por otros fotógrafos, es decir, una notable competencia del fotógrafo en el campo de la historia de la fotografía o de los antecedentes existentes en ese ámbito concreto (por ejemplo cuando se trata de un encargo de fotografía industrial o publicitaria) y una capacidad para justificar, de forma argumentada, a la hora de decidir la utilización de determinadas técnicas de composición, iluminación, tratamiento de la imagen o en la elección de determinados recursos expresivos y narrativos en fotografía, que implican un alto nivel de competencia del fotógrafo en el campo de la teoría de la fotografía, para ser capaz de argumentar ante el cliente (entendido en un sentido amplio). Así pues, el desarrollo profesional de una producción fotográfica, además de exigir un alto nivel de competencia en el plano técnico (que se le ha de suponer a cualquier buen profesional de la fotografía), exige también una sólida formación en los campos de la teoría e historia de la fotografía. En este sentido, cualquier producción fotográfica de cierto nivel de complejidad implica una cuidadosa planificación de todos los recursos humanos, materiales y técnicos que se van a emplear, y cómo se va a desarrollar el trabajo. Esto se percibe claramente cuando hay que realizar un trabajo industrial o publicitario, en el que hay que conocer muy bien el producto y el cliente para el que trabaja el fotógrafo. Pero cabe añadir, en este sentido, que la realización de reportajes en el campo de la fotografía social, como en el caso de fotografiar "bodas, bautizos y comuniones", o incluso en campos como en el de la fotografía de prensa, también requieren una reflexión previa y una planificación rigurosa, si se quieren obtener resultados de cierta calidad (es decir, que destaquen por su originalidad y calidad). De este modo, se apuesta por una concepción del trabajo fotográfico que no enfrenta la reflexión teórica e histórica y el análisis fotográfico con la praxis profesional (Aguilar, 2005; Doménech, 2005).

Es por ello que se considera necesario que a la hora de abordar cualquier producción fotográfica, en cualquiera de los géneros de que se trate, se proceda a la redacción de un *Proyecto de producción fotográfica*, un documento que permite dejar constancia de un análisis previo de las necesidades previstas de recursos humanos, materiales y técnicos, así como del enfoque, planteamiento estético o estilístico que se va utilizar en la ejecución de la producción fotográfica. En este sentido, la documentación previa, el análisis de trabajos fotográficos realizados por otros creadores o de otras creaciones visuales (en cualquier ámbito audiovisual: pintura, cine, vídeo, televisión, etc.), es un aspecto esencial para definir las directrices del encargo a realizar.

A menudo, la producción de fotografías cae bajo la sola responsabilidad del fotógrafo que, bien trabaja para una empresa con o sin la intermediación de una agencia publicitaria o, bien para sí mismo, cuando se trata de un fotógrafo *free-lance* que produce fotografías para su futura venta a empresas de bancos de imágenes, o para su propia utilización en exposiciones de su obra. Excepto en este último caso, cuya problemática es muy especial, se puede reconocer cómo la fotografía es un *sector industrial* muy dinámico, a cuyo alrededor se mueve un volumen de negocio muy importante, como vamos a comprobar en el siguiente epígrafe, tanto desde el punto de vista del sector empresarial como desde un punto de vista tecnológico.

2.1. INTRODUCCIÓN: EL SECTOR FOTOGRÁFICO Y EL CONTEXTO DIGITAL

Nos hallamos en el momento de mayor transformación del sector fotográfico desde la aparición de la fotografía en color o del vídeo. Las reflexiones que se presentan en este apartado corresponden a las conclusiones de una investigación realizada en el marco de una tesis doctoral, que dio lugar al estudio *Las empresas de fotografía ante la era digital* (Soler Campillo, 2005, 2007). Dicha investigación presentaba un análisis de la situación del sector fotográfico, a través de la realización de 52 entrevistas en profundidad a responsables de empresas que desarrollan su actividad en el sector fotográfico de la Comunidad Valenciana y, algunas de ellas, a nivel nacional e internacional.

La siguiente tabla ofrece un resumen de las actividades que podemos reconocer en el ámbito de la fotografía profesional:

1. Estudios de fotografía	Fotografía social	2. Laboratorios de fotografía	Laboratorio industrial
	Fotografía industrial Fotografía de moda y publicitaria		
	Fotografía de prensa		Laboratorio especializado
	Fotografía de autor		
	Empresas multiservicio		

3. Comercios fotográficos	Tienda de material fotográfico minoristas	4. Fabricantes de productos fotográficos	Fabricantes multinacionales de productos fotográficos (cámaras, películas, equipos, etc.)
	Comercio mayorista		
	Grandes superficies		
	Distribuidores de productos		Atrezzo y Complementos
	Franquicias o cadenas de tiendas de fotografía		
5. Otros tipos de empresas	Servicios Técnicos Integrales Digitales	6. Empresas de enseñanza de la fotografía	Formación profesional
	Servicios técnicos reparación equipos		Escuelas de Artes Aplicadas
	Empresas especializadas (ej. fotografía aérea)		Formación del profesorado no univ.
	Bancos de imágenes		Academias de fotografía
	Tratamiento de imagen		Universidades
7. Galerías de arte y fotografía	Galerías de fotografía especializadas	8. Revistas de Fotografía	Revistas especializadas
	Espacio de exposiciones		Edición de Revistas
9. Asociaciones Profesionales	Ámbito local o regional		
	Ámbito nacional		

En estas páginas, se van a analizar los cuatro primeros subsectores de la clasificación, que son los que nos interesan de cara al estudio de la producción fotográfica.

2.1.1. Los estudios de fotografía y los fotógrafos

Los estudios de fotografía actuales están preparados para la producción fotográfica en las especialidades más dispares. Generalmente, estos *estudios* cuentan con espacios de trabajo de grandes dimensiones, para permitir la carga y descarga de camiones, en el caso de la producción de *fotografías industriales*. Por ejemplo, para el sector automovilístico (catálogos de coches), cerámico (baños y cocinas, con ambientes sugerentes) o para el sector del mueble (comedores, habitaciones y otros espacios). En estos casos, las complejas técnicas de iluminación a utilizar y las dificultades de ejecución, exigen el montaje de cada uno de los elementos a fotografiar en un espacio estanco a la luz exterior. Con frecuencia, el estilo y las técnicas fotográficas a emplear vienen definidas por el *director de arte* de la agencia publicitaria, si bien el fotógrafo puede proponer variaciones durante la ejecución de las mismas.

Estos estudios de fotografía pueden ofrecer servicios muy variados: sólo la producción fotográfica y el revelado del material fotoquímico o digital (en general, por razones de falta de tiempo y de seguridad, suelen tener procesadoras automáticas para realizar el revelado de diapositivas, siendo éste el soporte más habitual); en muchos casos se ofrecen servicios de tratamiento digital de imágenes, *maquetación*, etc.; incluso, el estudio de fotografía puede tener en plantilla, al mismo tiempo, diseñadores gráficos y toda la estructura administrativa capaz de negociar directamente con los anunciantes (las empresas clientes de dichos servicios). No obstante, los anunciantes más importantes suelen trabajar siempre con agencias publicitarias que contactarán con los estudios fotográficos, en función de las características del trabajo a realizar. Esta mediación de la agencia no debe entenderse como un factor que encarece el producto final, sino como una circunstancia que contribuye muy positivamente a garantizar la calidad final del trabajo fotográfico, adecuado así a las exigencias del *briefing* del producto.

Los estudios de fotografía se hallan en plena fase de transición por lo que respecta a la utilización de las tecnologías fotoquímicas y digitales. En el campo de la *fotografía de prensa o la fotografía industrial*, en especial, en el caso de la producción de catálogos de productos que incluyen centenares de imágenes de pequeño tamaño y calidad media o baja, cada vez es más frecuente trabajar con los equipos fotográficos digitales, bien con cámaras digitales asimilables a las clásicas cámaras réflex de 35 mm, con ópticas intercambiables, también utilizadas cada vez más en la fotografía de prensa.

En el campo de la *fotografía de moda* y de la *fotografía industrial y publicitaria*, donde las exigencias de calidad son muy notables, la mayoría de estudios utilizan equipos de formato medio con soportes fotoquímicos (películas fotográficas tradicionales) y, recientemente, sobre todo en el caso de la fotografía industrial (producción de catálogos de productos), han empezado a utilizarse algunos respaldos digitales adaptables (tipo "Light Phase" de *PHASE ONE*), lo que entraña una dificultad importante: cada seis meses aparecen respaldos de mayor calidad que dejan obsoletos los equipos recientemente adquiridos. Los más importantes estudios de fotografía que facturan importantes cantidades pueden soportar esta dinámica, ya que estos respaldos digitales tienen unos costes que no bajan de los dieciocho mil euros. La fotografía industrial y publicitaria, para realizar catálogos de gran calidad o fotografías para vallas publicitarias, sigue utilizando en ocasiones el soporte fotoquímico para las cámaras de gran formato (diapositiva en color de 13x18 o 20x25), cuando se trata de realizar catálogos de productos de buena calidad, si bien ya es habitual la utilización de respaldos digitales en el sector de la fotografía industrial.

En efecto, la aparición de las tecnologías digitales en el campo de la fotografía ha obligado a la mayoría de fotógrafos a realizar fuertes inversiones en equipos, que han de hacer de manera constante. Incluso han tenido que comprar varias generaciones de respaldos digitales para cámaras de gran formato ("Kodak", "Phase One", "Sinar"), hasta encontrar el sistema más adecuado a sus necesidades y tras haber aprendido a dominar esta herramienta de trabajo.

En los últimos años, con la introducción de la fotografía digital se ha producido un cambio importante en cuanto al aprovisionamiento de material fungible e inventariable por parte de los proveedores. De un consumo extraordinario de placas fotográficas y materiales fotoquímicos se ha pasado a un consumo muy importante de equipos informáticos, de ordenadores, software y periféricos, que antes no se empleaban en los estudios de fotografía.

La tecnología digital ha provocado una notable caída de ingresos en los estudios fotográficos porque los precios no pueden mantenerse como hace apenas cinco años, para ser competitivo en el nuevo contexto, lo que ha hecho necesario hacer fuertes inversiones en equipamiento y trabajar con márgenes más pequeños para no encarecer los servicios.

El sector fotográfico está sufriendo profundos cambios que afectan igualmente a la naturaleza de los clientes, que cada vez están más informados y, en consecuencia, buscan más los servicios digitales, porque se gana mucho tiempo y dinero con estos sistemas. La utilización de los servicios en línea (servidores FTP, donde se envían o almacenan las fotografías realizadas por el fotógrafo en el estudio, y de internet como herramienta de comunicación con el cliente) se ha convertido en un instrumento imprescindible para el fotógrafo actual. Actualmente, los fotógrafos y estudios de fotografía ofrecen servicios *on-line* sobre todo para la comunicación con sus clientes en la supervisión de los trabajos en fase de realización. A los fotógrafos *free-lance*, como al resto de empresas del sector, la comunicación *on-line* e internet les ayuda en su trabajo cotidiano para comunicarse con sus clientes, y para hacer más globales sus empresas. En los estudios de fotografía, actualmente se trabaja en red, ya que todos los ordenadores que intervienen en el proceso de producción de fotografías deben estar conectados entre sí.

Finalmente, el desarrollo de internet, que ha coincidido con la aparición de la fotografía digital, ha abierto nuevas posibilidades que potencian el desarrollo del negocio fotográfico. El cliente del estudio de fotografía puede consultar, en cualquier momento, cómo está evolucionando el encargo que está realizando el fotógrafo, y así puede examinar las "hojas de contacto", una denominación "antigua" que se sigue utilizando en la actualidad, lo que evita desplazamientos del cliente antes imprescindibles. El fotógrafo puede enviar sus fotografías, mediante un servidor ftp, a sus clientes, lo que agiliza mucho los procesos. También internet permite buscar y localizar fotógrafos muy especializados, aunque estén en lugares muy distantes.

La deslocalización geográfica de grandes empresas a países en vías de desarrollo está provocando incluso que, en ocasiones, se dejen de realizar las tomas de las fotografías de productos industriales por los fotógrafos. La imposibilidad de encontrar fotógrafos profesionales del nivel adecuado en estos países, y el alto coste que supondría el desplazamiento de todo el equipo técnico y humano a lugares lejanos, ha llevado al diseño informático de esos productos industriales que sustituye la toma de la fotografía. Esto empieza a detectarse en el campo de la fotografía industrial, para la realización de catálogos de productos, en cuyo campo se observa la utilización de técnicas de infografía en 3D.

La introducción de la fotografía digital ha supuesto grandes cambios en las formas de trabajo para los fotógrafos. Todo se mueve por la red, de tal modo que se ha producido una especialización de funciones, en cuya estructura el fotógrafo sólo se dedica a disparar las fotografías, y posteriormente otros fotógrafos especialistas trabajan con esas imágenes, en los procesos de retoque, maquetación, edición, etc. En los negocios medianos y pequeños los fotógrafos tienen que controlar ahora procesos como el tratamiento digital de la imagen, los procesos de retoque fotográfico y de maquetación (incluso, la gestión del color), ya que los trabajos son realizados para enviar a la empresa de artes gráficas (la tradicional imprenta). En este sentido, el fotógrafo de la era digital tiene que ser además un especialista en artes gráficas. Muchos fotógrafos especializados en fotografía social han invertido fuertes sumas en equipamiento específico para tratamiento de la imagen digital e, incluso, de equipos de positivado para fotografía digital (procesadoras tipo Lambda de Durst), o de equipos para impresión en seco (tipo impresoras plotter). En opinión de estos fotógrafos, la mayoría de laboratorios fotográficos no están preparados para el sistema digital, sobre todo en el tema de la gestión del color, ya que es necesario retocar todos los trabajos (en especial, en la producción de trabajos que requieren una calidad superior).

La fotografía digital acorta los plazos de entrega, abarata los trabajos, y proporciona inmediatez en la solicitud y entrega de los servicios. De este modo, resulta más fácil vender las fotografías de un determinado evento, lo que ha cambiado mucho el trabajo del fotógrafo de prensa, haciéndolo mucho más ágil. La tecnología digital ha aportado una inmediatez del resultado y ha mejorado mucho la comunicación con el cliente. La fotografía digital ha supuesto, en definitiva, un considerable ahorro de tiempo y dinero, reduciendo también los costes de producción.

La llegada de la tecnología digital ha supuesto ampliar todo el proceso productivo para mantener la calidad del producto fotográfico. Existe cierta coincidencia entre los profesionales entrevistados a la hora de señalar que los fotógrafos y los estudios de fotografía se han visto obligados a trabajar con mayor rigor, y a asumir un control más amplio de todo el proceso fotográfico, desde la captura de imagen hasta los procesos de postproducción, retoque digital y fotoacabado. Esto ha supuesto un aumento de plantilla, con la incorporación a los estudios de fotografía de especialistas en retoque y edición digital de fotografías. Se señalan como nuevos perfiles profesionales el diseño gráfico y tratamiento digital, el retoque y la postproducción digital y la gestión del color. Pero también se entiende que las nuevas necesidades que surgen con la fotografía digital forman parte de la profesión de fotógrafo, en un sentido amplio.

2.1.2. LOS LABORATORIOS DE FOTOGRAFÍA

El sector de los laboratorios constituye un sector muy dinámico al mover un volumen de negocio realmente muy significativo. En opinión de algunos laboratorios, en pocos años el mundo de la fotografía aparecerá más diluido, subsumido dentro de un ámbito más amplio como el de "la imagen": aunque la actividad de los laboratorios todavía se distingue con nitidez con respecto al ámbito de las artes gráficas (actividades como el rotulismo, la fotomecánica, la serigrafía, etc.), la tendencia es llegar a confundirse con estos sectores profesionales de la imagen.

Existe un reconocimiento generalizado del profundo cambio que se ha producido en el sector fotográfico, en especial en el campo de los laboratorios, con la aparición de la fotografía digital. La producción de copias a partir de negativo o diapositiva en los laboratorios ha caído de manera muy significativa, porque hay por el momento mucha menos demanda, con un retroceso de la fotografía analógica de un 50% en tres años, y con un 80% de producción a partir de imágenes digitales. El sector de los laboratorios ha pasado un momento crítico en los últimos cinco años, en el que se ha producido una merma de la cifra de negocio realmente notable. Los procesos de revelado de película fotoquímica en 2005 se han reducido de 3 a 1, y se prevee que en 3 ó 4 años terminarán desapareciendo casi completamente (excepto para clientes y trabajos específicos).

Algunas muestras de ello son la bajada de ventas de carretes de película por Kodak y Fuji, que se sitúa en un 30-40%, ya que entre un 70-75% de los profesionales de la fotografía utilizan los sistemas digitales, el 60% de la producción actual se hace con procesadoras digitales "Lambda de Durst", los dos laboratorios más importantes de Kodak en España han cerrado, actualmente quedan 30 laboratorios de los 50 que existían hace apenas dos años, y tal vez en poco tiempo sólo queden entre 10 y 15. Este cambio a la fotografía digital ha pillado a todo el mundo desprevenido, hasta el punto de que ni siquiera las multinacionales del sector fueron capaces de prever el nuevo escenario de forma anticipada, aunque algunos laboratorios perciben que este proceso ha sido progresivo, lo que ha hecho posible poder reaccionar ante la reconversión de equipos y sistemas de trabajo. No obstante, aunque se ha comprobado cómo con la fotografía digital muchos usuarios de la fotografía ya no acuden a los laboratorios, se trata de una tendencia que empieza a cambiar: la demanda de revelado empezó a aumentar en 2005 en Japón y Estados Unidos, después de unos años de recesión muy importante.

La aparición de la tecnología digital ha supuesto la realización de fuertes inversiones en equipamiento para los laboratorios fotográficos, único modo de mantenerse en el negocio. En este sentido, hay una necesidad imperiosa de capital para invertir en procesadoras digitales, más que en personal, porque los procesos se pueden automatizar más que con la tecnología analógica, incluso aumentando la producción. En este proceso ha sido necesario contar con financiación externa, o con el apoyo de otras empresas asociadas, lo que es considerado por algunos empresarios del sector como un objetivo muy difícil porque los laboratorios son empresas muy personalizadas que compiten fuertemente entre sí.

Por lo que respecta a las ventas de productos fotográficos, la reconversión a la tecnología digital también está suponiendo la introducción de nuevos productos y servicios para los laboratorios: el libro y el álbum digital, la impresión de fotografías en soportes muy variados como telas, cerámicas, realización de alfombrillas para ratón de ordenador personalizadas, la fabricación de puzzles, etc. Para compensar las pérdidas de revelados para el segmento profesional, porque los fotógrafos industriales cada vez emplean más respaldos digitales, se han buscado alternativas, nuevos productos y servicios para las tiendas minoristas, que son, para muchos laboratorios, unos clientes muy importantes. Los nuevos servicios *on-line*, el revelado de fotografías de la telefonía móvil o la aparición de redes de kioscos digitales son también otras novedades tecnológicas muy subrayadas por los responsables de los laboratorios fotográficos, que conocerán una evolución muy rápida en los próximos años. La utilización de los servicios en línea (servidores FTP, donde se almacenan las fotografías recibidas por internet para su positivado o impresión digital) ya está generalizada entre los laboratorios.

En general, los laboratorios han tenido que introducir cambios importantes en los equipos y en los sistemas de trabajo como consecuencia de la aparición de la fotografía digital. Antes de la llegada del digital había dos sectores muy diferenciados, el profesional y el de la fotografía "amateur"; en la actualidad, el trabajo importante se concentra en el sector profesional, que es el que más utiliza los servicios del laboratorio. El sistema de producción se ha agilizado mucho con las nuevas máquinas que se han tenido que instalar en los laboratorios, gracias a que los equipos trabajan en red y en muy poco tiempo se puede hacer mucha producción.

La fotografía digital ha aportado muchas posibilidades para la manipulación de la imagen y para el control de los procesos de revelado, mucho más fiables actualmente que con la fotografía fotoquímica. Esto ha supuesto un avance muy notable porque ha permitido aumentar la producción, manteniendo un nivel de calidad medio superior.

Por lo que respecta a los cambios provocados por la fotografía digital en las plantillas de trabajadores de los laboratorios, se ha producido una reconversión importante, al desaparecer algunos puestos como el de jefe de laboratorio, el corrector, el "tirador" —para positivados manuales—, etc. La fotografía digital ha traído necesidades laborales nuevas. La aparición de nuevos perfiles profesionales, como especialistas en tratamiento de imagen, maquetistas, diseñadores, etc., ha implicado la creación de puestos de trabajo en los laboratorios para aquellos que dominan las nuevas herramientas informáticas y posean condiciones para adaptarse a los puestos de trabajo.

Los laboratorios necesitan ahora ajustar mucho los costes para mantener el volumen actual de negocio, los precios necesitan subirse, precisamente por las fuertes inversiones que se han realizado y se deben seguir haciendo, y para ofrecer una mayor calidad en los productos y servicios. A pesar de las dificultades, los laboratorios perciben el futuro del negocio con cierto optimismo.

2.1.3. LOS COMERCIOS FOTOGRÁFICOS, DISTRIBUIDORES Y GRANDES SUPERFICIES

Este subsector ha pasado por una situación delicada que está afectando muy seriamente al pequeño comercio, y a los servicios de laboratorio de estas empresas que han visto disminuir la demanda de revelados. La competencia más fuerte está produciéndose con las grandes superficies comerciales, que ha llevado al cierre de muchos pequeños comercios. La inadaptación y la falta de previsión son las causas de la mala situación que atraviesan los comercios, así como la fuerte desorientación del público. La fotografía era un sector comercial muy estable hace apenas siete años, que actualmente se está convirtiendo en un producto del universo "informático", que exige disponer de mucho capital para disponer de stock, y cuyos márgenes comerciales han sufrido una fuerte reducción.

Ante la situación creada, muchos responsables de estos negocios se inclinan por la especialización y la inversión en nuevos equipos. Para la compra de equipos y de productos comerciales, no existen en España grandes grupos de compra, lo que sería muy beneficioso para las tiendas de pequeño y mediano tamaño, que podrían conseguir de este modo mejores precios de los fabricantes multinacionales. En lo que respecta al volumen y tipo de ventas en la actualidad en el comercio fotográfico, algunos responsables señalan que la fotografía digital ha provocado la desaparición de multitud de complementos que anteriormente se vendían bien como trípodes, estuches, filtros, etc. Los márgenes comerciales constituyen un problema del que se quejan los responsables de las empresas entrevistadas, ya que la competencia es ahora la de los almacenistas y grandes superficies comerciales que venden a todo el mundo sin distinciones, lo que ha llevado a una atomización de las ventas. Con el cambio constante de modelos y precios de las cámaras, el pequeño y mediano comercio fotográfico especializado se han visto obligado a hacer protección de stock ante los fabricantes y almacenistas.

Finalmente, en lo que se refiere al desarrollo de nuevos servicios, se cita la especialización, la oferta de servicios de tratamiento de imagen, la venta de telefonía móvil, la potenciación del servicio postventa, la oferta de servicios *on-line* (kioscos digitales, revelado *on-line*), la oferta de álbumes digitales a los clientes, etc.

La introducción de las tecnologías digitales no ha representado un cambio sustancial de los proveedores de productos. Como proveedores nuevos se destacan los fabricantes de tarjetas de memoria, de material fungible para impresoras de chorro de tinta, etc. En definitiva, las empresas informáticas han entrado con fuerza en el mercado fotográfico. En el mercado de las cámaras digitales han aparecido fabricantes nuevos como Sony, Panasonic o HP que no fabricaban cámaras de fotografía con anterioridad, pero que han terminado ocupando un espacio notable e, incluso, establecen pautas en prestaciones, diseños, etc. Todos los comercios fotográficos han realizado grandes esfuerzos para ofrecer servicios *on-line* e instalar kioscos digitales en sus locales para la atención al cliente. El crecimiento de plantillas ha sido notable para las grandes superficies comerciales.

2.1.4. LOS FABRICANTES DE PRODUCTOS FOTOGRÁFICOS

Los fabricantes más importantes, que poseen una cuota de negocio más significativa, son Kodak S.A., Finicon S.A. (Nikon), Canon S.A., Fujifilm S.A. y Olympus Optical España S.A. Estas cinco empresas multinacionales son las más relevantes, y antes de la llegada del digital eran también los fabricantes más importantes de productos fotográficos (analógicos o fotoquímicos), que en muchos casos han continuado fabricando.

En lo que respecta a la situación del sector fotográfico, los responsables de las empresas entrevistadas han destacado, entre otros, los siguientes aspectos. Alejandra de la Lama-Noriega, directiva de Kodak S.A. en el año 2005, manifestaba que el sector fotográfico atraviesa un momento de transición que durará unos tres años más, lo que está obligando a cambiar el modelo de negocio de su empresa, que ve como rivales auténticos a los fabricantes de tecnologías de la información. La empresa Kodak S.A. está experimentando un momento de reorganización importante para obtener un mejor balance de negocio, ya que ha bajado sensiblemente la facturación y los beneficios de la compañía. Kodak reconoce que la reorganización de la empresa está siendo un proceso muy duro, en el que han eliminado la red de laboratorios, hasta hace poco años muy importante, hasta su casi total extinción (los laboratorios nunca fueron rentables, sino que se mantenían por una cuestión de prestigio en el sector). Fujifilm S.A señala que esperan pasar a ser líderes en fabricación de película a nivel mundial, ya que la transición la han vivido de forma menos traumática que Agfa o Kodak.

La tendencia del sector en España es muy parecida a la de Japón y Estados Unidos. En España estos cambios están produciéndose con cierto retraso, aunque más rápidamente. Europa se consolida como el mercado más importante del mundo, por delante incluso de Japón y Estados Unidos. Las pérdidas que se están produciendo con la fotografía analógica se están compensado con la subida de la fotografía digital, y después de tres años de crecimiento, 2005 será un año de estabilización, ya que el mercado está dominado en un 85% por la fotografía digital. El sector fotográfico español está atravesando una crisis muy importante, en la que los líderes tradicionales han sido sustituidos por multinacionales informáticas, y en el que, en especial, las empresas dedicadas a la comercialización de productos (el comercio tradicional) ha perdido la iniciativa, y los laboratorios empiezan a superar una crisis enorme, pues empiezan a tener mejores resultados económicos (ya en Japón se hacen actualmente más copias que en la época de la fotografía analógica).

En lo referente a los efectos de la revolución digital sobre las plantillas de las empresas, se observan situaciones distintas. Kodak reconoce que se están produciendo reducciones de plantilla muy significativas (15.000 despidos en la compañía en todo el mundo hasta 2006), mientras que Olympus señala que su plantilla de trabajadores no se ha visto afectada, y Fuji afirma que los despidos se han compensado con nuevas contrataciones.

Con la fotografía digital se ha producido una bajada muy importante en el campo de la reparación de equipos fotográficos (los digitales han de enviarse a los servicios técnicos de los fabricantes). La revolución de la tecnología digital ha significado para las empresas fabricantes (como para los estudios, laboratorios y comercios fotográficos), la introducción de servicios digitales *on-line*. Kodak S.A. realiza el mantenimiento de sus grandes equipos para medicina *on-line*, es decir, a través de internet; Fujifilm S.A. ha desarrollado un sistema de punto de venta para los distribuidores de sus productos, a través de su página web, y Finicon S.A. (Nikon) ha desarrollado una plataforma *on-line* para la formación técnica y la asistencia a los usuarios de sus productos. El desarrollo de proyectos relacionados con internet, para la venta de material fotográfico, servicio técnico y asesoramiento a través de la página web de empresas específicas es ya una realidad.

Paradójicamente, el sector fotográfico constituye, en definitiva, uno de los más descuidados tradicionalmente desde el mundo académico y, sin embargo, es difícil no reconocer su importancia económica, su gran vitalidad y las importantes relaciones que mantiene con el campo cinematográfico, videográfico y televisivo, e incluso con el universo *hipermedia*, es decir, con el diseño de productos multimedia e Internet. Así pues, el sector fotográfico posee una especificidad y un dinamismo que lo convierten en un campo de la producción audiovisual que merece ser tenido muy en cuenta. No obstante, el conocimiento de la producción y tecnología fotográfica, así como de las técnicas compositivas y rutinas de trabajo habituales, es asimismo determinante para poder progresar rápida y eficientemente en el conocimiento de otros campos audiovisuales como el cinematográfico y el videográfico.

2.2. EL DESARROLLO Y PRESENTACIÓN DE UN PROYEC-TO FOTOGRÁFICO

Vamos a analizar, a continuación, tras la presentación panorámica de la situación del sector fotográfico, desde el punto de vista empresarial y tecnológico, un examen de algunos aspectos implicados en el proceso de producción de un trabajo fotográfico encargado por una empresa, una agencia publicitaria o que podría surgir de los intereses personales del propio fotógrafo. Se propone, pues, una reflexión sobre las rutinas que se siguen en el ámbito de la producción fotográfica, sobre cuya temática no conocemos bibliografía académica especializada.

2.2.1. FASES EN LA PRODUCCIÓN FOTOGRÁFICA

El punto de partida en cualquier proceso de producción fotográfica es la construcción y elaboración de *la idea*, que ha de servir de motor de la producción fotográfica. La idea puede surgir como encargo desde diferentes instancias profesionales como el director de un medio de comunicación (fotografía de prensa), de una agencia publicitaria (fotografía publicitaria) o del departamento de comunicación de una empresa (fotografía industrial y publicitaria), etc. Así por ejemplo, si el trabajo a realizar es un reportaje o una entrevista, la *idea* es sometida a discusión, teniendo en cuenta distintos aspectos: viabilidad económica, presupuesto, seguridad de publicación, posible difusión, rentabilidad o beneficio. Por otra parte, si el trabajo fotográfico consiste en la producción de imágenes que aparecerán insertadas en un anuncio, se deberá atender a estos mismos factores.

Otra consideración que el fotógrafo realiza habitualmente es determinar la naturaleza del reportaje fotográfico a producir. Podríamos establecer la siguiente clasificación:

1. Trabajos fotográficos reaprovechables en el futuro. Cuando se realiza una fotografía o un reportaje hay que centrar toda la atención en las características concretas del trabajo solicitado, si bien es importante tener en cuenta la posibilidad de reutilizar el material para futuros encargos o potenciales clientes, aunque no siempre es posible. Es decir, además de realizar un trabajo en concreto, se puede ver que hay situaciones, imágenes o detalles que abstrayéndolos pueden servirnos alguna vez en el futuro. Por ejemplo, cuando se realiza un reportaje a un cocinero, se realizarían fotografías de los platos cocinados, botellas de vino, plantas aromáticas, productos frescos, etc., que pueden servir en el futuro para otros trabajos profesionales como la preparación de recetas, el estudio del mundo del vino, etc.

2. Puntuales. Únicamente son realizados para atender una demanda muy específica y concreta, al menos en principio, como la inauguración de algún edificio o celebración de un evento, un acontecimiento, una entrevista o noticia puntual. Hay que buscar la rentabilidad inmediata y esperar, en el mejor de los casos, a que algún día vuelvan a sernos útiles en una recopilación histórica, enciclopedia, etc.

3. Ramificados. Se trata de reportajes extensos que empiezan como tal y, poco a poco se dividen en otros potenciales reportajes, como

cuando se realiza un reportaje por encargo de un restaurante y posteriormente este trabajo deriva en otros más amplios, como la producción de reportajes sobre los mejores restaurantes de hoteles, restaurantes de arroz, asadores, las mejores terrazas de restaurantes, restaurantes de cocina Oriental, etc.

4. Crecientes o macro-reportajes. Suelen ser atemporales. Se plantean para un largo periodo (meses o años). Se suelen aprovechar otros reportajes para ir constituyendo un macro-reportaje, con lo que el coste lo van absorbiendo estos pequeños reportajes. La realización de fotografías de encargo por despachos y empresas de arquitectura puede derivar, al cabo del tiempo, en la producción de un macro-reportaje sobre el estado de la arquitectura en España en la última década.

5. Ampliables con el tiempo. Se trata de reportajes realizados con una idea y un presupuesto preconcebidos. Lo importante es sacarle partido lo antes posible, aunque siempre existirá la posibilidad de ir ampliándolo con el tiempo y sin un coste excesivo. Para ello se van aprovechando situaciones y viajes que puedan coincidir con estos acontecimientos que interesan y que permitirán extender el reportaje inicial y volver a venderlo más desarrollado. Como ejemplo, podemos citar el *mundo medieval*, del que en un principio se realiza un reportaje de tres cenas medievales y un mercado, suficiente para un reportaje interesante. Como este tipo de actos se ha puesto muy de moda, es fácil ir encontrando mercados, restaurantes o fiestas donde se realicen actos de esta índole.

2.2.2. LOS PERSONAJES Y LAS LOCALIZACIONES

Por otra parte, a la hora de preparar una producción fotográfica en la que intervengan personajes (personalidades del mundo del arte, la política, la cultura, el deporte, etc.) es muy importante seguir una serie de pautas. En primer lugar, es necesario hablar con los personajes a retratar, convencerles de que la idea es buena, para lo cual el fotógrafo o productor (promotor) debe tener las ideas bien claras. Además, resulta preceptivo hacer ver que la realización de dichas fotografías es beneficiosa para el personaje retratado. Y cabe subrayar que se habla de "personaje" y no de "modelo" o de "personalidad" porque la realización de fotografías siempre implica un trabajo de puesta en escena: la producción de estas fotografía persigue transmitir al público los rasgos más sobresalientes del personaje retratado, de forma sutil y creativa. Así pues, para este tipo de producciones fotográficas es importante ser un buen relaciones públicas y un buen psicólogo. A veces conviene cambiar ciertos aspectos de la producción sobre la marcha, según lo que se vaya viendo o conociendo del personaje. Por lo tanto, si se puede, es aconsejable ir a hablar con ellos "in situ". Después de una charla y unas horas de convivencia, salen nuevas ideas para una fotografía. Nunca se acaba de conocer a la persona que se va a retratar, casi siempre se descubren aspectos o facetas sorprendentes. Es fundamental para el éxito de la producción explicarle al personaje/s de antemano todo lo que vamos a necesitar para la realización de las fotografías. Por ejemplo, dónde se va a realizar la fotografía o serie de fotografías, qué elementos de atrezzo vamos a utilizar (los lugares donde se hacen los retratos definen también la personalidad de los retratados), así como aspectos relacionados con la iluminación que podremos necesitar, el maquillaje, el vestuario, etc.

Por último, es aconsejable confirmar las fechas concretas para la realización del trabajo, con tiempo suficiente de anticipación. Otro aspecto que no se debe ignorar en cualquier proyecto fotográfico en el que trabajemos con personas o de espacios concretos privados es la cuestión de los derechos de imagen (Ver Ley Orgánica 1/1982 de 5 de mayo), lo que exigiría la firma de un documento de cesión de derechos de imagen. Así, si el personaje-modelo ha consentido previamente y de forma expresa a la realización del trabajo, el fotógrafo tendrá derecho a ser indemnizado por los daños que le hubiera causado la retirada del consentimiento. Por supuesto, existe una variedad de casuísticas verdaderamente compleja. Por ejemplo, en España el consentimiento no ha de ser necesariamente escrito. No obstante, resulta conveniente, como sucede especialmente en el mundo anglosajón, que se haga firmar un documento donde se incluyan todos los datos referentes a las tomas fotográficas y su utilización.

Otro aspecto fundamental de la producción fotográfica es la búsqueda de localizaciones. En este sentido, existen diferentes aspectos que deben ser tenidos en cuenta. En primer lugar, y en el caso concreto de un reportaje para un diario o revista, se debe estudiar al personaje y sus alrededores (localizaciones) para poder aprovechar los escenarios cercanos. Si necesitamos algún lugar especial hay que preverlo con tiempo y hacerlo saber al personaje. Una vez el modelo-personaje accede y está de acuerdo con la idea, es necesario pedir permisos para realizar las fotos en los lugares pertinentes. Si estos lugares están relacionados con el personaje (suele ser así, lo lógico es fotografiar a un personaje en su medio, en su ambiente), es fácil que él mismo colabore. Normalmente no se suele pagar, basta con agradecer en el reportaje su colaboración ya que la publicación en los medios de comunicación siempre suele interesar al mismo.

En el campo de la producción publicitaria, las localizaciones se estudian en función de una idea preconcebida y dentro de un presupuesto más o menos cerrado. También en este caso, es necesario tener en cuenta la gestión de los permisos. Además, en este tipo de producciones fotográficas es habitual tener que desplazar el equipo humano y técnico a la localización elegida. En este caso, hay que tener en cuenta que hay que preparar con tiempo el viaje, supervisar cada uno de los detalles del viaje, los recursos técnicos y materiales que serán necesarios, etc.

2.2.3. LA ELECCIÓN DE LOS EQUIPOS TÉCNICOS

A la hora de enfrentarnos a la producción de un trabajo fotográfico es muy importante tener las cosas claras desde el principio, lo que nos permitirá ahorrar recursos y tiempo. Cuanto más se planifiquen y concreten las condiciones de trabajo, mayor ahorro de dinero conseguiremos en la producción. En el siguiente cuadro presentamos los principales elementos técnicos que deben ser tenidos en cuenta a la hora de proyectar una producción fotográfica:

Tipo de cámara (formatos de película) **Tipo de película a emplear**

En primer lugar, es importante clarificar antes de enfrentarnos a la producción fotográfica el tipo de cámara que vamos a utilizar:

1. Cámaras de formato grande: utilizadas sobre todo en los estudios de fotografía, sus grandes dimensiones lo convierten en un tipo de equipo bastante incómodo, lento y pesado. No obstante, al permitir realizar negativos y diapositivas de gran tamaño (9x12, 13x18, 18x24), la calidad que proporciona es excepcional. Este tipo de equipo se utiliza en el campo de la fotografía industrial y publicitaria, cuando se requiere la máxima calidad. En ocasio-

nes, también se emplea para fotografía arquitectónica cuando se requiere corregir la representación de la perspectiva. También se emplean respaldos digitales conectados a ordenadores para la captura de imágenes, que se adaptan a este tipo de cámaras.

2. Cámaras de formato medio: Empleadas en especial en el campo de la fotografía publicitaria y en la fotografía de moda, las cámaras de formato medio proporcionan unos negativos y diapositivas de gran calidad, aunque inferior al anterior sistema. Los tamaños de imagen son variables, desde el 6x4,5, 6x6 hasta el 6x7, si bien son mucho más manejables que las cámaras de gran formato y con ellas se puede trabajar con cierta comodidad en exteriores. Como en el caso anterior, este tipo de cámaras admiten respaldos digitales que también ofrecen bastante calidad en la actualidad.

3. Cámaras de paso universal: Se trata del formato fotográfico más extendido en la actualidad, ya que también se utilizan en el ámbito de la fotografía de aficionado. La versatilidad, comodidad y rapidez de los equipos fotográficos de 35mm o digitales son muy adecuados para el campo de la fotografía de prensa, la fotografía deportiva, el fotorreportaje, etc. Entre las cámaras de paso universal, se puede distinguir las cámaras de visión directa (utilizadas para fotografía *amateur*) y las cámaras réflex, con ópticas intercambiables. Algunas de estas últimas, las que poseen las más altas prestaciones, son empleadas en aplicaciones profesionales. El tamaño del fotograma (24x36mm) ofrece una calidad aceptable para su publicación en el campo de la prensa y de las revistas. En este segmento de cámaras, la fotografía digital se ha impuesto ya completamente por la rapidez, capacidad de almacenamiento de imágenes y comodidad para el fotógrafo.

En segundo lugar, es muy importante seleccionar el tipo de material sensible que queremos utilizar, en función del tipo de trabajo que tengamos que realizar. Como tipos básicos de materiales sensibles, podemos distinguir entre película en blanco y negro (generalmente se trata de película negativa), película negativa (blanco y negro o color), película diapositiva (generalmente en color) y soporte digital (las fotografías se registran sobre soporte una memoria sólida, tipo *compact flash, memory stick* o *smart media*. También debe tenerse en cuenta si trabajamos en paso universal (carretes, que pueden ser cargados a partir de rollos de 30 metros de película, lo que abarata sensiblemente los costes), formato medio (viene en rollos con codificación 120 o 220) y formato grande (en placas que deben cargarse en chasis de película).

La elección del tipo de película a utilizar y de su sensibilidad tiene consecuencias importantes en la saturación o tonalidad dominante del color, el contraste, la textura (grano), etc. No obstante, con la implantación de los sistemas digitales, los ajustes de la sensibilidad de la cámara se realizan mediante la gestión de los menús internos. En la fase de retoque y postproducción podremos manipular el color (hasta eliminarlo si se desea), ajustar los parámetros de grano, contraste, brillo, saturación del color, etc.

Otro aspecto fundamental que debe tenerse en cuenta en la producción de cualquier trabajo fotográfico es la necesidad de llegar al lugar de trabajo con todo material óptimo. Es necesario llevar película o tarjetas de memoria con capacidad suficiente, y suele ser útil llevar un equipo informático portátil, discos duros para la realización de copias de seguridad, etc. Siempre es necesario llevar material de repuesto por si se producen incidencias. Si hemos elegido la opción digital hay que llevar una tarjeta de reserva, por lo que pueda pasar, además de contar con baterías o pilas de repuesto, ya que las cámaras digitales suelen consumir mucha energía.

Por último, hay que tener en cuenta el tipo de iluminación que nos hará falta en la producción fotográfica. Incluso cuando vamos a trabajar en localizaciones exteriores o en interiores bien iluminados, siempre hará falta llevar luz de flash (a menudo, dos o tres flashes para iluminar al sujeto o al motivo fotográfico con mayor calidad) o luz continua (para B/N bastará focos de tungsteno; para trabajos en color harían falta luces *HMI* o un juego más amplio de flashes), accesorios de iluminación (filtros difusores como el *Lastolite* plegable, de tamaños variables, etc.), trípode para la cámara, etc. Cuando no es posible transportar los equipos de iluminación, exigidos por la complejidad de la producción fotográfica, será necesario el alquiler de este tipo de equipos. Obviamente, será necesario diseñar un plan de producción, con una previsión exacta de las necesidades materiales y humanas, y la realización de un calendario preciso para calcular con exactitud los costes de la producción del trabajo fotográfico que se nos ha encargado.

De este modo, podemos constatar cómo la planificación y organización en la realización de una serie de fotografías por encargo exige la adopción de unas estrategias y rutinas de producción que, esencialmente, no difieren en lo sustancial de las que se aplican en el campo de la producción cinematográfica o televisiva. En definitiva, la optimización de recursos, será una de las claves del éxito en cualquier producción fotográfica en la que estemos implicados.

2.2.4. LA REALIZACIÓN DE FOTOGRAFÍAS

En la fase de realización o ejecución de las fotografías hay que tener en cuenta que el fotógrafo está realizando su trabajo para el cliente que lo ha contratado, bien se trate de un medio de comunicación, una empresa publicitaria o un anunciante. En este sentido, es necesario plantear previamente las siguientes reflexiones:

1. ¿Qué fotógrafo contratar? La empresa publicitaria, el medio de comunicación o departamento de comunicación de una empresa contrata a un fotógrafo porque es especialista en ese tema o porque la empresa confía en él:

   1.1. En el caso del medio de comunicación (periódico, revista, etc.) lo habitual es que se utilice un fotógrafo de plantilla. Pero cada vez las plantillas, por cuestiones económicas, son más reducidas y se tiende a contratar a fotógrafos externos de confianza o especialistas en temas concretos.

   1.2. En la campo de la fotografía publicitaria existen especialistas en los más diversos campos, desde la moda, la fotografía de productos alimenticios, productos deportivos, fotografía arquitectónica, etc. Según su experiencia, calidad y relaciones, el fotógrafo tiene una tarifa más o menos alta. Dependiendo del presupuesto con el que se cuente, y de las características del trabajo a realizar, se procederá a contratar uno u otro profesional.

2. Reunión con el fotógrafo. Cuando se entra en contacto con el fotógrafo siempre se debe concretar tres cuestiones muy importantes:

   2.1. Imagen o reportaje que se pretende realizar: eje de comunicación, estrategia, creatividad de la imagen, estilo fotográfico que se persigue, técnicas de iluminación especiales, etc.; así como número de fotografías, formato en función del soporte en el que se vaya a difundir la imagen, etc.

   2.2. Plan de producción detallado, lo máximo posible, con fechas de ejecución, y fecha de entrega.

2.3. Presupuesto: negociación con el fotógrafo de los costes de producción del trabajo.

3. Durante la ejecución. En el *campo de la publicidad*, durante esta fase del proceso de producción fotográfica, es frecuente que distintos miembros de la agencia den sus opiniones al fotógrafo, como el director de arte, ejecutivos de la agencia, maquilladores, peluqueros (estilistas), encargados de vestuario, entrenador de animales, padres de niños-modelo; incluso a veces, algún ejecutivo de la empresa anunciante (que es, a fin de cuentas, el cliente final que sufraga todos los gastos), etc. Por lo tanto, la opinión del fotógrafo, dependiendo de su categoría y personalidad, puede ser una más. Es necesario en este caso soportar la presión que ejerce este numeroso grupo de personas y mucho "saber hacer", para poder imponer un criterio personal de una forma razonada y elegante.

En el contexto de un *medio de comunicación*, una vez acordado el presupuesto final, la relación con el medio ya no se produce con la gerencia o dirección del mismo sino con el redactor o periodista que acompaña al fotógrafo. La relación con el redactor, periodista o representante del medio de comunicación es bastante compleja, y es necesario tener en cuenta los siguientes aspectos, entre otros:

1. Cuando se realiza un reportaje o entrevista para un periódico o revista casi siempre hay dos personas: un fotógrafo y un redactor. En algunos casos más excepcionales el fotógrafo y el redactor son la misma persona. Por ejemplo, los fotógrafos que trabajan para *National Geographic* pasan entre 6 y 12 meses para realizar un reportaje, con constantes viajes desde el lugar de trabajo a la redacción y viceversa, para revisar, corregir, ampliar o "rematar" el trabajo. Algunos fotógrafos de grandes agencias también viajan a su aire, independientemente de los redactores.

2. Hay que tener claro que el redactor no es el jefe, sino que cada uno es el jefe de su propia faceta. El jefe del redactor es el redactor jefe y el del fotógrafo el editor gráfico o redactor jefe gráfico.

3. Es bueno que el redactor y el fotógrafo mantengan una comunicación fluida. Cada uno debe hacer su trabajo, pero no es negativo hablar, compartir ideas y ayudarse. El fotógrafo puede y debe ayudar al redactor y viceversa, siendo ésta una actitud efectiva para el éxito del reportaje. Hay que aprender a trabajar en equipo. El fotógrafo debe hacerse valer y ser muy exigente en

las fotografías, luchando por ellas, pero respetando el trabajo que desarrolla el redactor.

4. Si la idea es del redactor, es lógico que éste lleve la iniciativa. Sin embargo, hay que poner atención pues los redactores no suelen pensar en las fotografías (aunque hay algunos que sí lo hacen), muchas veces creen que cualquier imagen es suficiente, y no suelen reparar en la importancia de la hora, el lugar y la situación para realizar las fotografías más adecuadas. Con frecuencia, el fotógrafo tiene que volver a visitar al entrevistado cuando el redactor ha concertado la cita a una hora en la que las condiciones de luz, la falta de tiempo o de un escenario adecuado no permiten obtener un buen resultado.

5. El redactor debe asumir que un magnífico texto sin unas fotografías excelentes, pierde notablemente su fuerza comunicativa. Las fotografías deben contar una historia y "tener vida". Una fotografía no es buena simplemente porque la persona fotografiada sea más o menos famosa. Además debe tener calidad, ha de ofrecer una visión sobre el personaje, en definitiva, la fotografía ha de expresar cosas que el lenguaje escrito no puede transmitir al lector.

2.2.4.1. La gestión del tiempo en la ejecución de fotografías

Una de las primeras cuestiones que hay que cuidar especialmente es la elección del momento para la realización de las fotografías. Entre otras cuestiones, hay que tomar en consideración las siguientes:

1. A la pregunta "¿cuáles son las mejores horas para fotografiar?, hay que responder que dependerá del lugar, de la época del año, del país, del tiempo que hace, si el lugar es un interior o en exteriores, etc.

2. La mejor hora para una fotografía puede ser la peor para otra fotografía. Cada instantánea tiene su momento, y su luz. Hay unas horas donde la luz es muy especial, por ejemplo a primera hora de la mañana y a última de la tarde. Dentro de estas horas, los primeros minutos de la mañana (al amanecer) y los últimos de la tarde (al anochecer) son especialmente interesantes. Estas horas del día son interesantes porque el sol está bajo, las sombras no son duras y la luz es más cálida, aunque varían según la estación del año y el país (la luz no es la misma en el ecuador que

cerca de los polos; en una ciudad industrializada, con polución, que en un pueblo africano; cerca del mar que a considerable altitud, etc.).

3. No obstante, en ocasiones, se debe fotografiar a otras horas. Para ello se pueden usar todo tipo de apoyos técnicos, focos, parasoles, reflectores, etc., como ya hemos comentado.

4. Es importante seguir con atención las predicciones meteorológicas. Las fotografías en exteriores tienen un problema añadido. Después de programar todo, llegamos al lugar donde vamos a trabajar, a la hora acordada y se nubla o llueve. Por ello, es muy importante informarse con la antelación pertinente y en el lugar más fiable posible.

5. Los espacios interiores ofrecen más ventajas en lo que respecta a la flexibilidad horaria, ya que la ausencia de sol o de lluvia no resultan una molestia, salvo que necesitemos luz natural a través de ventanas. Los interiores nos permiten trabajar durante más tiempo y de una manera más relajada.

6. En ocasiones nos encontramos con un horario cerrado, porque es necesario fotografiar una situación en un momento determinado y no puede ser de otro modo. Por ejemplo, si hay que fotografiar unos barcos pesqueros de cerco entrando en un puerto, hay que hacerlo por la tarde, cuando llegan, entre las 17:00 y las 18:00 hrs. Se trata de unas horas que tienen luz diferente en verano y en invierno. En invierno es la luz del atardecer y en verano el sol todavía está un poco alto.

Por lo que respecta a la gestión del tiempo necesario para la realización del trabajo fotográfico, y como norma general, hay que intentar disponer siempre del mayor tiempo posible, con el fin de trabajar sin presión.

1. Como casi nunca es así, es necesario aprovechar al máximo el tiempo de que disponemos. En el trabajo cotidiano, existen fórmulas para dilatarlo. Si se trata de una entrevista se puede alargar el tiempo hablando con el personaje a retratar, recabando información sobre su personalidad, haciendo que el tiempo corra a nuestro favor para obtener las mejores tomas. Si se tiene que fotografiar un edificio, un determinado espacio o un determinado producto en el sitio donde se fabrica, se suele razonar con sus representantes, propietarios o gestores, haciéndoles ver lo positivo que sería ver esa imagen o la siguiente publicada en

la revista o periódico para el que trabajamos y la cantidad de gente que la verá.

2. Cuando se trata de la realización de una entrevista para un reportaje fotográfico, puede surgir la duda de qué hacer en primer lugar, las fotografías o la entrevista propiamente dicha. En teoría, debería abordarse primero la realización de la entrevista, porque del conocimiento del personaje se pueden tener ideas para la realización de mejores fotografías. Sin embargo, se pueden producir distintas situaciones.

   2.1. En ocasiones, cuando el redactor se ha extendido demasiado corremos el riesgo de no poder realizar más que unas pocas fotografías sin la calidad que desearíamos.

   2.2. La realización de fotografías durante la entrevista no es la mejor opción. En primer lugar, porque suelen ser bastante tópicas, aburridas y redundantes. A muchos entrevistados no les gustan ser fotografiados o no aprecian las cualidades de unas buenas imágenes acompañando al texto del periodista, por lo que puede ocurrir que el fotógrafo no tenga las condiciones necesarias para hacer un buen trabajo.

   2.3. Lo más lógico sería pactar un lugar, una situación y una cita para las fotografías, independiente del tiempo de la entrevista.

Con el fin de aprovechar al máximo el momento de la realización de fotografías, cabría tomar en consideración los siguientes aspectos:

1. Es recomendable conocer con anticipación el lugar, lo que se va a fotografiar y al personaje que vamos a fotografiar. Para ello será necesario realizar un trabajo de documentación previa, que permitirá diseñar un detallado plan de trabajo, que puede ser comentado previamente con el redactor y el personaje con tiempo.

2. Si se trata de la primera vez que se visita el lugar, será pertinente analizar con rapidez el lugar, buscar ángulos, motivos que puedan servir de ayuda; mientras se conversa con el personaje y se le conoce mejor.

3. La clave de un buen trabajo fotográfico es tener capacidad para seducir al personaje o al modelo. El conocimiento de idiomas, del tema o campo en el que trabaja el personaje es de gran ayuda en estos casos. No debe extrañarnos, pues, que los mejores fotógrafos del mundo tengan, además de talento en su trabajo, una

extraordinaria cultura. La labor del fotógrafo comienza mucho antes de la ejecución fotográfica, incluso en la relación informal que se establece con el personaje a fotografiar.

2.2.4.2. La identificación de las fotografías

La fase de ejecución de las fotografías no debe concluir sin una identificación adecuada de todo el material fotográfico obtenido durante la realización del trabajo.

1. Es necesario tomar nota de todos los detalles relacionados con el trabajo fotográfico realizado. El redactor suele dejar constancia de muchos detalles sobre los lugares y los personajes. A pesar de ello, por precaución, es mejor tomar nota de todo, incluso de los nombres de todos los que aparecen en las fotografías. En ocasiones, una fotografía tomada para la prensa diaria puede terminar en un contexto publicitario, y en casos así es necesario tener identificados a los personajes para la gestión de los derechos de imagen.

2. Es necesario numerar los rollos de fotografía, en caso de fotografiar en analógico, para que la identificación sea mejor y más rápida. Cuando se realiza un reportaje en un país lejano, al regreso del fotógrafo, si el material no ha sido identificado adecuadamente, será muy difícil que pueda ser clarificado con el necesario rigor. Aunque se trabaje con un soporte digital, en el que no es necesario numerar rollos, ni poner fechas, es igualmente imprescindible identificar las fotografías correctamente.

3. En el campo de la fotografía publicitaria, también resulta imprescindible clasificar el material. Por ejemplo, en las fotografías de moda debido a los cambios de vestuario o en caso de cambio de escenario o situación.

2.2.5. FASE DE POSTPRODUCCIÓN

Podemos diferenciar cinco etapas significativas dentro del proceso de postproducción de nuestras imágenes:

1. Revelado:

1.1. Si hemos realizado imágenes digitales bastará, por el momento, con transferirlas al ordenador.

1.2. Si por el contrario las imágenes han sido tomadas en soporte analógico se deberán revelar las películas negativas cuanto antes (las películas tienen caducidad). En primer lugar se deberá valorar si hace falta forzar el revelado de la película y en qué medida. Por otra parte, se considera oportuno revelar un carrete de prueba para examinar el resultado.

2. Selección de las imágenes:

2.1. Como primera estimación de nuestro trabajo realizaremos un examen general, con el objetivo de valorar el material con que se cuenta y siempre en función de nuestros objetivos. En esta primera revisión se desecharán aquellas fotos que no cumplan con los requisitos mínimos de calidad: grandes desenfoques, fotos muy "pasadas" o "cortas" de luz, etc.

2.2. A continuación, y tras la primera estimación se deberá repasar de nuevo el material seleccionado, esta vez agrupándolo por temas o situaciones.

2.2.1. Posteriormente se vuelven a revisar las fotos con el mayor detenimiento posible y se descartarán las imágenes que no pueden formar parte de nuestro trabajo definitivo. Esta vez seleccionamos las mejores entre las muy similares y desechamos aquellas en las que destaquen los malos gestos en las caras, un vestuario inadecuado, reflejos indeseados, etc.

2.2.2. Se advierte de la idoneidad de dejar pasar un unas horas o incluso un día antes de volver sobre las imágenes para realizar estas selecciones. Además, se considera óptimo pedir una segunda o tercera opinión a nuestros colaboradores. A veces podemos pasar por alto una imagen o una situación que resulta interesante para otras personas.

2.2.3. Finalmente se realizará la selección definitiva: Se trata principalmente de una selección óptima de las imágenes que de una visión completa del reportaje o entrevista. No debe faltar ninguno de los rasgos previamente decididos como objetivo de nuestro trabajo y, esta última selección, no debe de ser ni excesivamente extensa ni muy corta:

2.2.3.1. Entrevista: se buscará una diversidad de planos con el objetivo de describir al personaje y destacar sus rasgos de personalidad más evidentes, con la utilización de planos de detalle (atendiendo al vestuario, detalles, gestos, miradas, etc. que puedan transmitir una idea fiel de su personalidad), primerísimos primeros planos, primeros planos, planos medios, de cuerpo entero, etc.

2.2.3.2. Reportaje: el objetivo es contar una historia con riqueza informativa. Así pues, siempre que sea posible, se incluirán planos generales (en el caso de los viajes, incluso se intentará obtener una panorámica desde un punto elevado del pueblo o ciudad), planos medios, primeros planos y detalles, imágenes nocturnas y diurnas, interiores y exteriores, imágenes estáticas y en movimiento.

2.2.3.3. Grandes reportajes: se tomarán varias fotografías de cada motivo, con una riqueza de planos que informen ampliamente del acontecimiento. La extensión dependerá de la importancia del tema y de las divisiones que éste tenga.

2.2.3.4. Foto única: ella misma y por sí sola debe contarlo todo, por lo que hay que dedicar el tiempo necesario para su selección definitiva.

3. Identificación de las imágenes:

Una vez reveladas las fotografías (imagen analógica) o transferidas y tratadas al ordenador (imagen digital), hay que identificarlas. Después de tratarlas y tenerlas organizadas, ya transferidas en el ordenador (operación que resulta imprescindible, aunque se trabaje con soporte fotoquímico), se puede añadir una identificación más amplia a través de programas como *Photoshop* o *Aperture*. En dichos programas es posible incluir una información muy detallada sobre cada fotografía, si bien no es necesario rellenar todos los campos, pero hay muchos epígrafes que son imprescindibles. Son básicos los ítems *Fecha y Hora de la Toma, Nombre del Autor, Descripción del Motivo, Ciudad, Provincia, País, Parámetros técnicos de la fotografía y Título*. En principio, la indexación exhaustiva resulta óptima para la búsqueda de las imágenes en cualquier momento. Así pues, la identificación nos servirá para incluirlas efectivamente en una base de datos.

4. Tratamiento de las imágenes digitales:

4.1. Casi todas las fotografías digitales exigen un serie de ajustes de los niveles de color (tono y saturación), brillo, contraste, etc., bien automáticamente (aunque no siempre funciona de manera efectiva) o manualmente (es interesante acostumbrase a realizarlo de este modo).

4.2. En ocasiones, puede ser necesario eliminar defectos de la imagen o reeencuadrar la fotografía para corregir la composición.

Los programas informáticos *Photoshop* o *Aperture* permiten operar sobre múltiples variables de la imagen: cielos negros o blancos, eliminación de elementos de la imagen (cables y postes de la luz, sombras y objetos no deseados como extintores, una mano, un papel, etc.), además de permitir la realización sencilla de fotomontajes, efectos visuales como virados, solarizaciones, posterizaciones, aplicación de filtros, texturas, etc.

5. Presentación:

La presentación de las imágenes es, finalmente, un aspecto esencial que, si no es atendido con cuidado, puede comprometer la calidad del trabajo global, aunque las fotografías sean excelentes de forma aislada. Es conveniente acompañar la serie de fotografías, presentadas en un *book* o álbum de fotografías, dependiendo del tipo de trabajo, de una memoria de la producción fotográfica en el que se explique y argumente los criterios seguidos para la realización del trabajo. La ordenación de las imágenes, perfectamente identificadas y rotuladas, ha de transmitir coherencia, claridad y orden al cliente o a la persona que ha realizado el encargo. En el caso de la fotografía social, como las fotografías de bodas, bautizos y comuniones, conocida en el jerga profesional (no sin cierta ironía como *BBC*), la elección del tipo de álbum y la presentación del trabajo fotográfico es esencial. Pero esto también sucede cuando se realizan trabajos de fotografía industrial y publicitaria, reportajes fotográficos, fotografía arquitectónica, etc. Actualmente, es habitual presentar todo el material también en soporte informático (CD ó DVD), que llevará su carátula correspondiente.

De este modo, hemos podido comprobar la importancia y complejidad de los procesos de producción que también se pueden reconocer en el campo de la fotografía profesional. En nuestra opinión, la importancia de estos procesos de producción en fotografía es tan relevante que es necesario que los futuros profesionales de la comunicación se acostumbren desde los inicios en su formación, a la reflexión y análisis previos, y cumplimentación, de dos documentos de producción como el "Proyecto de Producción Fotográfica" y la "Memoria de Producción Fotográfica", que se corresponden con la planificación y organización previa y la valoración final del trabajo fotográfico, respectivamente (ver anexo final del libro "Anexo: Catálogo de documentos de producción").

Queremos insistir que el aprendizaje en el campo de la producción audiovisual ha de comenzar necesariamente por una sólida formación en el campo de la producción fotográfica, una base imprescindible para desarrollarse, de manera óptima, en el campo de la producción cinematográfica, televisiva o multimedia. Por desgracia, es ésta una certeza pedagógica, ampliamente aceptada y asumida en los países más avanzados del mundo (Estados Unidos, Canadá, Gran Bretaña, Francia, etc.), que todavía hoy no ha calado suficientemente en nuestro país.

Más específicamente, el aprendizaje de la fotografía, mediante la ciertamente "antigua" tecnología fotoquímica, posee un valor pedagógico de primer orden, como se viene practicando en la actualidad en las mejores escuelas de fotografía del mundo (École Louis Lumière de París, Tisch School of the Arts de Nueva York o École Nationale Supérieure de Photographie d'Arlès). En dichos centros docentes, todavía no se ha abandonado el uso de la película fotográfica y de las ampliadoras (para el positivado) que, en determinados trabajos y grandes formatos, siguen ofreciendo una calidad excelente, pero sobre todo tienen un indudable valor pedagógico. En este sentido, y en el campo de la formación, la fotografía digital, que simplifica mucho todos los procesos de producción fotográficos, parece haber traído también consigo una merma en la calidad de los trabajos de los estudiantes en la actualidad. Por ello creemos necesario reivindicar en estos momentos la importancia de la fotografía para la formación de los futuros profesionales del mundo de la comunicación, en el campo de la producción audiovisual.

CAPÍTULO 3
LA PRODUCCIÓN RADIOFÓNICA

Roberto Arnau Roselló y
Pablo Ferrando García

3.1. LA RADIO COMO MEDIO DE EXPRESIÓN

A lo largo del siglo pasado la radio ha ido encontrando su propia especificidad y su particular valor como medio de comunicación de masas hasta adaptarse a las transformaciones producidas por las nuevas tecnologías y convertirse en un medio tecnológicamente renovado y completamente moderno. Es un hecho reconocido comúnmente que el medio radiofónico, con noventa años de historia y una audiencia actual de alrededor de 20 millones de personas en España, es un medio de comunicación con un índice de credibilidad superior al de la prensa y la televisión (Balsebre, 1994: 8).

Si repasamos la bibliografía básica relativa a la materia (ver al final del libro) comprobamos, como otros autores lo han hecho, que el estudio del medio radiofónico ha estado centrado en la delimitación de su función comunicativa, esto es, en cuestiones como la proyección social y política de la radio, su papel como instrumento de propaganda en periodos de guerra o como instrumento de la publicidad comercial, el estudio de la naturaleza de los mensajes radiofónicos y sus efectos en la audiencia o el estudio de los fenómenos sociológicos (Ibid.: 11-12).

No obstante, el estudio de la radio como lenguaje, esto es, la *Radio-expresión,* es un aspecto al que se le ha dedicado escasa atención. El desarrollo de la industria audiovisual, que ha tendido a una especialización en la oferta según las demandas informativas, culturales y de entretenimiento, ha terminado eliminando de la programación el género dramático, el radiodrama que, paradójicamente, es el género que contribuyó, de una forma decisiva, a estructurar la radio como un medio expresivo con un lenguaje propio. De este modo, podemos afirmar con Balsebre que la *función expresiva y estética* de la radio ha quedado totalmente ocultada por las *funciones de difusión* y *de comunicación* que hoy dominan los estudios de investigación sobre este medio (Ibid.: 12-13).

Precisamente, no debemos olvidar que la radio, en tanto industria / empresa de comunicación, actualmente se rige por unas estrictas *reglas de mercado*. En este sentido, la audiencia es un condicionante de primer orden de los mensajes radiofónicos, que las empresas de radio estudian, cuantifican y analizan convenientemente para adaptar su oferta, ampliarla o reacabar información sobre la situación real de los oyentes. Tampoco deberíamos perder de vista la centralidad del concepto de producción radiofónica, cuya definición, como veremos con posterioridad, nos ayudará a comprender el fenómeno radiofónico en su conjunto desde un punto de vista más amplio.

Así, la creación de productos radiofónicos se constituye como una herramienta en la que se han de combinar de un modo práctico la creación, elaboración y realización de dichos materiales a partir de un conocimiento teórico y técnico de sus elementos, componentes y estructura enunciativa. Por ello, coincidiremos con algunos autores en que el producto radiofónico debe ser concebido como un *continuum* en el cual, de una manera constante, se suceden sustancias sonoras y no sonoras que, fruto de una combinación ordenada, adquieren formas renovadas de significación estética y semántica (Gutiérrez y Perona, 2002: 20).

Pero también, el propio medio tiene una serie de características diferenciales que lo distinguen de los demás medios de comunicación. Como han afirmado, entre otros autores, José Javier Muñoz y César Gil (1986: 23), el medio radiofónico se caracteriza por una serie de rasgos particulares:

- se trata de un *medio caliente*, desde el momento que requiere la participación del receptor

- la información radiofónica es *efímera* por naturaleza (*fugacidad*), no pudiéndose reescuchar el mensaje.

- se trata de un medio de información *barato*, si bien cabe señalar que a mayor tecnología y recursos mayores serán los costes de producción

- el medio radiofónico posee una *alta capacidad de penetración* temporal y espacial, llegando a los oyentes en cualquier momento del día, sin exigir una alto grado de atención, todos los días del año, llegando a cualquier lugar del mundo

– la comunicación radiofónica se caracteriza por su *inmediatez*, *instantaneidad*, *simultaneidad* y *rapidez*. En este sentido, la radio pasa por ser el más *eficaz medio de información*.

– el mensaje radiofónico se caracteriza por su *linealidad*, esto es, por ser producido secuencialmente (de otro modo, no sería inteligible).

– al mismo tiempo, es *irreversible*, ya que no podemos volver atrás en la lectura del mensaje, como sucede en el campo de la prensa.

Como vemos, el medio radiofónico (tal como sucede con el resto de medios) posee unos rasgos propios que vienen determinados en gran medida por las particularidades técnicas del propio medio. También, en tanto que posee una función comunicativa y de difusión, está determinado por una serie de condicionantes que algunos autores como Cebrián Herreros (1994: 61) denominan *mediaciones técnicas y humanas*. Otros, sin embargo, como Muñoz y Gil (1986: 24-26) prefieren hablar de *filtros* que transforman y degradan los mensajes radiofónicos.

3.1.1. BREVE HISTORIA DEL MEDIO RADIOFÓNICO

No nos resulta posible hacer una síntesis pormenorizada de lo que ha sido la evolución del medio radiofónico desde su nacimiento hasta nuestros días. No obstante, trataremos de señalar los hechos fundamentales. Para ello, podemos seguir parcialmente las aportaciones Mariano Cebrián Herreros quien apunta que "la radio nace para difundir la voz humana a distancia sin hilos" (1994: 29).

El año 1920 es considerado por la mayoría de estudiosos como el del nacimiento del medio radiofónico. Esta década supone una etapa de crecimiento del nuevo medio de comunicación, de expansión de las señales de radio y de tránsito de la experimentación a la profesionalización del medio. Las primeras grandes empresas de radio nacen en los U.S.A., hacia 1926 la National Broadcasting Company (NBC), con 25 emisoras y en 1927 la Columbia Broadcasting System (CBS), con 16 emisoras afiliadas. En estos momentos, apenas hay programas informativos regulares, aunque la radio estará presente en los grandes acontecimientos políticos (discursos, campañas políticas, celebraciones deportivas,…). Los primeros Noticiarios son emitidos por la estación WJZ de Nueva York, de 15 minutos de duración, en los que se emplea la técnica de "radio de tijeras", es decir, leyendo fragmentos de informaciones publicadas en el medio periodístico.

Precisamente, en un primer momento la prensa teme el potencial de la radio como medio competidor, que puede disminuir la publicidad que aparece en los periódicos. Durante casi 10 años, la radio verá restringido su utilización de la información por presiones de la prensa. Ya en 1933, la CBS crea la primera agencia de noticias para radio: la CNS, Columbia News Service.

Las emisoras independientes continúan dando información a pesar de la presión del medio periodístico. La etapa 1933-1938, un periodo crítico clave para la evolución del mundo contemporáneo, está considerada como una etapa dorada de la radio: es la etapa del desarrollo del serial radiofónico (1938: el Mercury Theatre de la CBS aterroriza a los EE.UU. con la adaptación de Orson Welles de *La guerra de los mundos* de H. G. Wells), de los debates radiofónicos, de la publicidad radiofónica, de los concursos y de los informativos, cuyo desarrollo será mucho mayor cuando se inicie la II Guerra Mundial.

En Europa, sin embargo, el desarrollo de la radio es un poco más lento. Las emisiones regulares comienzan hacia 1922 en países como Inglaterra, Suiza, Rusia, Francia y España (la EAJ-6 Radio Ibérica empieza a emitir en realidad en 1923). Al año siguiente, surge la radio en Alemania, Bélgica y Austria.

3.1.2. Evolución de la radio en España

Tras la I Guerra Mundial, el surgimiento de la radio se produce siguiendo dos modelos:

1. El modelo de empresa privada: en 1924 ya existían más de 1.400 emisoras en EE.UU.

2. El modelo de empresa pública, desarrollado en Europa, donde España es una excepción, ya que aquí surge un modelo mixto: monopolio público con concurrencia de empresas privadas, lo que significa que de algún modo, se plasma la incapacidad del estado español para organizar un servicio público de radiodifusión, (Prado, 1989).

Hasta la Guerra Civil, el Estado Español otorga concesiones de explotación a la empresa privada, con desarrollo de radios comerciales. La primera radio comercial española es la emisora EAJ-1, conocida como Radio Barcelona. Radio Nacional de España comienza a emitir la noche del martes 19 de enero de 1937, desde el frontón de San Bernardo de Salamanca, difundiendo las ideas políticas de Franco.

Tras la Guerra Civil, surgen un gran número de pequeñas emisoras de radio que siguen este modelo mixto público-privado, y que estarán en manos de grupos económicos afines a la ideología del poder, como es lógico. Según Emili Prado (1981), los primeros años del franquismo responden a un modelo de absoluta fragmentación del espacio radioeléctrico donde, paradójicamente, se desarrolla un solo modelo ideológico, político y económico de radiodifusión.

Pero para comprender de un modo más pormenorizado la evolución que ha seguido el medio radiofónico en nuestro país, repasaremos las principales fases en el desarrollo de la Radio en España (Franquet y Martí, 1985):

1780-1906	Invención del dispositivo técnico radiofónico
1907-1923	Comienzo primeras experiencias de radiodifusión
1924-1930	Aparición de primeras emisoras regulares
1931-1935	Desarrollo importante de la radio: la "edad dorada"
1936-1938	La radio como instrumento de propaganda política y de guerra
1939-1949	La radio "amordazada": el control político de la radio
1950-1962	La era de la radio espectáculo. La revolución del transistor
1963-1976	Organización de la estructura radiodifusora española. Periodo de lenta, pero firme, lucha por la libertad de información
1977-1984	La transición democrática, la libertad de información y el "boom" de la radio. El desarrollo de la FM.
1985-1992	La consolidación de la radio, a pesar de la irrupción de la televisión privada.
1993-1999	El desarrollo de las radios locales. El desarrollo de los grandes grupos multimedia de comunicación. La radio digital.

De entre todas las fases descritas en el anterior cuadro sinóptico, el periodo comprendido entre 1985 y 1999 es realmente muy complejo. Durante este lapso de casi quince años, se han producido algunos cambios entre los que podemos destacar una serie de hechos significativos:

1. En los primeros años se produce una cálida notable de la audiencia radiofónica, por el desarrollo de la televisión (etapa Miró: introducción programación matinal y 24 hrs.), y la aparición de las cadenas de TV autonómicas y privadas.

2. La radiofórmula musical conoce un gran éxito: negocio de notables proporciones (grandes compañías discográficas multinacionales promueven este formato de radio).

3. Reestructuración del panorama de grandes redes de emisoras de radio, que cambian su titularidad —SER, ANTENA 3, COPE, RADIO 80, etc.—, con una tendencia clara a la concentración de titularidades.

4. Las radios públicas eliminan, casi completamente, sus departamentos comerciales: ya no contratan publicidad.

5. El éxito de la televisión tienta a muchos profesionales de la radio a trabajar en este pujante medio de comunicación.

6. La evolución de las tecnologías de sonido, especialmente la tecnología digital, produce un abaratamiento y simplificación de los equipos que permite reducir mucho los costes para poner en marcha emisoras de radio: desarrollo de emisoras de titularidad municipal y de radios locales. (radios "piratas": surgen en panorama desregularizado)

7. La radiodifusión amplia su campo: la radio digital, los satélites, el cable e Internet, con la consiguiente multiplicación de formatos, emisoras, modos de relación con los oyentes, etc.

Por otro lado, no debemos olvidar que el medio radiofónico posee una naturaleza técnica que determina su naturaleza. Mariano Cebrián Herreros ha subrayado cómo la radio española ha sufrido dos profundas revoluciones tecnológicas, como consecuencia del desarrollo de las telecomunicaciones. La primera de ellas se refiere a la aparición del transistor y de la FM y la segunda al nuevo escenario actual en el que irrumpen las nuevas tecnologías de la información, marcadas por el desarrollo informático y la creciente consolidación de Internet como herramienta masiva de comunicación.

3.1.3. EL MENSAJE RADIOFÓNICO

La aparición de la radio a principios del siglo XX representa una nueva forma de comunicación que llama la atención de artistas, escritores y estudiosos. Es el caso por ejemplo de Bertold Brecht, autor de una de las primeras teorías sobre la radio. Para este escritor teatral, la radio es un medio de expresión que necesita para su completo desarrollo la participación del público (Bretch, 1973), un hecho que no será posible, del todo, hasta la década de los setenta.

Por otra parte, Rudolf Arnheim, teórico y psicólogo del arte, es uno de los primeros estudiosos que ha dedicado su atención al estudio del universo sonoro y, en particular, del medio radiofónico. Llama la atención la fecha temprana de la publicación de su libro en Londres (1936), y que llevaba por título *La radio*. En esta obra, Arnheim subraya la importancia de este nuevo lenguaje, caracterizado por dar mucha libertad imaginativa al oyente:

> "En todo caso, la radio no sólo ofrece al radioyente la posibilidad de concentrarse en las palabras y en la música, sino que le permite dejar vagar sus pensamientos todo lo lejos que desee. El sonido no se encuentra unido a un lugar determinado de una imagen: sigue al oyente allá donde vaya, lo cual hace que los programas radiofónicos puedan servir de decorado sonoro a las actividades de la vida cotidiana" (Arnheim, 1980).

Uno de los aspectos que Arnheim destaca es el referido a la importancia de la voz humana y la necesidad de la voz de los locutores radiofónicos esté debidamente trabajada en lo que respecta a la impostación de los actores, con el fin de poder sugerir el mayor número de matices posibles al oyente. También subraya la dimensión creativa y artística que posee este nuevo medio de expresión, pensando en los géneros dramáticos como la radionovela, género en que fundamenta su *elogio de la ceguera*, característica de la radio.

Pero la definición más práctica, que sintetiza las funciones básicas de la comunicación radiofónica, la establece Armand Balsebre, quien define los mensajes sonoros de la radio como:

> "una sucesión ordenada, continua y significativa de 'ruidos' elaborados por las personas, los instrumentos musicales o la naturaleza, y clasificados según repertorios / códigos del lenguaje radiofónico" (Balsebre, 1994).

El medio radiofónico privilegia el universo de la logosfera, esto es, de la palabra-sonido frente a la palabra-escrita o grafosfera. El lenguaje hablado de la radio remite al universo de la oralidad, donde la imaginación del receptor es necesaria para dotar de sentido al mensaje, estimulando su imaginación, gracias a los paisajes sonoros que forman parte del mensaje radiofónico.

3.1.4. EL LENGUAJE RADIOFÓNICO

3.1.4.1. Concepto de lenguaje radiofónico

El sistema semiótico radiofónico revela la gran complejidad que posee el lenguaje radiofónico. A partir de este esquema, Armand Balsebre define el lenguaje radiofónico como:

"conjunto de formas sonoras y no sonoras representadas por los sistemas expresivos de la palabra, la música, los efectos sonoros y el silencio, cuya significación viene determinada por el conjunto de los recursos técnico-expresivos de la reproducción sonora y el conjunto de factores que caracterizan el proceso de percepción sonora e imaginativo-visual de los radioyentes" (Balsebre, 1994).

La capacidad del medio radiofónico para crear imágenes visuales y producir emociones y sensaciones depende en gran medida de una yuxtaposición y combinación de los distintos elementos de su particular lenguaje, por ello es imprescindible un conocimiento profundo de dichos elementos para la producción creativa y efectiva de programas. Cada uno de los diferentes elementos que integran dicho lenguaje adquiere su particular papel y realiza una muy determinada función en una composición radiofónica. No hay un elemento que adquiera más importancia que otro, tan solo la voz, por su claridad y omnicomprensividad se convierte en el principal vehículo de expresión. De la hábil combinación de los distintos elementos del lenguaje radiofónico resulta una nueva y peculiar dimensión sonora en la que cabe representar múltiples realidades.

Entre las principales funciones del lenguaje radiofónico, podemos señalar las siguientes:

- Función comunicativa: el lenguaje radiofónico, en tanto *fenómeno acústico*, permite la interacción entre emisor y receptor.
- Función estética: atendiendo a esta función, tiene sentido que hablemos de *formas sonoras, de musicalidad de la palabra, de la importancia de las respuestas afectivas del oyente*, etc. El sentido *simbólico y connotativo* tiene una gran importancia para la efectividad del lenguaje radiofónico.

3.1.4.2. ELEMENTOS: PALABRA, MÚSICA, EFECTOS SONOROS Y SILENCIO

La **palabra** es, sin lugar a duda, el elemento más importante del sistema expresivo radiofónico, el que mayor capacidad comunicativa tiene, y el único recurso del que no se puede prescindir en la creación del mensaje radiofónico. Cabe precisar que nos referimos estrictamente a la palabra, y no a la voz, que se identifica como el sonido que produce el aparato de fonación humano, con una riqueza de matices extraordinaria. La palabra es el instrumento de comunicación entre los hombres, por excelencia. Permite transmitir sensaciones, sentimientos, ideas, etc.

También las cualidades de la voz humana y su forma de tratarla determinarán también la naturaleza del mensaje radiofónico que se apoye, principalmente, en la palabra. Los cambios en la intensidad de la palabra (alto / bajo), en su tono (grave / medio / agudo), timbre (cálido, frío, molesto, etc.), en el tempo de lectura o dicción (rápido, lento), en su ritmo (simple / constante / cambiante / aburrido / entretenido), en su dinámica (ppp / fff, mf / mp, etc.), etc., son distintos matices expresivos que determinan el mensaje radiofónico. La palabra depende en gran medida del contexto de inserción en el que se encuentra, por tanto siempre tendremos que tener en cuenta dos aspectos que condicionan el carácter de la recepción: por un lado, la redacción y la construcción sintáctica de las frases; y por otro, la locución, dicción y nivel de impostación de la voz del locutor. La redacción proporciona estructura a las palabras, mientras que la locución materializa en sustancia sonora el mensaje que hasta ese momento sólo existía virtualmente en un folio.

La **música** es un elemento fundamental de refuerzo, complemento y apoyo a la palabra. Actualmente, la tendencia general nos advierte que la música se ha convertido en el principal recurso expresivo de la radio. De entre 9.000 emisoras de radio en los Estados Unidos, unas 8.000 emisoras utilizan exclusivamente la *Radio-fórmula*. Es decir, sólo programan música las 24 horas del día.

La música es la combinación, según el diccionario, de melodía (estructura sintagmática) y armonía (estructura paradigmática). Es un vehículo de transmisión de sentimientos y emociones que causa empatía o rechazo en el oyente. La gran ventaja que posee este elemento esencial es que se trata de un lenguaje universal (aunque esto es discutible; ver el caso de la música que se oye en el mundo árabe o en el oriente asiático, muy diferente al paradigma occidental).

Según Armand Balsebre, la música puede cumplir una serie de funciones:

1. Función gramatical: Las cortinas musicales actúan como signos de puntuación, separando contenidos. Depende siempre del tipo de pausa que siga al cambio de música y otros efectos sonoros. En el radiodrama, la música sirve también para significar cambios de espacio y tiempo, permitiendo así hacer avanzar la acción.

2. Función expresiva: permite crear una atmósfera sonora, evocadora de *imágenes acústicas*.

3. Función descriptiva: la música permite calificar una situación determinada, describir un paisaje, situar el marco espacio-temporal en el que transcurre una acción, etc.

4. Función reflexiva (de reflexión): las pausas musicales contribuyen a dar tiempo para el oyente asimile la información que se le está suministrando.

5. Función ambiental: A menudo, la acción representada transcurre en un contexto ambiental donde la música forma parte de dicho ambiente, por ejemplo, una sala de audiciones, un pub, una feria de atracciones, etc., donde suenan una músicas muy características.

La música ha transformado profundamente el mundo de la radio. Actualmente, numerosas emisoras de radio se han convertido en una prolongación (comercial) de los grandes sellos discográficos y de las multinacionales, determinando qué grupos musicales deben oírse (y comprarse) cada semana. En realidad no sabemos de dónde sacan los datos que publican (*Top Ten*, "los 40 principales", etc.): parece, más bien, que estas listas están predeterminadas, o vienen marcadas por la tiranía de las ventas (que, a su vez, están determinadas por lo que escucha por la radio —círculo vicioso).

Algunos autores llaman a los **efectos sonoros** "ruidos". El ruido es un sonido inarticulado y confuso, que se contrapone a la palabra (sonido articulado) y a la música (sonido perceptivamente claro y armónico). Hablar de ruido puede llevar a confusión, ya que desde el punto de vista de la Teoría de la Información, como ha señalado Mario Kaplun (1978), el ruido es:

> "Todo aquello que altera el mensaje e impide que éste llegue correcta y fielmente al destinatario: todo lo que se interpone entre la fuente emisora y el receptor, haciendo que el mensaje no sea recibido correctamente".

Así pues, el ruido de la Teoría de la Información es definido como algo ajeno al mensaje sonoro (perteneciente más bien al canal radiofónico), y que carece de cualquier tipo de intencionalidad comunicativa. Por ello preferimos hablar de efectos sonoros, ya que forman parte del mismo lenguaje radiofónico.

Para Merayo (1998:133), estos efectos se definen como aquellos productos sonoros de breve duración y de naturaleza variable que, por sí mismos, o con ayuda de la palabra colaboran en la ambientación y descripción de una idea radiofónica formando parte del mensaje que la transmite. En definitiva, se trata de composiciones sonoras breves que se utilizan para describir cierto tipo de ambientes o subrayar algún tipo de situación, por ello algunos autores defienden la idea de los efectos como sustitutos de la materia visual en el teatro o el cine.

Entre las funciones de los efectos sonoros podemos destacar las siguientes:

1. Función ambiental o descriptiva: los efectos son empleados para describir ambientes donde se enmarca la acción narrada. Ej. Cuando en un boletín de noticias suena como fondo sonoro el sonido de los teletipos, lo que refuerza la verosimilitud de la transmisión.

2. Función expresiva: los efectos sonoros cumplen esta función a menudo, porque sirven para transmitir emociones y estados de ánimo. Ej. El sonido de las olas del mar como fondo sonoro de una narración, para transmitir sensación de paz y tranquilidad; el ajetreo de la calle para expresar el agobio cotidiano, etc.

3. Función narrativa: En un relato si encontramos la secuencia sonora "Llueve torrencialmente, suena un campanario que da la una. Desvanecimiento o fade out. Breve silencio. Suena el canto de un gallo. Trinos de pájaros." Se entiende que ha pasado la noche y que ha despuntado el día.

4. Función ornamental o estética: Cuando el efecto sonoro tiene un valor accesorio (es totalmente prescindible o eliminable). Ej.: Dos personajes hablan en la calle. Además de los sonidos de la gente que pasa, los coches, etc., ponemos un coche que anuncia una manifestación o unas bicicletas que hacen sonar un timbre, etc.

Los efectos sonoros han tenido una gran importancia en la historia de la radio, y más concretamente del *radiodrama*. La construcción de los efectos sonoros era una tarea artesanal que, al principio, debía realizarse en directo. En los años sesenta hace su aparición los discos de efectos sonoros: esto terminará con los especialistas, ya que resulta más cómodo y mucho más barato disponer de efectos ya preparados.

Actualmente, existen miles de efectos sonoros en bibliotecas de sonidos (ej.: Library Effects de la BBC) y disponibles en Internet. El problema es que hoy en día todos los efectos sonoros pueden llegar a sonar igual, ya que todo el mundo utiliza sonidos grabados. Hay que procurar, en lo posible, utilizar sonidos fabricados por nosotros mismos.

Otro aspecto a tener en cuenta sería el hecho de que la grabación digital de sonido (DAT, Minidisc, etc.) ofrece mucha calidad y unas posibilidades sonoras incalculables. Los procesadores de dinámica (multiefectos como eco, reverberación, retardo, distorsión de timbre, ecualizadores paramétricos, etc.) son muy utilizados actualmente para dotar de realismo a los efectos sonoros.

El **silencio** es un elemento que posee una gran potencialidad expresiva y representa la total ausencia de sonido. Utilizado con imaginación puede servir para intrigar, suscitar la reflexión o para dramatizar una información, aunque pueda ser interpretado como error o avería técnica. Conocidos y expertos locutores como Jose María García o Jesús Quintero (*El loco de la colina*) han empleado mucho este recurso expresivo. Los silencios se configuran como elementos no sonoros fundamentales en la construcción del mensaje radiofónico, dada su esencial función de ayuda a la distribución, dosificación y estructuración de la información, es decir, a la organización integral del material sonoro que conforma el relato.

Veamos algunas funciones del silencio radiofónico:

1. Función narrativa: El silencio puede servir para expresar lo que sucede en un *fuera de campo sonoro*. Ej.: Mientras tanto Juan informaba de todo a sus amigos (silencio).

2. Función descriptiva: Permite expresar ideas y sentimientos. Ej.: El rostro de la mujer expresaba el terrible dolor de la muerte (silencio).

3. Función rítmica: El silencio puede servir para apoyar el ritmo de una acción. Ej.: Poco a poco (silencio) (pasos del personaje) Juan se aproximó al lecho (silencio) donde permanecía inerte (silencio) el cuerpo sin vida de Ana (silencio).

4. Función expresiva: el silencio puede aportar dramatismo, ambigüedad, expectación, etc. Ej. De repente, todo parecía adquirir un nuevo significado para Juan. (silencio).

5. Función reflexiva: el silencio es utilizado para suscitar la reflexión en el oyente. El silencio informativo es empleado frecuentemente por los periodistas, en los espacios de opinión, para suscitar la reflexión del oyente.

6. Función de pausa: El silencio puede funcionar como signo de puntuación. Ej. Las noticias recibidas provocaron un fuerte impacto en sus amigos. (silencio) Días más tarde, …

7. Otras funciones: silencio como error. Frecuente en el manejo de los equipos, se interpreta este silencio como un fallo técnico.

3.1.5. EL MONTAJE SONORO: RITMO, TIPOS Y PLANOS SONOROS

El montaje sonoro es el procedimiento discursivo que nos permite construir imágenes sonoras a partir de los textos y situaciones concebidas en el guión radiofónico, empleando para ello los recursos expresivos propios del lenguaje radiofónico. Se trata de un procedimiento técnico-estético-significante que genera una determinada estructura narrativa en la que los sonidos se encadenan de manera sucesiva y simultánea en un mismo mensaje sonoro.

Podemos afirmar, de manera general, que es durante esta fase de la elaboración del producto radiofónico en la que se estructuran y armonizan los diferentes elementos del lenguaje para elaborar un mensaje específico que adquiera significación para el oyente. Su carácter básico será la combinación y el ritmo, lo que lo acerca más si cabe a la materia musical. Así, según Balsebre (1994), "el montaje se puede definir como la yuxtaposición de todos los elementos que compone el lenguaje radiofónico, incorporando un ritmo a la acción".

Uno de los elementos principales de apoyo que ha hecho posible el desarrollo del montaje sonoro es la grabación magnética. Como ha puesto de relieve Angel Faus (1970), este sistema de registro sonoro, aparecido en los años 40, hizo posible la emisión en diferido de programas pre-grabados, con lo que amplió la capacidad comunicativa del medio radiofónico.

En general, las fuentes de sonido grabadas (ópticas —CD—, mecánicas —disco vinilo—, magnéticas —casete, cintas abiertas— o magneto-ópticas —Minidisc—) nos proporcionan materiales complementarios a la voz microfónica que enriquecen el potencial del lenguaje radiofónico y que hacen posible el montaje sonoro.

El montaje es muchas veces necesario, a pesar de querer evitarlo, porque el material grabado debe ser a menudo correctamente filtrado y limpiado para su posterior utilización y emisión en antena. Si hemos realizado una entrevista, puede resultar necesario reducir el tiempo de duración, extrayendo los momentos fundamentales, obviando pasajes sin interés o ignorando fragmentos con ruidos de fondo, etc.

La operación de montaje está unida a otra labor, denominada técnicamente edición y de la que se distingue por una serie de características. Mientras que la edición es el proceso mediante el cual se escucha, anota y guioniza la grabación que nos disponemos a montar; el montaje es aquella operación posterior a la edición o editaje de la cinta por la que se procede a dar forma discursiva a los contenidos del programa radiofónico, atendiendo al orden, duración y características de sonido definidas por sus creadores.

Entre los participantes principales en un montaje radiofónico, podemos destacar el guionista, el realizador, el montador (técnico de sonido) y el director del programa. No obstante, también necesitamos un equipo técnico mínimo: una mesa o consola de mezclas de sonido, un par de reproductores de sonido (giradiscos, CDs, minidisc, pletinas, etc.), uno o dos micrófonos y un equipo para la grabación de sonido (minidisc, pletina, magnetófono de bobina abierta, disco duro de ordenador —con su tarjeta de sonido—, etc.).

Un elemento de trabajo fundamental en la realización del montaje es la confeccionar una ficha de montaje, para poder identificar rápidamente sus características y facilitar su archivo, que contendrá los siguientes datos:

- título de la audición / identificación del contenido
- fecha y hora de emisión prevista
- programa para el que está destinado
- duración del montaje
- velocidad de grabación del montaje (si procede)
- técnico que ha realizado el montaje
- director / realizador responsable del programa

Al mismo tiempo es conveniente observar una serie de consejos prácticos para realizar correctamente y con las menores dificultades una edición:

- utilizar un cronómetro para medir la duración
- apuntar, con detalle, datos diversos como:
  o principio y fin de los cortes
  o voces que intervienen
  o identificación de los pasajes que suenan (temas musicales, personajes invitados, etc.)
- usar esas anotaciones previas para realizar el guión de montaje definitivo

Para construir una acción dramática a partir del uso del montaje radiofónico (puede ser en un género informativo o en un programa musical), bastan la voz del locutor / conductor del programa, la música y el silencio. A partir de ahí, se pueden añadir muchas más cosas como otros personajes, efectos sonoros, etc. que complementen y enriquezcan el mensaje.

También, gracias a los distintos medios técnicos existentes, es posible crear diferentes planos sonoros, es decir, es posible crear artificialmente una perspectiva sonora determinada (que ubica receptor). En este sentido, podemos hablar de la existencia de una serie de planos sonoros, según la distancia aparente a la que se encuentra la fuente sonora respecto al oyente. José Javier Muñoz y César Gil (1986) hablan de la existencia de diferentes tipos de planos sonoros, según la distancia aparente respecto al oyente:

1. PRIMER PLANO: La fuente sonora está junto a nosotros. Otros autores le llaman también "plano íntimo" o "primerísimo plano" para expresar su fuerza dramática.

2. PLANO NORMAL (PLANO MEDIO): La fuente sonora aparece con una presencia normal, situada a poca distancia del micrófono (unos dos metros).

3. PLANO GENERAL (PLANO LEJANO): La fuente sonora se halla a cierta distancia de la toma de sonido y, por tanto, del oyente.

4. PLANO DE FONDO (SEGUNDO PLANO): Se trata de sonidos que suenan siempre en la lejanía respecto a una fuente de sonido que oímos en primer término.

Sin embargo, la secuencia sonora se refiere a una unidad sintagmática que posee una unidad de espacio y tiempo, y que nos permite estructurar un relato radiofónico en distintas unidades o secuencias ("secuencia mecánica" según la denominación europea). Una o varias secuencias sonoras podrán formar parte de un mismo bloque, teniendo en común el ser una unidad de acción. En el contexto anglosajón se habla de secuencia (unidad de acción) y de escena (unidad de espacio y tiempo, más pequeña que la secuencia).

Por otro lado, cabe prestar atención a la interacción entre los distintos elementos del lenguaje radiofónico, que se conoce a través de la expresión "Figuras del montaje". Estas "figuras" representan las potenciales combinaciones de los sonidos que actuarán como recursos expresivos. Desde luego, es impensable realizar un catálogo de las

figuras de montaje posibles ya que excedería cualquier intento clasificatorio, pero entre las más presentes en la elaboración de productos
radiofónicos Balsebre (1994: 190) destaca las siguientes:

- PP V1 / 2°P V2: Primer plano Voz 1 superpuesto a 2° plano (o PF
  —plano de fondo—) Voz 2.

- FADE-IN V1 (ENTRA FUNDIDO V1 / SUBE V1): La Voz 1 au-
  menta paulatinamente la intensidad sonora, desde su ausencia
  total hasta llegar a PP.

- FADE-OUT V1 (FUNDIDO CIERRA V1 / DESVANECE V1):
  La Voz 1 va disminuyendo de intensidad hasta desaparecer por
  completo.

- ENCADENADO V1 / V2: Fundido encadenado de las voces V1 y
  V2, combinando una entrada de fundido de la Voz 1 y una salida
  de la Voz 2 que se desvanece lentamente.

- ENCADENADO V1-MÚSICA / V2: Encadenado de la Voz 1 que
  se desvanece de PP a PF/2°P y entrada de música en PF y Voz 2
  que entra hasta PP.

Actualmente, las técnicas de montaje radiofónico basadas en el
corte y empalme físico del material magnético están completamente
en desuso, priorizándose el uso de sistemas de edición digital de sonido
que facilitan la tarea y amplían las potencialidades funcionales de la
operación de montaje.

Para finalizar este epígrafe, no podemos pasar de largo sobre uno
de los aspectos más importantes del montaje radiofónico. El *montaje
musical* merece un tratamiento especial, ya que se revela como algo
más que una simple mezcla de músicas: requiere una gran habilidad
en el manejo de los equipos de sonido y, sobre todo, una gran formación
musical y sensibilidad por parte del montador. Pero la cuestión no acaba
ahí sino que compete de lleno a la significación final del producto radiofónico musical. La realización de un montaje musical puede obedecer a
una doble orientación: por una parte sirve de estímulo al oyente, pero,
por otra, puede convertirse en un simple acompañamiento al que no
se presta la debida atención. El desarrollo narrativo de este tipo de
montaje debe mantener unas constantes que no están presentes en
otras producciones radiofónicas (más bien al contrario), en cuanto a
las propiedades del sonido durante la emisión, de lo contrario se ob-
servarán variaciones que, sin estar justificadas, producirán un efecto
de extrañamiento y falta de equilibrio sonoro en el oyente.

3.2. ORGANIZACIÓN DE UNA EMISORA DE RADIO

La emisora de radio es un tipo de empresa informativa. La organización interna de la emisora de radio depende de una serie de factores que condicionan su desarrollo, evolución e independencia informativa (Iglesias y Nieto, 1993):

1. Pertenencia o no a una cadena.

2. Tipo de cobertura: nacional, autonómica, provincial, comarcal, local o municipal.

3. Radio convencional (que toca distintos tipos de programas) o si es una radio especializada (noticias, música, cultura, etc.)

4. Titularidad pública o privada.

5. Sistema de financiación (SA, SL, pública, mixta, etc.)

6. Si emite o no publicidad comercial.

Para asegurar el buen funcionamiento de la emisora, es necesario que exista una estructura productiva, con una clara asignación de funciones de todo el personal. Pero por lo que respecta a la organización interna de las emisoras de radio, hay que señalar que no existen dos emisoras iguales. A pesar de este hecho, cabe esbozar la composición estructural mínima en una cadena de radio de amplio alcance, para comprender el papel de cada uno de los departamentos que operan en una empresa radiofónica. Para ello proponemos el siguiente cuadro sinóptico:

DEPARTAMENTO	FUNCIONES
Técnico	Atiende el mantenimiento de todos los equipos. Está dirigido por un Jefe de Mantenimiento Técnico que está pendiente de la actualización de los equipos y del correcto funcionamiento de todos los dispositivos. Actualmente, con el desarrollo de las últimas tecnologías, al ser éstas muy fiables, casi ninguna emisora dispone de personal en este departamento. Es frecuente que empresas de servicios externas se encarguen del mantenimiento de los equipos (revisiones periódicas de los equipos), que pueden ser las propias empresas suministradoras de equipos.
Programas	Se ocupa de la confección de la programación de la emisora. Para ello se tienen en cuenta diversos factores como: La respuesta del público, el horario de emisión, el soporte humano y el soporte técnico con el que se cuenta. Es frecuente en muchas empresas que este Departamento se ocupe de todos los programas radiofónicos, excepto los informativos.

Emisiones	Se ocupa de aportar los elementos técnicos y humanos para la producción de los programas. Atiende, pues, a la infraestructura necesaria para sacar adelante la programación prevista. De este Departamento dependen los técnicos de mantenimiento y los técnicos de sonido.
Servicios Informativos	Llamado también Redacción, se ocupa de producir los contenidos informativos de la programación. Al frente de la Redacción se halla el Jefe de Informativos del que dependen los reporteros, corresponsales, guionistas, que suelen ser periodistas de formación. Los editores son los responsables de los contenidos de cada programa
Deportes	Generalmente está vinculado a los Servicios Informativos.
Documentación y Archivo	Aunque es, sin duda, una sección clave de cualquier empresa radiofónica que quiera consolidarse en el futuro, no es un departamento bien cuidado por lo general. Sólo las grandes empresas tienen archivos bien gestionados.
Administración	Necesario para hacerse cargo la gestión económica de la emisora: nóminas, compras de material, ingresos publicitarios, control del gasto, etc. Es un departamento casi autónomo en su funcionamiento.
Publicidad	Es uno de los departamentos más importantes que cuenta con poco personal pero cuyas decisiones y capacidad de gestión determina la propia programación de la emisora. Su función es gestionar los espacios publicitarios, contactar con clientes, buscar *sponsors* (patrocinadores), conocer los datos de audiencia para fijar las tarifas publicitarias, que variarán en función de la respuesta que tiene el programa, el tipo de publicidad contratada (duración, presencia, etc.)
Relaciones exteriores	Muy importante en las grandes emisoras, gestiona las relaciones con otras empresas informativas, visitas externas, etc., y suele estar unido, muchas veces, al Departamento de Publicidad.

Para finalizar este apartado e ilustrar adecuadamente la relación de puestos de trabajo en las emisoras de radio (que en cualquier caso dependerá del Convenio Colectivo de la empresa) trataremos de realizar un organigrama funcional que implique a todos los trabajadores y gestores de una empresa radiofónica.

Área	Composición
Técnica	– Ingeniero de Telecomunicaciones – Jefe Técnico – Técnicos de Mantenimiento
Programas	– Jefe de Programación – Redactor Jefe – Redactor (periodista) – Ayudante de programación (apoyo a la redacción)
Emisiones y Realización	– Jefe de Emisiones – Realizador o director – Técnico de sonido – Locutor – Operador de Continuidad – Especialista en Archivos sonoros – Ambientador musical
Administración	– Jefe de Negociado – Administrativos – Auxiliares
Servicios Complementarios	– Servicio médico (si la empresa es muy grande) – Especialistas contratados por obra
Comercial y Marketing	– Jefe Comercial y Marketing – Técnicos en Comercio y Marketing
Informática	– Jefe de Servicios Informáticos – Analista de sistemas – Programadores y operadores
Profesionales de Oficio	– Encargado – Oficial – Ayudantes
Subalternos	– Conserjes – Ordenanzas – Servicios de seguridad – Personal de limpieza

3.3. LA PRODUCCIÓN RADIOFÓNICA

De manera general, podemos decir que la producción radiofónica es el proceso de organización y creación de un producto radiofónico. Para seguir los pasos necesarios en dicho proceso, deben reunirse una serie de condiciones que permitan la consecución del programa de radio.

Tales factores no son más que los elementos que van a definir, confeccionar y difundir el mensaje en función de la naturaleza del género o programa. Así pues, necesitamos conocer cuáles son los conocimientos teóricos y técnicos de sus instrumentos, sus componentes y su distribución ordenada de contenidos con objeto de optimizar los medios que disponemos.

En primer lugar, el concepto de producción radiofónica nos lleva a la adecuación de una realidad, es decir, al marco en el cual deberá moverse el producto. No olvidemos que se basa en un trabajo creativo, por lo cual ello implica el empleo de una serie de recursos expresivos que permiten elaborar un programa lo más seductor posible para captar la atención del oyente. Esta orientación es importante porque delimitará los criterios del proceso técnico y creativo de la realización. Además, contribuirá a un desarrollo más preciso y óptimo en la elaboración del género ó programa.

En segundo lugar, la producción radiofónica supone tener una idea concreta del diseño de programa que debe confeccionarse así como las diferentes fases que se necesitan para crearlo y materializarlo. En este sentido, Rodero Antón (2005: 14) establece el proceso en cuatro grandes pasos: la concepción, la selección, el diseño y la realización. El primero, la concepción, hace referencia a un saber teórico y técnico, es decir, en adquirir los conocimientos necesarios durante el proceso de producción tanto a nivel creativo como tecnológico. El segundo paso, la selección, consiste en escoger los diversos componentes (los materiales sonoros y el lenguaje) que nos sirven para la concreción del espacio radiofónico y esto nos obliga a saber las cualidades específicas de la emisora de radio. El tercero, el diseño, comprende la ordenación y composición de los elementos necesarios del programa o género, esto es, desarrollar el mensaje cuya definición y materialización será marcado por el género donde va a situarse según el tipo de programa o bloques del programa.

A fin de cuentas, tal y como señala Amoedo, "la producción radiofónica tiene su finalidad en la elaboración de los mensajes" (2002: 164) y éstos se crean mediante informaciones sonoras. Por último, la realización es poner en práctica la elaboración del producto radiofónico. Con lo cual, es necesario conocer primero las bases teóricas para que podamos desarrollar el programa. Esto significa que los conocimientos teóricos van a contribuir a orientar mejor los pasos que debemos seguir de cara al trabajo radiofónico. Además, gracias a estos conocimientos nos permitirá organizar, sistematizar, reflexionar los criterios de confección del producto.

Con todo, sin una formación técnica será difícil que podamos aplicar de forma operativa y óptima los recursos tecnológicos que tengamos a nuestro alcance para hacer dicho producto. Pero también es fundamental contar con una serie de habilidades de los equipos radiofónicos con el fin de que podamos sacar el máximo rendimiento de los diferentes elementos que constituyen el lenguaje radiofónico (la palabra, la música, los efectos sonoros y los silencios). Todo ello teniendo en cuenta que los programas están concebidos para satisfacer las expectativas formadas por el oyente. De ahí que en los mensajes se incorporen estrategias de identificación y complicidad para movilizar determinadas reflexiones, emociones, sensaciones, evocaciones, etc.

La figura profesional encargada de poner en marcha la producción radiofónica tendrá que disponer, por tanto, de un conocimiento pleno de todos los pasos que han de darse para confeccionar el programa. Para empezar, un buen productor radiofónico necesita saber la funcionalidad de los diversos equipos tecnológicos de una emisora de radio: ordenadores, mezcladores de audio, sintetizadores, micrófonos, analizadores de fase, procesadores digitales de efectos, ecualizadores, reproductores CD, panel de interconexiones o *patch-panel*, grabadores digitales, magnetófonos estéreo y multipista, mandos de control remoto, auriculares, altavoces, limitador compresor, etc.

Además de familiarizarse con los diversos instrumentos de la emisora radiofónica, el productor tiene que contar con una buena voz y una adecuada vocalización para leer e interpretar de la manera más expresiva el guión elaborado. Pero disfrutar de un buen oído le permitirá desarrollar una mayor sensibilidad con los diversos materiales sonoros (voces, efectos, música). Por último, es muy conveniente que el productor tenga la suficiente capacidad comunicativa en la escritura del guión radiofónico.

En suma, la producción radiofónica, es el dominio, la organización, supervisión y aplicación de los elementos del lenguaje radiofónicos (vistos en el apartado **3.1.4.2.**) y del conocimiento tecnológico y técnico, para integrarlo en un programa con el fin de poder suscitar el mayor interés al oyente una vez que hemos creado un texto en forma de guión literario y técnico.

3.3.1. El desarrollo de un proyecto de producción radiofónica

Las fases de elaboración de un programa de radio, en líneas generales, no son demasiado diferentes a las que puedan darse en otros medios. Lo que cambia son los instrumentos técnicos y los ámbitos de trabajo. Sin embargo, hay una serie de grandes pasos por los cuales debe ceñirse imperativamente el producto audiovisual, ya sea radiofónico, televisivo o cinematográfico. Nos referimos a tres grandes pasos que nos van a llevar al desarrollo de la producción. Estas tres etapas son: la preproducción, la realización y la postproducción. Gracias a ellas podremos programar, estructurar y materializar el producto radiofónico. Veamos, a continuación, cada uno de estos períodos.

3.3.1.1. Preproducción

Es el punto de partida para el desarrollo de un proyecto radiofónico. Independientemente del género o programa, se trata de la primera etapa de la producción y consiste en planificar, preparar y organizar todo el material necesario a la hora de comenzar a trabajar. Este período se inicia con la concepción y diseño del producto que se pretende desarrollar. Después de idear y definir el género o programa de radio, haremos acopio del material escrito y sonoro que necesitamos para nuestro proyecto. Esto supone recabar material de archivo, entrevistas, etc., y dichas fuentes nos van a servir como recursos en la posterior realización. El siguiente paso será elegir los contenidos sonoros y escritos que nos van a servir de la documentación recogida previamente. Luego vamos a sacar y a editar los diversos archivos sonoros que vamos a necesitar para la consecución del programa, esto es, seleccionaremos las músicas y los efectos sonoros necesarios aplicándolos a la posterior fase de realización. Como último paso de la preproducción, deberemos escribir el guión técnico y literario, en cuya base informativa se van a dar las pautas a los técnicos, actores y/o locutores para el desarrollo del programa de radio.

3.3.1.2. Realización

Es el segundo período de producción y tiene el fin de materializar el proyecto una vez que se ha preparado el programa. Se trata del momento en que se pone en práctica todo lo diseñado, planificado y definido en el texto técnico y literario mediante los materiales escritos y sonoros. Es el momento en que los técnicos y locutores (ya sean periodistas o actores) se dirigen al estudio con el fin de realizar el programa. Pero en función de su naturaleza podrá desarrollarse un programa en directo o un "enlatado", es decir, un programa que se elabora en el control y se difunde al aire más tarde según las exigencias de la programación radiofónica.

En el primer tipo de emisiones, es decir, aquellos que se llevan a cabo en vivo, los contenidos del guión literario y técnico se realizan en tiempo real. El operador técnico va incorporando, de forma simultánea, los materiales sonoros durante la realización del programa en el control de estudio y, a su vez, los locutores leen el guión literario donde figura la narración radiofónica. La emisión en directo se hace por imperativos de urgencia ya que su inmediatez ha permitido el fácil acceso a los acontecimientos periodísticos, por lo que este rasgo convertía a la radio, hasta hace unos pocos años[1], en el medio privilegiado para la rápida transmisión de las noticias. El equipo básico usado en la captación de las noticias radiofónicas es: micrófonos (omnidireccionales, cardioides, o electroestáticos con filtro antipop), grabadores digitales, mezcladores de micrófonos, una unidad móvil y auriculares. Pese al carácter apremiante de su elaboración es imprescindible tener todos los elementos controlados y que el guión esté perfectamente detallado.

Por otra parte, los programas grabados tienen dos modalidades de producción: aquellos que, en términos de Rodero Antón, se hacen "en frío: cuando se registran las voces por un lado y después se realiza el montaje completo" (2005: 274) y aquellos que se hacen a modo de falso

---

[1]   La aparición de los SNG (Satellites News Gathering), es decir, el periodismo electrónico por vía satélite, ha posibilitado que la televisión compita seriamente con la radio a la hora de transmitir de forma inmediata las noticias en cualquier rincón del mundo. Los SNG pueden ser vistos como redes temporales que usan enlaces transportables. También se llaman *fly-away*, las cuales pueden viajar en coche o helicóptero y ser montadas en un lugar donde los receptores transmiten la señal de video al estudio central. Para esta aplicación es importante que las estaciones sean ligeras (su peso está entre los 250 kilos) y de rápida instalación (puede ser colocadas en 20 minutos).

directo, se elabora todo a la vez, es decir, el ambiente con las músicas y los efectos como si estuviéramos realizando el programa en tiempo real. La diferencia, con respecto a los verdaderos directos, es que estos "enlatados" permiten paliar cualquier error cometido durante la producción del programa radiofónico. La primera modalidad suelen darse con los dramáticos o la ficción, pues conlleva una mayor complejidad en su elaboración. Mientras que la otra modalidad suele hacerse para los informativos.

3.3.1.3. Postproducción

Es el último proceso de la producción radiofónica, tiene como fin rectificar los fallos cometidos y así proporcionar un mejor acabado de programa. El modo de edición o montaje cambiará según el género o tipo de espacio radiofónico. Si nos encontramos ante un falso directo se recomienda emprender las mínimas correcciones posibles ya que de lo contrario nos podría llevar más tiempo y perdería la frescura que, en principio, habríamos creado en su gestación. Aunque normalmente, y dada la profesionalidad de los técnicos y locutores, éstos suelen ajustarse al tiempo marcado en el guión técnico y a los contenidos que se han definido en el guión literario. La edición puede ser útil al vernos empujados a reducir el tiempo de emisión y, para ello, trataremos de quitar las posibles repeticiones o aquellos momentos carentes de interés.

En definitiva, la postproducción suele emplearse para modificar o mejorar las características formales del programa: cuando la calidad sonora no es buena, o aparecen toses o ruidos indeseables, expresiones incorrectas, etc. Gracias al montaje o la edición vamos a mejorar el resultado final del producto radiofónico. La complejidad de esta fase dependerá de la naturaleza de la producción. Generalmente los que tienen una mayor preparación, donde por un lado se manipulan las voces y por otro se confeccionan los paisajes sonoros (efectos especiales, sonido ambiente, sincronización de efectos sala, etc.), pues llevan una edición más sofisticada y refinada (los dramáticos son una buena ilustración). En cambio, los programas más sencillos en su montaje son aquellos que se realizan bien en tiempo real o bien simulan el directo.

3.3.2. EL GUIÓN RADIOFÓNICO

Hemos señalado arriba que la escritura del guión se hace en la tercera fase de la preproducción. Una vez recogidas las fuentes de archivo, elaboramos los datos técnicos y los narrativos con el fin de que los diferentes componentes del equipo humano y técnico[2] sepan, en cada momento, el desarrollo del programa y, por tanto, cuándo tienen que actuar en función de sus competencias profesionales.

Así pues, todo proyecto radiofónico debe partir de un guión que sirva de base para la consecución del programa. El guión es la pieza clave que determina el éxito de una producción. Sin la existencia del mismo, no puede alcanzarse un buen montaje definitivo. Hay dos tipos de guión: el técnico y el literario, con los que se trabaja simultáneamente.

El guión técnico es un texto informativo donde se indican las necesidades tecnológicas, de forma abreviada, para realizar el programa de radio. Contiene las instrucciones precisas sobre la puesta en marcha y su labor es responsabilidad del realizador o director del programa. Respecto al guión literario, expone "la narración completa y ordenada de la historia o contenidos del programa, teniendo en cuenta las características del medio radiofónico." (Muñoz y Gil, 1994: 84) Cada uno de los aspectos o elementos deberán estar separados y claramente definidos con el propósito de discernir las informaciones necesarias para el proceso de la realización del programa. Los guiones literarios están conformados por textos, diálogos, músicas y efectos sonoros. El responsable de su elaboración es un guionista o un periodista.

El guión radiofónico vendrá definido por su presentación formal y ésta puede ser de dos tipos: americano y europeo. El modelo americano presenta una columna y establece los componentes técnicos por un lado y los literarios por el otro a través de un interlineado entre los párrafos. En cuanto al guión europeo, suele ser formalizado por dos o tres columnas con objeto de detallar los contenidos técnicos y narrativos del programa radiofónico.

Es más frecuente encontrarnos con el modelo americano en las emisoras profesionales ya que actualmente los textos se escriben por ordenador, con lo cual es mucho más sencillo crear su diseño y se gana tiempo en su concepción. Sin embargo, hay dos razones de peso por los que se escoge el estilo americano: en primer lugar, ofrece una mejor

---

[2]   En el humano y creativo podemos señalar a los actores, locutores, periodistas, realizadores, ayudantes de programación, etc.; en el colectivo de los técnicos, podemos citar a los mezcladores, operadores, ambientadores musicales, especialistas de efectos sala, etc.

lectura a los locutores y técnicos; en segundo lugar, por un motivo pragmático y ecológico: su manejo es más cómodo pues se ahorran hojas.

3.3.2.1. EL GUIÓN LITERARIO

Aunque resulte una obviedad debemos recordar que los guiones literarios están concebidos para que puedan oírse. Dicho de otro modo, y desde la óptica del proceso comunicativo, tendremos en cuenta sus potencialidades creativas sobre el receptor: "lo que hacemos realmente con el guión es ordenar todos los elementos de este lenguaje de acuerdo a los efectos que queremos conseguir sobre los oyentes." (Barea y Montalvillo, 1992: 53).

Tras disponer de los diferentes elementos informativos y técnicos comenzaremos a escribir el guión literario cuyo aspecto formal seguirá el modelo americano. En dicho texto también estará acompañado por el guión técnico. La combinación de ambos guiones será presentado del modo más claro y sencillo. Por esta razón se aconseja no amontonar los datos y dejar espacios en blanco. El interlineado "debe ser amplio, por si se hace necesario realizar alguna anotación o corrección adicional. Al mismo tiempo, ese margen impide que pueda confundir las líneas y saltar a la que no debe leer en ese momento" (Rodero Antón, 2005: 270).

También es recomendable, en el ámbito profesional, el empleo de hojas de calidad que no sean demasiado ruidosas, sólo puedan ser impresas por una cara y no estén sujetas con un clip o una grapa, de ahí la necesidad de numerarlas. Además, es importante separar las órdenes técnicas de la locución. La separación espacial de éstas, los sangrados y el subrayado en negrita son otras consideraciones destacables para una mejor interpretación de los datos. Gracias a estas atenciones podemos facilitar su lectura para elaborar correctamente el programa. Y por este mismo motivo los contenidos se organizan en tres grandes bloques: principio, desarrollo y cierre.

En función del tipo de programa o género podemos establecer que cada uno de los bloques mencionados, se escriban en una hoja. Esta práctica es muy habitual en los informativos, en cambio, los dramáticos suelen estar separados por escenas. El texto se presenta con las letras en minúscula e incorporando la correcta ortografía (ya sean acentos, comas, etc.).

Una buena ilustración de cuanto hemos desarrollado sobre la presentación formal del guión radiofónico, siguiendo el modelo americano, es la siguiente[3]:

CONTROL: F Música CD 1, pista 3

Efecto oficina PC, PF

Efecto portazo PC, PP

Rs efecto oficina

MAX GORDON (*desesperado*): esto es inadmisible, ¡no me lo puedo creer!

GUIONISTA 1: no me lo explico, de verdad, no entiendo cómo ha podido suceder.

GUIONISTA 3: no creo que haya que darle tanta importancia, es sólo un secundario.

GUIONISTA 2: señor, le aseguro que no sé qué es lo que ha pasado, ayer por la noche en el último capítulo emitido estaba, nadie se explica como ha podido des…

MAX GORDON (*Interrumpiendo*) ¡a callar panda de inútiles! Queda menos de una hora para la emisión del capítulo 581 y nos falta un personaje, ¿¿acaso no os parece grave??

GUIONISTA 3: bueno, en fin, puede arreglarse, mientras lo buscamos podríamos quitar todas las escenas en las que salga él, total, es un secundario, nadie se va a dar cuenta.

CONTROL: Efecto golpeo puerta PC, PP

Efecto oficina PC, PF

REGIDOR: (2P): Señor Gordon los personajes están preparados, ¿qué va a pasar con las escenas en las que sale Albert?

MAX GORDON: (*Silencio*) vamos a tener que suprimir sus escenas hoy.

---

[3]   La ilustración está sacada del libro de Rodero Antón (2005: 272)

3.3.2.2. EL GUIÓN TÉCNICO

Dentro del guión americano encontramos en la parte técnica las diferentes órdenes a partir del término *Control*, que indica el equipo necesario para realizar el programa radiofónico. El primer paso es señalar la técnica del montaje que se quiere aplicar mediante abreviaciones: *Fade in* o Abrir Fundido (F in), *Fade out* o Cerrar Fundido (F out), *Crossfade* o Fundido Encadenado[4] (CF), Fundido (F), Corte (C), Mezcla (M). Si queremos señalar la finalización de un sonido, entonces se indicará que hemos de Resolver mediante la expresión: Rs.

El segundo paso es establecer la gradación escalar para cada uno de los aspectos narrativos que vamos a reflejar en el apartado técnico: Primerísimo Primer Plano (PPP), Primer Plano (PP), Segundo Plano (2P), Tercer Plano (3P) y Plano de Fondo (PF). Luego se informa sobre el equipo necesario que queremos emplear, por ejemplo, una música en soporte Compact Disc. En el leguaje radiofónico va a figurar con las letras CD y también el número de pista que deseamos reproducir, así como el código de tiempo para el sonido que va a entrar exactamente. Por tanto, estas indicaciones vendrían reflejadas en el guión técnico de la siguiente manera: CD, pista 5, segundo 38.

Cada uno de los aparatos tecnológicos vendrán abreviados de la siguiente manera[5]: Micrófono (MIC), Ordenador (PC), Minidisc (MD), Cassette (CASS), Dat (DAT), Generador de efectos (GEN. EFECTOS), Locutor/locutora (LOR/A), Plató (PLATO).

Cuando tenemos que utilizar en el guión técnico del modelo americano, y por exigencias del guión literario, un efecto especial sonoro tendremos que reflejar el equipo que vamos a manejar y el recurso tecnológico necesario para la realización del programa. En él a figurar la indicación de GEN. EFECTOS, acompañado por el tipo de tratamiento sonoro: por ejemplo, un relámpago.

En definitiva, podemos reflejar las necesidades operativas de la realización del programa de radio, en un guión técnico, siguiendo el diseño americano o el europeo. Para ilustrar un caso práctico proce-

---

[4]   Es cuando se encadenan dos fuentes sonoras en el mezclador. Mientras una de ellas entra en programa, la otra sale de la misma y en un punto los sonidos se cruzan a un nivel sonoro.

[5]   Todas estas abreviaturas las hemos recogido del libro de Rodero Antón (2005:164)

deremos a presentar un bloque o fragmento y describiremos los pasos a seguir por el técnico a la hora de interpretar dicho guión.

> **CONTROL**: M MD2, pista 7, segundo 18 PC Efecto especial: re-
> lámpago.
> DAT, pista 2, segundo 32
> **LOR** (De 2P a PF): Texto de lectura

En esta orden nos indica la mezcla del Minidisc con el Dat. En el primer soporte hay un tema musical, seleccionaremos la pista 7 a partir del segundo 18 y lo combinaremos con el efecto especial que tenemos en un archivo del ordenador. Junto a estas informaciones lo sumaremos con el sonido ambiente situado en la pista 2, iniciándolo desde el segundo 32. En cada línea de Control se detalla un equipo técnico y de este modo el técnico puede leer con más claridad las diversas operaciones que debe acometer.

3.4. LA PRODUCCIÓN DE LOS GÉNEROS RADIOFÓNI-COS

Los géneros radiofónicos, desde el punto de vista conceptual, son "modelos de representación de la realidad que otorgan estructura y orden a los contenidos de la radio para conseguir la creación de sentido por parte del emisor y la interpretación de sus mensajes por parte del receptor" (Martínez-Costa y Díaz Unzueta, 2005: 97). Desde una orientación más pragmática, son estrategias comunicativas adaptadas a las exigencias de la producción con el fin de poder modelar convenientemente los mensajes que se desean transmitir.

El género radiofónico determina la presentación formal, pero también proporciona una serie de rasgos específicos, unos códigos para la fácil lectura del mensaje en el oyente. Tales características están definidas en función de los propósitos que los responsables del programa se hayan marcado como objetivos para desarrollar los contenidos y los fines de su discurso.

En este sentido Rodero Antón diferencia cuatro tipos de orientaciones enunciativas sobre los diferentes mensajes radiofónicos: "informar, opinar, entretener y persuadir" (2005:191). El primer enfoque, el de informar, hace referencia a aquellos contenidos cuyo fin es emitir acontecimientos de interés general. Los informativos radiofónicos son una buena ilustración de este tipo de mensajes. Si bien, durante los últimos años, queriendo enriquecer este tipo de programas y darle un empaque más espectacular, se ha dado una variante en la cual se pone en práctica la explicación o interpretación de los hechos periodísticos. La segunda orientación tiene que ver con los mensajes, espacio donde se vierten una serie de valoraciones subjetivas u opiniones acerca de un suceso candente y despiertan reflexiones al oyente.

En este tipo de mensajes presenta lo que en términos periodísticos se define como un editorial, es decir, una figura influyente elabora un mensaje afín a la base ideológica del medio radiofónico. El tercer tipo de objetivo que se puede establecer sobre los mensajes son aquellos en los que se busca divertir, entretener. Aquí se movilizan fundamentalmente criterios artísticos y es el programa de ficción o el dramático el mejor ejemplo de ello. Por último, hay ciertos mensajes en los cuales los emisores se esfuerzan en convencer al receptor para tomar una decisión o una actuación. La cuña publicitaria es una excelente muestra de estos mensajes, aunque éstos, se alejan de los medios específicos de la comunicación audiovisual.

Por tanto, los géneros radiofónicos cumplen tres cometidos importantes. En primer lugar, "son formas de representación de la realidad y sirven como sistemas de referencia que se modifican y evolucionan constantemente" (Martínez-Costa y Díaz Unzueta, 2005: 98). Por otro lado, los géneros son instrumentos de labor para los profesionales del medio radiofónico, ya que proporcionan unos métodos con los que poder elaborar el programa. Dicho de otra forma, les facilitarán el estilo del texto así como las referencias que deberá marcar a los colaboradores del programa. La tercera función importante que cumplen los géneros es la de surtir una fuente de conocimientos donde poder superar o cambiar los valores tradicionales.

Sin embargo, los géneros no sólo proporcionan ventajas a los responsables del programa radiofónico sino también a los oyentes. Ayudan a alimentar unas expectativas y, además, estimulan el interés del relato: "Pensemos, por ejemplo, en la escasa atención que prestarían los oyentes de un programa informativo si durante treinta minutos sólo se recurriera al género noticia y, por el contrario, en cómo el mismo programa es más fácil de escuchar si la actualidad se relata empleando géneros diferentes: noticias, reportajes, entrevistas, etc." (Merayo, 2003: 83). Por último, los géneros ayudan a orientar a la audiencia y a crear unas formalizaciones para su inmediato reconocimiento o lectura. En definitiva, hacen más legibles los guiones, pues generan una serie de expectativas pautadas por los códigos del texto y, como consecuencia de esto, hace más comprensible su percepción.

Para establecer una tipología de géneros radiofónicos, más o menos definida, hay que considerar dos criterios fundamentales: el objetivo del discurso que se pretende emitir y la disposición de los contenidos para el programa radiofónico. Veamos, pues, de forma simplificada, y a partir de estas consideraciones, tres tipos de géneros radiofónicos: los informativos y magazines, los musicales y los dramáticos. Aunque no podemos olvidar la importancia de la producción publicitaria en la radio pues, al igual que el medio televisivo, muchos programas están vertebrados por ella.

3.4.1. LA PRODUCCIÓN DE PROGRAMAS INFORMATIVOS Y MAGAZINES

El medio radiofónico, junto al televisivo, tiene los informativos como uno de los espacios fundamentales de la programación. Ambos medios de comunicación audiovisual suponen una importante plataforma donde difundir la base ideológica de la emisora a través de las noticias periodísticas. Y también, gracias al relieve o la trascendencia que se le atribuye a dichos espacios de la programación, cuentan con los medios tecnológicos más avanzados. Por esta razón son los escaparates de la emisora televisiva y radiofónica. Incluso, las noticias pueden interrumpir o desplazar el programa que, en ese momento, se está emitiendo.

Dentro del contenido de los informativos podemos encontrar los que tienen la estructura formal de monólogo (la noticia, el informe y la crónica) y aquellos que se mueven por el registro del diálogo: la entrevista.

Por otra parte, veremos en este apartado, de forma sintética, las cualidades específicas de los magazines radiofónicos que, de forma similar al medio televisivo, se definen por su larga duración, están integrados en la parrilla de la programación matinal (mañana y mediodía, de 6 a 13/14 horas), o vespertina (de 17 a 20 horas), son conducidos por un locutor/a famoso presentando los contenidos de actualidad y están dotados con los mejores equipamientos profesionales para la producción del programa. Dadas sus dimensiones, este tipo de programas necesita un importante elenco de colaboradores y expertos que puedan aportar y enriquecer al magacine.

3.4.2. Los géneros radiofónicos informativos

Los espacios radiofónicos que tienen como sustancia expresiva la información persiguen el relato de un hecho, y el rasgo de actualidad servirá para estimular el interés a la máxima audiencia posible. Por tanto, las condiciones que pueden darse para considerar un acontecimiento como noticia son "la actualidad, la novedad y la curiosidad o interés del oyente" (Rodero Antón, 2005:195). Además, se debe asegurar la verosimilitud de la crónica gracias al respaldo de las fuentes de información (gabinetes de prensa de los servicios públicos, medios de comunicación, administraciones, instituciones, etc.).

A través de la difusión de las informaciones que proporcionan las mencionadas fuentes, los periodistas actuarán como intermediarios mediante las diferentes modalidades de presentación: los actos públicos, las ruedas de prensa, las conferencias, entrevistas, declaraciones, encuestas y comunicados oficiales. A partir de aquí serán los reporteros quienes se encargarán de señalar de forma implícita (la voz del periodista o locutor) o explícita (declaraciones grabadas de los testigos o protagonistas de los acontecimientos) la fuente que se ha recogido. La incorporación directa de las grabaciones en las cuales se exponen las manifestaciones de los implicados de la noticia estimula, por un lado, el interés del oyente. Con la presentación variada de declaraciones se logra no sólo enriquecer los contenidos, sino también dinamizar el ritmo del programa radiofónico. Además, refuerza el grado de credibilidad de los contenidos informativos, aspecto importante para el oyente pues necesita recibir las noticias con una sólida base de proximidad y de conocimiento de la realidad.

En definitiva, la materia básica de estos géneros es la información y han de tomarse desde la realidad como fuente de recursos para la difusión de los contenidos radiofónicos. Aunque los programas de la radio que se mueven en el registro de la ficción, cuyo fin buscan el entretenimiento, también cuentan con la realidad como ingrediente esencial en los guiones radiofónicos.

Dentro de los informativos podemos establecer dos grandes géneros. Por un lado los monólogos[6] (representados por la noticia, el informe,

---

[6]   Sobre la clasificación de monólogos y diálogos, coinciden tanto Merayo y Pérez, como Rodero Antón, Martínez-Costa y Díaz Unzueta. Sólo hay discrepancias en la adscripción de algunos géneros, por ejemplo, el reportaje, en el que Rodero Antón, siguiendo el criterio de Merayo y Pérez, considera que es mixto, mientras Martínez-Costa y Díaz Unzueta, lo delimita, con un

la crónica, el editorial y el comentario). Por otro, están los de diálogos (definidos por la entrevista). En éstos últimos encontramos a la noticia como único género. Aparte de los mencionados hasta ahora, podemos establecer uno mixto, cuyo género periodístico fundamental es el reportaje.

a) Géneros de monólogo: Son los programas que se formalizan a partir de la voz de un locutor o de varios sin que se produzca un proceso interactivo en la comunicación verbal: "El monólogo hace referencia al discurso texto o discurso realizado íntegramente por una persona, sin la participación de interlocutores directos" (Martínez-Costa y Díaz Unzueta, 2005: 109).

1. La noticia

Es el más extendido y sencillo y narra de forma escueta "los elementos básicos de un hecho. Por tanto, proporcionan tan sólo las claves básicas que permiten comprender un determinado acontecimiento" (Rodero Antón, 2005:199).

La noticia divide su estructura en tres partes: apertura, desarrollo y cierre. A su vez, dentro de la entrada existen dos pasos, una fase introductoria y la cabecera o *lead*. La entrada sirve para despertar el interés del radioaficionado y presentarle la información es de forma sintética de lo que se va a desarrollar el siguiente bloque informativo. El *lead* aporta al oyente la información fundamental sobre la noticia. En él se formulan cuatro preguntas que pueden ser combinadas según el tipo de información a transmitir: qué, quién, dónde y cuándo.

Después de la entrada de la noticia está el desarrollo, cuyo bloque se utiliza para ahondar en la información emitida y así proporcionar nuevas claves de lectura por parte del oyente. Así pues, sirve este segmento para fijar los datos esenciales y arroja luz sobre los motivos que han llevado el hecho y cómo se ha producido.

Por último, el cierre tiene el cometido de anclar la información más importante para que el oyente pueda retener con facilidad la información transmitida. Es un resumen de los datos suministrados en la cabecera o *lead*.

---

matiz, en los monólogos "ya que la variedad de voces que intervienen generalmente no interactúan entre sí." (2005:109).

2. El informe

Género radiofónico cuyo relato lineal desarrolla las noticias de mayor trascendencia. Es un espacio que contribuye a la exégesis de los datos suministrados en una noticia y con ello proporciona un mayor conocimiento de los hechos. Es un género que requiere de un lenguaje sencillo y claro, sin necesidad de manifestar opinión; sólo expone y explica la información. El informe es un género más o menos reciente y tiene un mayor desarrollo en las emisoras nacionales, pues este tipo de géneros necesita de un importante servicio de documentación, cosa que las emisoras locales carecen. Hay varios clases: Científico-económico, biográfico, sucesos y sociopolítico.

3. La crónica

Es el género de monólogo que tiene como base una noticia o una serie de noticias enlazadas por su temática o su coincidencia con el tiempo. Las cualidades específicas de estos contenidos informativos están en el hecho de presentarse *in situ*, es decir, desde el lugar de los hechos. Está a caballo entre la información pura (debe poseer siempre datos actuales) y el periodismo interpretativo (fundamentalmente por la forma de elaboración o presentación que haga el periodista-locutor), permite un vocabulario más rico que la noticia y la inclusión de pormenores o anécdotas. La libertad interpretativa no se refiere a un mero cauce de las opiniones del cronista, sino a una mayor facilidad para plantear los hechos desde su "observatorio" personal a la hora de redactar una noticia o su informe. Así pues, a diferencia de la noticia, el periodista radiofónico se implica más en testimoniar los acontecimientos. Esto significa que el cronista puede ofrecer una observación valorativa de los hechos, con lo cual, se aleja de la orientación aparentemente neutra que tiene la noticia.

La crónica se caracteriza por la estrecha relación entre el periodista y el oyente y, para ello, busca un lenguaje fresco, sencillo e informal, aunque el estilo depende de la naturaleza de la noticia. En ella, el arranque o párrafo inicial no tiene por qué coincidir, como ocurre con la noticia, con una síntesis del tema que se expone. El cronista puede concertar con el locutor-presentador o el conductor del informativo un arranque coloquial que confiera ironía o agilidad al programa. Normalmente la estructura de la crónica presenta tres bloques. Primero comienza con la transmisión de la última hora informativa. El fin es facilitar los datos más recientes del acontecimiento. De esta manera se consigue una complicidad comunicativa con el oyente al indicarle, mediante un efecto de realidad (el periodista está en el lugar de la noticia para ofrecérsela al receptor: *yo estoy aquí, ahora, al pie de la noticia para usted, oyente*). El segundo segmento de la estructura consiste en presentar los hechos partiendo desde el principio del suceso, avalan informaciones complementarias sobre el contexto en el que ha ocurrido la noticia.

Según Martínez-Costa y Díaz Unzueta (2005:204) y apoyándose en la clasificación de González Conde (2001: 171-172), se establecen dos grandes tipos de crónica: primero, según su emisión; segundo, en función de su contenido informativo. Respecto al primer grupo, están aquellas en las cuales presenta los datos más recientes de la noticia (llamadas, de alcance). También están las crónicas difundidas en forma de continuidad, para actualizar el contenido informativo a lo largo de las diversas ediciones del programa. Por otro lado existen crónicas radiofónicas emitidas en directo o diferido.

En cuanto al contenido de las crónicas podemos establecer tres tipos: aquellas que son de información general, las que presentan información especializada y, por último, según la distribución de temas, el tratamiento o el grado de proximidad. En este tipo de crónicas, a su vez, encontramos aquellas cuya presentación es convencional, o bien en las que se toman opiniones y encuestas, o bien aquellas que adquieren un tono informal (véase las crónicas deportivas).

Según su procedencia, las crónicas más corrientes son la de corresponsal y la de enviado especial. El corresponsal es un informador establecido en un lugar determinado, cuyo cometido consiste en recoger periódicamente la actualidad de esa zona que le esté asignada, y remitirla a la emisora en su propia voz. Habitualmente se cuenta con corresponsales fijos en los principales puntos de interés del mundo, mientras para las capitales españolas se utilizan los servicios de las emisoras regionales o locales. Este tipo de crónicas suelen ofrecer una continuidad en el informador, dándoles una cierta personalidad propia.

El enviado especial, acude por encargo de la emisora a cubrir un acontecimiento de envergadura a un lugar determinado, ya sea porque no se dispone allí de emisora ni corresponsal, ya porque la importancia del tema exige mayor atención que la que habitualmente pueden aportar estas fuentes o las agencias de noticias.

b) Géneros de diálogos: la entrevista. Se trata de exponer, mediante la expresión oral, ideas, razones y opiniones sobre los temas planteados por el programa que tengan un vínculo con la realidad candente. La entrevista es un diálogo cara a cara a través del cual se toman declaraciones de interés. El entrevistador marca la pauta de la conversación con objeto de obtener del interlocutor la máxima eficacia comunicativa: "Es la conversación entablada en radio entre el periodista o comunicador y una persona relevante por sus conocimientos, opiniones o personalidad con el fin de interpretar la realidad para el oyente. La entrevista se encuentra integrada por dos niveles de interés: el contenido y su expresión" (Rodero Antón, 2001:23). La pregunta es el instrumento básico para la reconstrucción de la realidad y su dominio posibilitará mejorar la calidad del programa. Para ello es necesario mantener el respeto del pacto comunicativo con los personajes de la actualidad que se ofrecen al diálogo. Como género radiofónico ha de tenerse en cuenta el carácter de inmediatez, la fugacidad y la expresión oral.

En esta clase de géneros podemos encontrar tres aspectos del proceso comunicativo: según el contenido, según el momento de emisión y, por último, según la circunstancia en que se establece la comunicación.

- **Según el contenido**: hay dos tipos, las declaraciones y las entrevistas de un personaje relevante o con carisma. Las primeras aluden a una conversación entre el presentador y el invitado que, por sus conocimientos u opiniones, interpretan la realidad para el oyente. Son datos o valoraciones subjetivas que sirven para arrojar luz sobre una noticia de rabiosa actualidad o bien desarrollar con profundidad un acontecimiento. Mientras las de personalidad, se da más importancia al retrato que se pretende mostrar, mediante la entrevista, que por el tema en sí. Son las más difíciles de realizar y se adaptan a los espacios radiofónicos de entretenimiento o de carácter mixto. En estas entrevistas se busca el retrato del personaje, o bien se construye una biografía, o se hace una batería de preguntas poniendo el acento en las reacciones del invitado ante cuestiones que, a veces, pueden ser incongruentes o bien para mostrar su ingenio.

- **Según el momento de emisión**: por un lado están las realizadas en directo y, por otro, las entrevistas en diferido. Las entrevistas en directo necesitan un esmerado trabajo de preparación para evitar imprevistos innecesarios. Se hacen en el mismo instante en que el oyente presencia el programa. Este tipo tienen la ventaja de ofrecer naturalidad y frescura durante la conversación entre comunicador e invitado. El periodista-locutor debe saber controlar los tiempos para ajustarse a las exigencias del programa. Las entrevistas en diferido se efectúan a destiempo con el momento de su emisión. Normalmente se escoge esta modalidad cuando el centro de producción radiofónica estima que el personaje puede presentar enormes dificultades en su intercambio de impresiones o ser controvertible, por lo que requiere de un posterior montaje o edición.

- **Según la circunstancia del proceso comunicativo:** Se refiere al lugar en que se lleva a cabo la entrevista, bien desde el mismo lugar en que el personaje y el periodista comparten el mismo espacio (ya sea en el estudio o en el lugar de los hechos) o, por el contrario, los dos no están presentes físicamente y la conversación se hace vía línea telefónica, el único contacto es mediante la voz. Esta opción se elige sólo cuando existe una distancia insalvable para desarrollar la entrevista y así obtener la información necesaria de manera inmediata.

3.4.3. Los géneros radiofónicos de magazines

Este programa se caracteriza por su mixtura genérica, es capaz de integrar contenidos sociales, periodísticos, culturales, musicales, tertulias, etc. De ahí que su potencial de audiencia sea enorme. La combinación de los diferentes géneros y la estructura abierta permiten un importante nivel de audiencia.

En principio, cuando la televisión todavía no había aparecido o carecía de su condición social privilegiada, y por tanto no era competitiva, el programa de variedades se convirtió, en muchos casos, en uno de los motivos básicos de la existencia de la radio. Aunque, en la actualidad, este impacto se ha visto reducido de forma considerable, todavía constituyen un acercamiento entre el oyente que sigue el programa plácidamente instalado en su casa y los receptores que viven en directo el espectáculo, desde el estudio o desde un lugar público, donde tiene lugar la emisión radiofónica: "A lo largo de los últimos veinte años ha devenido en la columna vertebral de la oferta radiofónica, alcanzando las mayores cuotas de audiencia, al convertirse en el programa de más larga duración en el esquema de franjas horarias" Martínez-Costa y Díaz Unzueta (2005:185). Sus contenidos, variopintos y entretenidos, siempre han perseguido una orientación lúdica a todos los niveles, sociales y culturales, que después la televisión ha heredado y utilizado sin disimulo.

Estos programas abordan temas lúdicos, sin afán de profundizar en los contenidos y juegan con la complicidad del oyente para provocar emociones, según sea el caso, potenciando las posibilidades que ofrecen en su desarrollo, tanto los juegos, los concursos, tertulias, entrevistas, conciertos etc. Gracias a las potencialidades comunicativas de los magazines y al amplio abanico de oyentes que, fieles a su contenido, han propiciado cierta autonomía y entidad propia. Entre estas segmentaciones destacaremos temas como juegos de participación, humor, contenidos sobre el mundo de la mujer, preocupaciones de la juventud y de la infancia, entrevistas a famosos, conciertos, etc.

El magazine es el contenido que articula la franja horaria de máxima audiencia (*prime time*), por ello mismo requiere un importante estímulo comunicativo. Es un programa donde la materia de actualidad tiene su espacio y su tiempo. Las presentaciones, los enlaces y las transiciones conforman el sentido unitario de la narración del programa. Por otra parte el ritmo y la acumulación de las voces, invitados, protagonistas y testigos, es vibrante y generalmente emitido en directo. Dada la estructura de su producción (bloques, temas musicales, publicidad, debates, etc.) obliga a unificar el hilo del programa de algún modo y ésta viene vertebrada convenientemente con paréntesis para ofrecer los informativos. Hay diversos tipos de magazines según los contenidos dominantes: de actualidad (apegado a lo que sucede hasta la última hora), los culturales, los informativos (donde se combina la transmisión de noticias con la opinión) y otros tipos (emisoras temáticas donde se desarrollan nuevas posibilidades comunicativas con los oyentes). Por último, los locutores de radio de magazine se han convertido en estrellas de la emisora, hasta el punto de representar al medio como voces privilegiadas, figuras de autoridad que alcanzan el mismo rango de popularidad que los futbolistas, artistas, políticos o banqueros. Un buen reflejo de lo señalado hasta aquí son los programas como *Buenos días*, en RNE, conducido por Julio César Iglesias; *Herrera en la onda*, llevado por Carlos Herrera en ONDA CERO; Concha García Campoy en PUNTO RADIO con el programa *Campoy en su punto*; o Carles Francino en CADENA SER con el programa *Hoy por hoy*.

3.4.4. LA PRODUCCIÓN PUBLICITARIA EN RADIO

Nadie puede negar el importante cometido de la publicidad en los diferentes medios de comunicación audiovisual. Tanto el cine, como la televisión o la radio necesitan de la producción publicitaria no sólo para su supervivencia, sino para complementar los discursos implícitos o explícitos sobre los usos y costumbres del receptor. Esto significa que la publicidad va más allá que de la apelación al consumo de un producto; determina o atribuye al futuro destinatario del hecho publicitario una serie de valores e ideas sobre su posible *modus vivendi*.

Dentro del medio radiofónico, su enorme presencia puede explicar la imperiosa necesidad de integrar e imponer mensajes sobre el consumo de productos a lo largo y ancho de la parrilla de la programación. La radio tiene la cualidad de poseer agilidad comunicativa y, para una mayor efectividad comunicativa, el fenómeno publicitario está sujeto a operaciones de persuasión y seducción de cara al oyente: "Transmiten la credibilidad que busca todo mensaje con fecha límite que es motivar al consumidor y obligarle a decidir rápidamente si le interesa la oferta en cuestión. Mientras en televisión sería muy complicado aunque se pretendiese sólo cambiar la voz en *off*, en la radio se puede incluso hacer una cuña distinta para cada día o pasar un texto distinto para que el propio locutor dirija el mensaje dándole la categoría de noticia." (Bassat, 2001:214).

Pero si hay una excesiva contaminación de la campaña publicitaria, puede provocar lasitud o cansancio cuando cobra demasiado protagonismo en los espacios radiofónicos. Sobre todo porque se ha extendido de tal modo la publicidad, que en la radio (y del mismo modo en la televisión) se han convertido en gigantescas plataformas de difusión comercial. "La publicidad no puede ser un elemento que distorsione el desarrollo de un programa, antes bien debe ser tratada como un apoye más del contar en la radio. En el momento actual de la radio, ésta no puede tratar a la publicidad en cualquiera de sus modalidades como algo extraño a sus programas, como un *'pegote'* que hay que poner a la fuerza," (Martínez-Costa y Díaz Unzueta, 2005:167). La cuestión, pues, está en tener la habilidad de enlazar la narración publicitaria con los diferentes contenidos y espacios del programa. También el medio radiofónico se potencia a sí mismo mediante la misma fragmentación de los programas que se autopromocionan y autogestionan con los mensajes publicitarios. En suma, los diferentes espacios radiofónicos están articulados y dominados por la publicidad.

En el medio radiofónico se puede diferenciar el tipo de mensaje publicitario según el artículo que se pretende dar a conocer y, a su vez, en función del objeto donde puede ir destinado. Si se trata de una publicidad local, se anuncia un establecimiento o un servicio de la ciudad en la que se emite. Si, por el contrario, es de carácter regional o nacional, la publicidad suele promover un producto, marca o servicio que se distribuye. Al mismo tiempo se ofrece en varios puntos geográficos. También existe la publicidad de marca, referida a nombres o productos que se difunden al margen de los puntos de venta o distribución. Por último está la publicidad de índole político o electoral, cuyos contenidos estarían ya más cerca de la propaganda, pues el discurso estaría orientado a fomentar ideas y no artículos de consumo.

Además de estas consideraciones cabe establecer el formato radiofónico de la publicidad. Se trata de diferenciar el aspecto formal del mensaje en función del texto y artículo a promocionar. Hay seis modalidades de formato: cuñas, comunicados, guía comercial, cartelera cultural, publirreportaje y patrocinio de programa. Veamos las cualidades de cada uno de los tipos de formato publicitario en la radio:

- **Cuñas**: Es el formato más desarrollado en la radio. Son mensajes cortos cuya duración oscila entre 15 y 25 segundos "y que se emite sin variación durante el transcurso de una campaña que puede ser más o menos prolongada en el tiempo. En ocasiones se utilizan formatos más cortos (5 ó 10 segundos) o más largos (hasta un minuto como máximo)"[7]. Los anuncios se superponen, como mensajes autónomos, durante la emisión radiofónica. Si se emiten en diferido, las cuñas pueden ir grabadas, en archivos digitales de un ordenador según el orden de emisión.

- **Comunicado:** El mensaje es consignado por una entidad o asociación pública. El comunicado también puede entenderse como cada uno de los textos que componen la guía comercial.

- **Guía comercial**: El conjunto de textos y relación de cuñas que se distribuyen a lo largo de un programa o de la programación de toda una jornada. En ella se concretan los contenidos que deben emitirse en directo y los que se encuentran grabados.

---

[7]   Ponencia a cargo de Juan Carlos Enrique Forcada, en la Universitat Jaume I: *La producción de cuñas publicitarias*, el 13 de Julio de 2004.

- **Cartelera:** Información comercial de los espectáculos (cine, teatro, ópera, etc.) que se emiten conjuntamente.

- **Publirreportaje:** Se trata de crear un discurso publicitario a través de la simulación de un reportaje radiofónico, utilizando recursos técnicos y sonoros mucho más eficaces que las cuñas.

- **Programa patrocinado:** Tienen una duración que oscila entre los 5, 10 ó 15 minutos y en este tipo de formato se marca un porcentaje máximo de contenido publicitario. El patrocinador o anunciante es quien se encarga, normalmente, de hacerse cargo de la producción del programa. Se incorporará el mensaje publicitario en el mismo espacio radiofónico para justificar el patrocinio. Pese a que en la radio este tipo de mensajes ha perdido protagonismo, en los últimos años está cobrando de nuevo bastante presencia.

A partir de aquí los siguientes aspectos a tener en cuenta, en función del formato diseñado, son las referidas a la metodología empleada para su difusión, es decir, las diferentes estrategias publicitarias que pueden llevarse a cabo según el producto, el formato y el programa. Básicamente podemos encontrar cuatro tipos de procedimientos: directa, indirecta, encubierta y subliminal. La publicidad directa es el anuncio cuyo producto, marca o servicio se expresa de forma explícitamente en el mensaje y separado de los contenidos de la programación. La indirecta presenta dos modalidades: la más común es a través del patrocinio de programas; la otra forma indirecta es con el publirreportaje, el cual requiere ciertas marcas de identificación (sintonías, elementos sonoros, fondos musicales, etc.) con el fin de no engañar al receptor sobre el sentido del mensaje. En cuanto a la modalidad encubierta, se oculta bajo la forma de un mensaje informativo, cultural o de ocio. Por último, la subliminal, es aquella que se difunde en el umbral de la conciencia del oyente. Es una operación sofisticada en la que se emiten sonidos apenas sensibles y expuestos en el fondo de una entrevista, conversación o tema musical que afectan al inconsciente del receptor.

3.4.5. LA PRODUCCIÓN DE PROGRAMAS MUSICALES

Aunque parezca una obviedad, hemos de considerar a la música una de las materias o contenidos fundamentales del medio radiofónico. Así como la televisión desarrolla todo su potencial comunicativo con la imagen, la radio lo busca con la música y la palabra. A la "ceguera" del medio, se añade la existencia de una fuerte tipificación —y un absoluto predominio del género de la radiofórmula, lo que importa es la audibilidad de la pieza, sin apenas aditamentos (o, acaso, el concurso de la voz del conductor del programa, que la introduce o hace algún tipo de comentario a su resolución; pero adviértase que, en este caso, es la inflexión de la voz humana la que debe amoldarse al tono que impone y las connotaciones que emanan de la música, y no a la inversa, por lo que no puede hablarse, en propiedad, de un aprovechamiento expresivo en cuanto a la música se refiere). Los programas musicales son los contenidos más explotados y mejor adaptados al medio radiofónico. Una buena parte de la parrilla horaria de programación se constituye en los musicales. No sólo porque supone una importante base para la difusión de los sellos discográficos, sino también porque es una garantía de éxito para el oyente dada la naturaleza del medio comunicativo, el cual permite ser un importante instrumento de compañía.

En la actualidad los programas musicales están clasificados por especializaciones muy concretas que, a partir del auge de las emisoras de FM, están alcanzando gran audiencia, aunque, en cada caso, se trate de una audiencia sectorial y muy predeterminada. La nomenclatura de algunos subgrupos, dentro de los musicales, ya tiene una clara referencia al tipo de género en el cual se inscribe el programa: música moderna, clásica, música joven, jazz, óperas, etc. Preferimos concretar las clasificaciones definitivas partiendo de su fórmula de producción y emisión. Así, vamos a centrarnos y comentar los siguientes grupos:

1. **Conciertos y recitales.**

   Permite llevar hasta los oyentes interesados las actuaciones de importantes intérpretes, desde la más sofisticada ópera al más popular concierto de "rock" gracias a las unidades móviles y a los radioenlaces, conservando una gran calidad musical en su recepción por parte del oyente.

2. **Música en directo, en el estudio radiofónico.**

   Aunque, en la actualidad, pocas veces se efectúan programas de este tipo, no dudamos en considerar esta fórmula radiofónica como la más genuina y sincera, cuando se desea transmitir al oyente la pureza de una actuación en directo. En la mayoría de los casos, la colaboración del *disc-jockey* añade espontaneidad y realismo a la retransmisión.

3. Música pregrabada.

Esta posibilidad extraordinaria que la técnica nos ha deparado, permitiendo disponer de las mejores actuaciones, los cantantes más cotizados, los músicos más creativos, etc., ha provocado una gran variedad de ofertas radiofónicas. La especialización, basada en la forma de presentar y comentar la música, tanto como en el contenido de la misma música, caracteriza a numerosos programas y a sus presentadores. Gracias a los nuevos equipamientos digitales va a permitir no sólo mejores resultados técnicos sonoros, sino también un mayor abanico de posibilidades creativas en el empleo de las músicas.

3.4.6. La producción de programas dramáticos

Se trata de programas cuya materia prima es la ficción, y que pretenden entretener al oyente. Este tipo de género radiofónico es uno de los más complejos en su concepción y elaboración. Rodero Antón (2005: 236) advierte la gran semejanza que guarda con los informativos, pues ambos tienen por objeto un dominio de la narración, lo que conlleva tener suficiente habilidad y sabiduría en el manejo de la palabra. Sin embargo sus caminos se bifurcan en los materiales con los que trabajan cada uno de los géneros. Mientras los dramáticos se inspiran en relatos de ficción, los informativos en los hechos reales. Si bien es cierto que las estrategias operadas en los últimos apenas se diferencian a aquellos por la tendencia a convertir en espectáculo las noticias (con apoyos musicales de fondo, subrayados, sintonías, presentación de hechos llamativos…).

Así pues, los dramáticos radiofónicos tratan de naturalizar la historia con el empleo de palabras sencillas y directas. Se reduce la historia a los elementos necesarios para concentrar la atención sobre lo que interese narrar. De ahí la eficacia de la elipsis para dirigir las informaciones principales de la historia. Por otro lado, el oyente no tiene porqué disponer de todos los datos al comienzo de la historia, por eso es necesario dosificar la información narrativa con objeto de acrecentar el interés del receptor. Además, el relato radiofónico debe suscitar emociones y sentimientos, exponer acciones, en ningún caso conceptos o ideas abstractas. La escritura debe hacerse para que se oiga, buscar rasgos concretos y figurativos. Por ello mismo, los escenarios, personajes, diálogos y objetos sonoros deben determinarse por la sonoridad. La redundancia y la intensificación serán otras consideraciones a tener en cuenta en la escritura de los dramáticos radiofónicos. Por último hay que tener cuidado con el hecho de que el oyente pueda anticiparse a la acción narrativa, ello provocaría la distancia y el desinterés.

Frente a estas observaciones ha de indicarse que, al margen de la naturaleza específica del género en el que se moverá el relato, la estructura del mismo es inalterable. Por tanto, y siguiendo la tradición aristotélica del relato dramático, podemos encontrar un esquema sencillo para su aplicación en el medio radiofónico. El primer bloque sería el planteamiento, el inicio, del cual se llevará a cabo la exposición y compilación de datos que puedan ser importantes para el oyente. El segundo segmento narrativo sería el nudo o desarrollo de la acción, donde se expondría el conflicto dramático. Al término de éste, daría lugar al clímax para desembocar al último bloque del relato: el desenlace, que sirve para resolver el conflicto expuesto a lo largo del relato radiofónico.

La estructura narrativa planteada arriba va a ser, pues, el modelo esencial para la escritura de cualquier guión dramático de radio. A partir de aquí, y en función del formato a desarrollar, los rasgos formales se adaptarán a la naturaleza del programa de ficción. Y siguiendo la clasificación planteada por Rodero Antón (2005:247-259) el género dramático puede tipificarse en tres grandes modalidades: los monólogos (el cuento, el relato y la radionovela), los diálogos (el *sketch*, la representación y el radioteatro) y los mixtos (adaptación literaria y la recreación).

El cuento radiofónico es un relato, en forma de monólogo, de muy corta duración (no supera los cinco minutos) cuya estructura es tan sencilla como su proceso formal. Se limita a un par de personajes y de espacios, mientras la acción se reduce a una simple trama argumental. Hay sólo un narrador que cuenta toda la historia, por lo que, en ocasiones se recurre a breves dramatizaciones. Este tipo de relatos suele disponer de música y efectos sonoros para abrir y cerrar el programa con el fin de dinamizarlo, aunque también suele emplearse, a veces, una fuente musical que indica el tono psicológico de la historia. En ningún caso cobra relieve o protagonismo.

La segunda modalidad del monólogo, el relato, cuenta con una extensión temporal mayor, entre los siete y quince minutos. Ello significa que la estructura narrativa puede ser más sofisticada y elaborada, con lo cual permite presentar a más personajes, escenarios y acontecimientos.

Además del narrador omnisciente, neutro e imparcial, también pueden incorporarse dramatizaciones de los personajes. De este modo se logra una mayor riqueza y seducción de cara a los aficionados a estos programas. La música es diegética, anuncia la apertura y cierre del relato. Sin embargo, suele emplearse igualmente para crear ambientes con la ayuda de los efectos sonoros. Éstos contribuyen a crear los paisajes y a describir el marco narrativo.

La radionovela es el más largo y complicado. Se trata de un relato ficcional serializado, es decir, conserva los rasgos singulares del relato radiofónico, pero éstos se exhiben por cada episodio. Su extraordinaria extensión narrativa facilita la construcción de diversas subtramas argumentales sin eliminar una principal que vertebre la serie. Los personajes son presentados en el primer capítulo y, una vez que el receptor ha hecho suyos a éstos, en los sucesivos episodios simplemente son caracterizados. También se reconstruyen los paisajes y ambientes que sean identificados de forma inmediata. La radionovela ha sido uno de los géneros más populares de los años cincuenta y sesenta, cuando la televisión no había entrado en las casas españolas.

Por otra parte están los diálogos y en éstos encontramos, en primer lugar, al *sketch*. Según Rodero Antón, éste es "la representación de una historia de ficción breve en la que uno o varios personajes viven una determinada realidad" (2005:252). Posee un esquema narrativo y tratamiento formal muy simple, no supera los cinco minutos, con lo cual limita bastante el desarrollo narrativo. Dispone de uno o dos protagonistas y los espacios son casi mínimos. Son los diálogos los que van a ayudar a la progresión dramática del relato radiofónico, si bien, pueden combinarse en pequeños momentos de la historia con algún monólogo emitido por uno de los personajes. Así que la sucesión de voces de efectos sonoros son los que servirán para ambientar y describir las acciones.

La representación es una ficción radiofónica de quince minutos a lo sumo. Se llegan a presentar hasta cuatro personajes principales. Debido a su extensión permite desarrollar una acción principal y que, a su vez, ésta viene acompañada por una o varios relatos paralelos de menor consistencia dramática. Las diferentes tramas pueden ser físicas o psicológicas. Los diálogos son la base del relato, pero a veces se recurre a algunos monólogos para amenizar y generar un ritmo vivo al programa de ficción.

El radioteatro fue creado a partir de las adaptaciones de obras dramatúrgicas llevadas al medio radiofónico. Con el paso de los años se incorporan textos originales que fueron pensados para la radio. Así pues, en este género podemos adaptar obras originales o bien piezas ya escritas. Este tipo de producción ofrece las mismas, o más, posibilidades expresivas que el teatro escénico. Puede llegar a tener una hora de emisión y por eso mismo obliga a una mayor complejidad narrativa de tramas, personajes, escenarios. Su principal característica es que en el radioteatro no aparece la instancia narradora, sino que son los personajes quienes cuentan la historia. El oyente sigue toda la acción narrativa gracias a la sucesión de conversaciones, aunque en estos relatos la música, los silencios y efectos sonoros presentan un mayor grado de sofisticación. Este género también puede ser presentado a modo de serie o por capítulos, sin embargo dicha modalidad es excepcional. Por último cabría indicar, a título anecdótico, que al comienzo y al cierre del programa suelen aparecer los títulos de crédito del programa.

Para acabar, en los géneros mixtos están las adaptaciones literarias y la recreación. En los primeros se amolda una novela o texto literario (cuentos, teatro, etc.) al medio radiofónico combinando diversas voces y narradores. En cambio, la recreación se basa en tomar un acontecimiento real, ya sea pasado o actual y materializarlo en un dramático. Aquí se combinan elementos reales con acciones inspirados por la imaginación de los guionistas y el proceso de producción no difiere demasiado a los rasgos formales de una radionovela o radioteatro.

En definitiva, los programas dramáticos brindan a la audiencia un importante grado de atención, a causa de la complejidad narrativa que pueden llegar a alcanzar. Buscan el entretenimiento y, pese a que, hoy en día, han perdido su protagonismo social debido a la dura competitividad del medio televisivo, todavía hoy siguen manteniendo una cierta dosis de vitalidad.

3.5. LA GESTIÓN DE LA PRODUCCIÓN EN RADIO

El plan de elaboración de un programa radiofónico varía según la naturaleza de sus contenidos, pero también depende de las estrategias operadas sobre el mensaje. Los espacios de mayor envergadura requieren previamente un estudio mucho más detallado, por lo que se deben determinar los márgenes temporales para cada proceso. Se tiene que conocer la duración establecida en cada segmento, así como el tiempo de presentación de los diferentes mensajes radiofónicos. A su vez, es necesario tomar un conocimiento estructural del género o programa: apertura, desarrollo y cierre.

También ha de estudiarse el espacio radiofónico en el marco de la franja horaria. Según los temas abordados por el programa, se definirá un horario fijo y su grado de periodicidad (diario, semanal, mensual, eventual). Por otro lado, cuando se diseña un programa han de unificar-se las intenciones creativas con el estilo formal idóneo. Esto nos lleva a adaptar las necesidades y los rasgos específicos de la radio. El lenguaje de dicho medio será, pues, el elemento fundamental para ajustarlo a las aplicaciones técnicas, los aspectos literarios y las líneas ideológicas y formales de la emisora que respaldan la producción.

En definitiva, el primer paso a seguir en la gestión de la producción radiofónica es el diseño del programa y esto obliga a desarrollar dos fases iniciales: primero, desarrollar la idea, es decir, configurar el tipo de contenidos que se pretende crear (a ser posible, lo más novedoso), y segundo, plantear una planificación.

En la fase de la idea hay que contar con las cuatro informaciones esenciales: la emisora (adaptar estilo y línea ideológica), la audiencia (considerar el perfil del consumidor de la emisora), el horario (determinar la franja horaria de la programación según las características del programa) y la duración (apuntar unos límites razonables en función de los contenidos, estilo de programa, así como del horario de programación). Durante esta primera gestión, debe reflejarse en un documento las características del proyecto que se quiere hacer. En esta documentación se justifican los rasgos generales, los recursos y elementos a tener en cuenta para realizar el programa. Es un texto necesario tanto para los organizadores-creadores del proyecto como para los directivos de la emisora. Permite reflejar una visión clara de las características del proyecto y su público potencial, y también la envergadura de los recursos humanos y técnicos que se han de movilizar. Ha de servir para clarificar suficientemente la información del proyecto en sus inicios.

De forma concreta se indica, en la cabecera del documento, el título o nombre provisional del proyecto, el responsable o autor del mismo (puede ser una persona física o jurídica), el tipo de género (magacine, dramático, informativo, musical, etc.), la duración aproximada del espacio y la fecha de confección del documento. Toda esta información será la que va a encabezar el documento. Debajo de dicha información, se detalla, en un primer recuadro, la sinopsis atractiva, precisa, sencilla y convincente de los rasgos necesarios para el desarrollo sonoro y narrativo pues debemos tener en cuenta que los primeros lectores del proyecto van a ser quienes financien el proyecto.

También se define el potencial consumidor del programa y describir el tratamiento sonoro que se va a desarrollar. En otro cuadro se escribirá la distribución de funciones, ya sean las que correspondan a categorías más habituales (como el realizador, el productor, el técnico de sonido, documentalista, redactor, guionista, ambientador musical, etc.) ó aquellas que sean más esporádicas o eventuales (entrevistados, técnicos de enlace, productores asociados, especialistas de sonido, etc.). Por otro lado se incluirá un apartado donde se dará constancia del equipamiento técnico necesario para efectuar el proyecto. Esta información es importante porque dará una mayor credibilidad y solvencia técnica al proyecto. Finalmente, deberá añadirse las observaciones pertinentes para indicar las especificaciones necesarias a la hora de concretar aspectos y dar consistencia al diseño del programa radiofónico.

Una vez que hemos diseñado el proyecto, lo que procede es desarrollar una planificación, o sea, definir un plan de producción. Este proceso correspondería a la segunda fase inicial del proyecto. En las producciones aparatosas o de gran envergadura, como los *magazines* o la radio de ficción (la radio teatro, radionovela, etc.), se busca un modelo de plan de producción que sirva para temporalizar las necesidades materiales y organizativas del programa.

Gracias a este documento podemos proyectar y organizar semanalmente las distintas labores que se efectuarán durante la fase de producción. El documento inicial se rellena marcando las casillas para obtener una visión general del tiempo de trabajo que necesitará cada tarea, mientras que el segundo permite especificar todo ello. En la cabecera de la hoja a cumplimentar, se indicará el nombre del programa seguido de guión, y luego vendrá el capítulo y título si es una serie radiofónica. Debajo del título, se informará del responsable, del realizador. Los últimos datos que encabezan el documento son las fechas de elaboración del plan y el número de la versión que se esté llevando a cabo. En otro apartado del mencionado plan del proyecto se hace un informe detallado en el cual se refleja la hora y el día de la semana de las tareas que cada profesional ha de realizar.

Evidentemente, cuanto más pormenorizado se haya confeccionado, más control tendremos en el proceso de la producción, lo que, a su vez, contribuirá a una mayor calidad de la misma. Para todo ello se buscará que el diseño y la planificación del programa estén orientados a estimular el interés del oyente. De ahí que las diversas secciones o contenidos resulten lo más dinámico, variado y atractivo.

Según Rodero Antón (2005: 206-207) la estrategia a seguir dependerá de la forma de segmentar el programa de radio, bien por contenidos, géneros, duración o estilo. En cualquier caso no existe un modelo preciso para todos y cada uno de los géneros o programas. Toda vez que, en la actualidad, los espacios radiofónicos tienden a combinar diversos registros narrativos y ello contribuye a crear una gestión específica para el programa diseñado. Después de finalizar con el estudio del proyecto deseado, comenzaría el proceso mismo de la producción a partir de la elaboración de su estructura, cuyo esquema general es invariable al tipo de género o programa: portada o apertura, desarrollo y despedida o cierre. A partir de aquí se presenta la escaleta, que consiste en una herramienta informativa en la que se da a conocer el orden temporal del desarrollo del programa y los diferentes bloques temáticos que lo componen.

En realidad es una hoja donde se reflejan las necesidades de la producción para que el equipo técnico de realización, los locutores, etc., puedan saber en cada momento la puesta en marcha del programa. La escaleta es un documento técnico susceptible de sufrir modificaciones, aunque éstas se evitan para una mayor claridad expositiva y una mejor comunicación ya que puede ocasionar equívocos indeseables. Esta información se elabora en todos los programas (informativos, magazines, radionovelas, etc.). En la cabecera de la escaleta se escribe el nombre del programa, el editor (responsable de la producción), día de la realización, horario de inicio y fin de la emisión, y la duración del programa (se ponen los minutos y segundos). Además, en otro bloque de la hoja se informará del número de bloque de programa, la hora de inicio, la duración y el título de cada bloque. A partir de la segunda línea, el texto de la locución servirá al presentador y se indica el nombre del locutor y de los invitados si los hubiere. Si se trata de un reportaje, un paso publicitario o cualquier otra cosa, se consignarán igualmente. En este último caso es práctico y útil que se centre el texto para tener una columna diferenciada a la izquierda con las locuciones y centradas el resto de partes del programa.

También se reflejará la fuente empleada según se trate de un "enlatado" o grabado o de una conexión en directo. Si es un grabado es importante informar del código de tiempos del inicio y duración del archivo digital donde contiene el programa. Por el contrario si el programa es un directo sólo hay que indicar el lugar de la conexión. En otro apartado se incluyen los datos técnicos de la mezcla de sonidos y las operaciones de los equipos para informar de la continuidad de los bloques. Esto se consigue informando del tipo de transición entre los elementos combinados. Para efectuar estas operaciones se establecen una serie de abreviaturas que sirvan como identificación inmediata. Estas nomenclaturas están ya explicadas en el apartado **3.3.2 El guión radiofónico**. Por último es muy importante señalar en la escaleta la duración parcial de cada bloque y la total para reconocer el tiempo global del programa.

Así pues, una vez que hemos elaborado todas las informaciones apuntadas arriba se procede a escribir el guión técnico y el literario. Con ello los profesionales del medio radiofónico tendrán un perfecto conocimiento de cuanto han de realizar en el momento en que se dispongan a materializar el programa. Al terminar el trabajo, tan sólo restará la elaboración de la memoria de la producción, que será objeto de desarrollo en el apartado siguiente.

3.6. LA MEMORIA DE PRODUCCIÓN RADIOFÓNICA

La memoria evalúa el propio trabajo, se trata de recapitular; analizar el grado de satisfacción alcanzado; lanzar hipótesis acerca de la relación entre los avatares del proceso de producción, el producto terminado y su rentabilidad, etc.; y, en fin, indicar los medios empleados (equipamiento —hardware—, programas y soportes de grabación —software—, personal…), las etapas del proceso, las posibles incidencias. Se trata de un documento que permita reflejar de forma sintética el resultado de la producción radiofónica, bien para apuntar a posibles mejoras en sucesivas realizaciones, bien para tomarlo como material de documentación y de esta manera sirva como futuras consultas.

La memoria es un nuevo documento que dispone de dos grandes apartados: la cabecera y los detalles del programa. En el primer bloque de la memoria se indica el número de programa, el título del mismo, la fecha de emisión y una evaluación, lo más objetiva posible del acabado, del producto radiofónico. En el segundo bloque de la memoria se detalla las dificultades que se han encontrado a la hora de emprender la realización del programa. Además se explica el grado de consecución de los objetivos planteados en el proyecto. También se informa de los

equipos y materiales empleados para desarrollar la producción radiofónica. Por último es importante señalar las características técnicas
del programa realizado.

Tiene, por tanto, el cometido de servir como medio de consulta para
contrastar entre lo proyectado, al inicio de la gestión radiofónica (según el diseño y la planificación previa), y los resultados obtenidos. De
esta manera podemos desarrollar una valoración objetiva del trabajo
final. La memoria resume la producción del programa ya sea el área
artística como la técnica. En el ámbito profesional, interesa disponer
del máximo control en la producción y ésta no concluye en la emisión,
sino en la actividad reflexiva llevada a cabo para mejorar y enriquecer
el trabajo radiofónico de cara al oyente.

CAPÍTULO 4
LOS RECURSOS PARA LA PRODUCCIÓN EN VÍDEO Y TELEVISIÓN

Francisco López Cantos

4.1. LA CADENA DE PRODUCCIÓN TELEVISIVA

Para hacer televisión se distinguen dos grandes áreas de trabajo, a partir de las cuales se agrupan los recursos necesarios para la actividad televisiva: área de producción de programas, en la que se incluyen todas las tareas y procesos necesarios para la confección de productos audiovisuales aptos para su puesta a disposición para el público; y área de emisión, que integra todos los recursos que permiten la distribución efectiva de esos productos audiovisuales hasta los receptores de televisión.

De esta manera, la elaboración y puesta a disposición del público de un producto televisivo se efectúa en distintas fases y, como veremos más adelante, la estructura productiva de las empresas que operan en el sector de televisión se organiza funcionalmente a partir de estas grandes áreas.

El flujo básico de las fases necesarias para hacer televisión es el siguiente:

Producción → **Distribución** → **Recepción**

En este sentido, la televisión sólo se distingue del resto de industrias audiovisuales por la tecnología específica de distribución y recepción de imágenes y sonidos que utiliza para hacerlas llegar a distancia, es decir, para permitir la televisión. Es decir, cualquier producto audiovisual necesita de unos procesos de producción y una vía para llegar a los destinatarios finales, el público, y, en el caso de la televisión, utilizamos el término recepción, en tanto que el espectador utiliza el receptor para recibir las imágenes.

La televisión se hace así posible utilizando tecnologías de distribución de la señal por medios electromagnéticos y, también por ello, a esta particular forma de distribución audiovisual se le denomina emisión, haciendo referencia inicialmente a la utilización de ondas radiantes que se transmiten a través del espacio y que, en la actualidad, amplía su ámbito a otros medios para la distribución de programación televisiva, como el cable.

En resumen, la producción de programas constituye la fase inicial de todo el proceso televisivo, la distribución de programas se define en función de la tecnología utilizada y, finalmente, la recepción por parte del usuario final es el acto que cierra todo el ciclo de la actividad televisiva.

Nos vamos a ocupar en los siguientes epígrafes de la fase de producción, tratada extensamente en trabajos ya clásicos en la bibliografía imprescindible para la producción audiovisual de autores tales como Millerson (1983 y 1990), Sainz (1999 y 1999), Jacoste (1996), Cabezón (1999), Cuevas (1999), Barroso (1994), Fernández Díez (1996) o Rabiger (1994) entre otros, y del que este texto es sin duda deudor, pero antes se ha de tener en cuenta las siguientes fórmulas de producción que utilizan las empresas de televisión para la confección de programas, en función de quien elabora el producto audiovisual:

- Producción propia: realizada con los medios técnicos y humanos de la propia televisión.
- Producción ajena: confeccionada por empresas de producción ajenas a la televisión y que entregan el programa listo para su emisión.
- Co-producción: participación de la televisión con recursos financieros, técnicos o humanos en la elaboración de un producto audiovisual en colaboración con empresas de producción externa.

De todos modos, es necesario no perder de vista que las empresas de televisión se rigen por una estrategia de programación y, por tanto, cualquier fórmula que se utilice para la confección de programas destinados a este medio de comunicación está supeditada a la decisión final de la empresa de televisión para considerarlo apto.

Es decir, la producción ajena mantiene una interdependencia muy estrecha con los modelos de programación de las distintas televisiones y, en muchos casos, el producto audiovisual elaborado se realiza en función de las estrategias de distribución de contenidos que llevan a cabo las televisiones.

Con frecuencia productoras independientes reciben el encargo de elaborar un determinado programa por parte de una televisión asumiendo los riesgos financieros íntegramente y con el compromiso de compra por parte de aquella, pero siempre determinado a que cumpla los criterios de calidad técnica y artística y, en último extremo, que se integre adecuadamente en la estrategia de programación. En el caso de las producciones propias la dirección de programación ejerce una absoluta supervisión del producto final y, por supuesto, en el caso de las co-producciones la aportación de recursos por parte de la empresa de televisión condiciona la factura final con que se elaborará el programa para hacerlo apto para la emisión.

También se realizan entre las propias cadenas intercambios de productos o se siguen estrategias de compra conjuntas, caso de la FORTA por ejemplo, de manera que un determinado programa puede ser responsabilidad y estar producido por varias televisiones y productoras a la vez teniendo así asegurada su financiación y emisión, modelo muy utilizado actualmente para minimizar los costes y los riesgos de cada participante en la elaboración del producto audiovisual final.

Lo menos frecuente es que productoras independientes elaboren productos de manera aislada y por sí solas para después venderlos a las empresas de televisión, y comúnmente las televisiones participan en un grado u otro en la producción de programas, incluidos los elaborados por la industria cinematográfica, ya que están obligadas a destinar el 5% de sus inversiones a este tipo de producciones[1].

---

[1]   "Los operadores de televisión que tengan la responsabilidad editorial de canales de televisión en cuya programación se incluyan largometrajes cinematográficos de producción actual, es decir, con una antigüedad menor de siete años desde su fecha de producción, deberán destinar, como mínimo, cada año, el 5% de la cifra total de ingresos devengados durante el ejercicio anterior, conforme a su cuenta de explotación, a la financiación anticipada de la producción de largometrajes y cortometrajes cinematográficos y películas para televisión europeos, incluidos los supuestos contemplados en el artículo 5.1 de la Ley de fomento y promoción de la cinematografía y del sector audiovisual. El 60% de esta financiación deberá destinarse a producciones cuya lengua original sea cualquiera de las oficiales en España.", Ley 21/2005.

En definitiva, las televisiones se sitúan en el vértice de la industria audiovisual como uno de los medios fundamentales de distribución de productos audiovisuales, y la salud financiera del resto del sector depende en gran medida de la situación en que se encuentren estos operadores y los modelos de programación que implanten como estrategia de penetración en los públicos.

Más adelante trataremos los distintos modelos de programación y el tipo de productos audiovisuales que distribuyen las televisiones, pero antes es necesario conocer cuál es el modelo organizativo que este tipo de empresas implantan para realizar efectivamente sus cometidos.

4.2. ESTRUCTURA DE LAS EMPRESAS DE TELEVISIÓN

Las televisiones se pueden definir atendiendo a diversos ámbitos y clasificarse según su titularidad y modo de gestión (público, privado o mixto); su cobertura (nacional, autonómica o local); la tecnología utilizada (analógica o digital); el medio de transmisión (ondas terrestres, satélite, cable o internet); el modelo de programación (generalista, temática o local); la forma de acceso a la programación (gratuita, de pago o bajo demanda); o su dimensión empresarial (pyme, gran empresa o corporación multimedia), pero, en cualquier caso, toda televisión, independientemente de sus características, se organiza funcionalmente para permitir una gestión eficaz de su actividad.

Existen diversas formas particulares de organización para cada tipo de empresa y, además, estas son mutables y adaptables a los cambios que se introducen en los objetivos empresariales propios de cada televisión que, finalmente, afectan a los procesos de producción. No obstante, un esquema básico general como el siguiente es aplicable a cualquier televisión, con un grado de complejidad mayor o menor en cada caso particular.

La producción de programas para televisión es, en este sentido, una decisión de programación que ha de contar con los recursos económicos y financieros necesarios y la capacidad técnica para su elaboración y, finalmente, está supeditada a la estrategia empresarial de los propietarios de la empresa que, en cualquier caso, es la de obtener penetración en las audiencias y obtener cierto grado de rentabilidad en términos económicos o, caso de las televisiones públicas, socioculturales.

El director de programación, en este sentido, es el responsable último de que los productos que se han de emitir tengan la calidad técnica y artística necesaria para su difusión y se integren adecuadamente en la estrategia de programación de la televisión. De él depende, por tanto, la decisión de llevar adelante proyectos de producción, tanto elaborados desde la propia televisión, como procedentes de empresas ajenas. En definitiva, es en esta área donde se integra el trabajo necesario para desarrollar cada programa de televisión, en continuo diálogo con los responsables de las áreas de administración y técnica.

A continuación se puede ver como ejemplo un organigrama funcional de una empresa de televisión, Tele5, con la complejidad propia de una gran empresa corporativa, en este caso participada mayoritariamente por el Grupo MediaSet, con un 52%, y el Dresdner Bank y Vocento, con un 24,7% y un 13% respectivamente.

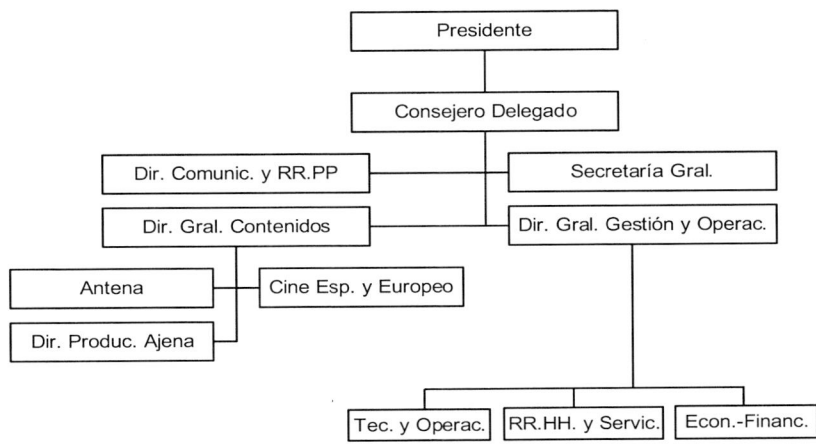

Y en el siguiente gráfico se puede ver igualmente la estructura orgánica de una televisión autonómica, TVV, en la que se delimitan los distintos departamentos, secciones y unidades estableciendo una jerarquía y un sistema de trabajo que permite realizar las labores propias de una televisión de manera efectiva:

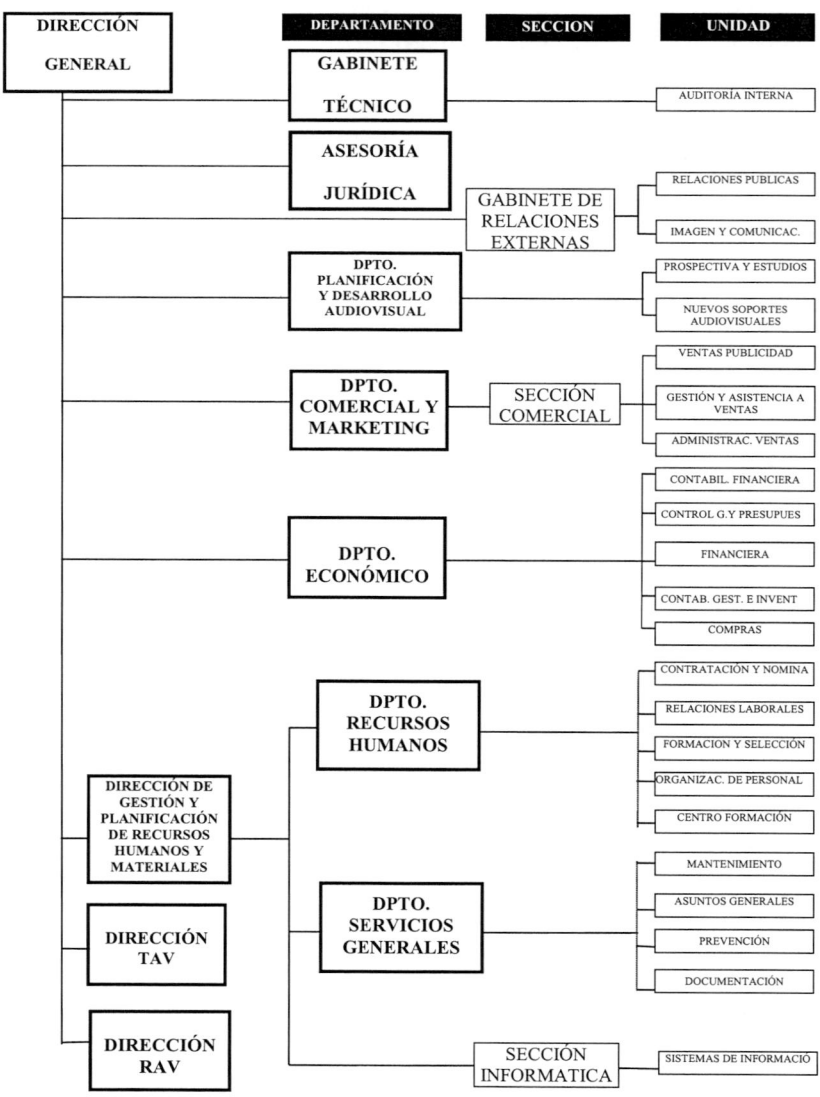

Una vez adoptada la decisión de llevar adelante una producción, que puede ser más o menos compleja dependiendo del tamaño de la empresa de televisión, el flujo de trabajo se organiza igualmente por áreas funcionales, que corresponden normalmente a espacios físicos determinados, tal como sigue:

Captación   →   **Tratamiento**   →   **Emisión**

La primera fase del trabajo consiste en la obtención de las imágenes y los sonidos determinados para ese programa mediante dispositivos de captación, las cámaras, que se sitúan en el inicio de todo el proceso. La codificación audiovisual de esa información recibe posteriormente un tratamiento determinado por el tipo de programa que se vaya a elaborar y en función de si se va a producir la emisión de esas imágenes en directo o en diferido para, finalmente, generar una secuencia de información audiovisual óptima para su distribución hasta los hogares en función del medio tecnológico de transmisión utilizado.

4.3. PROCESO DE PRODUCCIÓN DE PROGRAMAS DE VÍDEO Y TELEVISIÓN

De manera esquemática el proceso general de producción de programas en una televisión está representado en el siguiente gráfico:

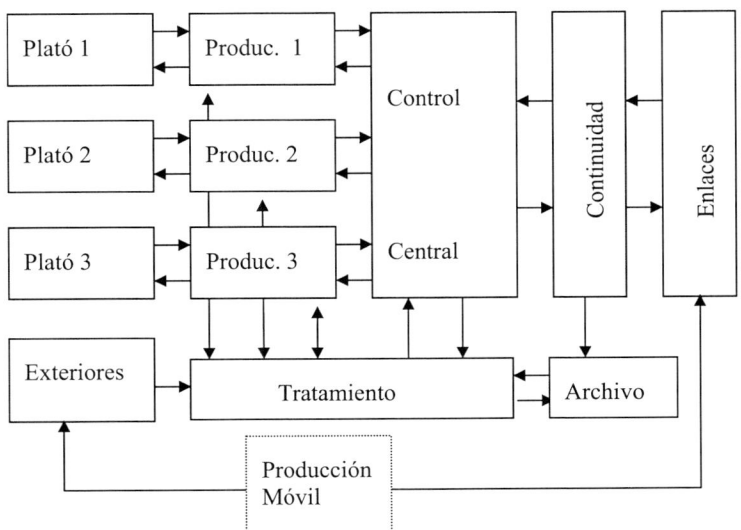

Como se puede observar, la captación de imágenes se realiza en los platós o en exteriores, donde se ubican los dispositivos de captación, bien en configuración de estudio para la realización multicámara, o bien en función E.N.G. (Environment News Gatering). En este último caso, se registra directamente la información audiovisual utilizando camascopios para pasar directamente al proceso de tratamiento, o bien se transmiten las imágenes hasta el centro de enlaces utilizando una unidad móvil de producción, pasando a formar parte de la cadena de producción en realizaciones complejas, por ejemplo retransmisiones deportivas.

En programas realizados en el espacio de la propia televisión, cada espacio de producción, cada plató, se gestiona desde un control de producción propio y sirve la imagen elaborada, incluida la imagen ya registrada anteriormente y tratada, y también la generada sintéticamente.

Para permitir la inclusión en el flujo audiovisual de información procedente de las diversas fuentes, todo ello se gestiona en el control central desde donde, finalmente, se elabora una secuencia audiovisual que pasa al control de continuidad donde se optimiza para enlazarla con la red de distribución.

Veamos a continuación con más detalle los procesos y el equipamiento básico necesario en cada una de las áreas que participan en el flujo de producción.

4.3.1. Captación y registro audiovisual

Para la captación de imagen se utilizan dispositivos ópticos, las cámaras, que analizan electrónicamente la escena para convertirla en una secuencia de información, analógica o digital, apta para su tratamiento. Esta conversión se realiza con dispositivos que permiten la transducción de energía luminosa en electromagnética, los CCD's (*Couple Charge Devices*). Estos mosaicos de células fotoeléctricas subdividen la imagen a captar en puntos horizontales y verticales que se insertan de manera secuencial en un flujo sostenido de información audiovisual. Este flujo puede estar codificado analógicamente, en función de las distintas intensidades eléctricas que se generan a partir de la luminosidad de cada punto a captar; o bien puede consistir en un flujo binario de información que posteriormente se interpreta a partir de estas diferencias codificadas en secuencias de bits. En uno y otro caso, lo que se hace es convertir la imagen exterior en información interpretable por los equipos audiovisuales para permitir trabajar con ella y transformarla[2].

La adecuación de la toma al programa a elaborar se realiza utilizando recursos ópticos, los planos y, en función del tipo de imagen requerida, ya en el proceso de captación, se ha de realizar una cuidada puesta en escena y acondicionar los elementos referenciales a captar en función de los equipos utilizados y la estética general del programa a realizar. Esto se hace mediante técnicas específicas de iluminación y sonorización y, en su caso, procesos elaborados de decoración y caracterización, que permiten la óptima captación de la imagen audiovisual desde sus inicios, fundamental para determinar la calidad obtenida al final de todo el proceso de producción.

Esta información, ya codificada y preparada para su tratamiento a lo largo de la cadena de producción, se registra utilizando diversos soportes de almacenamiento y estándares de codificación y, en función del grado de elaboración en que se encuentre respecto al producto audiovisual final, se distingue habitualmente entre registros en bruto o máster. Si se trata de grabaciones E.NG. se las suele denominar *brutos de cámara*, y si las imágenes almacenadas corresponden al continuo de la programación distribuída hasta los receptores se habla de *máster de programa o de emisión*, este último llamado también copia legal, dependiendo si se trata de una copia de archivo de un producto elaborado completamente para su posterior comercialización, redistribución o utilización en la elaboración de otros programas nuevos; o aquella que todas las cadenas están obligadas a conservar con la programación emitida[3].

Los soportes de almacenamiento de imagen electrónica se distinguen en la actualidad entre aquellos que realizan la grabación utili-

---

2   Para una introducción a la tecnología audiovisual es recomendable consultar Llorens, V. (1995).

3   "Los titulares de las concesiones deberán archivar durante un plazo de seis meses, a contar desde la fecha de su primera emisión, todos los programas emitidos por las respectivas emisoras de televisión y registrar los datos relativos a tales programas, así como su origen y a las peculiaridades de la labor de producción, a efectos de facilitar su inspección por las autoridades competentes y su consulta por los particulares conforme a la regulación general en esta materia". Artlo. 14.6. de la Ley 10/1988, de 3 de mayo, de Televisión Privada.

zando soportes magnéticos, caso de las cintas de vídeo tradicionales, ópticos[4], como los compact-disc (DVD) grabables, magneto-ópticos o en disco duro, utilizados en los sistemas de almacenamiento informático con posibilidad de regrabación, como los magnéticos u ópticos.

Al margen del soporte de grabación, la información archivada puede codificarse analógica o digitalmente y, en función de ello, se han consensuado sistemas de captura y registro normalizados que permiten a los fabricantes de equipos audiovisuales comercializar sistemas integrales adecuados para los distintos niveles de producción que exige cada uno de los nichos de mercado a los que van destinados estas tecnologías audiovisuales, según se trate de realizar producciones para el ámbito profesional o broadcast, se requiera un nivel de calidad adecuado para la producción semi-profesional o industrial y, finalmente, equipos comercializados para usuarios amateur o para ser utilizados en el ámbito doméstico.

En la actualidad los sistemas de producción se diferencian en función de las normas de registro que utilizan y que, naturalmente, imponen que toda la cadena de producción esté diseñada, desde la captura y tratamiento hasta la distribución de la señal, para mantener el nivel de calidad requerido.

Los sistemas de producción se distinguen en función de la mayor o menor agrupación que realizan con la señal correspondiente a cada uno de los colores primarios en que se separa la imagen referencial captada. De esta manera, en el mercado se encuentran equipamientos de producción que trabajan por componentes, con la señal roja, verde y azul (RGB); aquellos que lo hacen con tres señales por separado, luminosidad (Y) y diferencia de color (B-Y / R-Y), con dos señales por separado (Y/C); o una señal compuesta que integra las procedentes de cada uno de los colores primarios que capta el CCD de la cámara.

Los equipos de producción que se utilizan actualmente ya vienen transitando hacia tecnologías digitales desde tiempo atrás y, excepto

---

[4]   El registro óptico es específico para el almacenamiento de imágenes cinematográficas y utiliza un soporte fotoquímico. No obstante, las películas pueden contener sonidos registrados en bandas magnéticas, susceptibles de ser decodificados por un cabezal de lectura que, al igual que en cualquier interpretación de información grabada sobre este soporte, decodifica las variaciones de polarización de partículas magnéticas convirtiéndolas en impulsos eléctricos de distinta intensidad aptos para se tratados posteriormente con equipos específicos.

los sistemas de grabación Betacam SP, U-MATIC y S-VHS, hasta hace poco utilizados en el ámbito profesional, semi-profesional y doméstico respectivamente, y prácticamente obsoletos, la cadena de producción audiovisual tiende a ser enteramente digital.

Para la grabación digital en cinta de vídeo se han desarrollado las normas ITU-R 601 que fija las características que han de tener las señales en función de la calidad de la producción requerida. En estas normas se aúna, de un lado, la calidad de imagen mínima necesaria para una visión óptima[5] y, de otro, la obtención de flujos de datos manejables[6] por los sistemas de producción destinados a cada sector de la industria[7].

En definitiva, los sistemas de producción se diseñan y utilizan en función del nivel de calidad requerido, tendiendo de manera irreversible a digitalizar toda la cadena de producción de manera coherente, para mantener esa calidad y evitar pérdidas durante todo el proceso, desde

---

[5]   El rango de visión humana está tasado en alrededor de 220 niveles distintos de cada uno de los colores y el brillo, con lo cual el número total sería de unos 11 millones de colores perceptibles (220 Rojo x 220 Verde x 220 Azul). Traducido en codificación binaria se necesita disponer para cada color de 8 bits, es decir, de 256 valores distintos.

[6]   Para ello se realiza un tratamiento de la señal que la descompone en los valores de Luminancia (Y) y diferencia de color (C), (R-Y y B-Y), y se utilizan sistemas de compresión que permiten disminuir la cantidad total de datos a tratar facilitando así el trabajo con equipos informáticos.

[7]   La norma CCIR 601 4:4:4 define un formato por componentes R, G y B o Y, R-Y y B-Y que mantiene la máxima calidad y permite el copiado sin pérdidas, pero con un elevado flujo de datos, 249 Mbit/seg a 8 bits por señal. Cada segundo ocupa en formato PAL aproximadamente 31 MB. Por su parte, la norma CCIR 601 4:2:2 es el formato de producción con calidad de estudio más utilizado. A diferencia del anterior utiliza la calidad subjetiva perceptible por la visión humana y el sacrificio colorimétrico es mínimo, aunque la multigeneración provoca pérdidas de calidad. Con esta norma, cada segundo ocupa aproximadamente 21 MB. A partir de ella se han desarrollado sistemas con distintos tipos y grados de compresión que mantienen un nivel elevado de calidad, tales como Betacam Digital, DVCPRO 50, DIGITAL-S, Betacam SX, o Betacam MPEG-IMX. Las normas CCIR 601 4:1:1 y CCIR 601 4:2:0, sin embargo, suponen una disminución de la calidad colorimétrica de la imagen capturada pero, a partir de ello, se obtienen unos flujos de datos, 125 Mbit/seg, idóneos para producciones ligeras y periodismo electrónico, y con esta norma operan sistemas comerciales tales como DVCAM, DVCPRO y DV.

la captación. La elección de un sistema u otro tiene una repercusión directa en los costes de producción.

En la actualidad, la tecnología de emisión digital permite incluir cuatro o más programas por cada canal, multiplicando de esta manera la posibilidad de nuevas cadenas de televisión pero, igualmente, permitiendo la posibilidad de que una emisión ocupe hasta todo el canal completo, para facilitar la emisión de televisión de alta definición (HDTV), o incluso de productos no específicamente televisivos. En este sentido, se están desarrollando e implantando rápidamente en el mercado sistemas de vídeo que empiezan a proporcionar una calidad similar a la de la tradicional película cinematográfica, en un proceso irreversible de convergencia tecnológica entre ambos sectores que permite aumentar la eficacia, la productividad y la facilidad de distribución aprovechando las facilidades que ofrecen las nuevas tecnologías.

Así, los sistemas de producción audiovisual tienden a utilizar durante la captura sistemas de exploración progresiva similar a la cinematográfica (24 fotogramas por segundo), en lugar de entrelazada (única posible para la emisión de televisión analógica), con altas resoluciones de imagen, de 1920 puntos por línea y 1080 líneas visibles (frente a las 575 de la televisión analógica en sistema PAL), y formato panorámico, 16:9[8].

En esta línea, se están comercializando equipos de Sony (HDCAM o CineAlta) o Panasonic (DVCPRO HD o HD Varicam), utilizados ya para la grabación de cine y en producción documental y publicitaria de alto nivel, e incluso empieza a sustituirse el soporte de grabación en cinta en algunos equipos, que ya incorporan un disco duro directamente utilizable por los sistemas informáticos para el tratamiento audiovisual posterior, y en toda la cadena de televisión, incluida la recepción[9].

---

[8]   Actualmente los sistemas de alta definición se están empezando a comercializar y hacer accesibles al gran público en televisores con la etiqueta *FullHD*, que tienen las características descritas, aunque la televisión todavía no se emite en HD y su uso está limitado a los emergentes sistemas de video HD, como BlueRay, de Sony y Panasonic, o el ya extinto DVD HD de Panasonic.

[9]   Todavía existe, sin embargo, poco acceso para el público en general a equipos de visionado adecuados para ello, aunque se esta produciendo una fuerte competencia entre tecnologías LCD o plasma, con un evidente impulso e implantación de los televisores LCD en estos precisos momentos, tecnologías que, sin duda, desplazarán del todo a los tradicionales televisores actuales cuando se comercialicen a precios más asequibles.

En cualquier caso, es imprescindible mantener una calidad de imagen adecuada durante todo el proceso y, por ello, es necesario que desde la captura se cuide al máximo este nivel de calidad. Como veremos a continuación, el espacio de producción por excelencia en una televisión, el plató, está equipado con toda la infraestructura técnica necesaria para ello.

4.3.1.1. Producción en estudio

En el plató se sitúan las cámaras y los equipos necesarios para la captura del sonido, así como los accesorios de iluminación y maquinaria que requiera cada producción, todo ello, en la medida de lo posible, operado desde el control de realización donde se sitúan los controles remotos de las cámaras y trípodes (cuando están robotizados), se ajustan los niveles y la calidad del audio captado, y se determina la iluminación adecuada para ese programa particular. En el plató, por supuesto, se instala el decorado pertinente pudiendo, en ocasiones, contener un plató varios *sets*, dependiendo del número de programas que se realicen en el mismo y del ritmo de producción al que se someta este espacio.

Las cámaras de estudio se disponen en los lugares oportunos para la captura de la escena desde distintos ángulos y planos, dependiendo del tipo de programa a realizar, y su señal es remitida hasta el control de realización, donde se realiza la mezcla de vídeo con las imágenes procedentes de cada cámara y las grabadas previamente. Normalmente, un operador se ocupa en el propio plató de cada cámara y para ello se incorpora un visor sobre esta y se instala un sistema de intercomunicación que permita al operador recibir órdenes precisas del realizador del programa desde el control de realización. Gran parte de los ajustes para la captura de la imagen no se realizan sobre la propia cámara, sino utilizando una Unidad de Control de Cámara (CCU: *Camera Control Unit*), operada desde esta sala, e incluso se encuentran dispositivos de captura y accesorios completamente robotizados que permiten su control total y prescindir de operadores de cámara en el plató. En ocasiones, las cámaras llevan acoplado un dispositivo que permite la lectura de textos a los presentadores, el *teleprompter* o *autocue*, y que es controlado igualmente desde el control de realización para marcar el ritmo de lectura.

Para que la imagen responda a los requerimientos del tipo de programa que se está produciendo, se realiza el diseño y se instala la escenografía pertinente y todo el espacio se ilumina de manera acorde al programa. En la mayoría de los platós, las fuentes de iluminación se colocan sobre parrillas y permanecen suspendidos del techo a suficiente altura como para no interrumpir el tránsito de personas, cámaras u otros equipos por el plató. Estos focos se pueden orientar y desplazar manualmente a través de raíles y, en algunos casos, pueden estar completamente motorizados siendo habitual controlar su potencia a través de un *dimmer* desde una mesa de iluminación, situada igualmente en el control de realización.

El sonido a capturar se controla igualmente desde un mezclador de audio situado en el control de realización hasta donde llegan las señales de los micrófonos, a través de un cable o utilizando dispositivos inalámbricos. En determinados programas se envía una señal de audio a los presentadores para permanecer en comunicación con realización y poder recibir instrucciones precisas en caso de necesidad.

En el plató, además de los equipos básicos reseñados, se suele situar un monitor de plató, en el que se puede visualizar la imagen que está generando el programa; en algunos casos también monitores de audio, en programas con público y actuaciones musicales y en el que igualmente se escucha el sonido una vez ya ha pasado por el control de realización; y normalmente se utilizan cicloramas para poder realizar incrustaciones de *croma-key* y mezclar imágenes reales con otras sintéticas o grabadas previamente, aunque en los últimos tiempos se están implantando con cierto éxito los platós virtuales, en los que se prescinde de toda escenografía física y se inserta por este método.

En el control de realización, además de lo mencionado, se encuentran los equipamientos necesarios para recuperar e insertar las imágenes y sonidos que puedan requerirse para cada programa específico y para tratar directamente la señal de vídeo o audio y ajustarla a las condiciones adecuadas. Así esta sala está equipada con sistemas de recuperación y almacenamiento, magnetoscopios y/o sistemas de disco duro, sistemas de edición, lineal y/o no-lineal, generadores de imágenes y títulos, en 2D ó 3D, equipos específicos para el tratamiento del sonido como compresores, limitadores, puertas de ruído, etc., o incluso líneas telefónicas para la intervención de la audiencia[10]. Naturalmente, en el control de producción están los monitores de vídeo necesarios para

---

[10]   De unos años a esta parte las televisiones han comenzado a utilizar sobreimpresiones en pantalla de mensajes de móvil SMS (Short Message Sistem) para facilitar esta participación.

elegir la imagen de programa y realizar las mezclas, y los monitores de audio que permiten escuchar el sonido de programa y la intercomunicación con el plató.

A continuación se puede ver un esquema básico de los equipamientos mínimos que se encuentran en el control de realización y su relación con el plató:

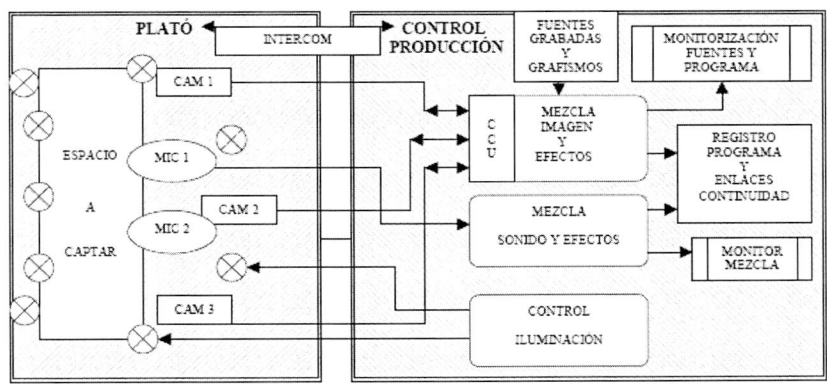

Todos estos equipos requieren de personal técnico capacitado para poder operar con ellos y, como se puede apreciar, para realizar cualquier producción audiovisual se precisa la participación de equipos de trabajo más o menos amplios, dependiendo de la complejidad del producto audiovisual a realizar, y, en todo caso, la factura final del programa es el resultado de la intervención conjunta de todo el personal que trabaja en la producción.

4.3.1.2. Producción en exteriores

La complejidad de la captura de imágenes y sonidos en el exterior depende igualmente del tipo de programa a realizar. Los recursos técnicos y humanos necesarios para la retransmisión de un espectáculo deportivo son evidentemente distintos que los necesarios para registrar una noticia destinada a un telediario, por ejemplo. En el primer caso, se requiere un tiempo previo de preparación importante y un control de realización emplazado en una unidad móvil que permita enlazar con el centro de producción si es necesario retransmitir en directo. En el segundo, en cambio, basta con una cámara que permita grabar la información audiovisual y se necesita además que esta sea ligera y manejable, por ello a este tipo de producción particular se le denomina E.N.G o de producción ligera.

En el caso de requerir una unidad móvil, en esta encontraremos perfectamente colocados todos los equipos ya reseñados necesarios en el control de realización de cada plató aunque, sin embargo, en numerosas ocasiones la intervención sobre la escena con equipos de iluminación y elementos de decorado será mínima, a no ser que se trate de la producción de un programa de ficción grabado en exteriores.

En cuanto a las producciones ligeras, con un camascopio y un operador de cámara será suficiente aunque, a veces, se puede necesitar la participación de más de una persona, en el caso de elaboración de noticias en las que interviene el periodista, o cuando existan complicaciones específicas para la captura del sonido con los micrófonos adosados a la cámara y se deban utilizar pértigas u otros accesorios similares. También en ocasiones se necesitan equipos accesorios de iluminación pero, en todo caso, siempre son equipos mínimos, en comparación a todos aquellos de los que se dispone en un plató, y también suelen ser generalmente equipos autónomos para facilitar el máximo de movilidad.

4.3.2. TRATAMIENTO DE LA IMAGEN Y EL SONIDO

Como venimos diciendo, el flujo de imágenes y sonidos en bruto, captados en el plató o en exteriores y ya codificados e interpretables por todos los equipos de producción, antes de ser emitidos pasan por el control de producción y reciben el tratamiento adecuado al tipo de programa que se está elaborando.

Este tratamiento consiste en un proceso de edición que permite estructurar las diversas fuentes visuales y sonoras captadas, generando un discurso narrativo sujeto a las convenciones del lenguaje audiovisual.

El proceso de edición comprende desde la propia selección de las imágenes y sonidos aptos para pasar a formar parte del programa, hasta todas aquellas técnicas y procesos que convierten aquellas imágenes y sonidos en información audiovisual elaborada y dispuesta para formar parte del flujo audiovisual.

En cuanto a la selección propiamente dicha, en algunos géneros televisivos como los informativos se ha incorporado una categoría profesional específica, el editor, pero, sin embargo, en la gran mayoría de los programas esta tarea es responsabilidad del realizador que, excepto en el caso de los programas informativos cuya labor depende de las indicaciones del editor, es quien ha de tomar esta decisión primigenia y cuidar la calidad final del producto audiovisual. Cuando esta selección y estructuración discursiva se realiza sobre imágenes ya registradas que se incorporarán posteriormente en un programa televisivo como tal, esta labor la realiza el montador.

De esta manera, los procesos de edición se han de entender como fundamentales para disponer imágenes en bruto en una secuencia óptima a partir de un tratamiento determinado específico de cada tipo de programa. En general, la realización es el proceso de dirección y estructuración global del programa televisivo o videográfico, mientras que el montaje, comúnmente llamado también edición cuando se trata de vídeo aunque ello se preste a cierta confusión, consiste en la conformación de piezas audiovisuales muchas veces menores que el programa televisivo, excepto en los géneros documentales y de ficción destinado a la estructuración completa del programa, siempre atendiendo a las indicaciones del realizador o director[11].

Mientras que la realización puede realizarse en directo y consistir sólo en la mezcla de imágenes de las distintas cámaras y otras fuentes ya registradas, el montaje siempre se realiza sobre información audiovisual grabada anteriormente y comprende tanto el proceso de tratamiento audiovisual necesario para elaborar un flujo secuencial discursivo como aquel que se realiza sobre imágenes o grupos de imágenes determinados. Es decir, esta tarea incluye desde la inserción de grafismos hasta la disposición sucesiva de esta información audiovisual en un discurso continuo. En realizaciones en directo aquel tipo de inserciones también se realizan de manera habitual sin que a ello se le denomine montaje puesto que, como decimos, tal término sólo se aplica con imágenes previamente registradas y que antes de pasar a formar parte del programa se someten a este proceso de tratamiento y elaboración.

---

[11]   Es importante distinguir entre director de programa y director de programación, siendo este último el responsable de todos los programas que se emiten elaborados por cada director o realizador.

En la actualidad, en la mayoría de las televisiones y empresas de producción videográficas conviven equipamientos analógicos y digitales para el tratamiento audiovisual aunque, de similar manera a como ocurre en toda esta industria, la utilización de sistemas informáticos integrales es la tendencia generalizada en un imparable proceso de digitalización.

Las ventajas determinantes de los sistemas de producción basados en soportes informáticos frente a aquellos que utilizan cintas para el registro de la información audiovisual son las siguientes:

- Acceso directo a las secuencias e imágenes audiovisuales.
- Manipulación sencilla y efectiva de la información.
- Facilidad de distribución e interconexión entre las distintas áreas de trabajo.
- Eficientes sistemas de almacenamiento, recuperación y archivo.

En el ámbito de la producción audiovisual, todo ello se traduce en una mayor productividad general de las empresas que utilizan sistemas integrales informatizados y un incremento de la calidad final de los productos a partir de las siguientes mejoras que facilitan estos sistemas:

- Procesos de tratamiento ágiles y casi de manera instantánea.
- Posibilidad de simultanear tareas sobre un mismo producto.
- Intercambio de datos de manera inmediata entre cualquier área.
- Mayores posibilidades creativas.
- Explotación efectiva de los productos elaborados.

Sistemas informáticos destinados a la producción audiovisual de fabricantes como Avid o Quantel[12], entre otras, están extendidos entre las empresas de televisión y son, sobre todo, las áreas de producción de informativos y deportes, y todos aquellos programas que requieren de instantaneidad y eficiencia, los que exigen la realización en directo. Estos sistemas permiten el trabajo integral de todo el equipo de producción y facilitan que, por ejemplo, las imágenes E.N.G que llegan a

---

[12]   Estos sistemas suelen funcionar con hardware específico, aunque en los últimos tiempos, cada vez son más accesibles para el sector semiprofesional, y algunos de estos productos se pueden instalar sobre sistemas operativos y equipos informáticos comunes.

la redacción de informativos reciban el tratamiento adecuado y estén disponibles casi inmediatamente para su emisión aunque precisen cierto grado de elaboración, como la introducción de títulos, inclusión de voz en off, etc. Los sistemas actuales permiten gestionar directamente el flujo de programación que emite la televisión e, incluso, poner a disposición de las audiencias esa misma información audiovisual en internet casi al instante.

En cualquier caso, como veremos a continuación, el tratamiento que reciben las imágenes registradas pasa en muchas ocasiones por un proceso de montaje y tratamiento gráfico, denominados conjuntamente como procesos de postproducción, y finalmente se integran como parte de un producto que se realiza utilizando diversas fuentes, registradas y/o no, y que constituye el programa televisivo en sí mismo.

Es común en el proceso de captura y registro audiovisual que el orden de producción y almacenamiento de esta información sea distinto al del producto a elaborar o, simplemente, que de toda esa información en bruto deba seleccionarse una parte que se considera válida. Igualmente, es muy corriente que esas imágenes referenciales requieran una modificación o corrección, o formen parte de una composición compleja en la que se mezclen imágenes reales y/o sintéticas, incluso pueden ser imágenes sintéticas generadas íntegramente por ordenador.

Los programas informáticos de tratamiento, composición y/o generación de imágenes suelen basarse en sistemas de capas superpuestas que se pueden combinar entre sí para elaborar la imagen final. La generación de imágenes sintéticas, en 2D o 3D, es posible utilizando sistemas de coordenadas que permiten manipular objetos definidos por su estructura geométrica a los que posteriormente se les puede dotar de texturas y movimientos, e incluso interactuar entre ellos. Cualquier objeto gráfico, en todo caso, es susceptible de modificación o corrección e, igualmente, las imágenes referenciales, con la única diferencia de que en estas últimas existen algunas dificultades para aislar objetos individuales en el interior de cada imagen, puesto que no tienen entidad propia, pero cada vez más se están perfeccionando algoritmos que permiten hacer selecciones automáticas de áreas de la imagen y mantenerlas aisladas durante toda la secuencia audiovisual para poder tratarlas conjuntamente.

En cuanto a la ordenación de esas imágenes para la conformación de un discurso audiovisual, hasta no hace mucho tiempo, los sistemas utilizados, analógicos, requerían complejos procesos de inserción o adición de imágenes en la cadena secuencial, que todavía requerían mayor sofisticación tecnológica cuando se trataba de incluir transiciones entre imágenes o incrustaciones gráficas. Estos sistemas de montaje o edición se denominan todavía hoy A/B, cuando sólo hay un magnetoscopio lector y un grabador, o A/B Roll cuando se trata de dos lectores y un grabador, en cualquier caso controlados desde una mesa de edición y sincronizados a través de un corrector de bases de tiempos, TBC, y a veces conectados a una mesa de realización con lo que se añadía la posibilidad de incrustar títulos y transiciones, muchas veces con equipos específicos para cada tarea.

En la actualidad estos sistemas, llamados de edición lineal, están siendo rápidamente sustituidos por sistemas de edición no-lineal, es decir, por sistemas informáticos en los que el montaje o edición audiovisual se efectúa utilizando programas de ordenador con las características de cualquier programa de tratamiento, composición y/o generación (a veces todo ello integrado y otras en paquetes de programas separados pero compatibles) con la única particularidad que están diseñados con el objeto específico de elaborar secuencias audiovisuales.

Naturalmente, la postproducción con estos equipos se realiza de manera mucho más ágil, efectiva y creativa que antaño y, aunque esta área es de las más avanzadas en cuanto a digitalización, la integración de estos productos en sistemas más complejos cada vez es mayor y la realización de programas cada vez más está basada en procesos y soportes digitales.

4.3.3. EMISIÓN Y ARCHIVO

En todos los casos, los sistemas de producción se adaptan de manera diferente para operar en televisiones que emiten utilizando normas PAL (Phase Alternative Line), 25 cuadros por segundo en dos campos y 625 líneas; NTSC (National Television Systems Commitee), 30 cuadros por segundo en dos campos y 525 líneas; o SECAM (Séquence a Mémoire), similar a la norma PAL pero introduciendo retardos.

En la actualidad todas las televisiones que emiten con tecnologías analógicas lo hacen según estas normas[13], pero para la implantación

---

13   El sistema PAL es utilizado mayoritariamente en Europa, como Gran Bretaña y Alemania, y en países como Australia y su entorno, Sudáfrica y algunos países africanos, entre otros, así como Brasil que utiliza una variación

de la televisión digital se han creado sistemas nuevos de codificación que se aplican tanto a la emisión como a la recepción.

En Europa este conjunto de normas se han diseñado desde la organización DVB (Digital Video Broadcasting)[14], que adapta cada norma al canal de transmisión y que permite ofrecer servicios interactivos de telecomunicación avanzados. Estas normas se denominan DVB-S, para el satélite; DVB-C, para el cable; y DVB-T, en lo relativo a la televisión digital terrestre (TDT) que, en España, está en proceso de introducción y se prevee el apagón analógico el día 3 de Abril de 2010[15], en 2008 para las televisiones locales[16].

La adecuación de la señal a la norma de emisión utilizada, sea esta analógica o digital, se realiza en el centro emisor, al que se envía la secuencia de la programación desde el control de continuidad, a veces utilizando radioenlaces de microondas, para, desde allí, distribuirla por toda la red de emisión y, antes de todo ello, se realiza el archivo de la programación por las razones legales ya comentadas.

A esta tarea se dedica una área específica, una de las que antes comenzaron a informatizarse en la mayoría de las televisiones, el Área de Documentación. En un primer momento, se comenzaron a utilizar bases de datos para la catalogación, archivo, búsqueda y recuperación de la información documental resultante del análisis formal y de contenido de los distintos productos audiovisuales generados en la activi-

---

de esta norma de 525 líneas. Francia y Rusia y los países que están o estuvieron bajo su influencia utilizan la norma SECAM; el sistema de emisión NTSC es el adoptado por países como Estados Unidos, Japón y gran parte de países centro y sudamericanos, siendo este sistema el más amplio en el mercado mundial de equipos *broadcast*.

[14]   Esta organización es, entre otras, una de las diversas asociaciones que proponen y participan en el proceso de normalización que se desarrolla en el seno de la Unión Internacional de Telecomunicaciones, específicamente en el Comité Consultivo Internacional de Radiocomunicaciones, y que se denominan normas CCIR 601, ya comentadas. Algunas otras se conocen como SMPTE (Society of Motion Picture and Television Engineers), organización que desarrolló el sistema de códigos de tiempos normalizado; o EBU/UER, específicas de la Unión Europea de Radiocomunicaciones.

[15]   Aprobado en Consejo de Ministros, celebrado el viernes 7 de septiembre de 2007, dentro del plan de tránsito a la televisión digital terrestre, que establece un calendario por fases para el fin de las emisiones analógicas de televisión en todo el país.

[16]   Real Decreto 439/2004.

dad diaria de la televisión para, después, empezar paulatinamente a robotizar los archivos físicos y a utilizar sistemas de almacenamiento en disco duro y/o DVD, relegando el uso de las tradicionales cintas y optimizando el espacio dedicado a esta área.

En la actualidad, los sistemas de almacenamiento estructurados en redes informatizadas permiten disponer de los archivos audiovisuales al instante y, en este sentido, la conservación de la programación en sí y el resto de productos audiovisuales generados por la televisión y su rápido acceso desde cualquier lugar de la misma se convierte en uno de los elementos fundamentales que permiten aumentar la productividad y optimizar los recursos y su explotación posterior. Igualmente, la continuidad de la programación está gestionada con sistemas informáticos capaces de insertar en la secuencia audiovisual fuentes diversas procedentes de cualquier área de producción de la televisión o recibidas desde el exterior.

En definitiva, la cadena de producción audiovisual tiende a estar digitalizada en todas sus fases, desde la captación al tratamiento y, finalmente, la emisión y, aunque todavía los receptores continúan siendo analógicos, la televisión analógica empieza a ser un recuerdo del pasado ante un futuro que se dibuja enteramente digital.

4.4. TIPOLOGÍA DE PROGRAMAS TELEVISIVOS Y VIDEOGRÁFICOS

Los programas emitidos, insertados en el continuo discursivo que conforma la programación de la cadena televisiva, se consideran por sí mismos productos elaborados que, como tales, requieren una mínima caracterización para poder establecer diálogos útiles respecto al tipo de programa que se produce y se emite.

Para ello, existen diversas tipologías que agrupan los distintos tipos de programas en categorías genéricas atendiendo a características comunes. Naturalmente, estas tipificaciones y clasificaciones no son cerradas y concluyentes y, por lo tanto, se realizan sobre una base de subjetividad importante.

En este sentido, cada cadena e, incluso, cada texto académico, puede intentar caracterizar la diversidad formal y de contenidos de las distintas producciones audiovisuales atendiendo a unos criterios u otros y, finalmente, elaborando catálogos de programas agrupados en géneros televisivos que pueden variar dependiendo de la estrategia utilizada y la propia subjetividad de quien realiza tal tarea.

No obstante, se ha llegado a una clasificación de los programas de televisión consensuada por la mayoría de operadores de televisión europeos, en el seno de la U.E.R. (Unión Europea de Radiodifusión). Según este organismo la tipología de programas de televisión es la siguiente:

Educativos:	Grupos específicos:
Educación de adultos.	Niños y adolescentes.
Escolares y preescolares.	Infantiles.
Universitarios y postuniversitarios.	Juveniles.
Otros.	Etnias.
	Inmigrantes.
	Otros.
Religiosos:	**Deportivos:**
Servicios.	Noticias.
Católicos.	Magazines.
Otras confesiones.	Acontecimientos.
Otros.	Otros.
Noticias:	**Divulgativos y de actualidad:**
Telediarios.	Actualidad.
Resúmenes semanales.	Parlamento.
Especiales informativos.	Magacines.
Otros.	Reportajes.
	Ciencia.
	Cultura y humanidades.
	Ocio y consumo.
	Otros.
Dramáticos:	**Musicales:**
Series.	Óperas y zarzuelas.
Folletines.	Comedias musicales.
Obras únicas.	Ballet y danza.
Largometrajes.	Música culta.
Cortometrajes.	Música ligera.
Otros.	Jazz.
	Folklore.
	Otros.

Variedades:	Otros programas:
Juegos y concursos.	Taurinos.
Emisión con invitados.	Festejos.
Espectáculos.	Revistas.
Otros.	Loterías.
	Derecho de réplica.
	Avances programación.
	Promoción programas.
	Otros.
Publicidad:	**Cartas de ajuste y transiciones:**
Ordinaria.	Cartas.
Pases publicitarios profes.	Transiciones.
Otros.	

Otros organismos o grupos de investigación europeos utilizan categorías distintas que pueden ser útiles igualmente, tales como las que viene utilizando en los informes Euromonitor, que son las siguientes:

- Ficción.   – Infantil / Juvenil.
- Información.   – Deportes.
- Show.   – Otros.
- Concurso.

Por su parte, TVE utiliza una clasificación genérica como la que sigue, por supuesto tan válida como las anteriores:

- Largometrajes   – Deportivos
- Cortometrajes   – Taurinos
- Dramáticos.   – Musicales
- Documentales   – Divulgativos y Actualidad
- Serie Animac.   – Infantiles y Juveniles
- Educativos   – Entretenimiento.

Cualquiera de estas clasificaciones puede ser válida y se ha de entender que estas tipologías son mutables porque además en el seno de muchas televisiones, incluso en la propia UER, se están implantando departamentos de "nuevos formatos" con el objeto de crear nuevos tipos de programas televisivos y, por tanto, los géneros o formatos de programas se transforman al tiempo que la propia televisión, y continuarán apareciendo nuevos programas difíciles de clasificar en cualquier categoría.

Igualmente la duración de cada programa es variable, aunque se establecen normalmente algunas pautas que marcan tiempos de 5 a 30 segundos, caso de la publicidad en general, hasta 30 minutos, en la mayoría de los programas documentales o teleseries por ejemplo, entre 30 y 60, para programas informativos, y a partir de una hora de duración, cuando se trata por ejemplo de programas magacine o deportivos.

No obstante, como decimos, en general esto es mutable y varía en función de las estrategias de programación de cada televisión y el éxito de cada programa en la audiencia. Sólo se observan pautas más o menos rígidas en programas documentales y de ficción, que suelen durar alrededor de 27 o 52 minutos, dado que se trata de producciones ajenas muchas veces a la televisión y no se puede gestionar su duración en función de las necesidades inmediatas del flujo de programación, como ocurre por ejemplo con un magacine o un informativo.

En definitiva, los programas televisivos, como cualquier producto industrial en general, están sujetos a procesos de cambio constantes que, dadas las características y la fuerte competencia de la industria audiovisual, dependen en mucho de los resultados de audiencia que son los que, en suma, determinan el grado de explotación publicitaria que puede resultar de cada segmento de programación horaria en general, que valora con distintos distintos precios de venta el tiempo de antena según se trate de la franja horaria vespertina, matinal, mediodía, sobremesa, tarde o noche.

En fin, y como venimos diciendo, las televisiones se guían por estrategias globales de programación que segmentan el tiempo de emisión en franjas horarias en las que incluyen determinados programas que se consideran idóneos para el tipo de público que está frente al televisor en cada momento. De esta manera, los *late-show*, shows noctunos, son comunes en el horario de noche, conocido como *prime-time*; los deportes, por ejemplo, ocupan gran espacio de programación con programas específicos durante el fín de semana, además de las retransmisiones deportivas y sus informativos específicos; las teleseries suelen programarse en horario matinal, de sobremesa o también en tarde-noche, de manera similar a la ficción en general, etc., con modelos de programación que se asemejan mucho entre las distintas cadenas generalistas de televisión[17]. No nos podemos extender sobre ello, pero para un análisis pormenorizado de las características y pautas de la programación televisiva es muy recomendable consultar el texto de Contreras y Palacio (2001), incluido en la bibliografía.

También, como veremos a continuación, las profesiones en la industria audiovisual están bastante bien definidas, aunque de igual manera, las categorías profesionales y las tareas específicas se adaptan a los cambios que se producen en el conjunto de la industria audiovisual.

4.5. LAS PROFESIONES EN LA INDUSTRIA AUDIOVISUAL

A nivel general, todo el personal de una empresa cualquiera se puede clasificar según el tipo de vinculación labor, es decir, como personal fijo, interino, eventual, temporal, y por obra o servicio; y, además de ello, se suelen establecer un conjunto de categorías profesionales determinadas a partir de las funciones a realizar.

Como norma general, igualmente, la estructura jerárquica de cualquier producción televisiva se puede expresar a partir del siguiente organigrama funcional:

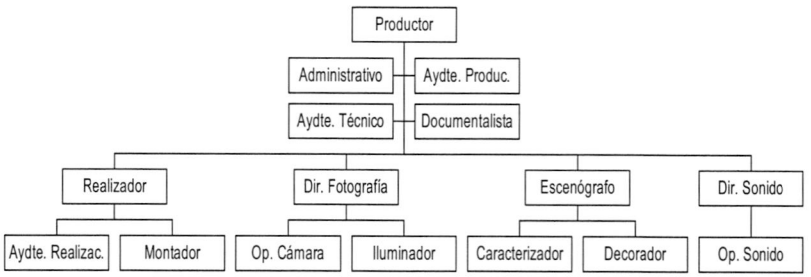

A continuación se puede observar en el gráfico de la página siguiente una estructura funcional más desarrollada y que corresponde

_____

17   Naturalmente, los canales temáticos son eso, canales temáticos, y la programación está guiada por unos contenidos vertebradores únicos (documentales, animación, películas, etc.).

igualmente a TVV. Cada uno de los departamentos, secciones y áreas, tiene asignado personal específico para llevar adelante sus funciones particulares, aunque a nivel general se puede distinguir entre tres grandes tipos de tareas, de gestión, artísticas y técnicas, siendo la suma e interacción de todas ellas la que permite la producción y emisión de programas en una empresa de televisión.

De la producción de cada programa, en esta estructura funcional particular, se ocupa el departamento específico. Obsérvese que el área de informativos y deportes adquiere en esta televisión particular, y en muchas de ellas, un peso específico importante aglutinando gran parte de los recursos humanos. Hay otro gran departamento para el resto de programas; otro en el que se diseña la programación global, se gestionan producciones ajenas y las emisiones en sí, entre otras tareas; y otro departamento dedicado exclusivamente a tareas de gestión económica y financiera. Todo ello coordinado por la Dirección General a través de un gabinete adjunto específicamente dedicado a ello.

A cada departamento, sección y área se asigna personal específico, estableciendo una jerarquía funcional con un responsable que ejerce tareas de dirección y dispone, dependiendo del tamaño de esa unidad funcional, de uno o varios ayudantes, y estos a su vez de personal auxiliar. La diferencia genérica entre estas categorías profesionales reside en el grado de implicación en los resultados esperados de cada unidad funcional.

En este sentido, el responsable supervisa y determina la orientación de las tareas a realizar, los ayudantes coordinan la realización de las mismas y las ejecutan apoyados por los auxiliares. Cuando se trata de la elaboración de programas audiovisuales como tales, la distribución y jerarquización de responsabilidades se realiza de igual manera, abarcando todas las tareas necesarias para llevar adelante la producción.

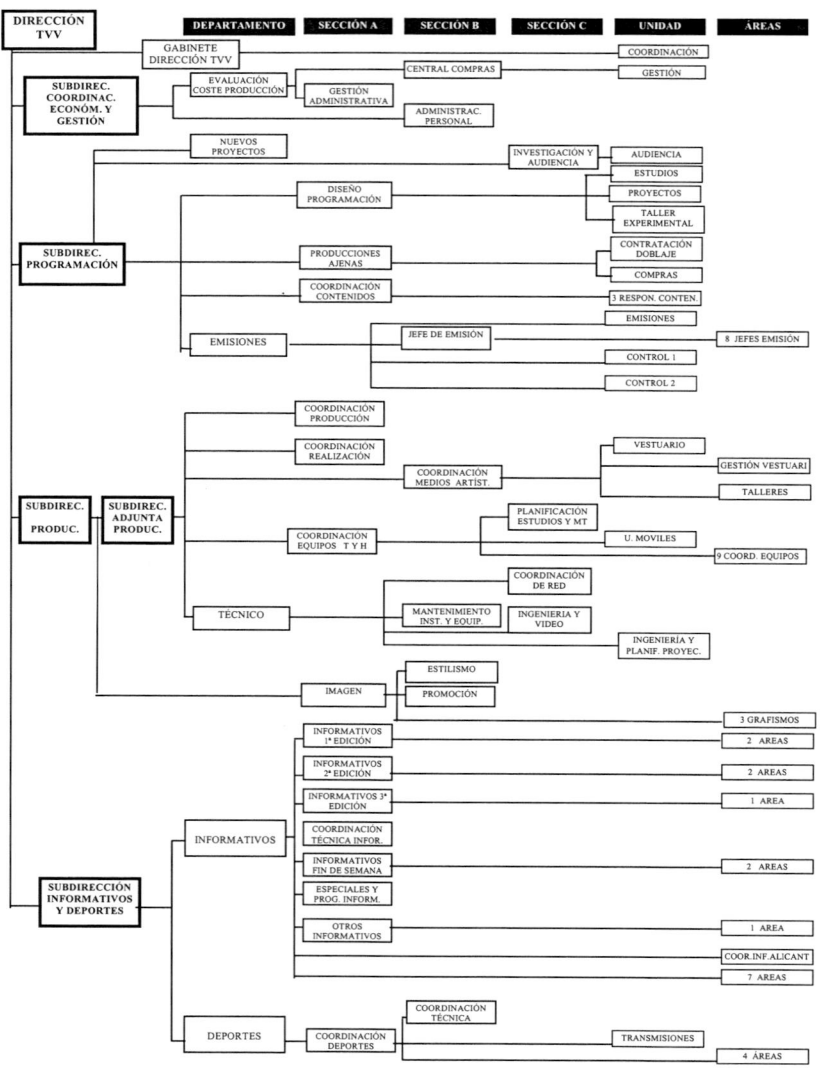

Las categorías profesionales específicas de una empresa de televisión, concretamente las utilizadas en RTVE, se pueden ver en las siguientes páginas que, a nivel general, reflejan todas las actividades y tareas a realizar en una televisión, distribuídas por departamentos y con el personal asignado a cada una de ellas.

Actividades comunes RTVE

Ingeniería Superior de Telecomunicación.	Ingeniero Sup. de Telecomunicación.	Ingeniería Técnica de Telecomunicación.
Ingeniero Técnico de Telecomunicación.	Técnica Electrónica.	Encargado Técnico Electrónico.
Técnico Electrónico.	Oficial Técnico Electrónico.	Montaje y Operación de Antenas.
Encargado Técnico Antenista.	Técnico Antenista.	Profesiones Técnicas Superiores.
Profesional Técnico Superior.	Profesiones Técnicas Medias.	Profesional Técnico de Grado Medio.
Técnica Eléctrica.	Encargado Técnico Electricista.	Técnico Electricista.
Oficial Electricista.	Delineación.	Delineante Proyectista.
Delineante.	Ayudante Delineación.	Información.
Redactor-Jefe.	Redactor.	Administración.
Jefe Superior Administración.	Jefe de Administración.	Oficial de Administración.
Auxiliar de Administración.	Telefonista.	Profesiones Superiores Complementarias.
Profesional Superior Complementario.	Profesiones Medias Complementarias.	Profesional Medio Complementario.
Traducción.	Traductor Especializado.	Traductor.
Fotografía.	Fotógrafo.	Relaciones Externas.
Técnico Superior de Relaciones Externas.	Ayte. Relaciones Públicas.	Recepcionista.
Orquesta Sinfónica RTVE.	Profesor de Orquesta.	Coro de RTVE.
Cantor de Coro.	Proceso de Datos.	Técnico de Sistemas.
Analista de Sistemas.	Programador de Ordenador.	Operador de Ordenador.
Archivo y Documentación.	Técnico Archivo y Documentación.	Documentalista.
Oficial de Documentación.	Personal de Oficios.	Encargado de Equipo.
Oficial.	Ayudante de Oficio.	Régimen Interno.
Conserje.	Ordenanza.	Auxiliar.
Limpiador.	Guardés/a.	Vigilancia.
Vigilante Jurado Mayor.		

Actividades Específicas de Televisión

Técnico de Laboratorio Cinematográfico.	Técnico de Laboratorio.	Oficial de Laboratorio.
Programación de Televisión.	Programador.	Ayudante de Programación.
Producción de Televisión.	Productor Jefe.	Productor.
Ayudante de Producción.	Ayudante de Producción Auxiliar.	Realización de Televisión.
Realizador.	Ayudante de Realización.	Ayudante de Realización (en estudio).
Ayudante Técnico Mezclador.	Ayudante de Realizador de Animación.	Secretario de rodaje (script).
Locución de Televisión.	Locutor presentador.	Locutor.
Filmación de Programas Generales.	Director de Fotografía.	Operador.
Ayudante de Filmación.	Auxiliar de Filmación.	Información Gráfica.
Reportero Gráfico.	Reportero Gráfico Ayudante.	Mantenimiento de Equipos de Cine.
Téc. Sup.Mantenimiento Equipos Cine.	Técnico de Mantenimiento de Cine.	Ayudante de Mantenimiento de Cine.
Telecámaras.	Primer Cámara.	Segundo Cámara.
Cámara Auxiliar.	Montaje de Programas Filmados.	Montador Especial de Filmados.
Montador de Filmados.	Ayte. Montaje de Filmados.	Montaje de Negativo de Programas Filmados.
Montador Especial de Negativo.	Montador de Negativo.	Ayudante de Montaje de Negativo.
Registro, Montaje y Operac. de Equipos de Grabacción y Reprodrucción.	Encargado de Operación y Montaje.	Operador Montador.
Oficial de Operación y Montaje.	Control de Imagen.	Encargado de Control de Imagen.
Operador de Imagen.	Operación de Sonido para Televisión.	Encargado de Operación de Sonido.
Operador de Sonido.	Oficial de Sonido.	Decoración.
Escenógrafo.	Decorador.	Ayudante de Decoración.
Iluminación en Vídeo.	Iluminador Superior.	Iluminador.
Luminotecnica.	Encargado de Equipo.	Operador de Luminotecnica.
Oficial de Luminotécnia.	Ambientación de Vestuario.	Figurinista.

Ambientador de Vestuario.	Ayudante de Ambientación de Vestuario.	Sastreria.
Sastre Cortador.	Sastre.	Auxiliar de Sastrería.
Empleado/a de Camerinos.	Ambientación de Decorados.	Ambientador de Decorados.
Especialista de Ambientac. de Decorados.	Ayte. de Ambientación de Decorados.	Construcción y Montaje de Decorados.
Constructor Montador Sup. de Decorados.	Constructor Montador de Decorados.	Ayte. de Construcción y Montaje.
Pintura de Decorados y Forillos.	Pintor Superior de Decorados.	Pintor de Decorados.
Ayte. de Pintura de Decorados.	Forillista.	Modelado de Decorados.
Técnico de Modelado.	Especialista en Modelado.	Ayudante de Modelados.
Ambientación Musical de Televisión.	Ambientador Musical.	Caracterización.
Caracterizador.	Maquillador.	Peluquero.
Ayudante de Maquillaje.	Ayudante de Peluquería.	DiseñoGráfico.
Diseñador Gráfico.	Dibujante Ilustrador.	Rotulista.
Ayte. Grafismo.	Efectos Especiales de Televisión.	Técnico de Efectos Especiales.
Especialista de Efectos Especiales.	Ayte. de Efectos Especiales.	Taller Mecánico.
Maestro de Taller.	Oficial Mecánico.	Ayudante.
Montaje de Estudios y Equipos Móviles.	Encargado de Equipo.	Operador de Grua.
Especialista de Montaje.		Oficial de Montaje.

En definitiva, de lo que se trata cuando se lleva adelante una producción es de establecer las áreas de trabajo y funciones específicas necesarias para poder realizar cada tarea de la manera más eficaz y, como en cualquier otra empresa industrial, esto se hace siguiendo pautas de organización que, como veremos a continuación, es una de las responsabilidades del productor, de vital importancia para llevar a buen término toda producción audiovisual.

CAPÍTULO 5
ELABORACIÓN DE PRODUCTOS AUDIOVISUALES

Francisco López Cantos

En la producción de productos audiovisuales para vídeo y televisión es necesario observar la complejidad de los procesos de organización y desarrollo de cada uno de los productos y su variabilidad en función de los distintos géneros audiovisuales.

En una primera clasificación, se ha de distinguir claramente entre los programas específicamente televisivos y aquellos que se insertan en la programación procedentes de discursos audiovisuales que tienen autonomía propia. Nos referimos, es claro, a la gran distancia conceptual que separa el documental y la ficción junto con los espots publicitarios, de géneros típicamente televisivos como los informativos, magacines, programas infantiles, etc.

No es objeto de este trabajo analizar las frágiles fronteras que puedan permitir, o no, defender determinadas distinciones genéricas en función de aspectos formales o conceptuales en torno a la idea de objetividad, realidad, etc., aunque sí debemos señalar como premisa válida que los productos de ficción se distinguen básicamente de los documentales en cuanto al grado de puesta en escena requerida para el desarrollo de cada producto. Este condicionante inicial de producción, aunque muchas veces superado y de fronteras tan tenues, determina en gran medida que las pautas de trabajo para el desarrollo de ambos productos sean tan diferentes.

Por otro lado, y al margen de que se pueda considerar en extremo que el género publicitario pueda abarcar lo que comúnmente entendemos como espot y muchísimo más, razones meramente operativas y, por supuesto, distinciones claramente definidas en las pautas de producción, hacen que se trate de un tipo de producto audiovisual de una especificidad clara.

Ficciones, documentales y, por supuesto espots publicitarios, exter-nalizados en cuanto a su desarrollo y producción, permiten hacer una distinción evidente respecto a los géneros que podríamos llamar neta-mente televisivos, una de cuyas principales características podríamos definirla como la necesaria observación de las pautas temporales de programación, es decir, la inevitable subyugación que el medio televisi-vo impone respecto a la duración de sus programas, en aras de ofrecer unas pautas de visionado estables para las audiencias.

Se podría ir más allá, incluso, fijándonos por ejemplo en el propio soporte en que cada género puede y es efectivamente registrado. Ficción, documental y espots siguen eludiendo la imposición tecnológica de la transmisión televisiva y no necesariamente utilizan soporte vídeo, bien al contrario (por ahora, claro), en tanto que el resto de géneros netamente televisivos rápidamente se adaptaron a los soportes mag-néticos por razones evidentemente económicas. Además, el soporte vídeo, muy a pesar de la institución televisiva, no ha permitido que a estos programas se les conceda la honorabilidad del cinematógrafo, siempre presentados como una suerte de arte imposible de equipararse a aquel y competir en igualdad *estética* en los innumerables festivales de la imagen cultural.

Estamos, pues, ante productos audiovisuales muy diferentes aunque no por ello menos exigentes en cuanto a su desarrollo y realización, responsabilidad última de un eficaz diseño de producción que permita hacerlos viables y rentables.

Con todo ello, y sin pretender que lo anterior sea más que un breve acercamiento necesario para entender la complejidad de la industria audiovisual, intentaremos describir las pautas de producción y los modelos de organización y desarrollo de la misma que subyacen a cada uno de los géneros descritos.

5.1. ORGANIZACIÓN DEL TRABAJO

Los productos propiamente destinados a la emisión televisiva, co-mo los informativos y los magacines, se distinguen de otros géneros porque su ventana de exhibición pública queda reducidas a la propia televisión y, además, su producción suele realizarse con los medios y recursos de la propia televisión. Géneros típicamente televisivos como los informativos o magacines nacen con y para la televisión, aunque sus orígenes históricos se pueden encontrar en otros medios y manifestaciones culturales. Son típicamente televisivos porque su explotación se realiza únicamente a través de operadores de televisión, en forma de venta de imágenes o de formatos de programa.

Bien es cierto que de unos años a esta parte son cada vez más las televisiones que externalizan este tipo de programación, aunque en muchos casos se sigue utilizando el personal y equipamiento técnico de la televisión dado que se trata de programas en directo. No podemos tratar estos géneros televisivos como otros productos audiovisuales, en tanto que estos programas están concebidos con una de las pautas características del medio: el directo. Es decir, estos aspectos temporales condicionan fuertemente la planificación y la organización de la programación de la emisora y los propios programas específicamente televisivos.

En cualquier caso, como se observa en el diagrama de flujo siguiente, cualquier programa de televisión se integra en el conjunto de la programación televisiva y, en función de ello, se adapta una determinada estrategia de programación, que acaba siendo el continuo discursivo que finalmente se emite a las audiencias.

En el gráfico siguiente, como en los sucesivos, se incluyen sombreados los documentos de trabajo que se utilizan con frecuencia para el control de la producción y que forman parte del catálogo de documentos que se incluyen en el Anexo de esta obra, también disponibles on-line en la página web del Laboratorio de Comunicación Audiovisual y Publicidad de la Universitat Jaume I de Castellón, www.labcap.uji.es, desde donde se pueden descargar para su uso.

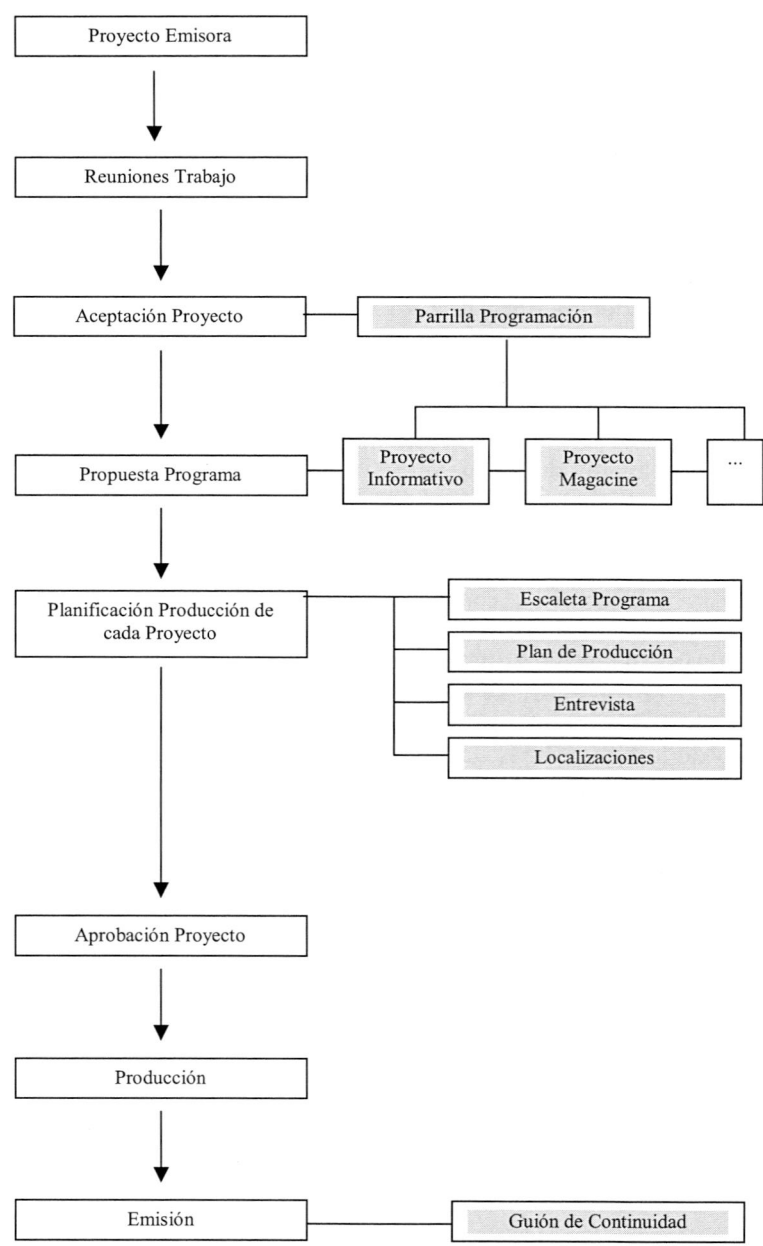

Como venimos señalando, los productos televisivos requieren en todos los casos de un esfuerzo ecónomico y financiero justificado por la cantidad enorme de recursos técnicos y humanos que se han de movilizar para llevar a cabo cualquier producción audiovisual, lo cual obliga a que se haga necesario un sólido análisis previo de cada proyecto para determinar sus necesidades de producción y su inserción en el mercado.

Entre los productos audiovisuales no netamente televisivos encontramos, no obstante, una diferencia importante en cuanto a los destinatarios de los proyectos audiovisuales relativos a los distintos géneros y, en definitiva, a las estrategias de promoción de los mismos para obtener la necesaria financiación.

5.1.1. PUBLICIDAD

En el caso de los espots publicitarios, excluidos los autopromocionales de las propias cadenas televisivas y otros productos como los videoclips, institucionales, making-off, etc., y ciñéndonos exclusivamente a aquellos que contratan un tiempo de emisión e insertos dentro de una planificación de medios en campañas publicitarias más amplias, están evidentemente propiciados por clientes cuya único interés es obtener la mayor repercusión social de su producto. En función de ello, la financiación de los espots se limita a la justificación del coste de las inserciones en función de la cuota de pantalla y, por extensión, de la efectividad del mismo respecto a los clientes potenciales a que se dirige.

En este caso, pues, el proyecto de espot publicitario no se dirige a instituciones u otros organismos que puedan valorar aspectos culturales, educativos, sociales o de cualquier otra índole, sino que se trata de satisfacer las expectativas de un cliente determinado / anunciante que verá reflejada su imagen empresarial en los productos audiovisuales, o bien se produce a través de una agencia publicitaria que actue como mediadora. Se trata, por tanto, de productos de encargo que han de ser aprobados en función de sus costes y la efectividad percibida por clientes cuyo único objetivo es el comercial. Se trata, además, de espacios cortos y directos y que se han de producir en un tiempo limitado, habiendo de satisfacer a un primer crítico no especializado como es el anunciante y ello requiere que el proyecto de espot se presente de manera clara y definida, dibujada, y que tales dibujos e indicaciones técnicas permitan comprimir el mensaje en menos de un minuto, dando a la planificación y a los efectos sonoros y visuales un valor extremo, en aras de buscar el mayor impacto en el menor tiempo posible.

El guión gráfico o *storyboard* es, evidentemente, el documento de trabajo por excelencia para un producto publicitario audiovisual, y de él deriva todo el trabajo de producción. Cierto es que previo a ello se han tenido reuniones de trabajo con el cliente, y en el seno de la agencia, para acercar los objetivos comerciales que se persiguen, interpretar el briefing del producto, definir el eje de comunicación y la estrategia de la campaña, la creatividad, la dirección de arte, etc., pero el proyecto sólo seguirá adelante cuando se presente tan concluyente documento. Incluso ahora se presentan *animatics* en vídeo o imagen de síntesis, todo con el fin de obtener una imagen fiel de cual será el resultado final antes de pasar a financiar y ejecutar su producción.

Una vez aceptado el proyecto, su realización está sujeta a la planificación y organización del trabajo propia de una industria que moviliza gran cantidad de recursos para obtener productos audiovisuales de calidad.

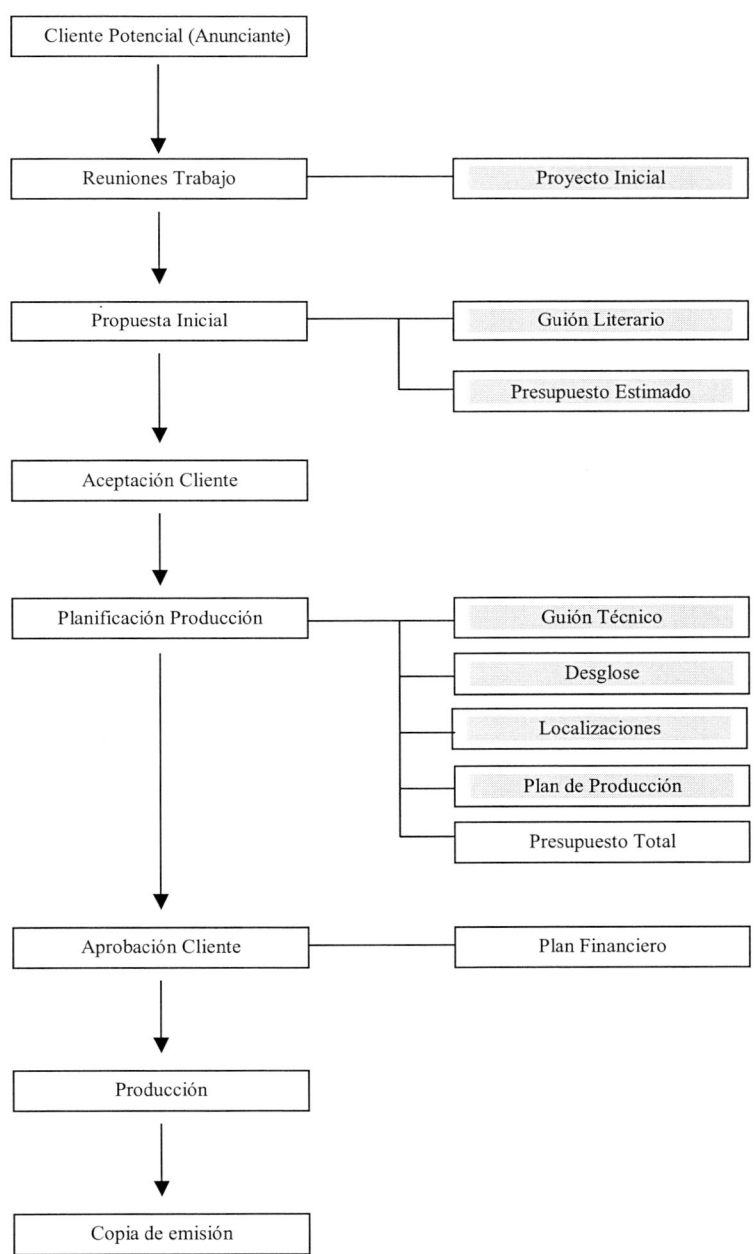

5.1.2. FICCIÓN

En cuanto a aquellos productos que podemos considerar de ficción debemos, antes de abordarlos, hacer algunas consideraciones para entender sus pautas de producción.

Los productos de ficción, al contrario que los espots publicitarios, tienen unos objetivos comerciales muy diferentes, incluso podríamos decir con mucho riesgo que culturales, lo cual determina que los proyectos lleguen a buen fin y se puedan realizar o no en función de la percepción de esa potencial inserción en tal o cual cultura o subcultura. La viabilidad de estos proyectos está más determinada por los paradigmas conceptuales y suposiciones extraidas a partir de los estudios de audiencia que manejan las televisiones para conformar su parrilla de programación. En ese sentido es el emisor quien va a decidir si esa propuesta será visible para el gran público o, simplemente, quedará en un cajón.

No estamos, no obstante, en un país donde se produzcan numerosas ficciones específicas para televisión, aunque sí deben las televisiones, atendiendo a la legalidad vigente respecto a las cuotas y obligada promoción de la ficción nacional y autonómica, financiar en parte tales producciones de ficción. Ello se concreta, generalmente, en forma de derechos de antena y, en el caso de series (cuyo único mercado es el televisivo), también utilizando la coproducción. En cualquier caso, las ideas y los proyectos iniciales no suelen partir del propio emisor, sino que las propuestas vienen de productoras externas que buscan financiación para sus productos y las ventanas adecuadas para su difusión y rentabilización. Hoy en día la mayor parte de los proyectos de ficción pasan, en alguna medida, por los despachos de las televisiones, dada la importancia capital que su participación económica tiene para poder hacer películas en este país, sean estos proyectos destinados inicialmente al cine o sean productos exclusivamente televisivos.

Con este tipo de cliente ya no entra en juego el mecanismo de negociación de que hablábamos cuando nos referíamos a las producciones publicitarias. Aquí se trata de presentar proyectos que se ajusten a los modelos de programación y que permitan adivinar, si acaso eso es posible, cierta rentabilidad traducida en puntos de audiencia futura o otros aspectos no mesurables como la determinación de la imagen de marca televisiva en función de la planificación estratégica de la emisora.

De esta manera los proyectos de ficción han de ir acompañados para su aprobación de la documentación necesaria que permita convencer a los programadores responsables de aprobar su financiación y asumir los riesgos de la misma. Por lo demás, los productos audiovisuales de ficción como tales, requieren de una depurada planificación de la puesta en escena y el flujo de trabajo dado que la propuesta dramática que presenten será absolutamente reconstruida y la complejidad de los equipos técnicos y humanos muy alta.

Se suele entregar un dossier a los departamentos correspondientes de las empresas televisivas para su análisis y en el que se incluye la propuesta inicial del proyecto en forma resumida y clara, seguida del desarrollo del mismo, incluyendo una sinopsis, tratamiento, guión literario, técnico, a veces un *story board* y, por supuesto, el desglose de las secuencias con el plan de trabajo y el presupuesto inicial, todos ellos documentos disponibles en el catálogo de documentos del Anexo. Esta documentación se acompaña de cartas de compromiso o precontratos de actores, directores, etc., de información sobre otras formas de financiación, precontratos de distribución, plan de exhibición en festivales, plan de comercialización y explotación, etc. En definitiva, el dossier documental incluye todo aquello que permita a quien debe financiarlo poder profundizar más en el proyecto para valorar su viabilidad e interés. Se ha de tener en cuenta que muchas veces no se tiene tiempo para pasar de la tercera o cuarta página o, si estas no convencen, se abandona la lectura de las siguientes, por ello es tan necesario elaborar el dossier de producción con la máxima claridad y detalle, bien estructurado y formalmente legible, para lo cual consideramos de gran utilidad los documentos de trabajo que hemos incluído en el Anexo de este libro.

Siempre es necesario confeccionar un dossier, y este ha de seguir el orden presentado en el esquema de producción de la página siguiente, con el objetivo de facilitar al máximo la claridad y concreción de los medios materiales y humanos que intervendrán en la producción, así como la viabilidad del proyecto.

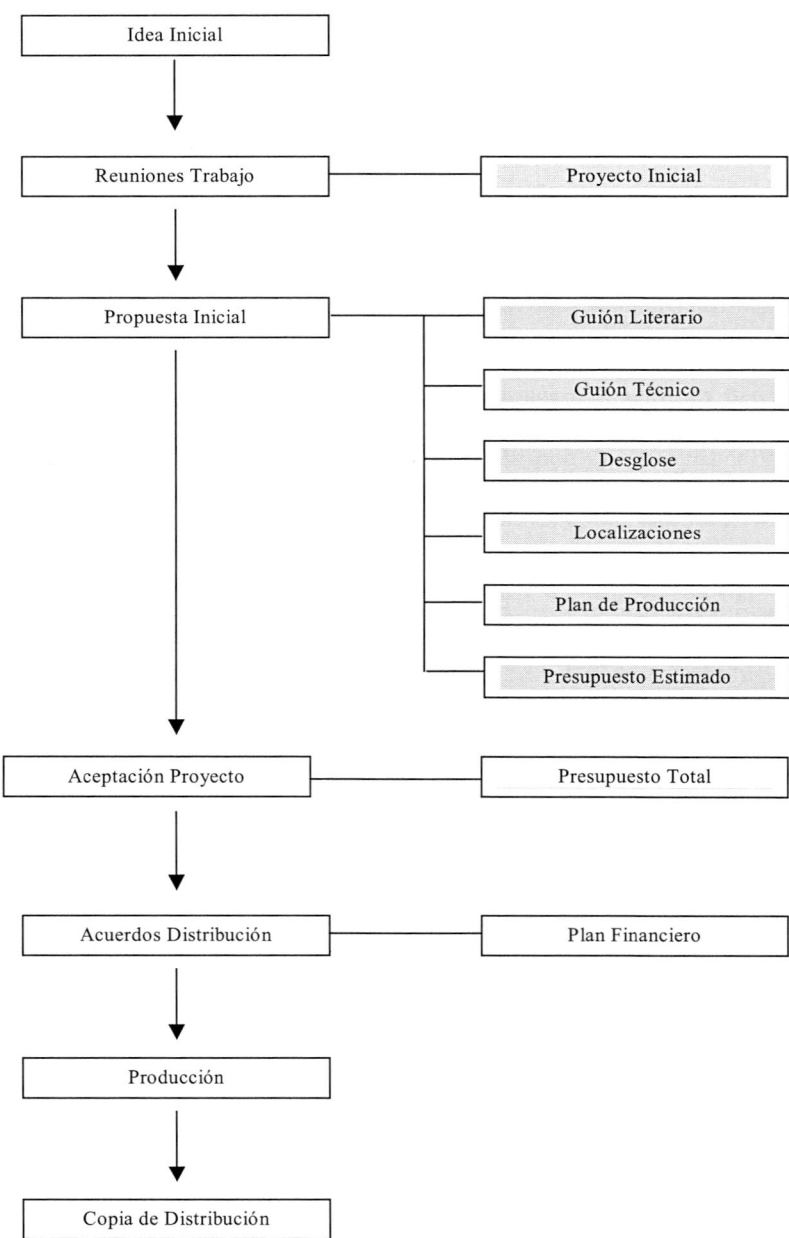

5.1.3. DOCUMENTAL

En cuanto al documental, aunque hace un tiempo se intenta hacer un tipo de documental para su exhibición en salas cinematográficas, sigue siendo un género que necesariamente ha de ser emitido por televisión y su rentabilización depende del mercado televisivo.

En cambio, y al contrario de los géneros antes descritos, existe un margen razonable de asunción de costes para determinados proyectos que aún permite cierta independencia en la producción de este género. Tal constatación, no obstante, no es el hábito de trabajo deseado porque siempre es, evidentemente, preferible que los proyectos comiencen su ejecución con un plan de financiación que no estrangule a las ya maltrechas productoras de documentales que se encuentran habitualmente con serias dificultades económicas.

Es deseable, y a veces necesario cuando se trata de series documentales, contar con el apoyo de las cadenas de televisión y, por ello, el documental ha de pasar necesariamente antes de su producción efectiva por un depurado proceso de planificación que se concretará en el correspondiente dossier en busca de producción y el necesario hueco en las pautas de programación de las cadenas televisivas.

Esta documentación, o mejor, este ordenado conjunto de documentos para la venta del proyecto, debe seguir la misma eficacia formal y de contenidos que los referidos a la ficción, con la salvedad de que se ha de atender a la especificidad propia del género que, al menos en su definición, no permite planificar la puesta en escena como, por ejemplo, no permite tener a su disposición a los actores y escenarios durante el tiempo que se quiera ni infringirles manipulaciones infinitas hasta conseguir la imagen planificada. Es decir, estamos ante un género que aunque ordena la realidad más que reconstruirla en sentido estricto, lo que pretende es un acercamiento a ella desde una distancia que permita esa falsa sensación de objetividad característica del documental.

Es por ello que no se pueden tener unos planes de producción tan rígidos como en las producciones publicitarias o de ficción porque, en muchos casos, el acabado final del producto se realizará en la sala de postproducción con resultados distintos a cualquier planificación previa.

No obstante, es recomendable y muy efectivo para obtener financiación que el dossier del proyecto tenga también una sinopsis, un tratamiento, un guión técnico con una previsión del *off* y, por supuesto, una exhaustiva planificación del trabajo con las consiguientes necesidades de equipamiento, alojamientos, viajes, citas, entrevistas, permisos, y toda aquella documentación que sirva para contextualizar temáticamente el proyecto documental. Por lo demás, el proceso de producción es similar al expresado para la producción de ficción representado en el esquema anterior.

5.2. INSTRUMENTOS DE PLANIFICACIÓN Y CONTROL DE LA PRODUCCIÓN

Cualquier proyecto, sea del tipo que sea, se desarrolla hasta su conclusión durante un determinado período de tiempo y para su ejecución efectiva necesita la participación de los recursos técnicos y humanos en función de las características y la dimensión del mismo. En este sentido, en la elaboración de cualquier producto audiovisual, como cualquier otro producto en general, se distinguen procesos y tareas específicas que permiten dividir el trabajo y distribuirlo a lo largo de todo el proceso de producción, para lo cual se intenta alcanzar el mayor grado de automatización y eficacia posible[1].

En la producción audiovisual se parte siempre de un proyecto inicial, cuyo implantación y desarrollo tal como han tratado Fernández y Blasco (1995) se puede entender y abordar desde las teorías y con las herramientas utilizadas para la gestión de proyectos, se acaba plasmando en el caso del producto audiovisual en algún tipo de guión que permita establecer un orden discursivo, se trate tanto de programas puramente televisivos o de aquellos explícitamente narrativos, como la ficción o el documental. En el primer caso, este guión se denomina escaleta, y sirve para pautar las distintas partes en que se subdivide cada programa televisivo; en cuanto a los segundos, el instrumento inicial de trabajo se llama guión literario, a partir del cual se elabora un guión técnico. Ambos se diferencian en función del grado de adaptación a las técnicas específicas de realización, es decir, en el primero se incluyen los aspectos narrativos y temáticos mientras en el segundo se concreta esa intencionalidad con la indicación de los mecanismos técnicos que permiten trasladar aquella narración escrita en un discurso audiovisual. En el

---

[1]   Podemos encontrar una aproximación interesante de Jorge Clemente a las estrategias de traslación de las rutinas productivas de los productos audiovisuales al entorno digital para la informatización de los procesos, Clemente (2004).

caso de los espots publicitarios, como ya dijimos, a este instrumento se le conoce como guión gráfico o *storyboard*, y en él se describe la planificación exacta y se incluyen las indicaciones técnicas necesarias para generar el producto audiovisual requerido con absoluta precisión.

5.2.1. EL PROYECTO DE PRODUCCIÓN.

La plasmación del **proyecto de producción videográfica** en un documento es necesaria tanto para los propios promotores del proyecto como para los responsables de la emisora y permite obtener una visión clara de las características del proyecto y su público potencial, así como la envergadura de los recursos humanos y técnicos que se han de movilizar. Y, sobre todo, ha de servir para clarificar suficientemente la información del proyecto en sus inicios. Este documento ha de contener, al menos, la siguiente información:

- Título: Nombre provisional del proyecto.
- Autor: Responsable del proyecto. Puede tratarse del nombre de una persona física o jurídica.
- Formato: Soporte de grabación.
- Género: Tipo de programa: dramático, magacine, informativo, musical, documental, espot, etc.
- Duración: Duración aproximada.
- Fecha: Fecha de confección del documento.
- Descripción: Sinopsis clara y convincente de los elementos significativos del audiovisual y su desarrollo visual y narrativo. Ha de ser atractiva y precisa pues en muchos casos el lector será un posible socio financiero. Debe expresar cómo mínimo el público al que se dirige y describir el tipo de tratamiento sonoro que se realizará.
- Personal: Distingue la funciones ejercidas para el desarrollo del proyecto asimiladas a las categorías laborales más habituales, como realizador, productor, técnico de sonido, documentalista, redactor, guionista, ambientador musical, etc.
- Equipos: Breve detalle de los equipos técnicos que se utilizarán, lo cual refuerza la lectura general del proyecto proporcionando mayor fiabilidad y solvencia técnica al proyecto.
- Coste aproximado: Es conveniente hacer una valoración inicial del coste que puede tener el proyecto para poder evaluar si sus características se adecúan inicialmente a la inversión que necesita para su producción.

Con todo ello, se hace posible efectuar una valoración general sobre el tipo de producción que se va a emprender, y las dificultades que se podrán encontrar durante todo el proceso, así como la oportunidad y grado de interés que puede tener la propuesta audiovisual, y para facilitar tal propósito se ha diseñado el documento pertinente incluído en el Anexo de este libro que recoge tales aspectos con claridad.

5.2.2. EL GUIÓN DE TRABAJO

Este proyecto inicial se acompaña siempre de un desarrollo narrativo que, como hemos indicado, se denomina **escaleta**, documento incluido en el anexo documental, cuando se trata de proyectos puramente televisivos, y que debe contener la siguiente información mínima para facilitar el desarrollo de la producción, con pequeñas variaciones en función del tipo de programa a realizar:

- Título: Nombre del programa.
- Dirección: Responsable de programa.
- Realización: Responsable técnico del programa.
- Fecha: Día de realización. En caso de que sea en directo sólo aparecerá una fecha; en caso de que sea diferido aparecerán dos. La primera la fecha de grabación y la segunda la de emisión.
- Inicio: Hora de inicio de emisión
- Final: Hora fin del programa
- Duración: Duración en minutos y segundos.

Y la siguiente información para cada bloque particular que forma el programa global:

- Nº Bloque: Número de bloque de programa
- Título: Título del bloque. En caso de que sea una locución se indica el nombre del presentador, y los invitados si los hubiera (Si existe un guión predeterminado entre paréntesis se inserta el número de documento anexo que es). Si se trata de un reportaje, un pase publicitario o cualquier otra cosa se consignará igualmente. En este último caso es provechoso que se centre el texto para tener una columna diferenciada a la izquierda con las locuciones y centradas el resto de partes del programa.
- Fuentes: En el caso de un programa grabado se indicará el número de VTR (*videotape recorder*, magnetoscopio reproductor

y grabador de cintas). En el caso de una conexión en directo se indicará el lugar donde se hace la conexión indicando PTO (punto de conexión) y el número de plató, a continuación, en caso de que sea grabado o rodado en estudio.

— Observaciones: Se puede incluir cualquier indicación que se considere oportuna para la continuidad de los distintos bloques y, especialmente, los pies y colas que dan paso al siguiente bloque.

— Dura: Duración del bloque.

— Total: Duración de los bloques.

Cuando se están elaborando productos audiovisuales de ficción, documentales o publicitarios a partir del proyecto inicial se elabora **un guión literario**, cuyas características serán comentadas más detenidamente en el capítulo nº XX, o **gráfico** (*storyboard*) para confeccionar un guión técnico que exprese las necesidades de producción para esa narración audiovisual en particular. Este guión técnico puede describir las necesidades de recursos para cada plano, caso de los espots en el que esta información se puede incluir en el guión gráfico o en documento aparte, o agruparse por secuencias, caso de la ficción. En los documentales suele ser común la utilización del mismo equipo para la producción y este guión técnico se convierte en una guía para la posterior edición de las imágenes grabadas, o guión de montaje.

La información mínima que debe contener un **guión técnico de ficción o publicitario**, documento igualmente recogido en el Anexo, es la siguiente para cada bloque narrativo, con pequeñas variaciones:

— Núm: Número de plano o secuencia.

— Localización: Lugar de rodaje. Si se trata de un plató en el que se han construido un set o varios, se indicará el número de plató seguido de un guión y el nombre del decorado.

— Condiciones: Tipo de iluminación que se ha de reproducir.

— Descripción: Breve descripción de lo que ocurre en el plano.

— Imagen: Tipo de plano

— Sonido: Aquí se incluyen los diálogos y los efectos sonoros y ambientaciones.

— Efectos: Cualquier tipo de efecto indicando si se precede por POST que no se realizará en directo.

Un guión de montaje para un documental debe expresar la disposición final que tendrán las imágenes a partir del guión inicial previsto, aunque con la diferencia de que al no tratarse de una reconstrucción exacta de lo previsto, este se realizará a partir del visionado de las imágenes grabadas. En el resto de productos audiovisuales, la edición o postproducción se realiza de igual manera, aunque el guión técnico previo ya determina y sirve de guía para la confección final del programa. En el caso de un **guión de montaje de un documental**, igualmente diseñado para su uso y recogido en el Anexo, este debe contener las siguientes informaciones como mínimo y en sus diversas versiones que se van confeccionando sirve, inicialmente como guión técnico para, finalmente, responder exactamente a la edición del programa:

- N° Bloque: Número de bloque temático.
- Título: Tema genérico que se trata en el bloque.
- Locución (CH-1): Voz en off, reestructurada a partir de la planificación del guión inicial, en caso de que existiese.
- CH-2: Comúnmente, se utiliza en vídeo el canal 1 para la voz y el 2 y siguientes para inclur la mezcla del resto de sonidos. En este campo se debe detallar cualquier otro sonido que no sea voz en off indicando de qué musica o efectos se trata o si es sonido ambiente, voz o cualquier otro sonido ya grabado junto a la imagen.
- Imagen: Descripción breve del tipo de imagen y encuadre de que se trata.
- Cinta: El soporte y la forma de localización
- Inicio: Código de tiempo donde comienzan las imágenes.
- Dura: Duración en minutos y segundos o código tiempo.
- Total: Acumulado de las duraciones parciales de cada bloque.

Con todo ello se tiene una visión clara de la forma que tendrá el producto audiovisual y una primera valoración de los recursos que se han de utilizar.

5.2.3. El desglose de las necesidades

A partir de estos instrumentos documentales de apoyo, es necesario determinar con precisión todas las necesidades materiales y humanas para llevar adelante esa producción audiovisual y, para ello, se realiza un desglose del guión atendiendo a la estructura sobre la que se ha creado. Es decir, en el caso de un programa magazine, este desglose se hace para cada bloque del programa en particular; mientras que estas subdivisiones, en programas de ficción o documentales, serían las secuencias en que se distribuye toda la narración; y cuando se trata de un spot publicitario cada imagen por sí misma requiere la determinación de los recursos necesarios para su elaboración.

En este desglose se precisan las necesidades técnicas y humanas, que son distintas para cada tipo de programa. Un programa de ficción requiere la participación de actores, figurantes y especialistas que han de estar caracterizados y unas condiciones específicas de iluminación y puesta en escena que va cambiando a lo largo de toda la narración; por su parte, un programa documental normalmente se realiza con equipos humanos y técnicos ligeros y, en general, no requiere de una reconstrucción ficcional y, por tanto, la puesta en escena es mínima; un programa cualquiera específico de televisión generalmente se elabora sobre unas condiciones de iluminacion y puesta en escena que varían poco a lo largo de cada bloque y bastante menos complejas que en los productos audiovisuales de ficción.

La información mínima requerida para producir un programa de televisión a partir de una escaleta es la siguiente, y se debe plasmar en un documento que permita conocer el desglose de las necesidades, de manera que puedan ser comunicadas a todo el personal que intervenga en la producción:

— Bloque: Número de bloque de programa. El número debe corresponder con la escaleta. En caso de que se trate de un bloque cuya producción sea estremadamente compleja se puede dividir en subbloques, que se denominarán con el número de bloque principal y una letra correlativa que identifique la parte.

— Tiempo: Tiempo estimado para la producción, expresado en fracciones de jornada.

— Descripción: Breve descripción del bloque.

— Actuación: Se indican todos los actores, invitados o presentadores que intervienen en ese bloque precedidos por su nombre.

— Fuentes: Todas las fuentes audiovisuales y de todo tipo que pueden servir para la grabación efectiva del programa o para facilitar su confección final.

— Equipamiento: Todas aquellas necesidades técnicas específicas para este bloque incluido, en caso de grabación en exteriores, los vehículos para el transporte. Los equipos que se utilizarán durante toda la grabación se indicarán al principio del documento con la anotación "programa" en el bloque.

- Observaciones: Todo lo que se considere oportuno reseñar. En caso de exteriores especialmente el lugar donde se realizará la grabación; en caso de entrevistas, el nombre y forma de localización del entrevistado, etc.

- Equipos y Espacios: Equipos necesarios globalmente para toda la producción y, sobre todo necesidades de cabinas de locución y realización, etc. Al inicio con la indicación "programa" aquellos que sean comunes y los específicos para cada bloque en el lugar particular.

- Personal técnico: Necesidades de personal para llevar adelante la grabación. Si hay parte del programa que tenga mayores necesidades de personal se puede indicar entre paréntesis en qué bloques serán necesarios.

Cuando se trata de un programa de ficción o un spot publicitario, este desglose se adecúa a este tipo de producciones y refleja las siguientes informaciones:

- Título: Nombre del programa seguido de guión, capítulo y título en el caso de series.

- Realización/Dirección: Responsable del programa.

- Producción: Director de Producción.

- Fecha: Fecha de confección del documento.

- Versión: Número de versión.

- Plano/Secuencia: Número de plano o secuencia.

- Localización: Lugar de rodaje. Si se trata de un plató en el que se han construído un set, se indicará el número de plató seguido de guión y el nombre del decorado.

- Condiciones: Tipo de iluminación que se ha de reproducir.

- Pags. Guión: Números de página en que se desarrolla la secuencia en el guión.

- Jornada: Tiempo en que se considera se ha de rodar la secuencia, expresado en fracciones si es inferior a 1 día.

- Núm. pág.: Número de página y total de hojas de desglose del guión.

- Principales: Nombres de personajes principales.

- Secundarios: Nombres de personajes secundarios.

- Figuración: Número de hombres, mujeres o niños.

- Especialistas: Nombre del personaje que tendrá un doble u otros especialistas.
- Caracterización: Común a los anteriores: vestuario, maquillaje y peluquería.
- Atrezzo: Accesorios que intervienen dramáticamente en la acción.
- Vehiculos: Vehículos a motor o mecánicos.
- Animales: Animales o móviles de traccion animal.
- Efectos: Cualquier tipo de efecto.
- Camara: Equipos de captación utilizados.
- Iluminación: Equipos de iluminación.
- Sonido: Equipos de captación de sonido.
- Soportes: Soportes, incluidos pertigas, torres de iluminación, gruas, dollys, travellings, etc.
- Accesorios: Desde juegos de ópticas a banderas, esticos, gasas, filtros, paravientos, generadores, etc.
- 2ª Unidad: En caso de utilizar una segunda o incluso tercera unidad, se indican los equipos que la componen.
- Equipo Técnico: Reseña del personal necesario para llevar a cabo la producción de la secuencia.

5.2.4. EL PLAN DE PRODUCCIÓN

Disponer de un desglose de estas características, que permita conocer los recursos necesarios, facilita la organización de las tareas y la participación de los miembros del equipo de producción a lo largo del tiempo y, también, la agrupación de estas tareas y recursos en función de su mayor eficacia productiva y económica. El instrumento que se utiliza para ello es el **plan de producción**, que se suele elaborar de manera que permita, de un lado, conocer la globalidad de todo el proceso de producción desde que se decide llevar adelante ese proyecto hasta su finalización, y de otro, la planificación detallada de todo el proceso de rodaje. De esta manera, se confeccionan estos documentos imprescindibles para la planificación a partir de dos elementos fundamentales: tareas y tiempo.

Un documento genérico de planificación de producción incluye informaciones tales como la siguientes, agrupadas en un diagrama de

Gantt, actividad/tarea en el eje vertical y tiempo en el horizontal, tal como se recoge en el documento pertinente del Anexo:

- Cambios Guión
- Localizaciones
- Casting
- Contratación y permisos
- Ensayos
- Rodaje
- Postproducción
- Copia Emisión

El documento podrá contener cualquier otra tarea necesaria durante el proceso global de producción que se distribuirá en el tiempo por días o semanas, en función de las necesidades. Para el detalle del proceso de producción audiovisual correspondiente al rodaje se elabora una planificación detallada.

En las producciones de ficción, a estas dos variables genéricas, tiempo y tareas, se añaden tanto los recursos técnicos y humanos necesarios como los propios espacios de rodaje porque, en general y para toda producción, esta planificiación está destinada a minimizar los costes y el tiempo de ejecución del proyecto y, por ello, el aprovechamiento y rentabilización máxima de los recursos es su razón de ser. Cuando se trata de producciones documentales, por ejemplo, esta agrupación se puede hacer en función de la ruta de viaje determinada o, a veces, de la disponibilidad de espacios o personas que puedan intervenir, pero cuando se trata de producciones de ficción la agrupación más común es a partir de las localizaciones[2], aunque a veces también el plan de producción puede estar determinado por la disponibilidad de algún actor. En el caso de los programas netamente televisivos y rodados en las instalaciones de la propia televisión, la planificación de la produc-

---

[2]   Cuando las localizaciones son fuera del país de origen evidentemente la producción se complica enormemente así como sus costes, aunque a cambio se pueden obtener mayores recursos y una red de distribución más ámplia. Para producciones fuera del país de origen se ha establecido por acuerdo internacional una exención de aranceles que permite la libre circulación de equipos que se han de relacionar pormenorizadamente en el denominado *Cuaderno ATA*, documento oficial que se puede obtener en la Cámara de Comercio, aunque en el entorno de los paises europeos no es necesario.

ción se suele realizar en función de la disponibilidad de los espacios y equipos técnicos y humanos necesarios. El resultado esperado de todo ello es, en todo caso, una utilización eficiente de los recursos agrupándolos de la manera más productiva laboral y económicamente, y esto solo se puede conseguir a partir de un desglose pormenorizado de las necesidades y su eficiente organización.

5.2.5. EL PRESUPUESTO DE PRODUCCIÓN

Una vez que se han determinado todas las necesidades y su distribución temporal, ya se está en disposición de elaborar un presupuesto estimativo, cuya función es determinar los costes sobre los que se ha de valorar si la producción es viable. Para ello se confecciona un plan de viabilidad, en el que se detallan tanto los costes de producción como su forma de financiación, incluyendo también la rentabilidad obtenida a partir de la explotación de ese producto audiovisual, instrumentos especialmente críticos en las producciones de ficción por sus elevadas necesidades financieras.

Una vez decidida la viabilidad de un producto particular se comienza a elaborar un presupuesto preventivo, a partir del momento en que se empiezan a cerrar los acuerdos de toda índole necesarios para llevar adelante la producción. Esto incluye, por supuesto, la contratación de los recursos humanos, el alquiler de los espacios y equipos necesarios, y todos aquellos otros gastos previstos durante todo el proceso, desde el inicio del proyecto a su finalización dejando un cierto margen de error, alrededor de un 5% o 10% del presupuesto total, para imprevistos[3].

A continuación se puede ver un ejemplo de alguna página de un modelo de presupuesto, en este caso el utilizado por RTVA cuando participa en la financiación de la producción, en el que se detallan todas las partidas presupuestarias a las que se imputan los costes de

---

[3]   En el entorno anglosajón los costes se diferencian en función de si se trata de costes técnicos y materiales, a los cuales se denomina costes *bellow the line*, o costes creativos, tales como compra de derechos, música y contratación de actores, llamados costes *above the line*, porque estos últimos responden al valor de mercado y no dependen del plan de producción ni de los costes de rodaje del día a día y, por lo tanto, son más difíciles de contabilizar y conocer pues depende del valor que se otorgue a los recursos creativos que se movilizan para la película.

producción, se puede encontrar un modelo de presupuesto completo en el Anexo.

PRESUPUESTO DESGLOSADO DE EJECUCIÓN DE PRODUCCIÓN FINANCIADA
RESUMEN PRESUPUESTO DE PRODUCCIÓN FINANCIADA

TÍTULO DE LA PRODUCCIÓN   ——————————————————————
  TÍTULO DE LA PRODUCCIÓN   ——————————————————————
PRODUCTORA: .   ——————————————————————
NÚMERO DE EPISODIOS DE LA SERIE: ——— DURACIÓN DE LOS EPISODIOS ———

	CUANTÍA FIJA	CUANTÍA ESTIMADA	CUANTÍA TOTAL PRESUPUESTADA
CAPÍTULO I "ORIGINALES-DERECHOS"	–	–	–
CAPÍTULO II PERSONAL TÉCNICO	–	–	–
CAPÍTULO III "PERSONAL ARTÍSTICO"	–	–	–
CAPÍTULO IV "EQUIPAMIENTO TÉCNICO"	–	–	–
CAPÍTULO V "GASTOS DE RODAJE"	–	–	–
CAPÍTULO VI "OTROS GASTOS DE RODAJE"	–	–	–
PRESUPUESTO DE EJECUCIÓN	---------------	----------------	------------
	–	–	–

CAPITULO II "PERSONAL TECNICO"

CODIGO	TITULO PARTIDA	UNIDADES	PRECIO	NUM.	PROG.	APR	BNC	F/E	IMPORTE TOTAL
2.1	DIRECTOR PRODUCCION	-	-	-	-				-
2.2	PRODUCTOR EJECUTIVO	-	-	-	-				-
2.3	PRODUCTOR	-	-	-	-				-
2.4	DELEGADO DE PRODUCCION	-	-	-	-				-
2.5	AYUDANTE PRODUCCION	-	-	-	-				-
2.6	AUXILIAR PRODUCCION	-	-	-	-				-
2.7	SECRETARIA PRODUCCION	-	-	-	-				-
2.8	REALIZADOR	-	-	-	-				-
2.9	AYUDANTE REALIZACION	-	-	-	-				-
2.10	REGIDOR	-	-	-	-				-
2.11	AYUDANTE TECNICO MEZCLADOR	-	-	-	-				-
2.12	AYUDANTE DE TRAVELLING	-	-	-	-				-
2.13	REDACTOR	-	-	-	-				-
2.14	DOCUMENTALISTA	-	-	-	-				-
2.15	AYUDANTE DOCUMENTACION	-	-	-	-				-
2.16	AUXILIAR DOCUMENTACION	-	-	-	-				-
2.17	LOCUTOR / COMENTARISTA	-	-	-	-				-
2.18	ASESORES TECNICOS	-	-	-	-				-
2.19	COORDINADORES TECNICOS	-	-	-	-				-
2.20	TECNICO MANTENIMIENTO	-	-	-	-				-
2.21	DIRECTOR FOTOGRAFIA	-	-	-	-				-
2.22	DIRECTOR ILUMINACION	-	-	-	-				-
2.23	ILUMINADOR SUPERIOR	-	-	-	-				-
2.24	ILUMINADOR	-	-	-	-				-
2.25	CAPATAZ ILUMINACION	-	-	-	-				-
2.26	ELECTRICOS	-	-	-	-				-
2.27	OPERADOR CAMARA	-	-	-	-				-
2.28	CAMARA AYUDANTE	-	-	-	-				-
2.29	AUXILIAR MONTAJE	-	-	-	-				-
2.30	GRAFISTA / DIBUJANTE	-	-	-	-				-
2.31	OPERADOR DE VIDEO	-	-	-	-				-
2.32	CONTROL CAMARAS	-	-	-	-				-
2.33	TECNICO DE SONIDO	-	-	-	-				-
2.34	AYUDANTE DE SONIDO	-	-	-	-				-
2.35	PERSONAL UNIDAD MOVIL	-	-	-	-				-
2.36	PERSONAL PEL	-	-	-	-				-
2.37	DECORADOR	-	-	-	-				-
2.38	AYUDANTE DE DECORACION	-	-	-	-				-
2.39	AMBIENTADOR DECORADOS	-	-	-	-				-
2.40	ATREZZISTA	-	-	-	-				-
2.41	ESTILISTA	-	-	-	-				-
2.42	SASTRERIA	-	-	-	-				-
2.43	AMBIENTADOR VESTUARIO	-	-	-	-				-
2.44	PELUQUERIA	-	-	-	-				-

CAPÍTULO 6
LA PRODUCCIÓN DE LA INFORMACIÓN AUDIOVISUAL

ANDREU CASERO RIPOLLÉS

6.1. LA INFORMACIÓN AUDIOVISUAL: ENTRE LA MEDIACIÓN SIMBÓLICA Y LA CONSTRUCCIÓN DE LA REALIDAD

6.1.1. LA DOBLE MEDIACIÓN

La información periodística es un recurso clave para acceder a la realidad social. Los ciudadanos, debido a nuestra constitución física, somos incapaces de conocer por nosotros mismos todo lo que sucede en nuestro entorno. Nos resulta imposible trascender el 'aquí' y el 'ahora' (Berger y Luckmann, 1968), ya que estamos ligados a un tiempo y un espacio concretos. Por eso, necesitamos de aparatos especializados que nos expliquen qué acontece en el mundo ya que nuestra experiencia directa de las cosas es limitada (Thompson, 1998). Uno de los principales dispositivos que se encargan de cumplir esa tarea son los medios de comunicación.

Así, la información audiovisual cumple una función esencial de mediación simbólica de la realidad social. Desempeñando ese papel, se sitúa entre nosotros, los ciudadanos, y un amplio conjunto de acontecimientos que quedan fuera de nuestro alcance directo. A partir de una amplia gama de productos periodísticos, se encarga de tender puentes y acercarnos realidades, abriéndonos las puertas a un universo de experiencias inéditas.

La mediación simbólica desplegada por la información audiovisual se fundamenta en una naturaleza dual (Cebrián Herreros, 1998: 41; Barroso, 1992: 85). Por un lado, se trata de un proceso fuertemente marcado por su carácter técnico. En la elaboración de los productos informativos se emplean diversos dispositivos tecnológicos que condicionan su resultado final. No debemos olvidar que la imagen de la televisión crea la realidad a través de su propia mirada (Vilches, 1989: 15). La captación audiovisual de un acontecimiento (la posición de la cámara, el encuadre y los planos seleccionados, el tipo de imágenes escogidas,...) afecta decisivamente en la representación que se proyecta del mismo. Además, por otra parte, la información es fruto de una mediación profesional. En este sentido, se encuentra fuertemente influenciada por la presencia de unos sujetos especializados en su elaboración, los periodistas, dotados de unos métodos de trabajo y una cultura institucional específica. Unos mecanismos que también inciden en la forma que asume el producto informativo. Por ello, la información periodística es el fruto de una intervención técnica y humana sobre la realidad.

Poniendo en práctica su función mediadora, los medios audiovisuales llevan a cabo una intensa tarea de producción y distribución de conocimiento social, desplegando una actividad cognitiva de primer orden (Saperas, 2000). De ahí, el carácter eminentemente simbólico que asume la mediación informativa, puesto que se vale de múltiples símbolos, representaciones y significados para crear el sentido social. Así, a través del trabajo con el símbolo, los periodistas proponen diversas visiones del mundo, variadas maneras de entender y catalogar aquello que nos rodea.

6.1.2. DANDO FORMA A NUESTRA PERCEPCIÓN DEL MUNDO

Pero los medios audiovisuales no son un mero canal a través del cuál circulan las informaciones que llegan a nuestras manos. Su intervención en el proceso de mediación simbólica dista de ser neutral y aséptica. Por el contrario, la profesión periodística participa activamente en la generación de significados sobre los acontecimientos. Disfruta de un poder extraordinario para definir la realidad social, contribuyendo, así, a moldear nuestra percepción del mundo.

Por ello, la información audiovisual se concibe como una construcción en un doble sentido. Por un lado, el periodismo se erige como una institución clave en la construcción de la realidad social (Berger y Luckmann, 1968; Grossi, 1985b; Lippmann, 2003), ya que lleva a cabo una actividad de creación de sentido y, fruto de ella, estructura la percepción y la relevancia pública de los problemas colectivos. Por otro, la información audiovisual aparece como un producto construido conforme a unas prácticas de trabajo específicas: las rutinas productivas. Consecuentemente, bajo esta óptica, se encuentra sometida a diversos condicionantes, derivados de la aplicación de estos métodos operativos, que inciden en su configuración final.

Debido a esta naturaleza, las piezas informativas constituyen una interpretación de aquello que acontece a nuestro alrededor. Es decir, suponen una manera de enfocar el mundo, que se ve influenciada por la presencia de un narrador concreto: la profesión periodística (Sáez, 1999). Por lo tanto, la producción informativa se revela como una mirada sobre la realidad teñida de subjetividad (Vidal Castell, 2002). No debemos olvidar que existen tantos relatos sobre un evento como observadores puedan contemplarlo. Lejos de configurarse como un espejo que refleja los acontecimientos cotidianos (Pena de Oliveira, 2006), el periodismo audiovisual fabrica, a partir del procesamiento técnico de los eventos, una visión particular de éstos (Vilches, 1993). Así, pone a nuestro alcance una versión, de las muchas posibles, de lo sucedido (León Gross, 2005). Incluso, en función del proceso de producción y de los intereses e ideologías de cada medio, un mismo hecho puede generar distintas lecturas periodísticas.

Con ello, la información audiovisual contribuye, poderosamente, a la formación y distribución del conocimiento social. No obstante, no es la única fuente que se encuentra a nuestra disposición para acceder a la realidad (Grossi, 1985b). Los ciudadanos cuentan con un depósito de saberes extraído de múltiples vías: sus experiencias directas de los acontecimientos, sus experiencias acumuladas a lo largo de su vida, sus ideas, sus conocimientos anteriores o sus interacciones con otras personas. Además, los medios audiovisuales no son la única instancia mediadora. El sistema educativo, la familia o la religión también realizan ese cometido, con mayor o menor fuerza y éxito según los casos. Por lo tanto, los medios no imponen unilateralmente su visión del mundo. Al contrario, las personas contrastan y comparan, incesantemente, su percepción del entorno con la que aportan las piezas informativas (Livolsi, 2004). Fruto de ese diálogo, se conforma la realidad social.

6.2. EL CICLO PRODUCTIVO DE LA INFORMACIÓN AUDIOVISUAL

6.2.1. LAS RUTINAS PRODUCTIVAS DEL PERIODISMO AUDIOVISUAL

Las rutinas productivas son un conjunto de reglas y normas, ampliamente compartidas, que guían el ejercicio de la profesión periodística.

Se trata de una serie de principios que, en cierta medida, regulan la elaboración de la información televisiva. En este sentido, actúan como patrones de acción (Berger y Luckmann, 1997: 33) que orientan las prácticas y actividades desarrolladas por los periodistas en el proceso de producción informativa (Ortega y Humanes, 2000: 63-64). Aparecen, así, como verdaderos manuales de instrucciones que los medios televisivos aplican en el procesamiento de los acontecimientos y en la construcción mediática de la realidad.

El empleo de rutinas consiste en la introducción de prácticas productivas estables sobre una "materia prima", la actualidad informativa, extraordinariamente variable e imprevisible. Esto resulta posible gracias al hecho que la actividad periodística se encuentra sujeta a la habituación (Berger y Luckmann, 1968: 74). Ésta se basa en la constatación que toda acción que se repite con frecuencia acaba creando una pauta que, luego, puede reproducirse con economía de esfuerzos a posteriori. Se establecen, así, toda una serie de automatismos, un conjunto de pre-definiciones bajo las cuáles pueden agruparse numerosas situaciones, que pasan a estar disponibles para ocasiones futuras de características similares. A medida que se viven y se resuelven nuevas experiencias, este depósito de conocimientos se agranda.

Las rutinas, en su condición de conjunto de pautas y criterios compartidos por el conjunto de la profesión, aparecen como una actividad institucionalizada. Pese a que la aplicación de prácticas productivas la lleven a cabo periodistas individuales, ésta se engloba dentro de unas instituciones dotadas de una dinámica de trabajo colectivo, de una lógica industrial concreta y de una intencionalidad (política, económica y cultural) determinada. Debido a este carácter institucional, se erigen como un conocimiento especializado cuyo acceso es restringido únicamente a los integrantes de la profesión periodística y cuya transmisión se realiza internamente (Berger y Luckmann, 1997: 41), en el seno de las estructuras de las organizaciones mediáticas.

Las rutinas productivas se erigen en instrumentos que facilitan la confección de la información televisiva y la resolución de problemas derivados de la práctica profesional del periodismo. Actúan, así, como pautas que restringen las alternativas a tomar ante determinadas situaciones. Allanan la ejecución y la gestión de la producción informativa, ya que liberan al periodista de la necesidad de decidir cada vez *ex novo*, partiendo de cero, cómo enfrentarse a un acontecimiento (Wolf, 1987: 224). En este sentido, le ofrecen un procedimiento a seguir que engloba desde su toma de contacto con el hecho hasta su conformación como noticia.

La aplicación de las rutinas productivas persigue la obtención de la máxima eficacia en el trabajo periodístico. En un contexto marcado por la escasez de tiempo establecido por los requerimientos de la actualidad diaria y su carácter imprevisible, resulta indispensable buscar la racionalización de las prácticas destinadas a la elaboración de piezas informativas. Además, la reducción de costes en el proceso de producción aparece como una exigencia cada vez más acuciante para los operadores televisivos. Por ello, en la instauración de las rutinas concurren criterios profesionales, vinculados a las prácticas periodísticas conducentes a la "fabricación" de noticias (Villafañe, Bustamante y Prado, 1987), y criterios empresariales (Wolf, 1987: 252), fruto de las necesidades corporativas de optimizar los costes de producción armonizando calidad y beneficio en la confección de contenidos informativos. En el marco de las exigencias empresariales, se alzan como un instrumento inmejorable para organizar y planificar el trabajo periodístico (Tuchman, 1983: 226). La voluntad de las organizaciones televisivas se dirige a conseguir que la información llegue a manos de la audiencia con facilidad, rapidez y, además, al menor coste posible (Cebrián Herreros, 1998: 78).

6.2.2. LAS FASES DEL PROCESO PRODUCTIVO DE LA INFORMATIVA TELEVISIVA

Consecuentemente, las rutinas productivas de la información televisiva cristalizan en una serie de fases entrelazadas e interconectadas que dan forma a un complejo proceso. Afectan a la recogida de noticias, a su selección, a su tratamiento e, incluso, a su presentación (Wolf, 1987: 249), abarcando la totalidad de tareas del periodista. La puesta en marcha de todas estas dinámicas de producción condiciona el resultado final, influyendo tanto sobre la forma que asume la información audiovisual como sobre los significados que transmite. En el medio televisivo, el proceso productivo incluye cuatro grandes etapas consecutivas (Cebrián Herreros, 1998: 78-97).

La primera corresponde a la pre-producción, momento centrado en la concepción y la decisión de los hechos que pasarán a convertirse en noticia. Esta fase inicial se encuentra vinculada a la planificación y engloba aspectos tan variados como la organización de los servicios informativos, el reparto de funciones por equipos, la jerarquización profesional, la distribución de coberturas por reporteros, la elaboración del plan de trabajo, la preparación de los equipos técnicos y el material necesario, el establecimiento de la agenda de previsiones o la búsqueda de documentación escrita y audiovisual, entre otras cuestiones.

La segunda etapa concierne a la producción en sentido estricto y se dirige a la recogida del material informativo en bruto que, posteriormente, se convertirá en noticia. Por ello, se ocupa, principalmente, de la captación o grabación del acontecimiento de actualidad. Implica generalmente el desplazamiento de los equipos técnicos de grabación al lugar de los hechos para obtener imágenes y datos sobre lo sucedido. Igualmente, esta práctica puede complementarse, o soslayarse, acudiendo a fórmulas de intercambio de informaciones con otras cadenas o de compra del material audiovisual a agencias de noticias especializadas, que aportan un flujo constante de informaciones sobre temas diversos gracias a su distribución capilar sobre amplios territorios, basada en la presencia de numerosos corresponsales y colaboradores. En la recogida de la información juegan un papel clave las fuentes informativas, de las que nos ocuparemos más adelante.

La tercera fase del proceso de producción de la información televisiva atañe a la post-producción. En este punto se lleva a cabo, mediante procedimientos de edición no lineal, la construcción definitiva del relato informativo a partir del material en bruto generado en la etapa anterior. Consecuentemente, se trata de un momento que incluye toda una amplia gama de operaciones de selección sobre ese material. Éstas comprenden la aceptación y el descarte de datos, imágenes y sonidos a partir de la aplicación de una serie de criterios tanto técnicos como periodísticos. Así, se escogen los diferentes planos que conforman la noticia, se ordenan siguiendo una secuencia lógica, se determina la duración de cada uno, se eligen los totales o declaraciones de los protagonistas de la información, se añade el sonido ambiente que se estime oportuno y se incorpora el texto informativo pertinente. Todo ello, termina por dar forma a la noticia en tanto que producto televisivo acabado.

Finalmente, la última fase del proceso de producción tiene que ver con la integración en la emisión. Una vez la pieza informativa se encuentra concluida, resulta necesario ubicarla en el marco de un programa informativo. Por ello, esta etapa se centra en la organización y ordenación de las diferentes noticias que integran cada espacio informativo. Su resultado se plasma en la escaleta o minutado que aparece como el documento que determina la estructura formal de este tipo de programas. En él se incluyen el orden de las noticias, su duración prevista y sus peculiaridades técnicas. Marcando, así, las pautas iniciales para efectuar la emisión, aunque siempre es posible introducir modificaciones para dar cabida a la actualidad de última hora (Rodríguez Pastoriza, 2003: 81).

Tabla 1. Fases del proceso productivo de la información televisiva

Fase	Definición básica	Actividades englobadas
1. PRE-PRODUCCIÓN	Concepción y planificación de la producción informativa	• Organización de los servicios informativos • Jerarquización profesional • Reparto de funciones por equipos • Distribución de coberturas • Elaboración del plan de trabajo • Preparación y mantenimiento de equipos técnicos y materiales • Establecimiento de agenda de previsiones • Documentación
2. PRODUCCIÓN (en sentido estricto)	Recogida de material informativo	• Grabación del acontecimiento • Obtención de imágenes y datos sobre el suceso • Adquisición de material informativo a agencias de noticias • Realización de entrevistas con fuentes
3. POST-PRODUCCIÓN	Composición final del relato informativo en tanto que producto acabado	• Aplicación de procedimientos de edición no lineal • Operaciones de selección sobre material informativo en bruto • Elaboración del texto informativo
4. INTEGRACIÓN EN LA EMISIÓN	Ubicación de la pieza informativa en un programa para su difusión pública	• Elaboración de la escaleta del programa informativo • Organización y ordenación de las diferentes piezas informativas • Inserción en el programa informativo • Emisión del programa informativo

Fuente: Elaboración propia

6.3. LA FUNCIÓN DE SELECCIÓN Y LA PRODUCCIÓN DE LA INFORMACIÓN AUDIOVISUAL

6.3.1. La función de selección informativa

La producción de la información televisiva, además de estar sometida a pautas regulares, repetitivas y ampliamente compartidas, aparece como un proceso que exige la toma constante de toda una serie de decisiones que afectan a la configuración de tanto de las noticias individualmente consideradas como de la actualidad periodística a nivel general. Éstas tienen que ver con la función de selección informativa. Ésta consiste en un conjunto de elecciones y discriminaciones que la profesión periodística aplica tanto sobre la realidad social, es decir sobre el conjunto de acontecimientos y sucesos generados por la dinámica de una sociedad, como sobre la materia prima informativa destinada a convertirse en producto informativo que el medio televisivo difunde, posteriormente, hacia sus públicos.

Desde este punto de vista, la selección informativa se conforma como un mecanismo dicotómico que se basa en la inclusión o la exclusión de determinadas posibilidades de comunicación y de determinados significados en el proceso de elaboración de la información audiovisual. Gracias a su aplicación, la televisión goza del poder de convertir ciertos acontecimientos en noticia, incluyéndolos en sus espacios, asociándoles ciertos sentidos y valores y dotándolos de la capacidad de concentrar la atención pública en diversos grados.

La presencia de esta función en el proceso de construcción mediática de la realidad se enmarca en un escenario caracterizado por la existencia de fuertes dosis de complejidad social, un rasgo distintivo de las actuales sociedades post-industriales. En este contexto, el papel del sistema mediático, con la televisión a la cabeza, radica en contribuir a la reducción de esa complejidad mediante operaciones de selección (Luhmann, 2000). Así, la pantalla nos ahorra el esfuerzo de tener que enfrentarnos a un universo casi infinito de eventos, escogiendo para nosotros un elenco, relativamente reducido, de noticias de interés público. Igualmente, reduce la complejidad de los sucesos al presentarnos, en apenas dos minutos, los elementos y los datos básicos que nos permiten conocer y entender lo ocurrido. La selección informativa coopera, de esta forma, en el funcionamiento de la sociedad, simplificando su complejidad y haciéndola fácil de asumir para los ciudadanos.

Debido a sus características, la función de selección condiciona enormemente el proceso de construcción de la realidad mediática. Su aplicación conlleva el descarte de determinados eventos y significados que son eliminados de los relatos y los espacios informativos, volviéndose invisibles para amplios sectores de la ciudadanía. Contribuye, así, a moldear, decisivamente, la visión del mundo operada por cada medio audiovisual. Además, articula la construcción de la agenda pública, ya que establece el conjunto de temas que integran las preocupaciones y prioridades colectivamente compartidas por los ciudadanos (McCombs, 2006). Por ello, la selección se alza como una actividad clave dentro de la producción informativa. Asume un acentuado carácter estratégico, ya que su empleo genera unos u otros resultados en su configuración final. Aparece, así, como un componente esencial de la política informativa de cada medio.

Pese a que se trata de una competencia propia de la profesión periodística que se ejercita en el interior de los procesos de producción de la información, la selección se encuentra sometida a una notable dinámica interactiva. La elaboración de las noticias televisivas se configura como el resultado de una serie de negociaciones, pragmáticamente orientadas, que tienen por objeto definir qué incluir en el relato informativo y cómo incluirlo. Así, aunque en esta empresa el margen de autonomía de la televisión es elevado, los periodistas se ven afectados por un juego de múltiples interdependencias. Fruto del mismo, otros actores sociales, entre los que sobresale la clase política, despliegan su influencia para lograr que, en algunos casos, determinados acontecimientos se incorporen a la actualidad informativa y que, en otros, se omitan.

La selección informativa está condicionada por dos grandes dimensiones: la política y la económica. La primera persigue la satisfacción de los objetivos corporativos de cada medio televisivo, centrados en el ejercicio de la influencia política. Por ello, en ocasiones, se hacen esfuerzos para escoger aquellos sucesos y resaltar aquellos enfoques o tratamientos que permiten adaptar lo ocurrido a los valores o la ideología defendida por la cadena (Cebrián Herreros, 2004: 16). La segunda, por su parte, está vinculada a la obtención del lucro, que aparece como una de las principales finalidades de los medios, especialmente de aquellos de naturaleza comercial (Borrat, 1989). La dimensión económica impone el peso de los esquemas ligados a la espectacularización en el proceso de selección de las noticias. El primado del entretenimiento provoca que se elijan acontecimientos no por su relevancia en términos de interés público, sino por el carácter impactante de las imágenes que generan, por su condición anecdótica y estrafalaria o por su capacidad para seducir a los espectadores.

6.3.2. LOS NIVELES DEL PROCESO DE SELECCIÓN

Como estamos comprobando, la selección informativa se configura como una actividad compleja y altamente decisiva. Por ello, es factible distinguir tres niveles interrelacionados (tabla 2) entre sí que contribuyen a dar forma a esta función central de la profesional periodística (Rositi, 1982: 138-139):

1) La función de selección de primer grado o selección *strictu senso*. Se trata de la regulación de una especie de derecho genérico de acceso al circuito informativo. Las organizaciones periodísticas son las encargadas de realizar las operaciones de valoración para determinar la trascendencia social de los diversos acontecimientos y sucesos acaecidos. Aquí es donde se concentra la acción de los criterios de noticiabilidad (ver 0), aplicados por los periodistas, aunque conviene remarcar que su presencia no es exclusiva de este nivel sino que también se proyecta en los posteriores. Por ello, se pone en marcha, en este punto, un mecanismo dicotómico, característico de la selección, que se articula en torno a operaciones de exclusión o inclusión de eventos. Consecuentemente, supone el ejercicio de una limitación que excluye definitivamente determinadas posibilidades de comunicación, contribuyendo decisivamente a moldear, en un u otro sentido, la construcción informativa de la realidad social. Igualmente, es en este punto, cuándo son especialmente intensas las presiones sistémicas externas a la profesión periodística. Pese a que estos últimos gestionan el proceso, su carácter interactivo y negociado determina que otros actores sociales, entre los que destacan los actores políticos, busquen condicionar la orientación de las acciones selectivas.

Tabla 2. Esquema de los niveles que conforman la selección informativa

Selección de PRIMER GRADO	Selección de SEGUNDO GRADO	Selección de TERCER GRADO
Selección *STRICTU SENSO* (Regulación de acceso al espacio informativo)	JERARQUIZACIÓN (Clasificación comuni-cativa de la noticia)	TEMATIZACIÓN (Formación de grandes temas que monopo-lizan la atención y la opinión pública)
Operaciones de INCLUSIÓN - EXCLUSIÓN	Jerarquización FORMAL y jerarquización SIGNIFICATIVA	Determinación de los GRANDES TEMAS

Fuente: Elaboración propia

2) La función de jerarquización o selección de segundo grado. En este punto, los acontecimientos previamente seleccionados en el nivel anterior, son clasificados comunicativamente en diversos grados de relevancia socialmente definidos. Consecuentemente, partimos aquí de un conjunto de eventos transformados en noticia, de informaciones ya sancionadas, ya existentes periodísticamente hablando pero pendientes de concluir su elaboración definitiva. A diferencia del nivel anterior, ahora, regulado ya el acceso, es momento de valorar informativamente los sucesos, dotándolos de mayor o menor importancia, y, por lo tanto, de construir su sentido social, revistiéndolos de unos u otros significados de entre los diversos posibles. No se trata de qué cosas informar, sino de cómo presentarlas al público. Por ello, asistimos a un verdadero moldeamiento del acontecimiento-noticia en el seno del proceso de producción informativo mediante el recurso a las rutinas y las prácticas profesionales de los periodistas. Éste se lleva a cabo a partir de la combinación de dos fases esenciales y estrechamente articuladas entre sí: la jerarquización formal y la significativa. La primera afecta al grado de acceso al espacio informativo de las diferentes noticias, a las condiciones en que éste se produce. Naturalmente, no asume la misma repercusión pública la primera información de un noticiario que la que se ofrece en séptimo lugar. Igualmente, un tema incluido en los titulares de un programa adquiere un plus de visibilidad para los espectadores. Por ello, existen toda una serie de cuestiones

de carácter formal que determinan la resonancia de una información desde el punto de vista de la captación de la atención de los espectadores. Principalmente, podemos señalar tres aspectos fundamentales en este sentido: la determinación de la duración temporal de la pieza informativa, su ubicación en el seno del noticiario y la agregación de relevancia, situando el tema en los bloques de titulares. La amalgama de estos tres factores, que se plasma en la escaleta del programa informativo, configura los límites de la jerarquización formal.

La jerarquización significativa, por su parte, concierne a los procedimientos que conducen a la conformación del discurso de la noticia, tanto en su dimensión textual como icónica. Su resultante configura un marco a partir del cuál se atribuye sentido social al evento. Tiene que ver con cómo se representa la realidad social a la que se refiere el acontecimiento. Es decir, bajo qué prisma, ángulo o enfoque se cuentan los hechos. Para ello, en este punto, se ponen en marcha diversos y complejos mecanismos periodísticos de valoración y de atribución de significados. Entre éstos se encuentran la inclusión y exclusión de significados vinculados al suceso, su ordenación en el seno de la pieza informativa, la selección del estilo enunciativo, la elección de las imágenes o la determinación del lenguaje empleado para relatar lo acaecido.

El resultado de la puesta en marcha de las dos modalidades de jerarquización, la formal y la significativa, se traduce en la instauración de marcos de referencia específicos. Éstos implican una organización del significado específica y nos permiten encuadrar la experiencia social (Goffman, 2006), guiando, con ello, la interpretación de la realidad en una dirección determinada (Humanes e Igartua, 2004). En función de su aplicación, la representación simbólica de una misma realidad puede sufrir variaciones, presentando divergencias entre las diferentes versiones. Los marcos son estructuras mentales que conforman nuestra manera de ver el mundo (Lakoff, 2007). Enmarcar supone seleccionar algunos aspectos de una realidad percibida que, recibiendo mayor relevancia en una noticia, le asignan una definición concreta, una interpretación causal, un juicio moral y/o una recomendación para su tratamiento o solución (Entman, 1993: 52). Su edificación está vinculada, por tanto, a la selección informativa, y, especialmente, a la jerarquización, ya que es en este punto cuando se les da carta de naturaleza y se define su sentido.

3) La función de tematización o selección de tercer grado. La caracterización de este último nivel procede directamente de la noción de

opinión pública elaborada por Luhmann (2000). En este tercer momento se trata de seleccionar ulteriormente, en el universo informativo dos veces seleccionado, los grandes temas que han de concentrar la atención pública y movilizarla hacia la toma de decisiones (Marletti, 1985). Además, éstos se caracterizan por persistir en el tiempo, ocupando durante considerables períodos el espacio informativo. Naturalmente, no todos los eventos son susceptibles de ser tematizados, para que se desencadene esta circunstancia, éstos deben converger en la indicación de un problema que tenga un significado público y que reclame una solución (Badia, 1992). Por ello, esta función se halla estrechamente vinculada al proceso de construcción de la agenda institucional y gubernamental (*agenda building*). A este nivel, la televisión, y, en general, el sistema comunicativo, alcanza el grado más alto de autonomía respecto de otras instancias sociales.

6.3.3. LOS CRITERIOS DE NOTICIABILIDAD

La aplicación práctica de la función de selección, que acabamos de describir, se lleva a cabo mediante un conjunto de criterios de noticiabilidad. En base a éstos, los periodistas televisivos deciden qué acontecimientos se convierten en noticia y pasan, por lo tanto, a integrarse en el seno de la realidad informativa. Más concretamente, podemos definir la noticiabilidad como la serie de criterios, valores, recursos y estrategias de producción que permiten convertir un evento o suceso en un producto informativo (Peralta, 2005: 23). O también, el conjunto de factores que hacen posible la promoción de un acontecimiento a la categoría de noticia (Martín Sabaris, 1999: 241).

Pese a que existen numerosos criterios, no hay un único factor que condicione la noticiabilidad de un acontecimiento. La complejidad del proceso de construcción de la realidad informativa provoca la intervención de diversos elementos, circunstancias y variables. Es decir, los criterios se hallan interrelacionados e interconectados entre sí. Generalmente, no actúan en solitario, sino que cuantos más componentes acumule un evento, mayores probabilidades tendrá de acceder al espacio informativo. Además, para adaptarse a las múltiples y mutables situaciones derivadas de la gestión del imprevisto, propia del periodismo, los criterios son abiertos y flexibles. Es decir, están sujetos a redefinición y modificación en función de las condiciones y el contexto social en el que se ejerza la actividad informativa.

Podemos distinguir, grosso modo, dos grandes grupos de criterios de noticiabilidad, aquellos de naturaleza periodística, por lo tanto internos a la profesión, y aquellos de carácter extraperiodístico, que, aunque son ajenos al ámbito informativo, poseen capacidad de influencia sobre la producción de la noticia. Entre los primeros podemos destacar los siguientes (Sorrentino, 2007: 79-91; Peralta, 2005: 46-58; Saperas, 2000: 22-23; Martín Sabarís, 1999: 242-260):

1) La novedad. La actualidad periodística se sustenta en lo nuevo como elemento contingente. En este sentido, aquello inédito se sitúa en los fundamentos de la producción informativa tanto en la televisión como en el resto de medios de comunicación. Así, todo evento que implique novedad respecto a acontecimientos anteriores es susceptible de ser noticia. Para valorar este elemento, desde la óptica periodística, existen diversas fórmulas. En primer lugar, la dimensión temporal (Golding y Elliott, 1979), que determina que la información nueva es la más reciente en el tiempo. Novedad y actualidad quedan, así, estrechamente ligadas. En segundo lugar, el grado de novedad, es decir el volumen de aparición de un suceso o un tema en el espacio informativo con anterioridad (Gans, 1979). Finalmente, sobresale la exclusividad, vinculada a la obtención de primicias informativas o *scoops*. Se trata obtener antes que nadie unos datos inéditos que únicamente se encuentran bajo nuestro poder.

2) El conflicto. La alteración del orden establecido, en un sentido amplio, aparece como un valor fundamental que guía la práctica periodística. Cualquier suceso de carácter conflictivo capta la atención de los profesionales de la información, ya que la desviación es un elemento clave de la noticia (Grossi, 1985a). Así, la crisis, el drama, la fatalidad, los escándalos, las disputas o la muerte son temáticas preferentes dentro de la agenda informativa. Resaltando una expresión derivada de la investigación británica, *"bad news are good news"*. Es decir, las malas noticias son la mejor materia prima para el periodismo.

3) La notoriedad. La cualidad de ser públicamente conocido supone un valor esencial dentro de la noticiabilidad. Así, aquellos acontecimientos cuyo protagonista sea alguien dotado de notoriedad tienen más posibilidades de acceder al espacio informativo. En la aplicación de este criterio, los periodistas tienen en cuenta tres aspectos que actúan como termómetros para medir la notoriedad: el poder, el reconocimiento profesional y la popularidad. La consecuencia de la puesta en práctica de esta regla es el predominio en las noticias de un grupo relativamente reducido de personajes que, en muchos casos, se

encuentran vinculados a las elites sociales o las formas de autoridad institucional (Tuchman, 1983). Por otra parte, la notoriedad afecta también a los temas. En este sentido, la centralidad que asuma una determinada cuestión en el debate público en un período histórico puede facilitar su acceso al espacio informativo. Si un argumento específico posee esta cualidad, todos los eventos y sujetos vinculados verán aumentado su grado de noticiabilidad. Un ejemplo de ello, en el caso español, es el terrorismo de ETA, ya tanto sus acciones como todo aquello que rodea a esta banda se convierte en materia informativa preferente. Más recientemente, la inmigración o la corrupción política se han situado, igualmente, como temas revestidos de gran notoriedad mediática.

4) La proximidad. Aquellos acontecimientos que se producen en un entorno geográficamente cercano al medio televisivo encargado de transmitirlos tienen más posibilidades de convertirse en noticia que aquellos que suceden en lugares lejanos. Fruto de este criterio, los periodistas privilegian aquellos eventos que pueden afectar directamente a la vida cotidiana de sus públicos receptores.

5) El impacto y la trascendencia social. La repercusión social que se derive de un suceso se configura como un elemento sobresaliente a la hora de decidir su inclusión en el espacio informativo. Este aspecto puede adoptar diversas perspectivas. En este sentido, se refiere, por ejemplo, al número de personas implicadas en un hecho, al simbolismo del evento, a sus efectos sobre los ciudadanos, etc. Por ello, aunque resulte moralmente reprochable, el número de personas fallecidas en un accidente se configura como un criterio para determinar su noticiabilidad. A más muertos, mayores posibilidades de convertirse en noticia.

6) La calidad del material audiovisual. La información televisiva es el fruto de la suma de imágenes, sonidos ambiente y texto. De entre estos elementos, el primero asume un especial protagonismo por las características del medio que privilegian la dimensión icónica. La imagen se configura como un elemento clave del periodismo televisivo, ya que éste, convencido de que aquello que se enseña visualmente adquiere el estatuto de verdad por el mero hecho de mostrarse, basa su credibilidad más en la verosimilitud del acto enunciativo y representativo, en la puesta en escena, que en la solvencia y la excelencia del trabajo periodístico (Gómez Mompart, 2004: 16). Por ello, la calidad, tanto técnica como periodística, y la espectacularidad de las imágenes de un acontecimiento son aspectos esenciales a la hora de decidir su

conversión en noticia. Naturalmente, en contraposición, la ausencia de imágenes dificulta sobremanera el acceso de un suceso al espacio informativo.

7) La accesibilidad. Este criterio tiene que ver con las facilidades que entraña para un periodista la cobertura informativa de un determinado acontecimiento. Así, los sucesos que se adaptan a sus horarios y sus ritmos de trabajo gozan de más opciones de ser noticia. Por ello, un suceso que acaezca durante la mañana tendrá mayores posibilidades de entrar en el espacio informativo que otro que ocurra durante la tarde. De hecho, un evento que se produzca a las 21.00 horas, justo cuando comienza el informativo vespertino en un cadena de televisión, solamente será noticia si presenta una extrema gravedad, trascendencia o importancia social. Hay que tener en cuenta que, estos casos, trastocan los ritmos de trabajo y exigen un esfuerzo organizativo considerable en muy poco tiempo. Igualmente, aquellas fuentes que suministran regularmente datos a los medios tienen más posibilidades de convertir sus informaciones en noticia que aquellas que sean de difícil acceso para los periodistas. Como consecuencia de este criterio, los contenidos de los diferentes operadores televisivos tienden a uniformizarse y a presentar una visión de la realidad fuertemente institucionalizada.

8) Las expectativas de futuro. Este criterio afecta a aquellos eventos que poseen la capacidad para originar material informativo nuevo en horas o días posteriores. Aquellos acontecimientos que cumplan con este requisito y que generen expectativas de futuro, una cualidad especialmente ligada a los temas políticos, gozarán de mayores posibilidades de convertirse en noticia. Fruto de ello, emergen las denominadas *developing news* o "noticias secuencia", entendidas como la narración de una serie de sucesos que van encadenándose a otros en una secuencia temporal continuada (Tuchman, 1983: 70). Por lo tanto, permiten a la profesión periodística organizar una cobertura constante y prolongada (Sorrentino, 2007: 81). Este criterio se basa, así, en una concepción de la actualidad entendida como un relato seriado y fragmentado que se ofrece al público en periódicas entregas. En definitiva, se trata de noticias que despertarán reacciones, que traerán cola. No obstante, en ocasiones, son los propios informadores los que fuerzan la persistencia de los temas de manera artificial, incurriendo en un periodismo de declaraciones que potencia la autorreferencialidad (Casero, 2004).

9) El equilibrio temático. Dentro de un informativo televisivo de carácter generalista es necesario ensamblar diferentes categorías de eventos. Consecuentemente, se debe repartir el espacio disponible, siempre limitado, entre informaciones procedentes de múltiples ámbitos sociales (política, economía, sucesos, deportes, cultura,...) que pueden interesar a diversos tipos de espectadores. Por ello, los sucesos compiten tanto entre sí como, especialmente, con otros de su misma naturaleza, que tienen que ver con materias análogas. En el seno de los noticiarios, se establece, así, una diversidad temática que condiciona la selección de acontecimientos y actúa como un criterio más a la hora de definir la noticiabilidad. No obstante, en los últimos tiempos, este equilibrio parece romperse en pro del predominio de las informaciones de sucesos, que acaparan los porcentajes más altos de aparición (León Gross, 2006).

Por su parte, entre los criterios extraperiodísticos podemos citar los siguientes:

1) La observación de la competencia. En el ámbito mediático, y, especialmente, en el televisivo, la competencia es feroz y se produce a partir de una lógica multinivel. Es decir, una televisión no sólo lucha con otras cadenas por atraer a la audiencia, sino que también pugna con los diarios, las páginas de Internet o las emisoras de radio para lograr informar a los ciudadanos y convertirlos en su público. Por ello, resulta fundamental seguir los movimientos de los rivales en todo momento, tanto televisivos como de otros sectores, considerando el campo periodístico en su globalidad. Así, se pueden incorporar temas desvelados por la competencia a la agenda informativa propia o comprobar el grado de exclusividad o similitud de nuestras noticias. Como consecuencia de ello, entre los diferentes medios de comunicación se establece un estado de observación permanente que provoca un alto grado de homogeneización en las temáticas tratadas en las noticias. Ello conduce a un elevado mimetismo entre los programas informativos elaborados por las diferentes cadenas televisivas.

2) Los recursos económicos. La noticia es el resultado final de un proceso productivo llevado a cabo por una empresa. Desde esta óptica, el potencial económico de la organización mediática resulta un condicionante de primer orden en la elaboración de la información. De la capacidad financiera se desprende la tecnología disponible, los efectivos humanos disponibles o el acceso a determinadas fuentes, como las agencias de noticias internacionales. Por ello, de este factor dependerán, por citar dos ejemplos, el número de periodistas dispo-

nibles para cubrir los acontecimientos que surjan en el día a día o la posibilidad de contar con corresponsales en otras partes del país o en el extranjero. Dos aspectos que inciden notablemente en el proceso de selección informativa.

3) La capacidad tecnológica. Los recursos técnicos que posee un operador televisivo tienen una influencia directa en la decisión de qué acontecimiento se promocionan a la categoría de noticia. El acceso o no a determinadas tecnologías puede solventar o generar problemas logísticos que condicionan la noticiabilidad. Por ejemplo, difícilmente podremos incluir en nuestro programa una conexión en directo sobre un evento que se esta produciendo fuera de los estudios de la cadena sino contamos con una unidad móvil. Con lo cuál, el suceso difícilmente entrará al espacio informativo.

4) Las presiones políticas. El proceso de producción informativa se ve afectado por influencias externas, generalmente procedentes del campo de la política. Éstas están encaminadas a lograr un tratamiento informativo favorable de unos determinados hechos, en algunos casos, o a evitar la difusión de una noticia desfavorable, en otros. Los periodistas en sus interacciones con los actores políticos se hallan, así, en un contexto de negociación constante, que fluctúa entre la cooperación y el enfrentamiento. Naturalmente, esta dinámica condiciona, en mayor o menor medida, la selección informativa y la noticiabilidad.

5) Las presiones económicas. Al igual que en el caso anterior, los agentes económicos también ejercen influencia sobre el proceso de selección informativa. Ésta se puede detectar tanto a nivel externo, a través de los anunciantes, como a nivel interno, encarnadas por los propietarios de los medios televisivos. Los primeros tratan de promocionar en los espacios informativos temas que favorezcan a sus intereses o, por el contrario, silenciar aquellos que los perjudican, generando cierto determinismo publicitario (Reig, 2007: 83). Los segundos, por su parte, han asistido a radicales procesos de cambio y transformación que le ha otorgado una nueva dimensión (Bernardo Paniagua, 2006). En las últimas décadas, el escenario comunicativo ha registrado tanto la irrupción de las industrias culturales como una fuerte dinámica de concentración, fenómenos que han confluido en la conformación de grandes grupos multimedia dotados de un enorme poder y con múltiples intereses que defender (Murciano, 2004). Con ello, el periodista, a la hora de decidir que eventos promociona a la categoría de noticia, se ve afectado por el fuerte peso de la economía en el contexto mediático y acaba desarrollando su labor en el centro de una telaraña

(Reig, 2007), que determina decisivamente sus prácticas productivas. Consecuentemente, los profesionales interiorizan los valores, pautas y normas de comportamiento del medio en el que trabajan (Rojo Villada, 2003: 101), hasta acabar por asumir su política informativa, y conforme a ella definen sus criterios de noticiabilidad.

6) La búsqueda de audiencia. El escenario actual de mercantilización televisiva (Bustamante, 1999) impulsa a los operadores a intentar atraer al máximo número posible de espectadores. Esta circunstancia afecta también a las noticias ya que los informativos son espacios que generan elevadas cifras de audiencia. Con ello, la producción de información queda vinculada a una dinámica que privilegia la búsqueda de público para lograr inversiones publicitarias y conseguir, por tanto, ingresos económicos. El gusto de los espectadores se alza, así, como un criterio determinante de noticiabilidad, ya que, siguiendo lógicas propias del marketing, la oferta informativa se subordina a la demanda. Las noticias se transforman en un mercancía (Rojo Villada, 2003: 100) y el valor del trabajo periodístico pasa a medirse por su rendimiento en términos de audiencia, dejando al margen otras consideraciones (éticas, de calidad,...). Se genera, de esta forma, una "ratignación" de las noticias (Díaz Nosty, 2005: 207) que se orientan por objetivos comerciales, en su afán por alcanzar elevadas cuotas de audiencia, desatendiendo el derecho a la información en pro del dictado de la mayoría. Este hecho determina que en los esquemas de selección periodística se primen tratamientos y acontecimientos asociados al entretenimiento y el espectáculo (Díaz Arias, 2006). En su versión más aguda, la lucha por la audiencia ha derivado hacia un "amarillismo radical" que exagera la realidad o, peor aún, miente para conquistar la atención del público (Gómez Mompart, 2004: 23). Pese a que resulta legítimo que cualquier medio de comunicación se esfuerce por ampliar su número de espectadores, este hecho no debe servir de excusa para vulnerar los principios éticos y deontológicos de la profesión periodística.

Tabla 3. Criterios de noticiabilidad

Criterios periodísticos	Criterios extraperiodísticos
1. Novedad	1. Observación de la competencia
2. Conflicto	2. Recursos económicos disponibles
3. Notoriedad	3. Capacidad tecnológica
4. Proximidad	4. Presiones políticas
5. Impacto y trascendencia social	5. Presiones económicas
6. Calidad del material audiovisual	6. Búsqueda de audiencia
7. Accesibilidad	
8. Expectativas futuras	
9. Equilibrio temático	

Fuente: Elaboración propia

6.4. LAS FUENTES INFORMATIVAS

6.4.1. EL PAPEL DE LAS FUENTES INFORMATIVAS: UNA POSICIÓN ESTRATÉGICA

Las fuentes de información son un aspecto esencial de la actividad informativa, ya que condicionan, de manera determinante, el proceso de producción de las noticias y el resto de productos informativos. Se trata bien de personas o colectivos, por un lado, y documentos o depósitos de información (libros, archivos, revistas, publicaciones especializadas, bases de datos...), por otro, que suministran datos al periodista para que éste los convierta en información (Armentia Vizuete y Caminos Marcet, 2002: 98). Por lo tanto, las fuentes informativas aparecen como la materia prima de la información audiovisual, ya que sin ellas, difícilmente, se puede llevar a cabo el proceso de producción que conduce a su elaboración. En este sentido, el nexo acontecimiento-fuente-noticia es central en la construcción de la realidad informativa (Rodrigo Alsina, 2005: 181). Por ello, son un factor determinante para la calidad de las noticias producidas por un medio audiovisual (Wolf, 1987: 253).

La centralidad de las fuentes informativas en el proceso de elaboración de las noticias comporta que ocupen una posición estratégica dentro de la cadena informativa. Su situación intermedia entre un suceso y su conversión en producto informativo les otorga una elevada capacidad de influencia sobre el contenido de la realidad informativa. Esta facultad de condicionar los significados de la actualidad se debe al hecho que las fuentes son un eslabón intermedio y, a la vez, insoslayable del ciclo informativo (Borrat, 2003: 76). En la mayor parte de los relatos informativos, el periodista no puede prescindir de las fuentes para obtener datos con los que elaborar las noticias, ya que éste asiste directamente al desarrollo del acontecimiento sólo en un número reducido de casos. Como muestra el gráfico siguiente, el lugar que ocupan las fuentes es clave en la configuración de la información audiovisual.

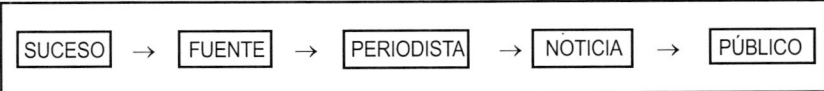

El papel de las fuentes a la luz de este esquema se antoja clave. Aunque pueden ser usadas estratégicamente por los periodistas en la confección de la información, las fuentes disponen de la capacidad de articular estrategias propias, ya que cuentan con múltiples recursos para influir intencionadamente sobre la comunicación mediática. Desde esta óptica, las fuentes aparecen como potentes máquinas de promoción de acontecimientos y opiniones que, si superan los obstáculos de la función de selección y se ajustan a los criterios de noticiabilidad de los medios audiovisuales, se convierten en noticias que reciben una enorme difusión pública. En este sentido, resulta esencial examinar las relaciones que se establecen entre las fuentes y los periodistas en el seno del proceso de producción de la información audiovisual.

6.4.2. Relaciones entre fuentes y periodistas

Como afirma Gans (1979: 116), la relación entre las fuentes y los periodistas puede definirse, metafóricamente, como una "danza" en la cual los medios intentan llegar a las mejores fuentes y estas últimas pretenden buscar un acceso privilegiado a los espacios informativos. Así, este nexo debe entenderse desde una perspectiva interactiva, circunstancia que provoca que entre los dos polos de esta relación se instauren negociaciones constantes (Grossi, 1985a). Es decir, entre fuentes y periodistas se establecen múltiples y sistemáticos intercambios sujetos a condiciones cambiantes. De ahí, que resulte imposible fijar un marco rígido que describa esta relación marcada por la complejidad y la inestabilidad.

Eso sí, retomando la metáfora de Gans, podemos afirmar que entre fuentes y periodistas se instituyen relaciones de mutua dependencia y necesidad. El informador audiovisual necesita mantener amplios y permanentes contactos con las fuentes de información, para, así, configurar una red lo más útil y fiable posible (Armentia Vizuete y Caminos Marcet, 2002: 99). Por ello, su relación con las fuentes ha de ser fluida y constante, manteniendo al máximo las distancias (Manfredi, 2000: 69).

A la hora de seleccionar una fuente, los periodistas aplican una serie de parámetros (Sorrentino, 2006: 156). En primer lugar, se otorga preferencia a las fuentes institucionales, vinculadas al poder, generalmente, de tipo político, ya que se entiende que reproducen posiciones oficiales y están dotadas de autoridad y responsabilidad. La segunda cualidad de una fuente reside en su productividad. Es decir, en su capacidad para abastecer información suficiente de manera rápida y constante en el tiempo. El tercer requisito tiene que ver con la disponibilidad: se privilegia a las fuentes de fácil acceso que se hallan próximas y cercanas al periodista. Finalmente, la idoneidad de una fuente depende, en último término de su credibilidad, condición que se alza como una exigencia clave.

Junto a su carácter estratégico, es factible sostener que la mayor parte de las fuentes informativas son interesadas (Manfredi, 2000: 68). Es decir, tras su oferta de datos e informaciones al periodista se esconde algún propósito político, comercial, de influencia social, etc. (Clauso, 2007: 216). Por ello, el profesional de la información debe extremar sus precauciones al relacionarse con las fuentes para evitar sufrir engaños o manipulaciones (Rodrigo Alsina, 2005: 186). Consecuentemente, es necesario contrastar una información al menos con dos fuentes diferentes para obtener garantías suficientes antes de introducirla en una noticia. No hay que olvidar que la decisión de incluir u omitir una fuente se encuentra en manos del periodista. Por lo tanto, sobre él recae en último término la responsabilidad de la falta de veracidad de unos datos difundidos al público.

En este contexto de múltiples intercambios, las relaciones entre fuentes y periodistas se pueden enmarcar a partir de la concurrencia simultánea de dos ejes analíticos. El primero establece un *continuum* que va desde la independencia (máximo distanciamiento) a la dependencia o subordinación (máxima cercanía, en la cuál uno dos los polos de la relación domina y subyuga al otro). Por su parte, el segundo va desde la cooperación hasta el conflicto, en función de cuál sea el grado de coincidencia de los objetivos e intereses que defienden unos y otras. Así, podemos registrar numerosas situaciones que se mueven desde la total autonomía, ya que entre ambos polos impera una clara separación, a la simbiosis, situaciones en las que es la propia fuente la que dicta la noticia en los términos que le interesan, pasando por diversas situaciones intermedias. El siguiente gráfico muestra los ejes dónde se pueden ubicar las relaciones entre fuentes y periodistas.

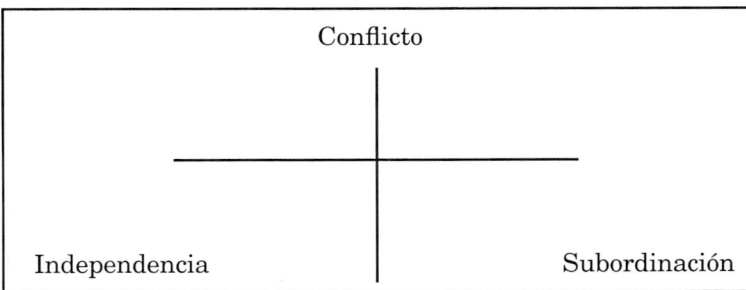

6.4.2. TIPOLOGÍA DE LAS FUENTES INFORMATIVAS

Existen diversas fórmulas para clasificar las fuentes informativas en función del criterio que se adopte para llevar a cabo la tipificación. Siguiendo la propuesta de Borrat (2003: 69-71) proponemos una catalogación de las fuentes en base a 6 grandes criterios:

1) Según el grado de conocimiento de los hechos que atesore la fuente, podemos distinguir entre:

a) Fuentes primarias. Son aquellas que tienen o han tenido un conocimiento directo del acontecimiento, es decir tienen información de primera mano. Habitualmente, se trata de los testigos que han presenciado un suceso o un hecho que, posteriormente, lo narran o lo explican a los periodistas audiovisuales.

b) Fuentes secundarias. A diferencia de las anteriores, no han tenido contacto directo con los hechos motivo de la noticia. Por ello, para dar información sobre los mismos, necesitan acudir a las fuentes primarias. Entre los posibles tipos de fuentes secundarias, sobresalen los gabinetes de prensa o de comunicación de empresas e instituciones.

2) Según quién tome la iniciativa en el proceso informativo, podemos distinguir entre dos clases de fuentes:

a) Fuentes activas. Se trata de aquellas que toman la iniciativa y van a la búsqueda del periodista para trasmitirle unos datos o una información. Por ello, podemos sostener que se trata de fuentes que se mueven en base a un interés concreto. Es decir, pretender que la información se divulgue ya que, así, obtienen, o pueden obtener, beneficios de diverso alcance y condición.

b) Fuentes reactivas. En este caso, se trata de aquellas que únicamente responden, ofreciendo datos, a petición de los profesionales del periodismo audiovisual. Es decir, no van al encuentro de los mismos, sino que solamente se movilizan si éstos van en su búsqueda. Estamos, por lo tanto, ante unas fuentes que, frecuentemente, son de difícil acceso ya que, en muchos casos, se resisten a dar datos o informaciones.

3) Según la frecuencia en que ofrece datos al periodista, podemos distinguir entre tres modalidades de fuentes:

a) Fuentes permanentes. Forman parte de la agenda del periodista y su consulta es prácticamente diaria. Por ello, se trata de fuentes que establecen una relación muy estrecha con los profesionales de la información audiovisual.

b) Fuentes habituales. Se trata de aquellas fuentes que el periodista utiliza de forma usual, pero sin llegar a tener un trato rutinario con ellas.

c) Fuentes ocasionales. En este caso, estamos ante fuentes a las que el periodista recurre de forma esporádica. Por ello, se trata de recursos informativos cuya consulta es escasa. Por lo tanto, su acceso al espacio informativo resulta limitado y puntual.

Existen varios motivos que hacen que una fuente pase de ser ocasional a permanente en la agenda de los periodistas audiovisuales. Entre los principales podemos citar los siguientes: valor de las informaciones que aporta, fiabilidad, confianza, facilidades de acceso, notoriedad o estatus,...

4) Según el contenido de las informaciones que aportan, se puede diferenciar entre dos tipos de fuentes:

a) Fuentes en exclusiva. Son aquellas que ofrecen la información a un único periodista o medio de comunicación. Por lo tanto, sólo dispone de esos datos una institución mediática, circunstancia que le otorga una ventaja competitiva respecto de su competencia a la hora de ofrecer la actualidad informativa. Otra variedad posible de la fuente en exclusiva, es cuando se ofrece a un profesional del periodismo unos datos con antelación respecto del resto. Así, éste puede preparar mejor la cobertura de la noticia. Las filtraciones suelen ser un buen ejemplo de este tipo de fuentes.

b) Fuentes compartidas. Se trata de aquellas que ponen la información que poseen a disposición de todos los medios de comunicación al mismo tiempo. Por tanto, son diversos los periodistas que tienen acceso a los datos en cuestión. La información que proporciona la fuente pasa, así, a ser compartida.

5) Según sea su naturaleza, podemos efectuar una distinción entre tres modalidades de fuentes informativas:

a) Fuentes oficiales. Se trata de aquellas que proceden de un ámbito oficial o institucional. Normalmente, suelen pertenecer al sistema político, aunque también pueden pertenecer a otros campos sociales. Las entidades gubernamentales y administrativas (ministerios, comunidades autónomas, ayuntamientos,…) o los partidos políticos son dos posibles ejemplos de esta clase de fuentes. Su presencia suele ser muy frecuente en la información audiovisual, ya que los periodistas tienden a privilegiarlas en sus esquemas de producción (Tuchman, 1983).

b) Fuentes profesionales. Se trata de aquellas que se dedican profesionalmente a la difusión de datos e informaciones, aspecto que constituye el eje de sus actividades. Dentro de esta categoría sobresalen las agencias de noticias, los gabinetes de prensa o comunicación o las agencias de relaciones públicas. Su característica común reside en el suministro constante de informaciones que llevan a cabo. Además, comparten con los periodistas un conjunto de pautas orientadoras de lo que comunican y cómo lo comunican (Borrat, 2006: 266). Es decir, actúan siguiendo las mismas lógicas y esquemas de trabajo que las organizaciones mediáticas, circunstancia que auspicia que sus informaciones se conviertan más fácilmente en noticia. Por ello, al igual que las anteriores, su presencia suele ser destacada en los espacios informativos de los medios audiovisuales.

c) Fuentes alternativas. Se trata de aquellas que pertenecen a otros ámbitos sociales, relacionados, generalmente, con la denominada sociedad civil. Las organizaciones no gubernamentales, los expertos, los científicos o las asociaciones son posibles ejemplos de una amplia variedad de fuentes que se agrupan bajo esta categoría. Pese a englobar un número elevado de integrantes, estas fuentes son que menor presencia tienen en la actualidad informativa audiovisual. Su acceso a las noticias resulta complejo y se encuentra fuertemente constreñido, debido a la circunstancia que las organizaciones mediáticas priorizan en sus lógicas de producción y selección a las fuentes oficiales al considerarlas dotadas de una mayor credibilidad y autoridad (Tuchman, 1983). De hecho quienes no tienen poder (político, económico,...) es más difícil que se conviertan en fuentes de la información audiovisual (Rodríguez Pastoriza, 2003: 39).

6) Según el tratamiento que reciban en las informaciones audiovisuales, se puede determinar la existencia de tres tipos de fuentes:

a) Fuentes identificadas. Son aquellas que se identifican claramente, normalmente mediante la mención de su nombre y apellidos, en el texto de la información. Por lo tanto, reciben una atribución de identidad directa y explícita por parte del periodista. La audiencia conoce, así, perfectamente de dónde proceden los datos u opiniones recogidas en una noticia. La inclusión de un *insert* o declaración de un sujeto informativo en pantalla constituye una fórmula de identificación de la fuente, ya que es ella misma la encargada de hacer llegar sus juicios o informaciones al público.

b) Fuentes veladas. Son aquellas cuya identidad se oculta en el texto de la información audiovisual bajo formulas genéricas o abstractas. Con ello, se evita que el público pueda conocer exactamente quién ha suministrado los datos al periodista. Este recurso se emplea, en algunas ocasiones, para proteger la integridad de la fuente, ya que la revelación de su identidad puede acarrearle consecuencias negativas o perjudicarle de algún modo. Normalmente, es la fuente la que solicita al profesional de la información la omisión de su identificación. Los *inserts* que, mediante mecanismos como la iluminación oscura, salvaguardan la identidad de una persona frente a los espectadores constituyen un ejemplo de este tipo de fuentes. Igualmente, menciones como "según fuentes gubernamentales" o "según fuentes cercanas a la víctima" se engloban dentro de esta categoría.

c) Fuentes omitidas. Se trata de aquellas que el periodista consulta pero que no puede citar ni incluir en sus informaciones. Esta modalidad de fuentes reciben la denominación *"off the record"*. Constituyen una clase peculiar de obtención de datos que sirve al periodista para orientarse y entender la magnitud o el fondo de un asunto, para lograr pistas informativas que seguir o para acceder a datos que lo lleven a otras fuentes, por citar tres posibles ejemplos. La consideración de una fuente como omitida suele ser reclamada por la propia fuente.

Tabla 4. Tipos de fuentes informativas

Criterio	Tipología
1. Grado de conocimiento de los hechos	• Primarias • Secundarias
2. Grado de iniciativa adoptado	• Activas • Reactivas
3. Frecuencia a la hora de ofrecer datos	• Permanentes • Habituales • Ocasionales
4. Contenido de informaciones aportadas	• En exclusiva • Compartidas
5. Naturaleza	• Oficiales • Profesionales • Alternativas
6. Tratamiento recibido en la información	• Identificadas • Veladas • Omitidas

6.5. GÉNEROS DE LA INFORMACIÓN AUDIOVISUAL

El concepto de "género" alude a un conjunto de procedimientos, organizados y estructurados específicamente, cuya combinación y seguimiento da como resultado un producto simbólico diferenciado y claramente reconocible por parte de los receptores (Cebrián Herreros, 1995). Así, cada género informativo cuenta con una serie de códigos y reglas particulares y distintivas cuya puesta en práctica confluye en la representación de la realidad social de acuerdo a unos esquemas y parámetros específicos. En este apartado, nos ocuparemos de caracterizar tres grandes géneros informativos: la noticia, el reportaje y la entrevista. Tres modalidades expresivas a través de las cuáles el periodismo audiovisual contribuye a relatar y representar la realidad a partir de ópticas y estructuras narrativas diferenciadas.

6.5.1. LA NOTICIA EN TELEVISIÓN

6.5.1.1. Definición y concepto

Podemos definir la noticia televisiva como aquel relato periodístico que tiene como principal misión transmitir unos hechos novedosos al conjunto de la audiencia para ponerlos en su conocimiento. Desde esta óptica, se emplea como comunicación, por diversos medios, en nuestro caso televisivos, de un suceso, de una novedad muy reciente, que acaba de producirse, que se está produciendo e, incluso, que se va a producir (Rodríguez Pastoriza, 2003: 51). En este sentido, uno de los elementos fundamentales que ayudan a caracterizar a la noticia televisiva es su estrecha vinculación con la novedad. Consecuentemente, la noticia constituye la mejor plasmación de la actualidad periodística en tanto aparece como el principal vehículo que permite al público conocer lo acaecido en el mundo. Por ello, el relato de la noticia se concibe, prioritariamente, como la transmisión de datos novedosos y, atendiendo a ello, debe responder adecuada y eficientemente a las 6W de la teoría del periodismo (qué, quién, cómo, dónde, cuándo, porqué).

Igualmente, su vinculación con la actualidad, provoca que la noticia televisiva se encuentre obligada a buscar constantemente la inmediatez y la instantaneidad en la transmisión de los hechos (Cebrián Herreros, 1998: 172). Esta vocación se traduce en un uso habitual, dentro de los relatos de las noticias televisivas, de las conexiones en directo.

La televisión ofrece la información en continuidad, es decir, somete los sucesos y acontecimientos a un estrecho seguimiento para dar cuenta de su evolución. Un seguimiento que, incluso, comienza antes de su acaecimiento, en el caso de aquellos hechos sujetos a la planificación. Se trata, por ejemplo, de un partido de fútbol de la primera división de la Liga española. El medio televisivo ofrece diversas noticias previas, en los días anteriores al encuentro, informando sobre cómo los equipos preparan el enfrentamiento, sobre las bajas con las que contarán, etc. La jornada del partido difunde noticias sobre el resultado durante su celebración y, especialmente, tras su finalización. Posteriormente, en días sucesivos, se informa sobre las consecuencias del encuentro para cada uno de los equipos.

6.5.1.2. La primacía de la imagen en el relato informativo

La noticia en televisión presenta una doble dimensión que resulta fundamental para su caracterización (Cebrián Herreros, 1998: 185). Por un lado, constituye un relato, de tipo interpretativo, de unos hechos elaborada por unos profesionales cualificados y socialmente legitimados para desempeñar dicha tarea. Por otro lado, se alza como uno de los principales géneros de la información audiovisual.

Para adaptarse perfectamente a sus convenciones expresivas, la noticia televisiva debe cumplir con dos requisitos básicos. En primer lugar, este tipo de piezas informativas deben ser breves y precisas. Su función es aportar la información necesaria, los datos de actualidad, para responder a las 6 W propias de la teoría del periodismo (qué, quién, cómo, dónde, cuándo, porqué). Y, todo ello, en el menor tiempo posible, en apenas un minuto o un minuto y medio. Consecuentemente, una de las principales virtudes de una noticia televisiva radica en ir directamente al grano, a la sustancia del acontecimiento a relatar.

Este rasgo es común tanto a la noticia televisiva como a las noticias propias de otros medios de comunicación como la prensa o la radio. Lo que diferencia a las piezas informativas televisivas y las convierte en un producto singular es la posibilidad de contar con imágenes para su confección. Precisamente, ahí estriba el segundo aspecto esencial a tener en cuenta a la hora de elaborarlas. Una noticia televisiva debe integrar, armónicamente, imágenes, sonidos y texto en un único producto. Esta clase de piezas poseen una dimensión global desde el punto de vista del lenguaje audiovisual (Soengas, 2003). Su proceso de producción debe entenderse como una composición que debe contar, de manera coherente, con estos tres elementos (Barroso, 1992). No obstante, la primacía entre ellos corresponde a las imágenes, al componente iconográfico, debido tanto a su carácter distintivo y exclusivo del medio televisivo como a su potencial en el terreno de la articulación de significados. Por ello, la producción de noticias debe basarse en la narrativa directa que supone escribir un texto para que se acople escrupulosamente a las imágenes disponibles (Oliva y Sitjà, 2007: 172).

Estos dos factores influyen poderosamente en el proceso de producción de las noticias televisivas. En el transcurso del mismo, se debe seleccionar lo esencial del acontecimiento, rechazando los datos accesorios o triviales, ajustándose, así, a la duración asignada, que, como hemos apuntado, está marcada por la brevedad. Pero, además, las imágenes deben constituir la espina dorsal de la narración informativa, asumiendo la supremacía. El resto de componentes (el texto y el sonido ambiente) quedan subordinados a la disponibilidad de imágenes. El texto informativo se concibe, así, como un apoyo, como un complemento, para explicar mejor las imágenes que se aparecen en pantalla o para añadir datos que las imágenes no aportan. Lo fundamental es "mostrar" icónicamente el acontecimiento que constituye la base de la noticia.

Bajo este punto de vista, una de las cuestiones básicas que se plantean en el transcurso del proceso de producción de la noticia televisiva reside en la elección de las imágenes que representan mejor los hechos a narrar. En la selección del componente iconográfico se debe combinar los criterios periodísticos con la calidad técnica, aunque los primeros siempre ostentan el predominio (Cebrián Herreros, 1998: 187). Es decir, si las imágenes explican un evento de primera magnitud por si solas, aunque su calidad técnica no sea la deseable se optará, probablemente, por su emisión. Al contrario, si las imágenes presentan una factura técnica impecable pero no explican ningún acontecimiento o no introducen ninguna información, serán rechazadas, casi con total seguridad. Por lo tanto, los criterios meramente estéticos resultan secundarios en la elaboración de piezas informativas para el medio televisivo. Lo verdaderamente importante es un valor periodístico. Aunque, naturalmente, lo óptimo y deseable es que las imágenes posean ambas cualidades.

A la hora de obtener imágenes sobre un hecho existen varias vías posibles. Pese a que la tipología puede ser mucho más extensa, podemos concretar las principales en 5 grandes modalidades:

a) Imágenes propias captadas en el lugar de los hechos

b) Imágenes llegadas de corresponsales, de otras emisoras de nuestra red o fruto de intercambios con otros canales

c) Imágenes ajenas procedentes de agencias de noticias o de otros canales televisivos, adquiridas mediante la compra de las mismas

d) Imágenes de videoaficionados o procedentes de cámaras de videovigilancia

e) Imágenes de archivo.

Finalmente, conviene subrayar la importancia de las imágenes o planos de recurso. Éstas aparecen como aquellos componentes icónicos que, pese a no introducir ninguna novedad significativa evidente, resultan indispensables para completar el relato informativo (Soengas, 2003: 19). Así, por ejemplo, cuando se elabora una noticia sobre la aprobación de una ley en el Congreso de los Diputados es necesario contar, junto con las imágenes específicas de la votación, con planos generales del hemiciclo o con imágenes de algunos de los diputados asistentes. Estos últimos corresponden a las imágenes de recurso, que sirven para confeccionar la noticia, ya que los planos de la votación apenas duran unos segundos. El empleo de este tipo de planos se hace, en muchos casos, imprescindible. En estos casos, el archivo audiovisual puede ser una fuente de gran ayuda y utilidad.

6.5.1.3. Los formatos de la noticia televisiva

Las posibilidades de expresión informativa en la producción de noticias televisivas resultan muy amplias gracias al avance experimentado por las tecnologías audiovisuales y por el impulso aportado por el proceso de digitalización. Esta circunstancia comporta que sean múltiples las formas que puede adoptar una noticia televisiva en función de los ingredientes que se usen en su confección (Soengas, 2003). Los formatos de noticia más habituales empleados por el periodismo televisivo se pueden agrupar en 7 grandes tipologías (Peralta, 2005: 77-85):

a) Noticia televisiva con *off*, también denominada VTR (siglas de *video tape recorder*). Se trata de la estructura más habitual y más completa que adoptan las piezas informativas en el medio televisivo. Implica la utilización de los tres componentes principales del lenguaje audiovisual: el texto, las imágenes y el sonido ambiente. Este último, al que, frecuentemente, se le concede poca importancia, está constituido por la información acústica que generan los propios hechos. En algunas ocasiones, resulta un elemento muy valioso para explicar lo sucedido y, por lo tanto, no debe de ser desechado.

A la hora de elaborar un VTR existen diversas posibilidades, en función del grado de enriquecimiento que se aplique a su proceso de producción. Así, junto al clásico relato integrado por texto (*off*), imágenes y sonidos, podemos encontrar algunas variantes interesantes. Por ejemplo, además de estos tres elementos, se pueden añadir declaraciones o totales de los protagonistas de la noticia. Igualmente, otro elemento que resulta factible agregar al relato informativo consiste en la aparición en pantalla del periodista en el lugar de los hechos. Estas presentaciones a cámara, denominadas *stand up*, actúan como firma y como evidencia de la presencia del profesional en el escenario donde se ha desarrollado la noticia, incrementando, así, la credibilidad informativa del relato noticioso.

b) Noticia televisiva de declaraciones o totales. Se trata de aquellos relatos informativos que se construyen a partir de la yuxtaposición de diversos fragmentos de una o varias declaraciones de uno o varios personajes relacionados con la actualidad. Este tipo de noticias pueden incluir diversos fragmentos de un mismo personaje, a modo de resumen de una entrevista más extensa, o basarse en una batería de declaraciones de diversos sujetos. Esta clase de piezas informativas suele ser habitual en el caso de los actores políticos o de los deportistas. Su utilización resulta, especialmente, pertinente en aquellos casos que se quiere subrayar el testimonio o el valor de lo que dice el entrevistado.

c) Noticia televisiva con información gráfica. Bajo esta categoría se incluyen aquellos relatos informativos que utilizan la infografía para mejorar la explicación de los hechos. Se trata del recurso a elementos icónicos y gráficos, frecuentemente generados por ordenador, que enriquecen la noticia. Entre estos elementos destacan las animaciones y los grafismos. Su empleo resulta habitual en las informaciones de temática económica, ya que constituyen una formula óptima de presentar en pantalla cifras numéricas. Así, por ejemplo, en una noticia sobre el paro en España se puede incluir una infografía que muestre gráficamente la evolución de los datos durante el último año para resaltar el continuo descenso de las personas desempleadas o, también, se puede incluir un mapa del país con las autonomías que registran descensos en un color y las que experimentan aumentos en otro. Otra aplicación informativa rutinaria de la infografía lo encontramos en las reconstrucciones de los hechos de los cuáles no disponemos imágenes. Su uso, en estos casos, facilita la representación icónica del suceso. Un posible ejemplo de este tipo de situaciones informativos lo aporta un accidente de tráfico múltiple. A través de una animación gráfica, podemos mostrar cómo se produjo la colisión inicial y los diferentes choques que la sucedieron, permitiendo a nuestros espectadores calibrar la importancia de la tragedia.

d) Noticia televisiva con conexión en directo. Se trata de aquellos relatos informativos que incluyen una conexión en directo con alguna localización externa. En estos casos, un periodista (un corresponsal o un enviado especial) se encuentra desplazado fuera del estudio y en el lugar en que se produce la noticia. El relato informativo se basa en sus explicaciones y narraciones sobre lo sucedido, mientras se ofrece su imagen directamente a cámara. Opcionalmente, se puede cubrir su figura con imágenes sobre aquello que cuenta. Su función es transmitir los datos de última hora sobre el acontecimiento en su papel de testimonio privilegiado de los hechos. En algunos casos, en esta clase de noticias se establece un diálogo entre el conductor del espacio y el reportero situado en el exterior, en el que primero pregunta diferentes aspectos al segundo que se encarga de trasladarlos, mediante su respuesta, al conocimiento de la audiencia.

Las dificultades que entrañan este tipo de relatos informativos se concentran, frecuentemente, en el terreno técnico, ya que la red de enlaces que facilita la conexión puede provocar problemas a la hora de llevar a cabo su emisión. Por ello, su correcta ejecución es un signo inequívoco de la suficiencia técnica de la cadena televisiva. Igualmente, el recurso a la improvisación, por parte del corresponsal o enviado especial, a lo largo de su explicación de los hechos añade complejidad a esta modalidad de noticia. En el extremo opuesto, entre las ventajas que aporta este tipo de formato sobresale, como en el caso del *stand-up*, la inyección de credibilidad que proporciona al programa informativo.

e) Noticia televisiva sin *off*, también denominada *off* conductor o cola. Alude a aquellas informaciones que carecen de texto informativo tras su edición. Es decir, se trata de noticias que se estructuran a partir de un conjunto de imágenes editadas que carecen de locución. El encargado de introducir el texto informativo es el presentador o conductor del espacio informativo en el que se emite la noticia. Esta circunstancia provoca que la lectura del texto se realice en directo. La realización de un *off* conductor puede llevarse a cabo mediante dos grandes modalidades principalmente. En la primera, el presentador inicia el relato informativo con la lectura de la entradilla de estudio directamente a cámara y, en un momento determinado y previamente acordado, el realizador introduce en antena las imágenes editadas mientras el conductor continúa con la lectura del resto del texto informativo. En la segunda, se emiten directamente las imágenes, conectándolas con la noticia anterior, sin que el presentador aparezca en pantalla, y éste lee el texto informativo.

Uno de los aspectos esenciales de su puesta en práctica consiste en lograr una perfecta coordinación entre la lectura del texto y la emisión de las imágenes editadas. Este es el cometido del realizador del programa informativo que debe conocer, con antelación, las intenciones del conductor a la hora de presentar la noticia. Además, el conductor debe adecuar el texto, y la velocidad de lectura, a la duración total de las imágenes editadas para evitar distorsiones informativas. Todo ello, convierten a este tipo de noticias, en piezas complejas por lo que a su puesta en escena se refiere. No hay que olvidar, además, que su ejecución se lleva a cabo en directo. La complejidad que conllevan hace que su duración sea, generalmente, más breve que la que atesora una noticia con *off* o VTR.

No obstante, el *off* conductor también presenta algunas ventajas interesantes desde el punto de vista de la producción informativa. La principal se refiere a su carácter de formato altamente versátil. Su empleo resulta de especial utilidad en aquellos casos que estemos ante una noticia en desarrollo, es decir ante un relato informativo susceptible de padecer modificaciones de manera constante. Igualmente, el recurso a este tipo de noticias resulta adecuado en aquellas informaciones de última hora que es indispensable incluir en el programa informativo pero para cuya postproducción y edición íntegra no existe tiempo material disponible. Ante la imposibilidad de realizar un VTR, la apuesta por un *off* conductor aparece como una buena vía de solución.

f) Bloque de breves. Esta denominación se refiere a un conjunto de noticias diferentes que se agrupan formando un bloque o una pieza informativa única. En cada uno de estos módulos se unen diferentes hechos-noticia separados por una cortinilla o un elemento gráfico de transición. Se trata de eventos o sucesos de importancia menor que demandan un tratamiento periodístico poco profundizado. Ello se traduce en su menor duración, que se sitúa alrededor de 20 segundos por noticia del bloque. Consecuentemente, ante tal disponibilidad de tiempo, únicamente es posible introducir en el relato informativo los datos de mayor interés del suceso que se concretan, habitualmente, en los aspectos propios de las 6 W (qué, quién, cuando, como, donde, porqué) (Bandrés *et alt.*, 2000: 114-115).

Una estrategia adecuada para optimizar el empleo de este formato de noticias televisivas consiste en agrupar en un mismo módulo informaciones de una temática similar, buscando dotar al bloque de la coherencia narrativa más elevada posible. Por ejemplo, es factible unir diversas noticias breves referentes al ámbito internacional o al deportivo. La principal ventaja de este formato radica en que permite incluir un mayor número de relatos en un mismo programa informativo, sacando el máximo provecho al espacio disponible, que siempre resulta escaso. Como contrapartida, hay que señalar que bajo esta modalidad estamos obligados a operar una fuerte simplificación de los relatos informativos reduciéndolos únicamente a sus aspectos esenciales, sin más datos que ayuden a una correcta explicación de los mismos. Actualmente, los bloques de breves se encuentran en una franca decadencia, por lo que a su uso se refiere, en el contexto de la televisión española.

g) Noticia sin imágenes. Esta denominación hace referencia a un recurso informativo que prescinde del elemento clave de la información televisiva: las imágenes. Se trata de relatos informativos que no cuentan con imágenes ilustrativas que puedan acompañar al texto de la noticia. Al omitir el componente icónico, este formato aparece como una de las últimas opciones a la hora de construir una noticia en el medio televisivo. Se trata de una modalidad poco utilizada, pero que, pese a su carácter marginal, también resulta útil en algunas ocasiones, circunstancia que motiva su empleo en los programas informativos actuales. En este sentido, se trata de una fórmula óptima para el tratamiento informativo de acontecimientos o eventos importantes de última hora que suceden poco antes de la emisión del espacio de actualidad, o incluso durante la misma. La necesidad de ofrecer dicha información se sobrepone al inconveniente de no contar con imágenes del hecho, por razones de tiempo y de capacidad técnica. Por ello, frecuentemente, se opta por presentar la novedad al público aún a costa de carecer de la ilustración icónica.

En estos casos, es el conductor del teleinformativo el encargado de leer una nota directamente a cámara para comunicar lo acaecido, asumiendo todo el protagonismo informativo. Esta noticia se distingue por su carácter necesariamente breve, entre 20 y 30 segundos (Oliva y Sitjà, 2007: 111), y debe contener sólo los datos básicos del acontecimiento, ya que su función únicamente se ciñe a dar a conocer un suceso que, en servicios informativos posteriores, se ampliará y se ilustrará. En cierta medida, la noticia sin imágenes sirve para avanzar la información sobre un tema, demostrando que el medio televisivo se encuentra en una tensión informativa constante y puede dar cuenta, incluso, de lo que pasa al momento. Debido a sus características, este formato se denomina, asimismo, plató o nota a cámara.

6.5.1.4. Producción de noticias televisivas

La elaboración de una noticia televisiva es un proceso complejo que pone en marcha todos los resortes propios de las rutinas de producción informativas (Martín Sabarís, 1999). Por ello, en la confección de este tipo de relatos concurren diversas fases o momentos, cada uno de ellos dotado de una específica singularidad, como hemos visto anteriormente (ver 6.2.2). En este epígrafe, nos ocuparemos de ofrecer, sintéticamente, una aproximación a la redacción de noticias televisivas.

Para afrontar esta tarea, el periodista audiovisual tiene que tener en cuenta, primeramente, las características del medio a través de la cuál se difunde y los perfiles del público al cuál se dirige. Conviene no olvidar que el medio televisivo no admite segundas lecturas o repeticiones de aquellas piezas informativas que el público no ha logrado entender o de aquellos detalles que le han pasado por alto. Los espectadores no pueden pedir que el programa informativo de marcha atrás y les vuelva explicar aquellos contenidos que no han quedado claros. Por ello, uno de los criterios fundamentales a la hora de confeccionar el texto de una noticia televisiva reside en la búsqueda constante de la claridad y la precisión en el relato de los hechos. Resulta fundamental tener en cuenta las condiciones de recepción del mensaje televisivo para adaptarse al máximo a sus exigencias y lograr que la audiencia pueda comprender los contenidos de las piezas informativas adecuadamente. Es necesario saber explicar lo sucedido para que el público también lo conozca.

Además, un periodista televisivo no debe perder vista que, como afirmábamos anteriormente, la noticia no es la suma de sus diferentes partes (imagen, sonido ambiente y texto), sino un todo único que se amalgama para formar un producto audiovisual específico. Por ello, las diferentes partes se integran para formar un todo coherente y equilibrado que cumpla con su función explicativa de lo acaecido. Consecuentemente, en la redacción del texto hay que considerar también cómo se utilizaran tanto el sonido ambiente como, especialmente, las imágenes disponibles sobre el acontecimiento noticioso.

Desde este punto de vista, el texto, el *off* de una pieza informativa, posee el cometido de complementar y enriquecer la información que aportan los elementos icónicos de la noticia. Por ello, debe hablar de lo que se muestra en pantalla y mostrar aquello sobre lo que se habla (Bandrés *et alt.*, 2000). En este sentido, resulta un planteamiento erróneo considerar a las imágenes como un mero relleno del texto. Igualmente, constituye una redundancia emplear el texto para describir el contenido de las imágenes que se ofrecen en pantalla. Si el público puede verlas, no es necesario explicarlas, las imágenes hablan por si solas. En estos casos, resulta más adecuado utilizar el texto para presentar datos extra o complementarios sobre el acontecimiento. El *off* debe añadir información suplementaria a una imagen, no duplicarla. En consecuencia, el texto no debe ostentar el protagonismo en exclusiva, sino compartirlo con la imagen (Pérez Gómez, 2003: 110).

Por lo que se refiere a aspectos prácticos de redacción informativa para la televisión, uno de los parámetros básicos reside en respetar el orden lógico de la frase al máximo. El empleo de una sintaxis directa y sencilla, carente de artificios narrativos, se alza como un instrumento fundamental para facilitar la comprensión de los espectadores (Oliva y Sitjà, 2007). Por lo tanto, algunos de los preceptos útiles para llevar a cabo la redacción de noticias televisivas son:

a) El recurso a la estructura lineal (sujeto-verbo-complementos) constituye la mejor fórmula para encarar la construcción de un texto noticioso.

b) Resulta poco aconsejable la utilización de frases subordinadas que resultan demasiado complejas, siendo más adecuado, cuando así se requiere, el recurso a frases coordinadas.

c) El empleo de formas verbales debe priorizar el tiempo presente, o, en su caso, el futuro, ya que las noticias explican la actualidad, y optar por las formas activas, rechazando las pasivas.

d) Se debe evitar el abuso de las frases demasiado largas. Sin caer en un estilo telegráfico, el texto informativo debe combinar diferentes extensiones de frase, de manera coherente, para dotar al relato del ritmo adecuado y evitar la monotonía.

e) La claridad y la precisión que exige la redacción de noticias televisivas obliga a prescindir de frases hechas y expresiones vacías
de contenido que no aporten información significativa al relato.
La escasez de tiempo disponible para explicar los hechos, impulsa
a sintetizar e ir al grano, descartando elementos superfluos o
triviales y priorizando, en su lugar, los datos informativos.

Ofreciendo la misma información, prescindiendo de los elementos
superfluos, dotando a la frase de una estructura lineal, eliminado las
frases subordinadas y empleando los tiempos y formas verbales adecuadas, el relato informativo experimenta una mejoría notable. Un ejemplo
que permite visualizar las ventajas que aportan la aplicación de los
preceptos sugeridos a la redacción informativa para la televisión.

Finalmente, otros aspectos intereses a tener en cuenta a la hora de
afrontar la redacción de una noticia televisiva son los siguientes:

a) Traducir las palabras especializadas, procedentes de una jerga,
para hacerlas comprensibles para una audiencia mayoritaria y
no necesariamente conocedora de las mismas.

b) Utilizar en el *off* sólo aquellas cifras numéricas imprescindibles.
Cuando deban incluirse, si es posible, recurrir al redondeo es una
solución óptima. Así, en lugar de decir "172.893 kilos" resulta
más adecuado decir "más de 170.000 kilos". Igualmente, resulta
interesante recurrir al empleo de ejemplos comparativos para
ilustrar las magnitudes numéricas y contextualizar, así, su relevancia informativa. Siguiendo con nuestro ejemplo, podemos
decir que los "más de 170.000 kilos" suponen un aumento del
"doble" de la producción respecto del "año anterior". Finalmente,
cuando son muchas las cifras que es indispensable incluir en
el relato informativo (cuestión que afecta, especialmente, a las
noticias económicas), una solución adecuada consiste en acudir
al apoyo de elementos infográficos que ayuden a visualizar las
cantidades en pantalla y facilitar su comprensión al público.

c) Naturalmente, no incluir juicios de valor u opiniones personales
en los textos correspondientes a noticias en sentido estricto. Este
tipo de relatos no es lugar donde expresar dichos puntos de vista
y conviene no perderlo de vista en el proceso de confección del
texto informativo.

6.5.2. El reportaje informativo

6.5.2.1. Definición y concepto

El reportaje televisivo es un género que no plantea una definición fácil. Por ello, resulta una fórmula óptima aproximarse a su concepción a partir de la descripción y análisis de sus principales rasgos característicos. Así, a modo de piezas de un complejo puzzle, es factible recomponer sus propiedades y su auténtica naturaleza.

Pese a la multiplicidad de atributos que posee el reportaje televisivo, éstos se pueden agrupar en cuatro grandes puntos. En primer lugar, el elemento distintivo de este género radica en su necesidad de indagar la esencia de las cosas, en plantear los porqués de los temas tratados (Vilalta Casas, 2006: 31). En este sentido, constituye un aspecto esencial la inclusión de las causas o antecedentes, del contexto y del máximo número posible de circunstancias aclarativas que permitan facilitar la comprensión del público (Parratt, 2003: 29). En suma, se trata de aportar elementos de juicio para que la audiencia llegue a sus propias conclusiones. Esta orientación conduce directamente una concepción del trabajo periodístico basada en el tratamiento en profundidad de los hechos (Bandrés *et alt.*, 2000). El reportaje debe, siempre, ir más allá de la mera superficialidad para ahondar, tanto como sea posible, en la sustancia íntima de los fenómenos y acontecimientos abordados. Por ello, estamos ante un género que, por naturaleza, es forzosamente interpretativo (Vilalta Casas, 2006: 25). Y, interpretar implica buscar respuestas a todas las preguntas, analizar los hechos, exponer las previsiones de futuro y, en definitiva, proporcionar criterios que permitan entender aquello que nos rodea.

En segundo término, el reportaje no se encuentra sometido a la tiranía de la actualidad más reciente (Parratt, 2003: 29). Es decir, son susceptibles de tratarse bajo este género un amplio conjunto de temas que van más allá de las novedades diarias. En estos casos, resulta conveniente buscar una "percha" o "gancho", como una efeméride, que justifique la temática tratada (Cebrián Herreros, 1998). Así, a la hora de elegir un tema para un reportaje, nos enfrentamos a una concepción prolongada y permanente de la actualidad periodística. Aunque, este rasgo no debe confundirse con la necesidad, inherente a esta modalidad de piezas informativas, de plantear aspectos desconocidos, visiones originales o miradas inéditas sobre un hecho o fenómeno. No debemos olvidar que estamos ante un género informativo.

En tercer lugar, el reportaje goza de una mayor libertad expresiva y narrativa. Esta característica se deja notar en la estructura de este tipo de productos periodísticos, que deja de estar sujeta a las ataduras propias del género informativo en sentido estricto. Así, en su elaboración existe una autonomía más amplia a la hora de organizar y construir el relato. Consecuentemente, resulta de aplicación generalizada el patrón clásico que entiende la narración a partir de la sucesión de la fórmula: planteamiento, nudo y desenlace. Todo ello, tejido por un hilo conductor que va deshilvanando la trama a partir de un marco interpretativo concreto. Esta plasticidad estilística afecta, también, a la duración de esta clase de piezas. Pese a que ésta puede ser variable, como veremos en el epígrafe siguiente, estamos ante un género dotado de una mayor extensión temporal que la noticia.

Finalmente, en cuarto lugar, el reportaje demanda ineludiblemente la presencia del periodista en el lugar de los hechos. Consecuentemente, es imprescindible un conocimiento de primera mano de la realidad explicada y que el reportero sea testigo directo de lo que sucede (Vilalta Casas, 2007). Sólo es posible explicar e interpretar adecuadamente lo que pasa a partir de las experiencias y las vivencias directas de lo que se pretende contar. Por ello, resulta conveniente aproximarse lo más posible a los protagonistas de la historia y al ambiente que la envuelve.

Con lo planteado hasta aquí, podemos concluir que un reportaje de televisión es un género periodístico basado en el testimonio directo de acciones espontáneas que explica con imágenes, palabras y sonidos, y desde una perspectiva actual, historias vividas por personas relacionándolas con su contexto (Vilalta Casas, 2006: 24). Desde una óptica complementaria, el reportaje es un género periodístico de extensión variable en el que se suele ahondar, e incluso explicar y analizar, en hechos actuales aunque no necesariamente noticiosos, cuyo autor goza de mayor libertad estructural y expresiva (Parratt, 2003: 35).

6.5.2.2. Tipos de reportaje televisivo

El reportaje televisivo presenta diferentes modalidades y tipologías. En función de cuál sea el criterio clasificatorio elegido, se puede distinguir entre diversas manifestaciones de este mismo género. Así, nos aproximaremos a las múltiples formas que puede asumir el reportaje teniendo en cuenta su duración temporal y su contenido.

Según la duración y el modo de producción, podemos distinguir entre tres grandes modalidades de reportaje (Bandrés *et alt*., 2000: 157-159):

a) Minirreportaje. Su duración oscila entre el minuto y medio y los dos minutos. Normalmente, se trata de una pieza informativa integrada dentro de un noticiario. Por este hecho, su rasgo distintivo radica en su carácter complementario. Su objetivo reside en ampliar y completar una noticia concreta y actual. Esta modalidad de reportaje es de uso habitual en los informativos norteamericanos (ABC, CBS) e ingleses (BBC), y su incorporación en las cadenas de televisión del Estado español registra una tendencia claramente en aumento en los últimos tiempos.

b) Reportaje de magazín. Su extensión temporal es variable, ya que se sitúa entre los tres y los quince minutos, aproximadamente. Forma parte de programas independientes dedicados a presentar la actualidad informativa en profundidad, que tienen en este género su base definitoria. En el marco de estos espacios, el reportaje alcanza una plena autonomía, ya que deja de desempeñar funciones de acompañamiento de noticias con una misión complementaria para pasar a profundizar en temáticas específicas, no necesariamente conectadas a la actualidad inmediata. Entre los ejemplos históricos de esta clase de programas sobresale el norteamericano *60 Minutes*, emitido por primera vez por la CBS en 1968 (Úbeda, 1993). En nuestro contexto, uno de los modelos por antonomasia lo representa *Informe Semanal* (TVE), nacido en 1973 y todavía en antena. Normalmente, estos espacios se caracterizan por adoptar una periodicidad semanal, y, con ello, permiten prestar más atención a la investigación y el análisis del tema antes de pasar a la escritura del guión y el registro. Consecuentemente, su proceso de producción es más dilatado que en el caso anterior, abarcando cuatro o cinco días, frente a la jornada típica.

c) Gran reportaje. Su duración se sitúa entre los veinte y los sesenta minutos. Por ello, suele estar integrado en programas que incluyen un único reportaje. Entre los ejemplos más cercanos de estos espacios destacan *Documentos TV* (TVE) y *30 Minuts* (TV-3). El proceso de producción de estas piezas resulta complejo, largo y costoso, y suele comprender períodos temporales amplios, que van desde semanas hasta meses. Las características de este formato exigen una atención especial en términos de investigación periodística. No obstante, resulta factible aproximarse a cuestiones complicadas, que demandan un elevado grado de profundización, y que, por ello, es imposible tratar bajo las modalidades anteriores.

Según el contenido principal del reportaje, podemos aludir, sintéticamente, a la siguiente tipología (Bandrés *et alt.*, 2000: 159-162):

a) Reportaje de denuncia. Se caracteriza por poner de manifiesto el mal funcionamiento de alguna institución, la injusticia de una situación.... Normalmente, gira en torno a temas de interés público que afectan o, al menos, involucran moral o éticamente a toda la comunidad, con el fin de concienciar y propiciar una solución.

b) Reportaje de interés humano. Se centran en las vivencias y experiencias de una persona o colectivo que tienen algo que decir, pedir o denunciar.

c) Reportaje de opiniones o *vox-pop*. Consistente en una suma de declaraciones o *totales* de personas de la calle sobre un tema o noticia concreta, para reflejar opinión de la ciudadanía. Se trata de piezas fáciles de producir y que, frecuentemente, se usan con la intención reforzar las tesis defendidas por el periodista. Por ello, requieren de un especial compromiso ético por parte del profesional de la información.

d) Reportaje de perfil o biográfico. Se ocupa de trazar un retrato biográfico de un personaje concreto, generalmente dotado de notoriedad pública, aunque no necesariamente.

e) Reportaje de hechos. Profundiza en el conocimiento de un acontecimiento, explorando sus causas, ofreciendo una aproximación al contexto que lo envuelve y presentando sus principales efectos o escenarios de futuro (Pena de Oliveira, 2006: 84).

f) Reportaje didáctico. Su objetivo radica en mostrar al espectador cómo funciona un servicio, una profesión, un instrumento, una empresa o un organismo, por citar algunos ejemplos.

6.5.2.3. *Aspectos fundamentales en la producción de reportajes televisivos*

Como afirmábamos anteriormente, la realización del reportaje audiovisual admite un elevado grado de libertad expresiva y narrativa.

Por ello, resulta complejo establecer una serie cerrada y exhaustiva de parámetros y mecanismos que concurren en su producción. No obstante, en este epígrafe plantearemos, brevemente, algunos aspectos genéricos que inciden en su elaboración.

En primer lugar, con carácter previo a la producción de un reportaje televisivo, es fundamental llevar a cabo una intensa tarea de planificación. A la hora de afrontar esta preparación, el periodista audiovisual puede guiarse a partir de un esquema compuesto por seis puntos (Benavides Ledesma y Quintero Herrera, 2004: 238-242). Éstos son los siguientes: historia (se trata de averiguar cómo se relaciona el pasado con lo que ocurre actualmente y que el reportaje trata de narrar), alcance (tiene que ver con el grado de trascendencia social que adquiere un tema y está conectado, por lo tanto, a su capacidad de generalización), causas (resulta esencial indagar en los porqués de lo que está sucediendo para, así, averiguar las claves explicativas de fondo), impacto (también es importante cuestionarse acerca de las consecuencias y los efectos sociales que ha suscitado o está provocando el hecho o fenómeno que se narra), contracorriente (no se debe olvidar incluir en el relato audiovisual las fuerzas contrarias u opositoras) y, finalmente, futuro (consistente en tener en cuenta sus perspectivas de evolución futura tanto a medio como a largo plazo). A partir de la consideración de este conjunto de ingredientes es factible comenzar a dar forma a una pieza informativa que se encuadre bajo el formato del reportaje.

En cuanto a las fórmulas narrativas, este tipo de género se basa, principalmente, en dos grandes clases de historias: el conflicto y el descubrimiento (Vilalta Casas, 2006: 71). En el primer caso, se sitúa como vértice del relato informativo el desacuerdo en dos o más partes o la lucha de una persona consigo misma. En el segundo, se parte de la base que aquello que se muestra en el reportaje es nuevo para el espectador, bien sea porque es algo nunca visto, bien porque brinda una nueva mirada sobre un aspecto de la realidad ya conocido. Además de explicar la historia desde un marco u otro, el periodista audiovisual debe ser capaz de provocar el posicionamiento del público y no olvidar que la imagen es un ingrediente primordial en el medio televisivo. Por lo tanto, es básico decantarse por aquellos temas y aquellas estructuras narrativas que permitan mostrar las cosas ante la cámara y que exploten al máximo el componente icónico y acústico de la pantalla. No obstante, aunque es fundamental pensar en las imágenes, siempre hay que tener algo interesante que decir (Vilalta Casas, 2007: 23).

En cuanto a la manera de explicar la historia, la modalidad óptima en el caso de un reportaje televisivo es aquella que va de lo particular a lo general. Es decir, el método inductivo, que pretende extraer el principio general de experiencias particulares, constituye la mejor vía narrativa. Al afrontar ese recorrido es capital que el relato avance paso a paso, para generar la máxima expectación posible en la audiencia.

La apuesta por el camino inductivo conduce, frecuentemente, a la focalización de la narración en una persona o en un grupo de personas. A partir de la descripción de sus experiencias se van introduciendo los ingredientes de la historia. Además, en estas situaciones, la utilización de la dialéctica protagonista-antagonista se alza como un potente y eficaz motor narrativo. La personalización asume, fruto de ello, un papel clave en el reportaje televisivo. La ejemplificación en casos concretos permite huir de las abstracciones y ubicar los temas tratados en el terreno de la vida cotidiana. Por otra parte, el empleo de esta estrategia permite la generación de empatía y facilita la identificación de los espectadores con el contenido del relato periodístico.

6.5.3. LA ENTREVISTA INFORMATIVA

6.5.3.1. Definición y concepto

La entrevista es un género informativo cuyo objetivo radica en descubrir y desvelar datos, obtener valoraciones o juicios sobre unos determinados hechos de actualidad o sobre un personaje de interés. Por ello, persigue el acceso a aspectos y perspectivas novedosas a partir del diálogo con el entrevistado. Al basarse en la conversación, como mecanismo comunicativo, es un género interactivo (Martínez Vallvey, 1995: 51), aspecto que le otorga una identidad distintiva y específica.

La entrevista posee una doble naturaleza que condiciona su producción y su utilización. Por un lado, se concibe como un género independiente en sí mismo, circunstancia que provoca que constituya el ingrediente de programas específicos. Pero, paralelamente, es la base que nutre de datos a otros géneros informativos como la noticia o el reportaje, actuando como procedimiento periodístico capaz de generar elevadas dosis de materia prima. Fruto de esta dualidad, su estatuto fluctúa entre la autonomía y la complementariedad.

El periodista audiovisual asume un papel de mediador entre el personaje y los espectadores, y nunca debe erigirse como el protagonista de la entrevista. Ese papel debe recaer, siempre, en el entrevistado. Este género entraña un diálogo virtual a tres bandas, entre el entrevistador, el entrevistado y el público. En este sentido, es esencial no perder de vista que es a este último a quien va dirigido el diálogo.

En su variante televisiva, la entrevista supone una puesta en escena y entraña grandes dosis de exhibición y visibilidad pública. Por esta razón, presenta la potencialidad de permitir al espectador conocer la expresión integral del entrevistado, ya que a la dimensión verbal se añade la no verbal. Por ello, en su aplicación audiovisual, este género no sólo tiene en cuenta el contenido (*lo que dice*), sino también el *cómo se dice*. El plano de la expresión, que comprende aspectos tan variados como el tono, la gesticulación, el vestuario, la postura corporal o la comunicación facial, aparece como un manantial inagotable de datos, informaciones y significados esenciales para la creación de sentido.

6.5.3.2. *Aspectos fundamentales en la producción y realización de entrevistas televisivas*

En este último epígrafe conviene apuntar una serie de aspectos relevantes que inciden en la producción y realización de entrevistas para el medio televisivo.

La entrevista es un género periodístico que exige una detallada e intensa preparación. Por ello, es básico llevar a cabo un proceso de investigación y documentación previa sobre el tema o el personaje a tratar. Este paso incide sustancialmente en la calidad final de este tipo de productos periodísticos. Desatender esta fase preliminar o ejecutarla de manera ineficiente acarrea dos graves problemas. Por un lado, se pierde la sustancia de la entrevista y, por otro, aumentan las posibilidades de incurrir en errores por parte del entrevistador, circunstancia que redundará en un deterioro de su credibilidad profesional (Clauso, 2007: 192-193).

En cuanto a la elaboración de las cuestiones y la forma de plantearlas al entrevistado es fundamental seguir unos parámetros básicos para evitar caer en todo un conjunto de vicios que resten calidad a la entrevista. Éstos se pueden sintetizar en los siguientes puntos:

a) Apostar por las preguntas abiertas (que suelen comenzar por "quién", "por qué", "cómo", "cuándo" o "dónde") en detrimento de las cerradas y las sugerentes. Una buena táctica a la hora de afrontar una entrevista es huir de aquellas cuestiones que se pueden contestar con un simple "si" o "no" (Martínez Vallvey, 1995: 66).

b) Es fundamental sustraerse a plantear dos temas en la misma cuestión. La doble pregunta constituye uno de los errores más comunes en las entrevistas audiovisuales. Para combatirlo, basta con aplicar una máxima tan sencilla como contundente: una idea por pregunta (Balsebre, Mateu y Vidal, 1998).

c) En ningún caso, la pregunta debe anticipar la respuesta, hay que dejar que el entrevistado se explique (Oliva y Sitjà, 2007: 196). Es una mala estrategia formular una posible contestación mientras se plantea la cuestión. La tarea del periodista es enunciar interrogantes que le permitan obtener datos, informaciones y valoraciones, no sugerir contestaciones.

d) Hay que prestar atención a la extensión de las preguntas. Las cuestiones largas son poco operativas en un medio tan directo y dinámico como la televisión, mientras que las excesivamente cortas invitan a respuestas breves de carácter monosilábico. En manos del periodista queda la difícil misión de encontrar un equilibrio entre ambos métodos. No obstante, siempre resulta más efectivo apostar por extensiones breves. Eso sí, la redacción y formulación de las preguntas preferirá el estilo directo, evitando la artificiosidad y el exceso de retórica.

e) Resulta esencial escuchar detalladamente al entrevistado y seguir atentamente el desarrollo de la conversación. A partir de las respuestas obtenidas, es importante clarificar los puntos oscuros, omitir preguntas ya respondidas o insistir en cuestiones no contestadas. Para ello, es clave desplegar un adecuado manejo del mecanismo de la repregunta (Clauso, 2007: 185) siempre que sea necesario. La flexibilidad en el seguimiento de un cuestionario es un ingrediente necesario para hacer una buena entrevista.

f) No hay que olvidar que los silencios son un recurso expresivo fundamental en el lenguaje audiovisual, ya que, en muchos casos, generan significados y, por ello, están dotados de un valor informativo. Por lo tanto, es importante que el entrevistador los gestione con eficacia y habilidad para extraer el máximo provecho posible de la entrevista en todos sus planos.

Finalmente, desde el punto de vista de la realización audiovisual, en la puesta en escena de una entrevista hay que tener en cuenta una serie de variables (Barroso, 1996):

a) La ubicación más usual de las cámaras es aquella que busca situarse en diagonal con respecto al personaje, lo que otorga volumen a la imagen.

b) La escala predominante corresponde al plano medio (PM). Sin embargo, para el entrevistado, en función del tipo de programa y de la entrevista, se pueden emplear también primeros (PP) y primerísimos primeros planos (PPP), detalles, recursos y el plano general para contextualizar el diálogo y ofrecer la visión de conjunto sobre la situación. Los planos abiertos, en tanto en cuanto distraen, se utilizan poco, ya que contribuyen a distraer a los espectadores y a desviar su atención del contenido del diálogo. Finalmente, conviene advertir que los planos más cortos se aguantan menos tiempo en pantalla.

c) El plano/contraplano se utiliza con una función informativa. Así, por ejemplo, resulta interesante su empleo para mostrar cómo el entrevistador escucha las respuestas y cuál es su reacción.

d) La combinación de planos y la cadencia otorgan ritmo a la transmisión audiovisual de entrevistas ya que rompen el estatismo y la falta de movimiento consustanciales al género. No obstante, este dinamismo no debe desembocar en la distracción de la atención de los espectadores.

CAPÍTULO 7
LA PRODUCCIÓN CINEMATOGRÁFICA
Y TELEVISIVA DE FICCIÓN: ASPECTOS
GENERALES

AGUSTÍN RUBIO ALCOVER

7.1. LA PRODUCCIÓN AUDIOVISUAL DE FICCIÓN

7.1.1. CONCEPTO Y ESPECIFICIDADES

Nos corresponde en este capítulo conceptualizar la producción audiovisual de ficción, escrutando, en la medida de lo posible, en todas sus dimensiones y hasta sus contradicciones, tanto en materia cinematográfica como en un sentido amplio (audiovisual y genérica) y desde sus orígenes (en la corta trayectoria que forzosamente posee, en la una, y en la milenaria y complejísima tradición que acumula, en el otro), cotejándolas para extraer las enseñanzas que de ello pudieran derivarse. También queremos analizar las prácticas tradicionales y contemporáneas, desnaturalizándolas e historiándolas, para poner en relación tipologías productivas y modos de producción, distribución y consumo —esto es, formas que se enmarcan en la configuración del sistema audiovisual y que tienen que ver con fenómenos y procesos sociales, culturales, políticos, ideológicos… que, como resulta patente, trascienden el universo estrictamente cinematográfico y revisten una complejidad considerable.

Aunque el planteamiento es ambicioso, la misión es clara y queremos ejecutarla de manera ordenada. Pero de cara a su consecución chocamos desde un principio con escollos, y es así porque cualquier intento de definir la producción audiovisual a día de hoy, y más concretamente la ficcional, choca con la realidad de una industria caracterizada por las mixturas y por la proliferación de sinergias entre los diferentes niveles que la componen: los códigos de la documentalidad irrumpe en la ficción, que se filtra en aquélla; desde las condiciones de su consumo hasta su propia configuración como textos, los largometrajes tradicionalmente destinados a las salas están incorporando rasgos de formatos como el videoclip, el videojuego…, tanto de manera consciente (para garantizarse el éxito entre un público predominantemente juvenil) como por el hecho de que los propios cineastas están sometidos al influjo del discurso *massmediático*; los tipos productivos característicos del medio televisivo en el ámbito que nos ocupa (telefilm o TVMovie, telenovela, serie) están experimentando mutaciones muy sustanciales, y su papel, tradicionalmente secundario en el concierto general de la ficción audiovisual, está redefiniéndose constantemente… Considérese también la incertidumbre reinante en el terreno de los soportes de registro de la imagen —a día de hoy se da la paradoja de que algunas películas se graban en Alta Definición o en vídeo digital de mayor o menor calidad, mientras que las teleseries globales que triunfan suelen estar filmadas en celuloide—, y se tendrá una visión panorámica bastante fiel de un sector indefinido y que se resiste notablemente a dejarse formalizar, si no directamente caótico.

Con todo, es posible llegar a identificar algunas de las constantes que históricamente han caracterizado a la producción audiovisual de ficción, que todavía hoy subsisten en gran medida, y que han servido de modelo a las industrias que han seguido su estela. Para asentar la argumentación sobre bases firmes, queremos arrancar acotando un terreno de partida considerablemente amplio: desde un punto de vista etimológico,[1] podemos afirmar que el término "producción" procede del latín *productio -onis* (femenino, de la tercera declinación), que, literalmente, significa "alargamiento"; el sustantivo deriva del verbo *produco -duxi -ductum* (transitivo y de la tercera conjugación), el cual, a su vez, resulta de la adición del prefijo (también preposición, y relacionado, por más señas, con el adverbio *prae*, origen de nuestro "pre-") *pro-* (que indica anterioridad, temporal o espacial —"antes" o "por delante de"—) al verbo *duco –duxi –ductum* (muy polisémico: "sacar", "llevar", "tirar", "contar", "transcurrir"…). Nos interesa, sobre todo, destacar el significado más extendido del *produco* latino, así como algunos de los significados de la raíz *duco*. Y ello, porque las equivalencias en el idioma español del primero ("llevar", "conducir", "hacer salir", "arrastrar", "presentar"), merodean en torno a dos ideas, a saber: la *elaboración a partir de* y el *liderazgo*; mientras que entre las acciones a que remite

---

[1]   Para esta disquisición etimológica, se ha manejado como obra de consulta el clásico *Diccionario ilustrado latino-español español-latino*. Barcelona: Spes, 1962.

el segundo asoman dos dimensiones fundamentales en la actividad que nos ocupa: la *temporalidad* y el *cálculo*.

De lo anterior puede inferirse ya una definición de la producción audiovisual de ficción, que se trataría, siguiendo a Alejandro Pardo, del

> "proceso de búsqueda, selección y gestión de aquellos recursos financieros, humanos y materiales necesarios para transformar una idea —concebida o adquirida— en un producto audiovisual. En otras palabras, consiste en la organización, dirección y control de la realización de una obra audiovisual" (Pardo, 2003:203),

la cual, especifiquémoslo, puede ser un film de largo, medio o cortometraje, facturado para su exhibición en salas, para televisión o directamente dirigido al consumo en soportes domésticos...; o un producto televisivo (en cualquiera de los formatos antecitados). Las opciones aquí son múltiples, y en general se pretende, lógicamente para maximizar la rentabilidad de los productos, dotarlos del diseño más versátil posible para abarcar el mayor número de pantallas de explotación. La obtención de la mayor calidad, con el mínimo tiempo y costes posibles; y la conjugación de estos factores mediante la correcta gestión de todos los recursos, el mantenimiento del equilibrio entre costes e ingresos y el logro de beneficios, constituyen asimismo objetivos o criterios de bondad. Si desarrollamos ideas implícitas en las líneas precedentes, obtendremos que el término "producción" procede del campo de la economía y de la gestión empresarial, mas en el sector audiovisual en general, y en el de la ficción cinematográfica y televisiva en particular, posee una serie de características diferenciales que, en parte, explican la fascinación que ejerce. Y es que, frente al sistema de producción fordista todavía vigente en múltiples actividades en nuestra era postindustrial, como ya señalara Antonio Cuevas, cada proyecto en nuestra especialidad exige, constitutiva e inexcusablemente, un tratamiento específico: todo film y toda serie son *prototipos* únicos e irrepetibles, que requieren *moldes* (el diseño y ejecución de un proceso), los cuales no se pueden extrapolar ni aplicar tal cual en ocasiones futuras o situaciones distintas —lo que no está reñido con el hecho de que toda experiencia surte de valiosas referencias, esquemas de respuesta, soluciones, rutinas e incluso ciertos estándares.

Como el medio de comunicación de masas que es, el influjo del cine sobre el imaginario colectivo está ligado a su carácter industrial. El modelo cinematográfico ha funcionado como la referencia a partir de la cual han ido desarrollando su personalidad los sistemas de producción audiovisuales posteriores, en especial en el ámbito de la producción en vídeo y televisión. De hecho, la producción propiamente dicha, entendida como sistema de gestión y organización en la realización de los films, sólo puede surgir en el momento en que el cine se convierte en un objeto cultural, con una fuerte demanda por parte del público y, por tanto, cuando se hace necesario desarrollar rutinas de trabajo que garanticen un nivel de producción acorde con la fuerte demanda existente: no es hasta la conversión del cine en un arte de masas, en un producto industrial que atrae el interés de los grandes capitales económicos y Wall Street percibe que puede ser un negocio de grandes proporciones, que podemos hablar en puridad de la existencia de una producción madura y digna de ese nombre, como actividad consciente de sí misma, que hace el esfuerzo de dotarse de métodos para racionalizarse, desarrolla nuevas tecnologías, se refugia en los estudios (que le permiten un control total sobre las condiciones en que se desarrolla el rodaje) y forja el sistema estético-narrativo identificado con el clasicismo.

También es patente que, para producir una película o serie, se precisa una importante inyección económica, mientras que la amortización de esta inversión, a través de la explotación comercial del producto, es lenta e incierta, y que la simple recuperación del capital inicial puede extenderse de manera indefinida en el tiempo y el espacio (el ejemplo más elocuente es el de los films de la edad dorada de Hollywood), sin que sea posible, por más que aunque la gestión haya sido escrupulosa, dar por sentado con antelación que entre los tres términos clave de la ecuación (presupuesto, calidad y rendimiento) existirá al término proporcionalidad. Asimismo, autores como José Jacoste o el propio Cuevas han disertado acerca la necesidad de prestar atención y conciliar arte e industria, un binomio cuyos integrantes mantienen una relación que a menudo es entendida como dialéctica; han coincidido en el señalamiento del cine como vehículo preferente y precedente de entretenimiento, cultura y otros valores —con lo que ello implica de proyección allende las fronteras nacionales, de todo punto necesaria, dada la insuficiencia del mercado autóctono para sufragar las inversiones—; y han aludido a la permanente reconversión de la industria audiovisual (por la pujanza de la televisión en esa coyuntura histórica) no como un indicio de decadencia del cine, sino como la confirmación del advenimiento de una nueva etapa, caracterizada por el estrechamiento de las relaciones entre los distintos sectores y ventanillas de explotación, y la ampliación del tiempo dedicado al ocio (especialmente en el hogar), que, en definitiva, redobla el interés económico, social, cultural y político, y refuerza la condición estratégica de una industria que ha de ser protegida —y su evolución vigilada. En resumen, no existen criterios universales ni fórmulas mágicas para producir películas: se trata de una industria de alto riesgo y sometida a una tensión, constante e irresoluble, entre los factores artísticos y comerciales, en evolución permanente, y en la que la frontera entre la ruina y el fracaso, o la fortuna y el éxito, es a menudo muy sutil. Y es que, como bien proclama la conocida expresión, *There's no business like show business!*

7.1.2. FASES EN LA PRODUCCIÓN DE FICCIÓN AUDIOVISUAL: EL PROCESO TÍPICO TRADICIONAL

La producción conlleva, por tanto, una minuciosa planificación de las tareas, un flujo de trabajo ordenado y racional que atañe a plazos y costes. Como ocurre en toda industria, a lo largo del algo más de un siglo de historia con que cuenta la producción audiovisual se han forjado rutinas y usos de amplia aceptación, como las prácticas que mejor sirven al objetivo de una eficaz y controlada gestión de los recursos materiales y humanos que están involucrados en tan complejo proceso, y que se resumen en la denominada tríada tradicional: preproducción, producción y postproducción son las fases que, indefectiblemente, si bien con mayor o menor complejidad según sus características concretas, todo proyecto ha de atravesar antes de poder darse por finalizado. Asimismo, los parámetros básicos concretos del producto final (formato, duración…) y las previsiones relativas a su comercialización deben de tomarse en consideración durante la fase de facturación para asegurar que la atención a los estándares y el cumplimiento en la medida de lo posible del propósito de la rentabilidad: en este sentido, es deseable sumar a la citada tríada las actividades conducentes a hacer llegar al público el producto —promoción, distribución y exhibición.

En fin, se trata del sistema de producción que Hollywood quintaesencia en el imaginario colectivo, que se corresponde con la evolución de la metodología tecnológica y organizativa tradicional (analógica) en el estrato profesional más alto, y que se ha universalizado: el modelo institucional, que funciona como referente histórico para la industria audiovisual toda, se sustentaba en unas prácticas, las de la era clásica —diferenciación de productos; distribución a escala nacional e internacional; dominio de la exhibición a través de la compra de un número reducido pero estratégico de salas de estreno— y unida a una concepción industrialista del cine, entendido éste como medio de comunicación de masas en una época en que prácticamente monopolizaba las formas del entretenimiento popular. El desarrollo de rutinas para dar respuesta puntual a una demanda sostenida y creciente, se tradujo, así, de manera armónica y racionalizada, en un modo empresarial y de gestión cuasifabril, inspirada en la adoptada por la industria automovilística en los años veinte —división departamental, extrema especialización de la mano de obra, refinamiento tecnológico, trabajo en cadena...—, con un *estilo* —de producción, narrativo, estético, ideológico...— correlativo. El Hollywood clásico se nos aparece como el exponente máximo y contingente de la industria que más se ha acercado a lo que dijimos que es un imposible: equiparar el audiovisual a la definición genérica de producción, con una relación entre costes, calidades y beneficios directa, unívoca, previsible y controlada. Igualmente, los cambios de todo tipo acontecidos en las décadas posteriores y hasta nuestros días (desde los sociológicos a los referidos al gusto, pasando por los geopolíticos; estrechamente relacionados todos ellos) determinan que, para acometer productos orientados a un mercado global, potencialmente rentables y dotados del poder de seducir al gran público según los parámetros contemporáneos, las estrategias deban de ser y sean distintas.

La descripción a grandes rasgos que a continuación haremos del proceso de producción típico no debe de interpretarse, pues, de manera rígida o mecanicista: la técnica (entendida en sentido amplio) y el arte audiovisuales vienen experimentando profundas transformaciones en las últimas décadas, mas el modo de organización y el reparto de tareas entre quienes intervienen en la producción apenas ha variado o lo ha hecho de manera gradual, en parte por la eficacia de unas prácticas que gozan de una noble tradición, en parte por un vigor que habría que analizar desde un punto de vista casi antropológico de unas estructuras fuertemente jerárquicas e inmovilistas. Asimismo, como el resultado de una práctica interactiva entre profesionales que es, en el proceso de producción audiovisual el llamado *factor humano* juega un papel nada despreciable, lo que contribuye a desdibujar las fronteras entre los distintos perfiles y hace que el estatus de cada individuo en cada situación merezca un tratamiento específico y diferenciado. La incidencia de los elementos personales más insospechados debe, por tanto, ser tenida en consideración, de manera que, en todo momento e inevitablemente, cualquier intento de teorizar o formalizar la producción cinematográfica se mueve en el terreno de una abstracción que sólo puede aspirar a sistematizar, por razones operativas, una labor que se resiste a ello.

Pero, siquiera como generalización o abstracción, podemos decir que el proceso arranca con la preproducción, que sucede a la ideación y tiene su génesis en el instante (que seguramente no tenga lugar como tal, sino de forma progresiva) en que se da *luz verde* a un proyecto, que puede encontrarse en diversos estadios o fases de desarrollo. Las posibilidades en cuanto al punto de partida de un proyecto de producción son virtualmente infinitas: puede suscitar el interés de un productor desde un concepto abstracto hasta una noticia o reportaje de prensa, una pieza teatral o una novela, un film previo, una serie o incluso un género...; la autoría puede corresponder a una amplia variedad de profesionales, y puede ser única o bien responder de ella, en etapas o desarrollos sucesivamente más elaborados, varios individuos con perfiles diferenciados; puede llegar a manos del productor directamente del guionista o a través de terceros, bien sea a sugerencia de un director, un actor interesado en involucrarse en el proyecto o a través de un departamento de selección de guiones, donde uno o varios profesionales de la confianza del productor le aconsejan sobre el interés y la viabilidad del mismo...

En cualquier caso, el productor ha de hacerse necesariamente con la posesión de los derechos de autor (concretamente, de los patrimoniales, económicos o de explotación comercial), debidamente inscritos en el Registro de la Propiedad Intelectual, ya sea mediante su adquisición directa o la compra de la cesión por parte de su propietario), lo que le permite adaptarla. Una alternativa a la compra en firme consiste en adquirir una opción, que capacita al productor para disponer en exclusiva de la obra en cuestión durante un plazo de tiempo estipulado según contrato (los plazos habituales oscilan entre los seis meses y los dos años), el que se juzgue adecuado para poder así reunir las inversiones suficientes como para poner en marcha la producción con ciertas garantías de llevarla a término. Conseguir ese capital a través de diversas vías, a partir de las fuentes que corresponda y sean cuales sean sus procedencias, y crear el equipo de trabajo, son las tareas básicas que aquí se llevan a cabo, y constituyen funciones inalienables del productor y el equipo de que se rodea.

Componen el núcleo de ese primer grupo el productor ejecutivo y el director o jefe de producción, por lo que respecta al equipo que promoverá y gestionará el proyecto, y el director y el guionista, en la parcela artística. El resto del equipo, desde los jefes de departamento hasta los últimos subordinados, suele constituirse en red, jerárquicamente, tirando cada cual con capacidad decisoria de contactos personales con otros profesionales a quienes le unan vínculos de todo tipo (experiencia previa, confianza, amistad, crédito…). Como afirman Luis Alberto Cabezón y Félix G. Gómez Urdá, a través de la selección del equipo técnico-artístico, se construye el "engranaje que garantiza el buen fin de la película, desde los presupuestos hasta los seguros". Las principales fases en que se subdivide la preproducción, que se traducen en otros tantos documentos de trabajo, son:

— Desglose del guión, cuya función es utilitaria. Para la elaboración del desglose o desgloses (ya que cada equipo o departamento realizará uno desde su perspectiva, exhaustivo) se censan todos los elementos necesarios para rodar el guión, previamente descompuesto en *secuencias mecánicas*, que son aquellas que transcurren en unidad de espacio-tiempo. Habrá que tomar en consideración y tratar de conjugar variables de dos tipos: la maximización del rendimiento de trabajo y las determinaciones del plan de rodaje.

— Plan de trabajo, que concreta al máximo el itinerario de rodaje, esto es, las actividades, el orden y los plazos. Huelga decir que, para aprovechar al máximo la inversión (económica, pero también en tiempo y esfuerzo), se tratará de comprimir al máximo la duración del rodaje propiamente dicho sin comprometer la calidad. En este caso, habrá que atender a dos factores: la unidad de los escenarios o su cercanía en el espacio (de ahí la diferencia entre la cronología de rodaje y el orden narrativo) y la proximidad temporal (para lo que se agrupan las sesiones de trabajo de los actores principales). Es competencia del director de producción, que lo elabora y lo eleva al director y al productor.

— Presupuesto, que tiene por objeto controlar el apartado financiero de la manera más eficiente. En su elaboración, el director de producción debe manejar información fiable y actualizada relativa a cada partida, distinguir entre los costes "por encima" y "por debajo de la línea" (creativos y técnico-materiales, respectivamente) y sumar a todos un porcentaje, como margen de error, para prevenir que un eventual desvío al alza (exceso) se traduzca en la descapitalización de la producción y dé al traste con ella. La recomendación de Cabezón y Gómez Urdá consiste en compaginar previsión y prevención, por un lado, y contención, por otra.

– Plan definitivo de rodaje, a cargo del director de producción y el ayudante de dirección. Se trata de una versión desarrollada, y por lo general plasmada en un gráfico, del plan de trabajo; es, en definitiva, un *planning* minucioso y factible de las tareas, el orden y los tiempos que se prevén precisos para su ejecución. Una vez que obra en poder del productor y éste lo aprueba, se valdrá del mismo y del presupuesto como las referencias más fiables a partir de las cuales ejercer el control sobre el rodaje. A menudo se concreta en un avance semanal de rodaje.

Con la incorporación del equipo de dirección se da paso a una etapa intermedia entre la preproducción y la producción, en la que se prepara y planifica la ejecución propiamente dicha —hasta el punto que existen dos formas distintas de entender ambos conceptos: aquí vamos a hablar de producción estrictamente como rodaje/grabación. El ayudante de dirección y el director o jefe de producción establecen los desgloses definitivos y el plan de trabajo, que es decisivo, en la medida en que raramente se respeta la cronología del guión— es decir, que en el registro priman criterios de racionalidad productiva, y se agrupan y concilian en la medida de lo posible dos factores: las jornadas de trabajo de los actores y las localizaciones.

Al tiempo que se fija el orden de rodaje, se realizan las pruebas y contrataciones de actores, se establecen los exteriores, los interiores naturales y el plató. A las localizaciones acuden el director de producción, el director, el ayudante de dirección, el director de fotografía y el director artístico para aprobarlas. Una vez hecho esto, el equipo de producción ha de solicitar los permisos de rodaje y cerrar los alquileres con las empresas auxiliares. Tras un periodo de pruebas de la cámara, de maquillaje y del vestuario se inicia el rodaje. No obstante, queda, desde la perspectiva de la producción, una función de la máxima importancia, y que algunos autores, como Cabezón y Gómez Urdá, discriminan de la preproducción propiamente dicha: se trata de la realización de la previsión de pagos por parte del director de producción. En efecto, es preciso calcular las cantidades y las fechas en que aquéllos se efectuarán (ya que, por lo común, se realizan a plazos), sobre la base del presupuesto y el plan de trabajo.

El director de producción y el ayudante de dirección establecen cada día la orden de rodaje, en el que se concreta el plan de trabajo inicial en los casos que se hayan producido imponderables. También en este momento se incorporan a la producción del film los departamentos encargados de la publicidad y comercialización del film, negociando la presencia de los medios de comunicación en determinados días del rodaje. Las actividades de gestión y administración —firma de contratos, solicitud de permisos y contratación de seguros— se llevan a cabo también en esta etapa.

El rodaje consiste en la traslación del guión a película negativa de imagen. Su sentido, claro está, radica en la necesidad de "objetivar" lo que, hasta el momento, no ha sido sino pura proyección imaginaria y ensayo de un producto pensado y desarrollado para la proyección sobre una pantalla de una única versión validada por el realizador y el productor-promotor. En el curso del registro efectivo, el equipo de producción pasa a un segundo plano y se limita a ejercer funciones de supervisión, seguimiento y vigilancia de que las formas y las calidades, los plazos y los ritmos en que tiene lugar el rodaje se atienen a las previsiones. Los usos y normas en la industria contemplan que aquél se realice en jornadas continuas de siete horas. El rodaje, idealmente, debe fluir, a través del despliegue efectivo de una dinámica bien engrasada y reconocida por todos los agentes de la industria, que es fruto tanto de la inercia como de la eficiencia (la cual, a su vez y en parte, es producto de esa falta de cuestionamiento por parte de los profesionales que están inmersos en unas rutinas que identifican como la "buena práctica" que la experiencia acumulada de generación en generación ha ido perfeccionando). El proceso sigue de manera escrupulosa los planes establecidos, que se concreta en una cadena de acciones, que se corresponden con otros tantos impresos. Los responsables de velar por el desarrollo de todo lo anterior en tiempo y forma son el director o jefe de producción, el ayudante de dirección (quien establece y mantiene el orden de rodaje de jornada en jornada y, secundado por sus ayudantes, se encarga de que la logística se adecue) y el secretario de producción (que se encarga del archivo de los justificantes de gastos, del pago de nóminas, etc.).

Con el material positivado (si se trata de un rodaje, esto es, se filma en soporte fotoquímico) se va componiendo el *copión* o copia de trabajo, que los responsables técnicos de la película se encargan de revisar: el director y su ayudante, el director de fotografía, el montador y acaso el script (a los que pudieran añadirse los intérpretes estelares, si así lo solicitaran y se les autorizara a ello) son las figuras del área técnico-artística que gozan de tal privilegio. Dada la pérdida (o cesión) de las competencias directas en el rodaje a que acaba de aludir, es en el visionado del material rodado (los *dailies* o *rushes*) donde el equipo de producción retoma sus potestades de manera indiscutible. Si bien el productor tiene la opción de reclamar asistir al pase, e incluso de organizar uno privado, en el mismo suele actuar como delegado suyo el director de producción, quien utilizará las imágenes como prueba ante aquél si detecta que la calidad no se adecua a las expectativas, o hay retrasos (o, según una expresión anglosajona ampliamente extendida en la industria, la producción no está *on*, sino *under schedule*). También le corresponderá introducir cualesquiera cambios en la temporalización (en orden o en duración) de los planes de rodaje.

El montaje, edición y postproducción (también llamados, o englobados, en la fase de acabado) es la última etapa pendiente, tras el rodaje, en la conformación del *master definitivo*, esto es, de cara a la obtención del producto cinematográfico comercialmente explotable. Como anotan Federico Fernández Díez y José Martínez Abadía (1996), aquí el equipo se reduce de nuevo a la mínima expresión: por un lado, los técnicos especializados en la compaginación del negativo, el etalonaje, el positivado, etc.; por otro, el núcleo primigenio del proyecto: ese grupo de responsables, promotores e impulsores agrupados en el equipo de producción según la conceptualización más restrictiva. Su cometido, como en el rodaje, se realiza de nuevo más bien en la sombra, ya que, en el curso de la preproducción (y, acaso, de la producción), habrán llevado a cabo sus únicas tareas activas inexcusables: la contratación del personal y el alquiler de las salas de montaje de imagen y de sonido (sonorización, doblaje...).

El negocio audiovisual está orientado, obviamente, a la comercialización de las producciones, para lo cual es necesaria la distribución y exhibición pública de los mismos. Para ello, en la industria española y europea está cada vez más extendida la conciencia de la crucialidad de la promoción o *marketing* del producto. En el medio cinematográfico, asegurar el compromiso de una empresa distribuidora para la comercialización de la película constituye el primer y primordial reto del productor, mediante la firma de un acuerdo de distribución (que puede ser bruto o neto); en el televisivo, constituye el equivalente el compromiso de emitir el producto por parte de una cadena televisiva en un régimen denominado de "producción externa, asociada o delegada" que goza de la consideración de *producción propia* (por oposición a la *ajena*). En España, uno de los grandes males endémicos de la industria cinematográfica está directamente relacionado con esta parcela: se trata de la colonización por parte de las *majors* norteamericanas del mercado europeo. El acuerdo previo al rodaje y la implicación de la distribuidora para dar la máxima difusión y el mejor aprovechamiento de las cintas representa, desde luego, la opción idónea, puesto que, además, suele ir aparejado el adelanto par parte de aquélla de una cantidad para la financiación de la producción (mediante un *anticipo*, consistente en la cobertura de un porcentaje sobre el presupuesto). Luego, y por medio de acuerdos entre la productora y la distribuidora, se decide, idealmente ya durante la preproducción, en quién recaerá la responsabilidad de la promoción. Mientras que los estudios norteamericanos poseen con departamentos de *marketing* especializados, en nuestro ámbito es más frecuente que la contratación de estos servicios, a menudo externos (prestación por parte de empresas especializadas), está sujeta a los acuerdos concretos que suscriban ambas instancias. No obstante, las productoras a menudo cuentan con un jefe de prensa en plantilla, que cuenta con la confianza del productor y que, de acuerdo con el diseño de la campaña que éste concibe (siempre en relación directa con los recursos con que se cuente y con los planes para la idónea explotación del producto; condiciones estas que el productor crea), contacta con los profesionales del periodismo y la comunicación.

Ya al comienzo del rodaje suelen entrar en juego los gabinetes de comunicación, que crean expectación entre público en torno a la película. Uno de los primeros documentos promocionales es el *pre-pressbook*, o libreto inicial, cuyo diseño es sencillo, sin un trabajo gráfico definido, y tan solo incluye los datos básicos de la producción y sus líneas conceptuales generales. La *gráfica*, que corre a cargo del estudio de diseño publicitario, tiene por objeto resumir en una imagen el concepto y los atractivos (género, estrellas…) de la película. Se elabora y se lanza entre el final del rodaje y la postproducción, y sienta las bases para la confección del cartel, del dossier para la prensa o *pressbook* y del *merchandising*. Es importante señalar que, en los últimos años, con la proliferación de las sinergias entre las distintas industrias que integran el sector del entretenimiento y el acelerado incremento de los estándares productivos, están adquiriendo una importancia creciente materiales radiofónicos, audiovisuales y en soporte multimedia de carácter interactivo, tales como los cortes de voz y entrevistas, los *making offs*, los *trailers*, las promociones en televisión (como los cartones de continuidad, las páginas web…).

Una vez que el film se estrene en los cines, la recaudación se reparte entre el exhibidor y el distribuidor en unos porcentajes variables, según la modalidad del acuerdo que hayan suscrito y las condiciones que estipule el contrato; de la parte que corresponde al distribuidor se obtienen las cantidades que corresponden al productor, según la fórmula que se haya escogido (a porcentaje o, más raramente, a un tanto alzado). Las proporciones, no obstante, están permanentemente sujetas al acuerdo concreto entre las partes o a los términos pactados por éstas en el marco de una relación de largo recorrido; cuanto más se prolongue la presencia de la película en cartel, los porcentajes van variando gradualmente, a favor del exhibidor y en detrimento del distribuidor (como *premio*, acicate o compensación a aquél por mantenerla, a pesar del descenso en la afluencia del público, en tiempos como los actuales, en que prima la amortización rápida de películas estrenadas por saturación —colocando grandes cantidades de copias para obtener el grueso de la recaudación en el primer fin de semana de exhibición).

7.1.3. EL IMPACTO DEL CAMBIO TECNOLÓGICO EN LA PRODUCCIÓN AUDIOVISUAL

Durante el primer siglo de existencia del cinematógrafo, el equipamiento tecnológico para el registro, postproducción y proyección de materiales cinematográficos ha sido de carácter analógico: el soporte fotoquímico (idéntico por lo demás a las emulsiones empleadas para la toma de fotografías) y los mecanismos de captación, manipulación y exhibición de imágenes sobre película permanecieron no sólo apenas discutidos, sino modificados en aspectos poco sustanciales (lo que no está reñido como una falta de mejoras cualitativas representativas, que las hubo): como la cadencia de rodaje y proyección, o *paso universal*, establecida en 24 fotogramas por segundo para el 35 mm. A lo largo de la *era analógica*, surgieron alternativas al formato de 35 mm., tanto en el ámbito profesional como en el subestándar (independiente, *underground*, *amateur* y doméstico), que acabarían sucumbiendo a raíz del empuje del vídeo doméstico, que suponía un considerable abaratamiento para los aficionados.

No obstante, es una fenómeno de carácter económico-industrial lo que explica el camino por el cual las nuevas tecnologías impactaron y revolucionaron el audiovisual: sería precisamente a raíz de la gran crisis a la que se vio abocada la industria cinematográfica norteamericana por la sentencia antimonopolística de 1948 —el *Decreto Paramount* de mayo de 1948, que condenaba a las *majors* por sus prácticas monopolísticas en virtud de la *ley Sherman* (*antitrust*) y las obligaba a desprenderse de sus cadenas de salas—, que obligaba a las *majors* a desprenderse de los circuitos de salas gracias a las cuales obtenían el flujo de caja (*cash flow*) en que se sostenía su gigantesco entramado, cuando arreciaría la contestación en el terreno tecnológico (ligado a transformaciones en el modelo industrial, espectacular y lingüístico —estético y narrativo— preconizado por la industria). En efecto, con el descenso de la asistencia del público a las salas y los profundos cambios sociales posteriores a la II Guerra Mundial —consolidación de la televisión comercial; migración de las clases medias a los suburbios urbanos; peculiaridades de la formación cultural de la generación de los *baby boomers*; advenimiento de la *Guerra Fría* y, en Hollywood, de la *Caza de Brujas*—, se produciría una reorientación de la producción: la instauración del "sistema de equipo de conjunto" ('*package-unit system*'; literalmente, un sistema de producción "de unidades de empaquetamiento") explica la concentración en un número reducido de títulos, financiados con presupuestos más elevados y aderezados con ganchos espectaculares: estrellas, efectos especiales y formatos (definidos y diferenciados entre sí por la *ratios* o *relación de aspecto*, esto es, su variable proporción entre la anchura y la altura del campo contenido en el encuadre y, subsiguientemente, de la imagen proyectada) que se caracterizaban por ensanchar, agrandar y espectacularizar la imagen. En el nuevo esquema de producción individual salieron reforzadas las películas con mayores posibilidades inherentes de recuperación de las inversiones, con lo que se sentaban las bases para el desarrollo de un tipo de film concebido y ejecutado a gran escala —y que se conoce, dependiendo de épocas y de enfoques, bajo las denominaciones de *roadshow*, *high concept*, *blockbuster*...—, que personificaba la potenciación del componente ilusionista, apoyada en el despliegue de medios (económicos, tecnológicos) y recursos (estéticos y narrativos) que caracteriza el modelo hollywoodiense desde entonces.

Puede afirmarse, en términos globales, que las transformaciones que los medios digitales han supuesto redundan en una flexibilización de las fases de la producción; cabría, incluso, hablar de la eliminación de las barreras antes vigentes. Ello es especialmente especialmente notable en el terreno de la postproducción, donde, a fecha actual, se efectúan cambios o se generan materiales que alteran la naturaleza de las imágenes registradas en un rodaje a menudo aligerado. Nótese que, por esta vía, se gesta una postproducción en la que, paradójicamente, se produce —lo que obliga a planificar, supervisar de manera minuciosa y revisar permanentemente las funciones que aquí se ejercen, con la consiguiente aparición de nuevos perfiles profesionales, como son los casos del director de postproducción y el colorista o etalonador digital—;

y compárese con el procedimiento secuencial muy tipificado y escasamente flexible que implicaba el método tradicional —si bien desde el *rough cut*, y a través de toda una serie de operaciones intermedias ejecutadas por operarios altamente cualificados, se establecía un eficaz sistema de verificación de la calidad. En la actualidad suele aplicarse un enfoque híbrido analógico-digital, a veces aludido como esquema *film-digital-film*, y consistente en la conjugación de medios y la alternancia de procedimientos, por el orden indicado, con las particularidades (elección de formatos concretos, utilización de un aparataje —unos dispositivos— específico) que en cada caso establecen los diseñadores del flujo de trabajo en razón de factores tales como la disponibilidad monetaria, la complejidad de las manipulaciones que han de ejercerse en postproducción… Es así, pues, que es perfectamente posible que algunas de estas tareas, a las que nos referimos como integrantes de un proceso en sí obsoleto como un todo, puedan cumplirse a día de hoy sin alteraciones. Los siguientes esquemas resumen las fases esenciales que integran el proceso de postproducción, por medios analógicos (Fig. 1) y digitales (Fig. 2), respectivamente:

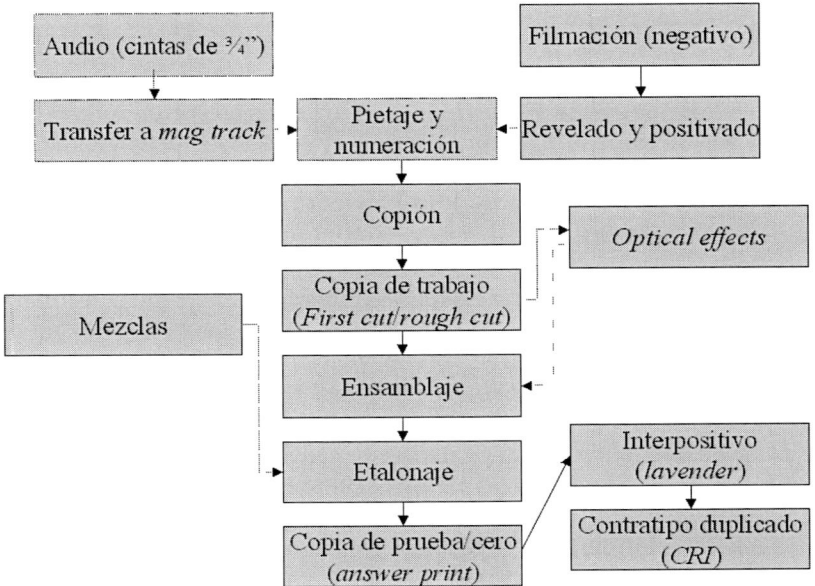

Fig. 1

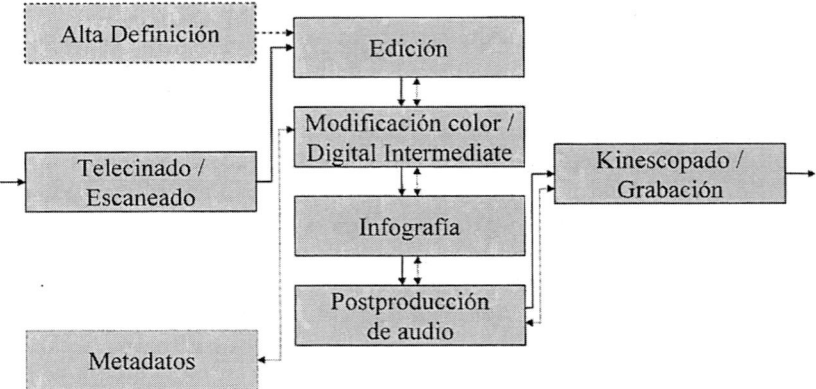

Fig. 2

Es asimismo digna de mención la gradual implantación de las herramientas informáticas para la supervisión de la producción audiovisual: tareas tales como la escritura y formateo de guiones, y la elaboración de desgloses, los planes de trabajo, los presupuestos, los diversos partes diarios (de cámara, de montaje, orden diaria de trabajo, informe de producción, orden de transporte), así como el seguimiento de los gastos y la realización de pagos, se están viendo modificadas en sus metodologías gracias a la difusión de aplicaciones de software específicas. Desde las hojas de cálculo de Excel, pasando por programas especializados en una de las fases y tareas citadas —Finaldraft, MovieMagic Screenwriter, MovieMagic Scheduling, MovieMagic Budgeting, Turbo Budgeting, Easy Budget, Power Bid...—, hasta soluciones integrales —Filmmaker, Gorilla, Cinergy 2000, Movie Base...—, el instrumental para la supervisión asistida de la producción concilia las virtudes de los sistemas tradicionales y artesanales con los servicios añadidos característicos de las nuevas tecnologías: control total para corregir, cortar, pegar, etcétera; capacidad de almacenamiento y cotejo de versiones múltiples, así como de búsqueda y modificación automática; reversibilidad; establecimiento y variación de los criterios de presentación en pantalla y de maquetación; alteración de las preferencias (*settings*); mecanización de la importación de la información procedente de otros programas; especificación, programación y aplicación de órdenes y cláusulas; acceso a la consulta de bases de datos e información procedente de internet;

disponibilidad de las plantillas empleadas por los principales agentes de la industria audiovisual internacional…

Por lo que respecta al consumo, y si hasta la generalización del vídeo las salas y los pases televisivos (en un número mucho más reducido de canales) constituían prácticamente la única vía de explotación comercial de los productos cinematográficos, en la actualidad las ventanas se han multiplicado: los derechos de antena, en una amplia variedad de canales de condición muy diversa (con pases programados de los más selectivos a los medios generalistas), así como los derechos de reproducción para la exhibición videográfica, en DVD y en los restantes formatos analógicos (el residual VHS) o los últimos desarrollados en tecnología digital, con funcionalidades interactivas adicionales, de futuro incierto (UMD, HD-DVD, Blu-Ray)…, han minimizado el peso de la recaudación en la taquilla cinematográfica (el *box-office*), que se ha convertido en determinante sólo por estratégico: el éxito o el fracaso en dicho terreno ostenta un valor indicativo y promocional incalculable, que condiciona por completo la circulación de que gozará el producto en lo sucesivo. Es por ello que, en cualquier caso, las instituciones, como el ICAA o el programa MEDIA en el ámbito continental, ponen en marcha medidas de protección y de estímulo a la industria nacional relacionadas con la fase de distribución y exhibición para el fomento de la comercialidad de la producción, tales como las subvenciones proporcionales y automáticas sobre el rendimiento en taquilla de las películas de nacionalidad española; asimismo, existen las llamadas cuotas de distribución y exhibición para el cine nacional y europeo, ayudas a la promoción exterior, a la concurrencia en mercados y festivales internacionales…

Cabe añadir, finalmente, que algunos de los *males* más frecuentemente aludidos al referirse al cine contemporáneo como un modelo narrativamente reiterativo y convertido en mera plataforma para el despliegue efectista de los últimos adelantos tecnológicos, están en relación directa con una serie de prácticas que se han difundido a raíz de la modulación del cine con las restantes industrias que integran el sector del entretenimiento multimedia y la sustitución de los magnates cinematográficos de la vieja escuela por ejecutivos que anteponen su perfil y su formación marcadamente empresariales al espíritu artístico de sus predecesores: con la entrada de los fondos de capital riesgo, el auge de la mercadotecnia y las sinergias antes citadas, se han afinado y generalizado las prospecciones de mercado, los análisis de audiencia, los estudios sobre comportamiento y perfil del espectador medio, las estadísticas a cerca de la respuesta del consumidor ante determinados productos o el estándar de producción de éxito en el mercado del momento. Todas ellas persiguen un único fin: minimizar los riesgos para llegar a la mayor audiencia posible. La aceptación del producto por parte del espectador es el termómetro del beneficio y, si el receptor final es el público, el productor deberá ganárselo desde la base: contar una buena historia con los mejores medios posibles que resulte atractiva para el mayor número de espectadores posible.

7.2. LA PRODUCCIÓN Y LOS GÉNEROS AUDIOVISUA-LES: GESTACIÓN, TAXONOMÍA Y PORVENIR

Los géneros (del latín *genus, -eris*: "clase" o "categoría"), ya sean literarios, cinematográficos o en cualquier otra manifestación o forma estética, constituyen tipologías reconocibles y unitarias, consisten en marcos codificados y autosuficientes para su desarrollo textual (en el terreno audiovisual, comúnmente en forma de relato), e implican un horizonte de expectativas —nunca acotadas del todo— para el espectador. En palabras de uno de los principales expertos en la materia, Rick Altman, un género constituye, a un tiempo,

a) un "esquema básico o fórmula que precede, programa y configura la producción de la industria";

b) una "estructura o entramado formal sobre el que se construyen las películas";

c) una "etiqueta o nombre de una categoría fundamental para las decisiones y comunicados de distribuidores y exhibidores";

d) y un "contrato o posición espectatorial que toda película de género exige a su público".

En resumen, los términos con que tan acertadamente identifica Altman (2000) los géneros atestiguan su condición fundamentalmente funcional y pragmática: los cinematográficos clásicos (refirámonos ya a los más genéricos y obvios: la comedia, el drama, el policiaco, las aventuras, el terror, el fantástico, la ciencia-ficción, el *western*, el musical…) se gestan y se explican en el contexto al cual hemos hecho referencia en el apartado anterior: el del sistema de producción en serie para cubrir la demanda de entretenimiento y espectáculo narrativos de las masas populares, por un coste controlable (por ejemplo, reutilizando materiales profílmicos —decorados, vestuario— o propiamente fílmicos —imágenes de archivo—) y aplicando los principios de las economías de escala. No obstante, si se ahonda un poco más en este asunto surgen pronto complicaciones considerables, cuanto menos en términos teóricos; porque, en cuanto pretendemos bajar un escalón en busca de una mayor especificidad, las dudas empiezan a proliferar: ¿cómo catalogar el melodrama —un macrogénero de raigambre escénica, caracterizado por la tipificación y la redundancia del gusto de las clases populares, cuyos rasgos permean la práctica totalidad de la producción estadounidense estándar de todos los tiempos, y precisamente por lo cual resulta difícilmente definible (Marzal Felici: 1994, 1996)—? ¿Dónde situar la linde entre el policiaco y las áreas adyacentes, como las del género negro, el criminal, el detectivesco, el de gangsters, el *whodunit*, el suspense…? ¿Merecen los films de piratas, de espadachines (o "de capa y espada")… la consideración de géneros *tout court*, o de subgéneros? Y, más allá del mero debate nominalista, qué rasgos definen un género? Desde luego que en nada contribuye a aclarar el panorama el hecho de que los géneros tengan procedencias de lo más dispar (la literatura, en el caso de la comedia y el melodrama; el vodevil, en el del musical…); que su identidad responda a rasgos (a *invariantes*) de carácter ora temático-narrativo (el bélico), ora cronogeográfico (el *western*), ora tonal (la comedia y el melodrama), ora estético y de dirección artística (de nuevo, las películas del oeste, pero también los subgéneros antes aludidos)… o a una confusa mezcla de elementos sociopolíticos, ideológicos e identitarios (raciales, como en el caso del *Black Cinema* —literalmente, *cine negro*, en el sentido de *afroamericano*— y la *blaxploitation* —el *boom* surgido a raíz del éxito de una serie de films dirigidos a la juventud negra estadounidense a caballo entre los sesenta y los setenta del siglo pasado—, y sexuales, en el del *Queer Cinema* —el cine gay y lésbico—)… ¿Son estos esquemas trascendentes —es decir, dotados de rasgos objetivos, definitorios, y por tanto invulnerables a los avatares del tiempo—, o inmanentes? ¿Cómo explicar la decadencia de algunos, o, por el contrario, el auge y la contemporaneidad de otros (la *road movie*, la acción, la pornografía incluso)?

No es este el lugar para abordar en extenso una cuestión tan compleja como la que los interrogantes anteriores apuntan —cuya médula consiste nada más y nada menos que en el concepto más o menos fuerte de cultura que sostengamos. Vamos a optar, pues, por seguir el camino opuesto: los géneros no sino conceptos, más que realidades— o, por mejor decir, dándole una vuelta de tuerca al argumento, se trataría de abstracciones realizadas a partir de prácticas (luego algo empíricamente existente) que se ejercen en el seno de la industria audiovisual y en cualquier otra modalidad artístico-literaria desde tiempo inmemorial de manera parcialmente intuitiva, en un ejercicio intelectual de formalización en cuyo curso el objeto exhibe aristas y se torna elusivo. Podemos concluir, con Steve Neale (1980), que la clave del éxito infalible e inmarcesible del cine de género, considerado como un todo, consiste en su condición de "instancias de repetición y diferencia" –de repetición en la diferencia y de diferencia en la repetición: de manera similar al proceso que ocurre en el despliegue del fenómeno de la intertextualidad, el espectador experimenta un reconocimiento que es fuente de fruición en lo que de familiar posee el producto que consume en el momento –en la medida en que éste remite (estructuralmente, en el caso de los géneros; puntual, icónicamente, en el caso del referencialismo) de manera más o menos tácita a textos previos.

Cualquier intento de taxonomizar los géneros más allá del descriptivismo, con ambiciones analíticas, está condenado de antemano al esquematismo y la arbitrariedad. Es por ello que vamos a rehuir la tentación de enmendar el inventario de la Unión Europea de Radiodifusión (UER), elaborar gráficos y, en general, de buscar la sistematicidad y la *sinopticidad*, para realizar, en cambio, unos simples apuntes acerca del *statu quo* pasado, actual y (previsiblemente) futuro. Y es que parece evidente que la vitalidad y la pureza (aparente, por comparación al momento presente) de los géneros en el apogeo de la Institución guarda estrecha relación con algunas de las restantes estrategias puestas en marcha por los estudios para dar difusión a sus productos: así se explica la convivencia del largometraje (producto estrella estándar desde su gestación, en el periodo 1908-1915) con el mediometraje y, sobre todo, el cortometraje; como también la producción especializada de dibujos animados y noticiarios; la especialización de las productoras en géneros concretos (el ciclo de gangsters de la Warner Bros. y el de terror de la Universal; los seriales y los westerns baratos de la Monogram y la Republic); la fijación de categorías en relación a las gamas presupuestarias (de la fastuosidad de la Metro-Goldwyn-Mayer, con su lema de "Más estrellas que en el cielo", a la modestia de la hoy añorada serie B)...; y todo ello en conexión también directa con las tácticas de distribución para maximizar los beneficios (la ubicación y el aforo de las salas; su pertenencia a las cadenas de los estudios o, alternativamente, su propiedad por parte de exhibidores independientes).

Con el declive del *studio system* se produjo una reconversión a un régimen basado en una producción más selecta, con films concebidos y ejecutados a gran escala. El gigantismo que caracteriza el modelo contemporáneo, bajo la denominación que se quiera, tiene como punto de partida aquellos acontecimientos: se trata de presentar un único gran espectáculo, de la máxima duración, el presupuesto más elevado y una potentísima inversión en emociones, efectos, estrellas... De ahí la notoria prolongación hasta las tres horas de duración que, en los últimos años, vienen experimentando los films que la Institución propone, bajo su faz contemporánea (Hollywood y la Academia, a través de la sanción que los premios Oscar representan).

Los géneros tradicionales (en especial cultivados como en aquel entonces) no se avienen a este sistema. Por el contrario, el tipo productivo y de consumo que le es orgánico se apoya en las características (la potenciación del componente ilusionista, apoyada en el despliegue de medios económicos y tecnológicos, y de recursos estéticos y narrativos, que caracteriza el modelo hollywoodiense) del macrogénero de acción y aventura prácticamente ubicuo desde *Tiburón* (*Jaws*, Steven Spielberg, 1975) y *La guerra de las galaxias* (*Star Wars*, George Lucas, 1977), últimamente reconvertido en un espectáculo saturado de efectos visuales y sonoros y cargado de "valores de producción". El hibridismo genérico, promiscuo y compulsivo, de este modelo cinematográfico (y audiovisual, por extensión), responde a motivos transparentes y resulta inevitable: la conciliación de constantes de cuantos códigos imaginen los promotores y los responsables creativos del proyecto funcionan como instrumentos de orientación mercantil y mecanismos de preventa, que permiten compensar riesgos y que el público acoge con placer; conviene asimismo no perder de vista que, en el marco de un sistema que exprime comercialmente el pastiche y lo ha prestigiado culturalmente, la transgenericidad sirve a un tiempo (y es reivindicable) como reclamo, como signo autoral inequívoco y como recurso para el análisis consciente de las convenciones propio de la irresoluble dinámica homenaje/parodia. El *revival* de los géneros clásicos (el musical y el *western*, aparentemente irrecuperables tras la etapa deconstructiva a pesar de todas las tentativas; el negro, que se quiere resucitar en todo el esplendor de su iconografía original), o la consagración y la parasitación del movimiento *indie*, constituyen sendos epifenómenos bien significativos del estado de las cosas por lo que respecta a la gran industria hollywoodiense; como lo es, en nuestro ámbito, el hondo calado que, desde mediados de los años noventa, con el relevo generacional que entonces tuvo lugar, ha alcanzado la consigna de los géneros de moda como tabla de salvación —individual(ista)— para la eterna crisis del cine español: en la misma línea, inevitablemente impresionista, podemos referirnos a algunas de sus manifestaciones más destacadas, tales como la elevación del virtuoso calígrafo Alejandro Amenábar a los altares de la autoría, el florecimiento de sucedáneos más o menos homologables con el original o la vía internacionalista por la que aboga la Fantastic Factory desde Barcelona.

Si volvemos la vista hacia los géneros dramáticos televisivos y la fijamos en sus orígenes, podemos entender de manera diáfana tanto la línea de continuidad como los desfases con respecto a la ficción cinematográfica que en el trauma del relevo tuvieron lugar. Y es que, para evitar el imparable *sorpasso*, la primera reacción al *desafío* y la *amenaza* que la televisión suponía a ojos de las *majors* consistió en un intento de colonizar la naciente industria televisiva, por la vía de la obtención de licencias de canales. Los estudios abrigaban por aquel entonces la esperanza de explotar las salas como parque de proyección de espectáculos en directo, como retransmisiones deportivas o mítines políticos, para consumo masivo —en un proyecto que la incipiente digitalización ha revitalizado, pero fracasaron en su movimiento fagocitador. No obstante, y aunque el potencial del espacio radioeléctrico habría permitido la constitución de un sector con un elevado número de operadores que compitieran entre sí en un régimen de libre mercado, el televisivo calcó en este aspecto el modelo cinematográfico: pese a las normas antimonopolísticas dictadas por la *Federal Communications Commission* (FCC), las *networks* —la NBC (*National Broadcasting Corporation*), la CBS (*Columbia Broadcasting Systems*) y la ABC (*American Broadcasting Corporation*)— coparon de facto el mercado hasta principios de los noventa, en que la liberalización abrió el mercado a nuevos agentes, como FOX.

El corte condujo a una suerte de *guerra fría*, en virtud del cual Hollywood boicoteó la televisión, con medidas tales como la prohibición a los actores de aparecer en la misma y la producción de films que criticaban de manera sistemática, conductista, sensacionalista y casi siempre burda a la *caja tonta* por su carácter narcotizante y vulgar, en una tónica que se ha prolongado hasta nuestros días. Asimismo, la producción de films en color recibió un fuerte impulso y se aceleró en la carrera hacia las pantallas anchas a que se aludió más arriba. Con la brecha tecnológica como único pero crucial problema —el magnetoscopio no aparecería hasta 1956—, las emisiones en directo, principalmente de magazines, concursos, informativos y espectáculos de variedades, de origen e influencia lingüística netamente radiofónica, configurarían la oferta principal de contenidos de las cadenas, con un añadido: la televisión asimilaría inmediata y fácilmente el formato del serial y géneros como el *cartoon*, el *western* o el policíaco-rodados, claro está, en soporte fotoquímico —*Bonanza* (1959), *Los intocables* (*The Untouchables*, 1959)...—. Las productoras especializadas y de serie B/Z directamente afectadas, como Monogram y Republic, se avinieron entonces a vender en un primer momento sus películas. Las *majors* dilataron esta cesión hasta 1955, y aun entonces tan sólo cedieron los derechos de emisión de la producción anterior a 1948: el paso correspondió a RKO, que lo hizo a cambio de alrededor de diez mil dólares por título. A principios de los años sesenta se empezaron a vender los films posteriores a esa fecha y los precios crecieron hasta los 150.000 dólares por película. El gran hito lo marcó la venta de los derechos de antena de *El puente sobre el río Kwai* (*The Bridge on the River Kwai*, David Lean, 1957) por dos millones de dólares por parte de Columbia a ABC en 1966; una cifra tan astronómica que haría prender en la industria cinematográfica la conciencia de los grandes beneficios potenciales que el mercado televisivo reportaba: 800.000 dólares por dos emisiones era el coste medio que se pagaba por película, en 1966.

El nuevo medio había heredado, practicando las adaptaciones pertinentes, la serie B, y el recelo había dado paso a la dependencia, con significativos cambios en el lenguaje cinematográfico. En el caso del televisivo, se conformaría como una versión simplificada de la gramática clásica: imperio de la continuidad, con un perfecto cumplimiento de las leyes que permiten en todo momento la orientación del espectador en el universo diegético (el plano de situación); acortamiento de la escala para garantizar la legibilidad del objeto de atención; ritmo más rápido o entrecortado para captar el interés en condiciones de competencia con otros estímulos (*zapping*, la realidad circundante del hogar); regulación de la economía del relato con la mirada puesta en la publicidad (esto es, escrupulosa estructuración por bloques de duración predeterminada, para poder cumplir con los compromisos comerciales y mantener en vilo al público... Los discursos característicamente asociados a estas prácticas serían aquellos que aplicaban las rutinas multicámara para las retransmisiones en directo (o la grabación en falso directo para la emisión), como los magazines, concursos, telecomedias de situación (*sitcoms*) o los *culebrones a la USA* (*soap operas*)...

A medida que los estudios pasaron de estar verticalmente integrados a convertirse principalmente en distribuidores, la pérdida de poder como agentes económicos autónomos condujo directamente a que despertaran un interés por parte de los grandes conglomerados que respondía a la posibilidad de explotar definitivamente en televisión sus archivos de películas, que se sospechaba tasados a la baja por los malos resultados de taquilla de principios de los sesenta. Cada noche se emitía en televisión un título reciente, y a menudo las *networks* competían en este terreno, hasta el punto que, a comienzos de los setenta, advirtieron que comenzaba a resultarles interesante lanzarse a producir ellas mismas películas para la pequeña pantalla: primero fue la creación de TV Movie por parte de NBC y el contrato suscrito con la Universal para la producción largometrajes de dos horas de duración; luego, el atronador éxito del primer telefilm *tout court* de la historia: *Brian's Song* (Buzz Kulik, 1971).

Mientras en los Estados Unidos, en consonancia con los principios morales, económicos y políticos imperantes en esa sociedad, se asentaba un mercado integrado por empresas privadas en competencia bajo la única cortapisa de la ley dictada por la Administración para garantizar la libertad (escasamente eficaz, como se ha visto), Europa se inclinó en un principio por la concepción del nuevo medio como servicio público. La fe en su potencial transformador y concienciador, como factor de culturización y polo de progreso, se dejaría sentir en Italia, a través de proyectos como la *televisión educativa* por la que Roberto Rossellini abandonaría la realización cinematográfica en sus últimos años; en Gran Bretaña, donde la BBC ejercería un papel fundamental en la renovación del panorama fílmico al acoger durante su formación o patrocinar obras directamente para la pequeña pantalla de Ken Loach, Stephen Frears, Mike Leigh y otros cineastas con preocupaciones sociales, así como a través de la producción en series de prestigio (irónicamente conocidas como "de *qualité*") adaptadas de la alta literatura —o de los más dignos ejemplares populares—, como *Retorno a Brideshead* (*Return to Brideshead*, Charles Sturridge, 1981); en Alemania, con *Berlin Alexanderplatz* (Rainer Werner Fassbinder, 1980); en Suecia, con las *Escenas de un matrimonio* (*Scener ur ett äktenskap*, 1973) y *Fanny y Alexander* (*Fanny och Alexander*, 1982), de Ingmar Bergman; o, más recientemente, en Dinamarca, con *El reino* (*Riget*, Lars von Trier, 1994).

El caso español estuvo marcado, no sólo por el monopolio de la televisión pública, sino por el yugo de la censura que la dictadura franquista impuso y la precariedad de la producción: los dramáticos de *Estudio 1* y las series de Televisión Española serían, hasta fecha reciente, el refugio de una nutrida nómina de titulados de la Escuela Oficial de

Cine, como Pilar Miró, Mario Camus —*Fortunata y Jacinta* (1980), *Curro Jiménez* (1976)—, Antonio Mercero —ganador del Emmy por el mediometraje *La cabina* (1972); *Crónicas de un pueblo* (1971)— ... y, más tardíamente, de realizadores de carrera errática o en decadencia, como Juan Antonio Bardem —*Jarabo* (1984), *Lorca: muerte de un poeta* (1987)—, Luis García Berlanga —*Blasco Ibáñez, la novela de su vida* (1997)— o Fernando Méndez-Leite —*La Regenta* (1995)—... Nótese que el menú principal, en la mayor parte de sus casos y hasta la liberalización del mercado televisivo de finales de los ochenta y principios de los noventa —y aun más tarde—, consistiría en miniseries que, con independencia del color político del gobierno de turno, estarían ligadas a una política de vertebración nacional entendida como traducción a la televisión, medio divulgador por excelencia, de la "tradición literaria" (*Los gozos y las sombras* [Rafael Moreno Alba, 1981] o del pasado común *La huella del crimen* [1984 y 1990]).

Así pues, y en lo tocante a los géneros televisivos de ficción propiamente dichos, podemos concluir que toman cuerpo a partir de la herencia del cine; y que es posible practicar una serie de distinciones generales —que, siguiendo a Jesús González Requena, llevan a subdividir los productos en telefilms unitarios (independientes) o series, y a estas en tramas seriales (cuyo desarrollo se suspende y retoma de capítulo en capítulo) o episódicas (autónomas), de donde ya se derivan las variantes que constituyen los formatos. Podríamos, desde luego, tratar de dar un paso más allá, pero entraríamos de hoz y coz en el terreno de la aleatoriedad más absoluta, debido a que la práctica de la inspiración en textos, modelos y fórmulas de éxito recientes con retoques son, en el caso de la ideación de productos televisivos, la norma contemporánea: las parrillas son eclécticas y acogen a pesar de que la producción nacional resulte más o menos unitaria exponentes foráneos de lo más variado; los productos, por su parte, son híbridos que someten a los esquemas a tensiones y permutaciones sin cuento. El concepto más caliente en la producción televisiva a fecha actual, de ficción y de no ficción, es el tráfico de formatos, y su ejemplo egregio, la floración de adaptaciones del culebrón colombiano *Betty la fea* —auténtico refrito, a su vez, de dos personajes y cuentos infantiles dotados de la perdurabilidad de los mitos: el Patito Feo, Cenicienta— a lo largo y ancho de todo el globo (Rusia y Gran Bretaña incluidas): sólo en España se han estrenado el original, una versión autóctona que en el momento de redactar estas líneas sigue cosechando una fortuna inesperada (*Soy Bea*) y la telecomedia estadounidense de la ABC (*Ugly Betty*).

Tirando de este hilo cabe preguntarse si el llamativo, por novedoso, consenso crítico-comercial en torno a la excelencia de series norteamericanas de ficción como *Sexo en Nueva York* (*Sex and the City*, 1998), *Los Soprano* (*The Sopranos*, 1999), *El ala oeste de la Casa Blanca* (*The West Wing*, 1999), *C.S.I.* (*CSI: Crime Scene Investigation*, 2000), *A dos metros bajo tierra* (*Six Feet Under*, 2001), *24* (2001), *Alias* (2001), *Abducidos* (*Taken*, 2002), *Nip / Tuck: a golpe de bisturí* (*Nip / Tuck*, 2003), *Hermanos de sangre* (*Brothers in Arms*, 2003), *House* (*House, M.D.*, 2004), *Hospital Kingdom* (*Kingdom Hospital*, 2004), *Perdidos* (*Lost*, 2004), *Mujeres desesperadas* (*Desperate Housewives*, 2004), *Prison Break* (2005), *Masters of Horror* (2005), *Me llamo Earl* (*My Name is Earl*, 2005), *Entourage (El cortejo)* (*Entourage*, 2004), *Héroes* (*Heroes*, 2006) y un interminable —en perpetua renovación— etcétera, no responde en parte a este factor. En efecto, en los últimos tiempos ha prendido la idea de que nos hallamos en "la Edad de Oro de la televisión", cifrada concretamente en el auge de series de ficción. Entre las muchas causas que explican la fiebre, podemos citar:

— El hartazgo del público ante una producción cinematográfica de elevadísimos costes de producción, que sirven a un público uniformizado, por el que el precio de una entrada "no compensa" frente a la amplia oferta doméstica existente.

— Como ocurre en general con la producción televisiva debido a un poder de penetración asentado en su implantación casi universal y sus elevados y estables niveles de consumo, las series tienen un potencial de influencia política e incidencia sobre la opinión pública decisiva (o, al menos, esa es la percepción, que retroalimenta la lucha, alienta las polémicas y la decantación): ejemplos preclaros son los de *El ala Oeste de la Casa Blanca* y *11-S: el inicio* (*The Path of 9 / 11*, 2006). Como demuestra la continuidad entre *Homecoming* (Joe Dante, 2005), perteneciente a la serie episódica *Masters of Horror* (2005), y el telefilm precedente *La segunda guerra civil* (*The Second Civil War*, Joe Dante, 1997), la televisión se configura como el espacio para un tratamiento más incisivo, reflexivo y autocrítico de cuestiones polémicas, bajo la máscara de los géneros fantaterrorífico variante *zombie* y de farsa política-ficción, respectivamente, con presupuestos asequible en ambos casos y con la ventaja, para el producto más reciente, de su inscripción en una obra colectiva de emisión regular.

- La atención a estructuras narrativas tradicionales (el eficaz *to be continued*, que posterga el desenlace *ad infinitum* y añade emoción a tramas confusas y llenas de giros sorprendentes).

- Una gran capacidad adictiva, ligada al placer antropológico de la narración que las series de tramas episódicas tan bien satisfacen, y que garantiza el seguimiento del espectador a lo largo de productos, tomados en su conjunto, de larguísima duración —cada temporada consta de entre 10 y 20 horas como media.

- Su duración, propia en la mayor parte de los casos del mediometraje (entre los cuarenta y los cincuenta y cinco minutos, que, en soportes comercializados como el DVD, permiten un visionado más flexible con una dedicación similar a la concedida a un largometraje estándar).

- Su alta (y creciente) rentabilidad, como consecuencia del inferior coste en comparación con la producción cinematográfica y la aparición de nuevas vías de amortización. En nuestro país, este factor, en conjunción con el precedente, ha servido para encubrir o paliar la debilidad de una industria en situación de crisis pero cuyas relaciones clientelares con los poderes públicos, ascendiente sobre la opinión pública y, por tanto, capacidad de presión, obligan a aquéllos a intervenir: véase el auge que en el último lustro han experimentado las TVMovies, patrocinadas en su mayoría por la FORTA, que han absorbido la mano de obra desempleada, a pesar de sus discretísimos resultados, tanto artísticos como en los *rankings* de audiencia… También ha revitalizado el género prácticamente extinto de la serie de género compuesta por telefilms independientes: las *Películas para no dormir* (2005) desarrolladas por Filmax, a través de Castelao Films, para Tele5, y lanzadas antes en DVD para aprovechar el tirón comercial entre los aficionados al género, son un exponente perfecto de serie compuesta por largometrajes autónomos de duración ligeramente inferior a la estándar y encargados a realizadores de prestigio.

- El excelente rendimiento de la fórmula de contratación de los intérpretes, por salarios más bajos (aunque con las ventajas de su más larga duración), y la mejor disposición por parte del público televisivo para aceptar a rostros desconocidos o secundarios cinematográficos *encasillados*, que aprovechan para reivindicarse y relanzar sus carreras. *Perdidos*, por ejemplo, no cuenta con primeras estrellas, sino con un plantel de actores en decadencia, promesas que no acaban de despegar y actores de carácter vocacionales, debido a un físico particular o una peculiaridad étnica – Jeff Fahey, Naveen Andrews, Dominic Monaghan, Michelle Rodríguez, William Mapother... Las intervenciones extraordinarias de rostros auténticamente conocidos suelen acogerse al formato del *guest starring* (en una estrategia de autopromoción a la que los agentes hollywoodienses invitan a sus representados a prestarse de manera prácticamente gratuita), los novatos afrontan su paso por las series como cantera y los secundarios encasillados aprovechan la televisión para reivindicarse y [re]lanzar sus carreras. El caso más reciente y clamoroso es el del Hugh Laurie de *House*, pero existen otros muchos similares: James Woods en *Shark* (2006); Sarah Jessica Parker y Kim Cattrall en *Sexo en Nueva York*; Teri Hatcher, Marcia Cross, Eva Longoria, Felicity Huffman, Doug Savant o Kyle MacLachlan en *Mujeres Desesperadas*; Shannen Doherty en *Embrujadas* (*Charmed*, 1998); William L. Petersen, David Caruso y Gary Sinise en las *CSI* de Las Vegas (*C.S.I.: Crime Scene Investigation*, 2000), Miami (*C.S.I.: Miami*, 2002) y Nueva York (*C.S.I.: NY*, 2002), respectivamente; Dylan Walsh y William McMahon en *Nip / Tuck*; David Schwimmer, Matthew Perry, Matt LeBlanc, Jennifer Aniston, Courteney Cox y Lisa Kudrow de *Friends* (1994); Jason Lee en *Me llamo Earl*; Jason Bateman en *Arrested Development* (2003)...

— Las favorables condiciones distribución y exhibición que el alza del consumo doméstico, el descenso de la asistencia a las salas, así como la mayor incidencia sobre la opinión pública que la televisión aún conserva —y que internet, en ciertos aspectos, ha ampliado, como acredita el espaldarazo que los foros de discusión y las comunidades virtuales de fans han supuesto para el éxito de un buen número de las series citadas.

— Al hilo de esta última cuestión, merece la pena mencionar la hipotética existencia en germen de una narrativa dramática interactiva, que, como sostienen teóricos como Janet Murray, constituye el futuro (e incluso presente ya en las producciones televisivas más revolucionarias, como *Perdidos*, por la relación que con ella establecen los aficionados): la ficción serial o *hiperserie*, para la que la autora sólo percibe como freno el conservadurismo de la industria, sería el producto *definitivo* de la convergencia, y se beneficiaría del desdoblamiento identitario que los medios interactivos informáticos ofrecen, al tiempo que permitiría a los guionistas y productores satisfacer una ambición narrativa *balzaquiana* que, según la autora, se deja sentir desde hace dos décadas. Pero lo anterior no deja de trascender el terreno de la especulación, tan atractiva como inconsistente, y las últimas predicciones están señalando un retroceso de la ficción en la parrilla de las *networks*, víctimas del empuje de unos *reality* (o *non-scripted*) *shows* notablemente más baratos y exitosos.

Todo ello explica la revolución y el cambio de percepción que se vienen produciendo en las últimas décadas en torno a la figura del productor de ficción televisiva: de los Aaron Spelling —*Los Ángeles de Charlie* (*Charlie's Angels*, 1976), *Vacaciones en el mar* (*The Love Boat*, 1977), *Dinastía* (*Dinasty*, 1981)— y Steven Bochco —*Canción triste de Hill Street* (*Hill Street Blues*, 1981), *La ley de Los Ángeles* (*L.A. Law*, 1986), *Policías de Nueva York* (*NYPD Blue*, 1993)— de la era clásica (hasta los ochenta) hemos pasado a la nueva figura del creador, que hace las veces de productor ejecutivo, director ocasional —del piloto y del último de la temporada— y supervisor del desarrollo de su criatura: es el tipo que representan los Bryan Singer, Ryan Murphy, Danny Cannon, J.J. Abrams, Stephen Hopkins, Marc Cherry, Alan Ball, Aaron Sorkin… El hecho de que muchos de ellos fueran cineastas o se hayan reconvertido, de manera puntual o definitiva, no es en modo alguno casual, y debe situarse en el mismo contexto en el que las experiencias pioneras de un Michael Mann —*Corrupción en Miami* (*Miami Vice*, 1984)— o un David Lynch —*Twin Peaks* (1990)— se generalizan y son asumidas por las grandes figuras de la industria del espectáculo, como Stephen King —*Hospital Kingdom* (*Kingdom Hospital*, 2004)—, Jerry Bruckheimer —*CSI, Caso abierto* (*Cold Case*, 2003)—, James Cameron —*Dark Angel* (2000)— o el mismísimo Steven Spielberg —*Hermanos de sangre*, *Abducidos* (*Taken*, 2002).

7.3. LOS CENTROS INTERNACIONALES DE LA PRODUCCIÓN DE FICCIÓN

7.3.1. AGENTES, RECURSOS, EQUIPOS Y SOPORTES

De entrada, conviene advertir que, a la hora de definir el centro de producción mismo, nos hallamos ante una anfibología, en tanto en cuanto consiste, por un lado y en primer término, en un lugar físico, con unas instalaciones o dependencias; en segunda instancia, en una entidad legal —una empresa, con una forma jurídica y mercantil—; y, por último, en un complejo articulado de equipos —esto es, con una dotación en aparataje tecnológico y en personal especializado.

Podemos afirmar, asimismo, que existen diferencias más que sustanciales en los métodos de producción de la ficción audiovisual contemporánea, según cuál sea su ámbito de circulación (por ejemplo, si se está facturando un producto televisivo nacional o si por el contrario se trata de un largometraje o un telefilm norteamericano al uso); divergencias estas que afectan a los rangos presupuestarios, el volumen de los equipos humanos, el tipo de recursos tecnológicos, la complejidad de las estructuras organizativas…, y que se extienden hasta el acabado de los productos, cuya potencialidad comercial delimitan o amplían. De tal manera que, al hilo del comentario inicial, urja señalar que la distancia que implica la nacionalidad del producto suele ser mayor que la que virtualmente conlleva el soporte: es por ello que, por ejemplo, una serie estadounidense actual, salvo excepciones, se rueda en 35 mm o, acaso, en Super16 o en HD, involucra a tantos expertos (cineastas, técnicos y artistas) de la máxima categoría, tiene un coste en dólares y sigue un flujo de producción tan exigente como, proporcionalmente, un film estándar, todo lo cual se refleja en el aspecto que luce y se traduce en un *plus* en cuanto a sus opciones de explotación; mientras que en la producción cinematográfica y televisiva nacional hay desfases insalvables, entre sí y con respecto a sus equivalentes transoceánicos.

Con los antecedentes del bautizado como *Toma de Vistas*, un minúsculo hangar acristalado en Montreuil, con espacio para guardar los telones y la maquinaria, al que se trasladó Georges Méliès en 1897 desde el recinto teatral Robert Houdin, y de la *Black Maria* de George Edison, ingeniosamente edificado sobre una plataforma giratoria para aprovechar la luz solar, por lo que respecta al Nuevo Mundo, el referente histórico e icónico de los centros de producción audiovisuales se encuentra en los estudios hollywoodienses; un modelo en estrecha correspondencia, como reiteradamente se ha indicado, con la creación de películas a escala industrial y el suministro constante a las salas de exhibición propias o dependientes a causa de lo anterior y de estrategias como el *block booking system* (la distribución de los títulos basada en el alquiler por lotes). Si bien en esta rama del negocio se sostenía el sistema, la colonización del imaginario colectivo con una falacia —la del estudio en sí, y por extensión de la producción (los terrenos y platós, el equipamiento, los cineastas bajo contrato), como epicentro y eje del esplendor del cine clásico norteamericano— fue exitosamente exportada al resto del mundo. La fama de nombres como los estudios Bavaria, en Munich; los Pinewood, en Londres; Cinecittà, en Roma; o los Barrandov, en la República Checa, ejemplifica en Europa hasta qué punto ha prendido una mixtificación que todavía hoy colea; son muchas las industrias autóctonas y periféricas que aspiran, a fecha actual, a salir de su postergación mediante la construcción de estudios (la Ciudad de la Luz de Alicante).

En el caso de la televisión, a su nacimiento los centros de producción de las cadenas tomaron como fuente de inspiración la distribución (en todos los niveles y sentidos: topográfica, departamental-administrativa, funcional…) convencionalizada en la industria cinematográfica, si bien, con el paso de los años, las nuevas necesidades generadas en el medio han devenido en una especialización que ha vuelto prácticamente irreconocible la fisonomía inicial. De hecho, con el pronunciado y constante declive de los niveles de la producción de largometrajes y el consiguiente cierre en cadena de los estudios, con frecuencia la pujante televisión ha adquirido y adaptado los terrenos abandonados, aprovechándolos con arreglo a criterios de eficiencia más acordes a los tiempos actuales y que, a su vez, han influido en las versiones de los centros cinematográficos puestas al día en la era de las sinergias y las interdependencias multimediáticas.

Y es así porque, a diferencia de los tiempos del *studio system*, en el panorama actual pesan mucho más aspectos intangibles, que poco tienen que ver con la posesión de platós o equipos, o con la tenencia de personal regularmente en nómina: la viabilidad y, en el horizonte, el éxito de una producción de grandes dimensiones depende más bien de la capacidad de un productor independiente para reunir financiación a partir de anticipos en concepto de derechos de distribución nacional e internacional en salas, para el tiraje de copias de alquiler y venta en formatos domésticos, de derechos de emisión en las distintas ventanas asociadas al medio televisivo…, más, subsidiariamente y dependiendo de la industria, la obtención de ayudas, créditos e inversiones privadas. En este régimen, la firma de acuerdos de coproducción y la consecución de compromisos por parte de operadores televisivos y, en particular, de los grandes grupos multimedia y conglomerados empresariales que dominan el mercado global, resultan mucho más determinantes que el tejido de las empresas productoras: si bien la célebre ecuación de Walter Dadek —esto es, hay una cierta correlación entre la dimensión, la continuidad y la "enjundia" (el presupuesto, las expectativas comerciales y las posibilidades de promoción)— mantiene su vigencia, las opciones de supervivencia de una pequeña pero eficiente unidad de producción son, de hecho, mayores que las de una mediana o grande sin el prestigio o los contactos que son imprescindibles para desenvolverse en este contexto.

7.3.2. Una industria global: núcleo(s) y periferia(s)

Nuestra reflexión en torno a la producción audiovisual no estaría completa si omitiéramos el contexto mediático, social, cultural, político y económico de, en palabras de Enrique Bustamante (2002, 2003), desregulación, concentración, globalización y financiarización que, como las restantes industrias culturales, está atravesando la cinematográfica en las sociedades del Occidente capitalista. Abordar el estudio del rumbo del modelo dominante, y de las alternativas y fórmulas planteadas en la periferia y el exterior del sistema, significa tratar, o al menos considerar, el proceso de globalización y la consiguiente aceleración en el trasvase del poder —económico y, subsidiariamente, político— de los Estados-nación al mercado y, más concretamente, a las grandes corporaciones multinacionales. La libre circulación del capital y la movilidad laboral, unidas a las sinergias multimediáticas y a la imposición de las fórmulas y el modelo productivo institucionalizados por Hollywood, alumbran, para empezar, una gran incógnita acerca del grado de pureza —nacional, incluso— que atesoran los productos que hoy factura aquél.

En efecto, el imperialismo cultural estadounidense se plasma en la patente asimetría que se da en el intercambio de flujos humanos, económicos y culturales —entre los que se ubica el tráfico audiovisual— entre Norte y Sur, centro y periferia, EE.UU. y Europa, Hollywood y el resto del mundo; y comporta el surgimiento de resistencias desde un espíritu combativo contra la penetración y el control norteamericano en las diversas facetas en que se plasma su hegemonía. La dominación fundamentalmente yanqui de las redes informáticas para las telecomunicaciones juegan a favor de la inserción de la industria global de la ficción audiovisual en la lógica de las mutaciones acontecidas en las últimas décadas; siguiendo a Vilches: abaratamiento y aceleración de los ciclos de producción; acortamiento de la vida de los productos (y, añadimos, tentativas y planes, con auténticos logros en fechas recientes, de prolongación de la rentabilidad de aquéllos mediante la multiplicación de las ventanas de exhibición/consumo, y la reedición de los mismos en distintos formatos y tecnologías); recorte del capital físico —humano, inmobiliario, económico— y burbuja bursátil de las empresas *puntocom* (con su estallido, en los primeros años del nuevo milenio)...

Desde luego, la internacionalización de un modelo productivo (de concepción, ejecución y comercialización) y la supremacía norteamericana mantienen estrechos lazos, en el marco del alza de las sinergias mediáticas, la desterritorialización y la virtualidad. Pero urge reconsiderar el funcionamiento de la propia industria del espectáculo en términos más concretos, pues de lo contrario corremos el riesgo de perder de vista, y no dar cuenta en nuestro análisis, de sorprendentes movimientos que están teniendo lugar en nuestro entorno más inmediato: así se explica que las transformaciones macroscópicas aludidas se traducen en que, a medida que el núcleo del sistema se torna difuso, los modestos agentes locales (españoles y aun de ciertas autonomías) del sector han establecido alianzas impensables hace apenas unos años. De ahí que sea preciso, como han pretendido Miller, Govil, McMurria y Maxwell (2005), trascender los tópicos reduccionistas, simplistas y maniqueos de identificar de manera exclusiva la transparencia narrativa y el diseño de productos de bajo perfil con la producción estadounidense, pero también ahuyentar los fantasmas del neoliberalismo y poner en cambio de relieve la obediencia respecto de las directrices, tanto económicas como ideológicas, trazadas por el Departamento de Comercio de Estados Unidos, y la existencia de un entramado proteccionista, compuesto por el citado departamento, más comisiones estatales, regionales y metropolitanas; subsidios encubiertos; y una entidad financiadora, la *Small Business Administration*, a través de préstamos: una configuración, en fin, de estructura tentacular e innumerables dependencias extrañas —tanto por lo que respecta a su procedencia como en lo tocante a su naturaleza—, con arreglo a lo que los citados autores bautizan como *Nueva División Internacional del Trabajo Cultural* o NICL (*New International Division of Cultural Labour*), mecanismo desigual de articulación de la productividad, la explotación y el control social que se beneficia de la desmovilización generalizada y la virtual ausencia de alternativas viables o prometedoras. La continuidad de un modelo productivo postclásico caracterizado según aquéllos por la especialización flexible; la diferenciación del producto; la desintegración vertical; los géneros *high-end*; la subcontratación de productores independientes, empresas de pre y posproducción y localizaciones globales, más que extensos servicios dentro de la empresa; se ajusta como un guante a la transnacionalidad de las fórmulas organizativas vigentes. Lejos, pues, de la imagen tan extendida de Hollywood como un expendedor unitario de productos audiovisuales de proporciones desmesuradas, la estructura actual de la industria, deudora tanto en el modelo de negocio como en la división del trabajo del sistema de equipo de conjunto, sigue descansando en redes personales informales instituidas desde mediados del siglo XX y que funcionan como un sujeto colectivo movedizo o

> "...un *cluster* ["racimo"] de tecnología, trabajo y capital que opera a través de contratos con los estudios e inversiones, pero no forma parte de su propiedad. El sistema funciona gracias a cuatro factores: entrega flexible de los servicios por parte de empresas especializadas; intensa interacción entre las pequeñas unidades que forman parte de un dinámico sector global industrial; trabajo cualificado y altamente diversificado, e infraestructura institucional. El *cluster* ha evolucionado mediante la articulación a partir de mediados de los ochenta, de manufacturas de ordenadores y semiconductores del norte y el sur de California y sistemas y desarrollo de *software* (…) hasta los contenidos de pantalla de Hollywood" (Miller, 2005: 79).

Por ello se genera en la periferia una *producción fugitiva* (películas distribuidas por los estudios —y que, por tanto, se benefician del marchamo hollywoodiense— pero realizadas en el extranjero, con Canadá como principal aunque en absoluto único beneficiario), cuyas ventajas (facilidades fiscales, no sindicación de la mano de obra, óptimo equipamiento tecnológico, interconexión con las matrices gracias a las redes de alta velocidad) constituye una de las cuestiones candentes y de los principales quebraderos de cabeza que comprometen la supervivencia, la cohesión y la paz en el seno del sistema. Todo ello, asimismo, corrobora las impugnaciones a la visión más extendida de un Hollywood monostruoso: en el concierto mediático mundial, el peso económico real de ese ente oligopólico, compuesto por empresas pequeñas aunque eficientes, es tremendamente liviano, si bien en el haber de esa industria cabe reconocerle el éxito a la hora de imponer en el imaginario colectivo la creencia en su imponente tamaño. La clave sigue residiendo en el control de la distribución internacional, y el *Hollywood global* de Miller y los suyos no es más que un reducido grupo de productores capaces de empaquetar proyectos mediante el compromiso de los talentos creativos y la suscripción de acuerdos que, sucesivamente, arrastran financiación anticipada procedente de diversas ventanas en todos los países para acabar incorporando al desarrollo de productos de grandes proporciones (*blockbusters* vocacionales) a los grupos multimedia.

7.4. EL CINE Y LA TELEVISIÓN EN LA ERA DEL AUDIO-VISUAL

7.4.1. UNA NUEVA (¿Y ÚNICA?) DINÁMICA: LA SINERGIA MULTIMEDIÁTICA

Una de las características más notables de las estrategias convergente-expansivas de los citados grupos radica en el progresivo mimetismo de todos los modelos prácticos de integración, con independencia de las peculiaridades de cada proceso, que transmite una doble sensación: por un lado, su carácter inexorable, como requisito para el crecimiento; por otro, la existencia de un único modelo de macronegocio correcto y viable, toda desviación del cual conduciría a la ruina y la desaparición. La integración de las productoras audiovisuales, con divisiones cinematográficas y televisivas, en gigantes empresariales que aúnan sellos musicales, cadenas televisivas privadas (en abierto o de pago, con transmisión vía satélite o por cable…), editoriales de libros, prensa y revistas, y parques temáticos, obedeció a las dos estrategias seguidas por todas las grandes corporaciones descritas por Miller e identificadas por Juan Carlos de Miguel (2006) con la etapa *reticular* o *interactiva* contemporánea: expansión horizontal, a la conquista de mercados foráneos; vertical, para asimilar a productores independientes; y asociación con inversores extranjeros, a fin de obtener capitalización y exorcizar el riesgo.

En los Estados Unidos, las sinergias multimediáticas siguieron incrementándose y estrechándose a lo largo de las últimas décadas hasta el inicio del nuevo milenio, momento desde el cual, quizás a raíz del pinchazo de la burbuja bursátil de las empresas y los valores virtuales, se percibe una cierta estabilización. Pero lo que interesa aquí son sus consecuencias pragmáticas: en primer término, la consecución de este proceso significa que prácticamente ningún proyecto cinematográfico recibe luz verde para entrar en producción sin los correspondientes acuerdos de venta anticipada de los derechos de explotación en las ventanillas televisiva y videográfica especificados y seguidos al detalle; pero no sólo ocurre eso, sino que sucede también que los negocios *puros*, como el del largometraje cinematográfico o el producto televisivo (telefilm o TVMovie, serie…), han dejado de existir como tales para dar paso a la apoteosis de la integración multimedia y la secundarización (el *merchandising*, o comercialización de productos derivados): música, libros, videojuegos, juegos de mesa, juguetes, espectáculos y eventos de todo tipo...

El *Hollywood global*, encargado de la facturación del grueso de la producción de origen estadounidense que ordinariamente consumimos, sigue consistiendo (quizás hoy más que nunca) en ese reducido número de creadores dotados de la capacidad de atraer talentos y capitales, cerrando acuerdos de venta por paquetes y gestionando contratos favorables con compañías patrocinadoras, fabricantes de los productos antes mencionados...En el caso de la televisión, se trata de las mismas empresas independientes especializadas, o sus herederas actuales, las cuales se rigen por planteamientos similares, que florecieron a mediados de los setenta, cuando empezó a hacer efecto el mandato de la Federal Communication Commmission (FCC) a las *networks* de ocupar un 50% del *prime-time* con contenidos de producción independiente: así fueron creciendo sellos como Lorimar o MTM, del surgirían las míticas producciones de Steven Bochco y se forjaría una figura legendaria de la influencia de Aaron Spelling.

Las últimas transformaciones no han hecho sino acentuar tendencias ya existentes: la exportación de la producción audiovisual, y principalmente televisiva, representa un capítulo cuya rentabilidad para la balanza de pagos estadounidense no cesa de incrementarse, estimulada por la proliferación de ventanillas y la sabia periodización (la dosificación en la explotación en cada una de ellas); el fenómeno y el desafío de internet, asimismo, está provocando una profundización en la dialéctica que enfrenta el modelo industrial clásico, basado en la obtención de un beneficio directo, fruto de la explotación de una propiedad intelectual en la que la retribución se justifica como estímulo creativo (las leyes del *copyright*), con otro, que se conceptúa como el propio de los tiempos, en el que el producto representa el cebo para fidelizar a un consumidor de servicios. La oferta televisiva digital, ya sea por satélite y por suscripción (en España, Digital+), ya sea terrestre (en vías de ampliación), precisa de ingentes cantidades de programas para rellenar las parrillas de sus canales temáticos; en el otro extremo, la oferta de servicios (como la "televenta", la descarga de software *on-line*, el *video on demand*, *pay-per-view*, etc.), como el potencial de la reciente emisión de televisión por internet, permanecen en un *impasse*...

7.4.2. LA NUEVA TIPOLOGÍA DE PRODUCTOS Y DE ESPECTADORES: *BLOC-KBUSTERS* Y CONSUMO DOMÉSTICO

En conclusión, existe una nítida línea de continuidad entre las estrategias de los grandes estudios desde la era clásica para maximizar las inversiones y minimizar los peligros (economías de escala, producción por paquetes, diferenciación de los productos, estandarización...) y la reconversión presente, en el que también hay una íntima y perfecta correspondencia entre la *blockbusterización* productiva, sus efectos colaterales y los intereses de Hollywood: la táctica de la escalada de la producción de secuelas y *remakes*, racionalizadora por cuanto estos formatos son previsiblemente más comerciales y seguros, llevan aparejados graves efectos perversos, como la tendencia, para no demorarse en el pago de intereses y amortizar cuanto antes las inversiones, a la distribución precipitada y el estreno por saturación, con el consiguiente incremento de los costes de publicidad (*advertising*) y marketing; y lo anterior obliga a recurrir al *star system* y reforzar la mitología que lo rodea, en una espiral inflacionaria.

Por otro lado, los ingresos que las películas cosechan a través de sus distintas ventanas, y la funcionalidad del consumo en salas en ese nuevo orden y analizar la distribución digital, se encuentran en plena redefinición. Desde el corrimiento hacia el consumo doméstico, merced a la implantación del VTR, la difusión de los videocassettes y la transmisión por cable, han tenido lugar no sólo cambios en las cantidades absolutas, sino una profunda reestructuración en cuanto a las proporciones. Los largometrajes estadounidenses, por ejemplo, disponen de una serie de medios a través de los cuales se pueden recuperar las inversiones —en un recorrido secuencial bastante tipificado, como el que sigue—: el circuito interior de cines (durante unos cuatro meses); el internacional (entre cuatro y dieciocho); el parque nacional de vídeo (de seis a treinta); los externos (entre nueve y veinticuatro); el cable en el territorio de la Unión (de treinta y seis a sesenta); las televisiones extranjeras (cuarenta y ocho a sesenta); el segundo canal de cable nativo (sesenta y seis a setenta y dos); y, por último, las ventas a canales independientes.

La elocuencia del número de ventanas *no cinematográficas* y de sus respectivas periodicidades de explotación de los productos exime de más explicaciones: se sabe que, debido al lento declive de la afluencia a las salas y a la inflación de los costes de producción y marketing, son escasas las películas que se amortizan, y menos aún las que arrojan un saldo positivo, en ese primer circuito. Cuando se piensa en la *vida* de los films, ésta no puede limitarse en exclusiva a un canal que, por lo general, registra pérdidas, puesto que en la concepción de aquéllos se tienen en cuenta todas las restantes fuentes de beneficios, donde la fecha de caducidad del producto se aplaza *sine die*. Invirtiendo las tornas, el consumo doméstico adopta el perfil de *interlocutor principal* de la industria audiovisual en general: el más agradecido destinatario de sus productos. El valor de la recaudación en sala se ha transformado en exponente del potencial en las ventanas posteriores —y, por tanto, indicador para la tasación de los derechos de distribución. Las películas y series funcionan, según las modas estacionales, como *locomotoras* (*battery rams*) y como buques insignia de los que depende el prestigio de las cadenas de todo el mundo. Por su parte, los compradores europeos encuentran en la elevada rentabilidad de dichos productos una solidez que los impulsa a aportar capitales de manera regular, en una fuente de financiación clave para el Hollywood actual.

A estas alturas, los balances comerciales no hacen sino constatar que el desnivel en el intercambio de productos audiovisuales, tradicionalmente favorable a Hollywood, se ha disparado en las últimas dos décadas. El dato confirma el acertado diagnóstico de Gomery al cifrar la omnipotencia de Hollywood para colocar sus productos en el mercado internacional como puntal de su dominación: en la balanza de pagos estadounidense, los beneficios que genera la exportación de contenidos televisivos sólo son superados por el sector aeronáutico.

No es extraño que los grandes productores actuales no tratan tanto de abaratar los costes de producción como de garantizarse la financiación afianzando las infraestructuras de distribución —las cuales, a su vez, soportan el actual volumen de comercio. Paradójicamente, la escalada presupuestaria ejerce la función de limitar la competencia de los agentes externos, mientras que la estabilidad de los mercados secundarios actúa como fondo de garantía. Y ante esta traba, la reproducción mecánica de los esquemas comerciales de eficacia probada se antoja la lógica instalada en el corazón del sistema.

CAPÍTULO 8
ELEMENTOS DE PRODUCCIÓN DE CONTINUIDAD Y PROGRAMACIÓN DE TELEVISIÓN GENERALISTA

CESÁREO FERNÁNDEZ FERNÁNDEZ

8.1. INTRODUCCIÓN

La bibliografía específica dedicada al análisis, tratamiento explicativo o descriptivo, a la investigación o didáctica de la producción de continuidad y programación televisivas es, no sólo escasísima (salvo los manuales técnicos de usuario de las máquinas y sus programas informáticos), sino que además, tal vez sea la que existe en menor cantidad en cuanto a la atención específica de una faceta concreta del universo de la comunicación audiovisual. No sólo eso —ya sin referirnos a monografías de temática exclusiva o dominante sobre la continuidad televisiva— la atención que se dedica a esta faceta de la comunicación audiovisual, identitaria respecto de la televisión en sí, dentro de obras que versan sobre la televisión en general o alguno de sus aspectos particulares, es igual y sorprendentemente muy reducida. Baste decir, al respecto, que libros paradigmáticos y tan aparentemente apropiados —u obligados— desde sus títulos, para abordar de manera nuclear la continuidad televisiva como, por ejemplo, *Cómo hacer televisión* (Solarino, 2000), o *Manual básico de tecnología audiovisual y técnicas de creación, emisión y difusión de contenidos* (Martínez y otros, 2004), o *La programación de televisión* (Contreras y Palacio, 2001), o bien *El diseño gráfico en televisión* (Hervás, 2002), apenas hacen referencia a la misma. Y siempre desde consideraciones o aproximaciones marcadas por la subsidiariedad de la continuidad respecto de alguna faceta de la comunicación audiovisual televisiva, a saber, la puramente tecnológica, empresarial, de marca o imagen, etc., pero nunca desde una posición de identificación biunívoca entre televisión y continuidad televisiva, y nunca desde un abordaje de las facetas de ésta, de su esencia, de su forma de ser implementada, etc. Es de destacar la obra *Realización de los géneros televisivos* (Barroso, 1996) como una en la que el tema de la continuidad televisiva es tratado con mayor importancia, en uno de sus capítulos, pero aun así, tampoco se puede encontrar ahí una guía a lo que supone de nuclear la continuidad respecto de lo que la televisión es en esencia. Sin menosprecio de la calidad de estas obras citadas, bien al contrario, ni de ninguna otra del campo de la televisión y la comunicación televisiva, se echa sistemáticamente en falta una atención a la continuidad televisiva, que arroje luz sobre una actividad, sistema, conjunto de procedimientos y fenomenología comunicativa que, siendo el alma de la televisión, se desarrollan en una sala para especialistas que suele ser un misterio para el resto de agentes de la comunicación televisiva, sean de la índole o especialidad que sean y, muy particularmente, para críticos, académicos o todo aquel que no la haya ejecutado, que no haya trabajado en la materialización de su cuerpo abstracto. Aún así cabe destacar en este panorama, los recientes trabajos de Joan Costa (2006) y Cristina González Oñate (2007a, 2007b), que han abordado el estudio de la continuidad en televisión como elemento fundamental para la creación de marca y a través del análisis de sus microunidades discursivas. Precisamente, tal vez la complejidad, diversidad y alta especificidad de la labor, máquinas y sistemas de continuidad televisiva, hace que sea difícil establecer estándares al respecto que puedan ser recogidos bibliográficamente a modo de paradigma y que, la formación de operadores, técnicos, diseñadores y responsables de continuidad televisiva se desarrolle directamente sobre el terreno, en el ejercicio práctico de sus diferentes cometidos y funciones (siempre asistidos por el conjunto del equipo humano encargado de la continuidad, así como por los manuales técnicos de usuario de los dispositivos). Además, las labores y funciones de producción de continuidad y programación televisivas —al igual que los diversos sistemas y dispositivos implicados— han sido siempre muy diversos y específicos según cada centro emisor a nivel de tipos y marcas de los equipos y de los protocolos de diseño e implementación.

Por añadidura, es difícil que, incluso en los centros de formación técnica o superior del audiovisual, existieran —y se emplearan— sistemas y equipos como los que se han venido usando en la producción de continuidad televisiva (lo que incluye dispositivos multimagnetoscopio robotizados, soportes digitales de almacenamiento masivo dedicados, programas informáticos específicos de tipo *playlist*, matrices dedicadas de distribución de señal, mezcladores complejos de imagen y audio, muy amplio panel de monitores, sistemas universales de enlace e intercomunicación, etc.).

Como se trata y se desarrolla más adelante, la continuidad y programación televisivas —la televisión en sí— presentan una esencia, una forma de ser y hacerse, marcadas por un antes y un después del llamado *apagón analógico*. Y, si bien, como ya se ha mencionado, y debe quedar muy claro, la televisión no es la tecnología que la hace posible, sí que se puede afirmar que la mutación tecnológica que, —en el campo de la comunicación—, representa la digitalización (especialmente en todo lo concerniente a la emisión de señal), induce a su vez una mutación tan fuerte sobre la propia noción y esencia de televisión —y sobre el concepto de continuidad televisiva y su producción— que ya las obras o manuales que quieran tratar de ella, no podrán centrarse en describir todo aquello que hasta ahora la ha caracterizado. Algo que se aprecia, de hecho, en varios de los títulos de la bibliografía que se adjunta al final de este capítulo, en que, el término *televisión*, ya no aparece sin adjetivar, fundamentalmente con la palabra *digital* o *interactiva*. Así, en el momento que la televisión deja de ser sólo televisión, tal vez sólo la continuidad televisiva —en cuanto que forma virtual de producción audiovisual— le permita a aquélla seguir existiendo en cuanto que una forma residual (o no tanto) de producción destinada a la efectivización sociológica de una cierta forma de empleo del tiempo, ya sea de ocio, de adocenamiento o, en el mejor de los casos y prácticas, de enriquecimiento cultural y propiamente social.

Desde los conocimientos de que abastece la práctica profesional, cruzados con la reflexión teórica y la investigación empírica, este capítulo pretende exponer qué es, y cómo se hace, televisión. Más allá de la etimología del término, que remite de forma concreta a la noción de "visión a distancia", la televisión es un concepto abstracto. Porque la televisión no es ni visión en sí, ni siquiera aquello que se ve (y se oye). La televisión no es los productos audiovisuales que recibimos en nuestro *televisor*. La televisión es *la continuidad de un discurso audiovisual*. Pero, puntualicemos, es la *continuidad en sí* de ese discurso audiovisual, no el propio discurso audiovisual, no la información que ese discurso vehicula, no los programas que transmite, no las piezas que componen los programas o la programación que se emite, ni la identidad visual de la que se sirve o engendra, y tampoco la tecnología con que se hace. De ahí que digamos que se trata de un concepto abstracto. La televisión es pues continuidad pura, o la pura continuidad de una programación audiovisual. Esa continuidad que representa la televisión, es algo fenomenológico, que emana de una estrategia de diseño, elaboración, implementación y gestión de una programación audiovisual.

Resulta fundamental que estas ideas queden claras para comprender qué es —y qué es hacer— televisión, más allá de la operación de equipos y de la conquista de audiencias. La insistencia en este punto se funda en la reivindicación de la televisión como servicio (cultural y público) frente a su concepción como negocio o instrumento modelizador de conciencias. Y, a la vista de lo que ha venido siendo la televisión y su evolución, parece que, en verdad, no se ha comprendido qué es la televisión, al menos por parte del público en general y, muchas veces, tampoco por parte de sus analistas y críticos. En cualquier caso, en el presente momento de desarrollo tecnológico y de los sistemas y estructuras de comunicación —al igual que de los hábitos y potencialidades sociales de consumo de comunicación audiovisual— si atendemos a la definición de televisión que hemos presentado, pudiera parecer que la televisión llega a su fin, o bien que la continuidad de discurso que representa, dejará de tener un consumo principal por parte de la población, en lo que a acceso al producto audiovisual se refiere. En vista a lo que las tecnologías digitales y de red representan e instauran, podríamos hacer un símil hidráulico que se ajusta muy bien a cómo está mutando la televisión, tanto en lo relativo a su consumo como a su producción: hace años, en nuestro país, el agua que salía por el grifo de las casas —aunque también destinada a otros empleos— era la que principalmente se bebía; hoy —aunque sigue saliendo agua potable por los grifos— el agua que se bebe es embotellada (de diversas marcas y en diversos formatos).

Estos párrafos introductorios nos parecen necesarios porque la continuidad televisiva ha ido mutando radicalmente tanto en su vertiente tecnológica, como operativa, como de lenguaje. Por ello, hablar de producción de continuidad y programación televisivas en estos momentos, supone situarse en un territorio altamente inestable que nos obliga a presentar los modos y formas de producción de continuidad televisiva, tal y como se ha venido haciendo en los últimos tiempos —incluso con alguna revisión de tipo histórica— junto con planteamientos añadidos de tipo prospectivo respecto de lo que serán en el futuro. Desde luego, como hemos dicho antes, algo marcará inevitablemente el punto de inflexión: el "apagón analógico". Con esto queremos puntualizar que, no es tanto la irrupción de la TDT lo que cambia la televisión y la producción de continuidad televisiva, ni las cadenas temáticas, ni siquiera la convergencia con Internet, sino que es el apagón analógico, es decir, la desaparición de la actual forma de ser de la televisión para el espectador —basada en el simple gesto de apretar un botón y ver qué aparece en pantalla— lo que va a sacudir la principal forma de consumir —y por ello también la forma de hacer— programación audiovisual. A pesar de ello —como planteábamos más arriba al asignar a la continuidad televisiva la capacidad y condición de salvaguarda de la televisión (a secas)— el mecanismo de apretar sólo un botón y obtener con ello la automática efectivización audiovisual que colme la sed de amortización del tiempo libre, sin pensar más, perdurará, sin duda, como forma de adocenamiento y modelado social, al igual que se sigue bebiendo agua del grifo cuando, acabada la embotellada, no se quiere salir a reponerla. Y, por añadidura, como veremos más adelante, la continuidad televisiva perdurará también gracias a las emisiones de directos, que alimentan una cierta concepción perversa de la noción de actualidad (algo de nuevo, relacionado con la cuestión del tiempo). Es decir, en el universo plenamente digital, sin duda, la identidad entre televisión y continuidad televisiva se mantendrá al servicio de las menos enriquecedoras formas de empleo del tiempo, a las que la población española dedica cuatro horas diarias ante las pantallas-grifo (que expulsan un agua muchas veces malsana para el espíritu).

8.2. CONTINUIDAD Y PROGRAMACIÓN TELEVISIVAS DE TIPO GENERALISTA. ASPECTOS BÁSICOS

Como hemos dicho, la televisión es la continuidad de un *discurso* audiovisual. Y por ello supone una articulación formal concreta del *decurso* de dos elementos básicamente: contenidos y publicidad. De manera que podemos caracterizar la producción de continuidad televisiva como la puesta en emisión de tres grandes tipos diferenciados de material o materia audiovisual:

- Contenidos: que son, a su vez, de dos grandes tipos, a saber, producción propia (especialmente programas informativos, así como concursos, talk-shows, series, tv-movies, etc.) y producción ajena (especialmente películas de ficción, así como, series, documentales, etc.).
- Publicidad: que es, a su vez, de dos grandes tipos, a saber, publicidad comercial e ideológica y publicidad de la propia cadena (autopromoción de la cadena y de la programación).

- Sintaxis audiovisual articuladora de programación: que es, a su vez, de dos grandes tipos, a saber, intraprograma (cabeceras, copys, etc.) e interprograma (cortinillas, loops, cartones, logo, etc.).

Estos tres grandes tipos de material televisivo, tienen una duración que va en orden decreciente a como se han presentado, si bien, cada vez es más normal que bloques de publicidad lleguen a durar más que las piezas de contenido, o las partes en que se fragmenta su emisión, así como que proliferen microespacios, generalmente comercialmente patrocinados, que son más breves que los propios bloques de publicidad previos y/o posteriores. Igualmente, algunos *sinfines* (o loops) —ya sean de imagen de cadena, ya sean de promoción comercial— a veces se extienden de manera desmesurada debido al ajuste de las desconexiones (ventanas) entre centros territoriales (fundamentalmente por las diferencias respectivas de emisión de publicidad en cada centro territorial). En cualquier caso, la sintaxis audiovisual articuladora de programación es la esencia de la continuidad televisiva por cuanto que es la que se encarga de suturar contenidos con publicidad. Esto es perverso, por cuanto que la televisión, entendida como servicio (cultural y público), debería contribuir a la "elevación cualitativa de la audiencia" y no perseguir su incremento cuantitativo. Si bien la realidad de la televisión actual basa su existencia en el sustento publicitario (al menos en España y la mayoría de los países, ya sean cadenas públicas o privadas).

En cualquier caso, la sintaxis audiovisual articuladora es, independientemente de esto, la que se encarga de producir la continuidad de la programación en sí. Algo que, en la *paleotelevisión* tenía una función auténtica de sintaxis, frente a la función de producción de sincretismo que tiene en la *neotelevisión*. Digamos al respecto que, la *paleotelevisión*, se componía de programas que se dieron dentro de un régimen de concurrencia restringida. En ella, el programa tenia valor por si solo. El flujo de la programación venía dado por el peso propio de cada programa, por su contenido aislado, y no se producía contaminación entre la diversidad de géneros televisivos. Los programas/relatos de la *paleotelevisión* se producían pensando en su contenido y en el público. Por contra, en la *neotelevisión*, la programación ya no es una relación de programas-tipo diferentes, nítidos. La *neotelevisión* es la contaminación y el sincretismo erigidos en principio organizador a través del flujo sinérgico entre diferentes formatos y la propia publicidad. Los programas/productos en la *neotelevisión* se producen pensando de antemano en la franja de emisión y la audiencia (que deshumaniza al público convirtiéndolo en dato). Así, en la televisión generalista actual, la continuidad tiene la función de recomponer —de otro modo— aquello que en verdad fragmenta, y, además de recomponerlo de otro modo, también componerlo solidariamente —de multiplexarlo— con el resto de programación (de ahí su acción de producción de sincretismo).

La sala de continuidad, denominada *control de continuidad* o simplemente *continuidad*, es el corazón de todo centro de producción y emisión de programas. Allí llegan todas las producciones (propias y ajenas), más la publicidad (comercial y de promoción de cadena y programas), más todos los elementos de grafismo articulatorios interprograma y, en algunos casos, también intraprograma (tanto los totales como los destinados a incrustación o sobreimpresión, ya sean de cadena, de programa o comerciales). Siguiendo los criterios y protocolos —tanto permanentes, periódicos y diarios— se implementa la programación con todo ese material y se pone al aire.

Respecto de los contenidos, el *programa* es la unidad básica de la parrilla de programación de una cadena de televisión. La programación es consecuencia lógica de la ordenación, fragmentación y articulación de este concepto base, el programa. Programar es planificar la emisión de unos contenidos, en forma de programas, ajustándolos a una cadencia horaria a lo largo del día, y con periodicidad o no respecto de la semana. A lo largo de toda la parrilla de programación diaria, existe un franja horaria especial, la del *prime time*. Es aquella en la que se concentra el mayor número de espectadores. Se corresponde con las horas de mitad del día y las de la noche que, según el ritmo de vida del país, coincide con las que las personas están presentes en los hogares en mayor número y disponibilidad para el consumo de televisión (generalmente el momento de la comida y la cena, respectivamente). En prime time, entre otros, se emiten los informativos diarios de producción propia, que son los productos estrella de toda cadena de televisión generalista. El resto de la parrilla de emisión diaria, que no es *prime time*, se denomina *day time*.

8.3. FUNCIONES Y CATEGORÍAS PROFESIONALES DE CONTINUIDAD Y PROGRAMACIÓN TELEVISIVAS

Los organigramas que componen el conjunto de funciones y categorías profesionales que definen y abarcan todas las tareas y responsabilidades implicadas en la producción de continuidad y programación televisivas son muy variados según las diferentes cadenas de televisión. También, en función de las cadenas, se dan variaciones en la denominación concreta de los puestos y la delimitación específica de sus tareas respectivas. Sin embargo, podemos decir que el abanico se extiende entre las figuras del director de programación y el operador de continuidad.

El director de programación es la persona que tiene la función de diseñar el ensamblado de todos los mecanismos para que la emisión se produzca fielmente según la estrategia emisora de cadena. El programador participa en la definición de la línea editorial de la cadena, supervisa la selección de compras, orienta las inversiones de producción, las planifica en el tiempo y puede intervenir en todos los contenidos, fuera de la información. Pero sobre todo, es un estratega y un táctico en la planificación general y cotidiana de los programas: es él quien lleva a cabo el diseño estratégico de la parrilla. En otras palabras, el programador asume el riesgo cultural de la cadena y, en gran medida, también el riesgo empresarial.

La figura del operador de equipos de continuidad se sitúa en el otro extremo en cuanto a responsabilidad programática (mínima en este caso), pero también en el otro extremo de responsabilidad en cuanto a la operación concreta sobre los sistemas, dispositivos y equipos con que se implementa la programación en sí (máxima en este caso). Así, es el encargado de convertir en efectivas todas las funciones y tareas de los puestos superiores que se describen a continuación. Dado que es quien preparará, ejecutará y controlará de manera constante la emisión diaria de la cadena, su jornada de trabajo suele desarrollarse por turnos semanales de mañana, tarde y noche (abarcándose, según los casos las 24 h) que llegan a suponer un trabajo de entre siete y diez horas diarias a lo largo de siete días consecutivos (seguidos de otros siete de descanso). Esto es así para que, el operador de equipos de continuidad, se integre lo más posible dentro de las rutinas temporales periódicas de ejecución y control de la emisión que suelen presentar homogeneidad según ciclos semanales.

Entre el director de programación y el operador de equipos de continuidad, cabría señalar como significantes las siguientes figuras, cuyas funciones y tareas se exponen detalladamente para así componer una lista representativa de las muy diversas facetas que conlleva la producción de continuidad y programación televisivas.

– Jefe (o secretario) de Emisiones:

Su función es organizar, supervisar y gestionar la emisión, parrillas de programación y la escaleta de continuidad, así como los productos audiovisuales programados.

Sus principales tareas específicas, (aparte de aquellas que, de acuerdo a su cualificación profesional, le sean encomendadas por su inmediato superior, al igual que ocurre con todas las figuras o puestos profesionales) son:

- o Contactar con las distintas áreas implicadas.
- o Confeccionar las parrillas de programación.
- o Elaborar y actualizar la orden diaria de emisión, mediante la relación de los distintos elementos de programación.
- o Vigilar en la escaleta de continuidad, el cumplimiento de las normas de emisión de publicidad, de programas y películas, además de las directivas y pautas establecidas.
- o Recepcionar, comprobar y archivar el material programado.
- o Coordinar los recursos técnicos y operacionales necesarios para el control de la calidad técnica del material audiovisual exigida para su emisión.
- o Elaborar y notificar informes y datos relativos a la emisión de la programación.
- o Controlar y archivar el material de seguridad y ajustes/ a fin de tener siempre cubierta la emisión en caso de eventualidades.
- o Mantener y actualizar el archivo de documental e informático del departamento.

– Jefe de Sala (o Editor) de Continuidad

Su función consiste en realizar la continuidad de la emisión siguiendo las pautas de la escaleta (o minutado) de continuidad.

Sus principales tareas específicas, aparte de aquellas que, de acuerdo a su cualificación profesional, le sean encomendadas por su inmediato superior son:

- o Ejecutar lo programado en la escaleta de continuidad, dirigiendo el conjunto de personal de operadores de equipos de continuidad o Velar por la estricta puntualidad de la programación, controlar para ello los tiempos de entrada y salida de cada programa y realizar los cálculos necesarios para cuadrar dicha programación.

o Controlar la hora real de emisión de publicidad.

o Coordinar la emisión de programas en directo con los realizadores / productores respectivos.

o Cumplimentar aquella documentación relacionada con la emisión.

o Realizar la grabación de la copia judicial.

o Decidir (en caso de ausencia de superior y ante situaciones imprevistas) cambios en los contenidos de la emisión diaria; con criterios preestablecidos o los propios si la situación así lo requiere.

   o Saber manejar y, en su caso, manejar los equipos implicados en la continuidad de la emisión.

   o Participar a instancias de su superior en el diseño de elementos de continuidad.

   o Controlar la calidad de la imagen y del sonido de la emisión.

— Coordinador de Programas

Su función consiste en estudiar, analizar, proponer y realizar la producción ejecutiva de los proyectos coproducción y/o adquisición de derechos de antena de producciones audiovisuales ajenas.

Sus principales tareas específicas, aparte de aquellas que, de acuerdo a su cualificación profesional, le sean encomendadas por su inmediato superior son:

   o Participar en foros y organismos para trasladar criterios y directrices sobre las producciones.

   o Analizar y documentar las propuestas de coproducción y/o adquisición de derechos de antena.

   o Participar en la negociación de las condiciones de participación en los proyectos de coproducción.

   o Elaborar la documentación económico administrativa necesaria para llevar a cabo los proyectos.

- o Realizar la producción ejecutiva de las coproducciones.
- o Elaborar propuestas de programación de los programas terminados.

— Coordinador de Producción Ajena

Su función consiste en asesorar sobre las producciones ajenas, coordinar su adquisición y dar soporte técnico a la explotación de las existencias, de acuerdo con las políticas y objetivos de la cadena.

Sus principales tareas específicas, aparte de aquellas que, de acuerdo a su cualificación profesional, le sean encomendadas por su inmediato superior son:

- o Analizar el mercado y documentar las producciones ajenas de interés para la cadena.
- o Estudiar, analizar y proponer las alternativas de producciones ajenas a programar.
- o Asesorar a su Jefatura respecto a la selección de producciones ajenas a adquirir.
- o Participar en la negociación de los contratos.
- o Definir los datos y criterios necesarios para la elaboración de la documentación económico-administrativa necesaria para la tramitación de los contratos.
- o Realizar el seguimiento de ejecución de los contratos, e informar la recepción del material.
- o Coordinar y supervisar los procesos de producción previos a la emisión
- o Mantener los inventarios de existencias de producción ajena.

— Coordinador de Publicidad:

Su función consiste en coordinar la emisión de publicidad entre la Dirección Comercial y la continuidad de televisión.

Sus principales tareas específicas, aparte de aquellas que, de acuerdo a su cualificación profesional, le sean encomendadas por su inmediatosuperior son:

- o Recepcionar y distribuir el material publicitario.
- o Asignar codificación y preparar todo el material publicitario en coordinación con la Dirección Comercial.

- o Asegurar la actualización de datos en los sistemas de información de publicidad en continuidad y emisiones.
- o Comprobar órdenes de publicidad.
- o Verificar la adecuación del contenido de los espot y material publicitario, a la legislación vigente.
- o Archivar y gestionar el material publicitario hasta su devolución a las Agencias de publicidad o centrales de compra.
- o Modificaciones (altas, bajas y sustituciones) de la orden de publicidad una vez comenzadas las emisiones.
- o Comunicar los cambios de programación de última hora y adecuar la publicidad a dichos cambios.
- o Certificar la hora real de emisión de la publicidad. Incidencias.

8.4. PRINCIPALES DOCUMENTOS EN LA GESTIÓN DE LA CONTINUIDAD TELEVISIVA

Existe gran cantidad de documentos y formularios implicados y necesarios en la producción y gestión de la continuidad televisiva, pero —sin merma de importancia y funcionalidad para todos y cada uno de ellos— dos son, con diferencia, los que podríamos denominar como principales o guía fundamental de la labor de emitir la programación televisiva: la parrilla semanal de programación y el minutado diario (o escaleta de continuidad).

La parrilla de programación recoge el conjunto de programas que componen la programación semanal de la cadena. Sólo recoge los programas, es decir, los elementos de contenido de la emisión y, por ello, es, además de una guía para el personal de continuidad y programación, un elemento publicitable (por ejemplo, en la web de la cadena televisiva) para el conocimiento público del día y horario de emisión de los diferentes programas que componen en sí la programación semanal de la cadena. La figura 1 muestra un ejemplo de parrilla en el formato original para el manejo por parte de los profesionales de la continuidad televisiva. La figura 2 muestra un ejemplo de parrilla publicitada en web. En el primer caso, a diferencia del segundo, aparecen indicaciones relativas a duraciones totales, clasificaciones de edad del público o audiencia a que van destinados los programas respectivos, así como otros códigos de orientación para los profesionales de la continuidad.

PERIODE DEL 18 DE MARÇ AL 24 DE MARÇ DE 2002   SETMANA Nº 12

12	DILLUNS 18	DIMARTS 19	DIMECRES 20	DIJOUS 21	DIVENDRES 22	DISSABTE 23	DIUMENGE 24	
8	*BABALA*	*BABALA*	*BABALA*			*BABALA* Ossiu 17-18/52 Voltron II 4/13	*BABALA* Ossiu 19/52 Voltron II 5/13	8
	Histories mons 34 -Doraemon II 284 Dennis i Gnasher I 3/13	Histories mons.35 -Doraemon II 285 Dennis i Gnasher I 4/13	-Ajuste -Ossiu 16 -Voltron II 1-3/72 -Dennis i Gnasher I 5-7/13			Doraemon II 286/450 Dennis i Gnasher I 8/13	Doraemon II 287/450 Dennis i Gnasher I 9/13	9
9	*Llarg animat*	*Llarg animat*	EN LINIA 364-366/375					
10	"Joc i la bella dorment" 62'	"El vent al salzes" 72'	EN COMPANYIA DE SALOME 371-373/380			*Llarg animat*	"Una musica un poble V" 10/26	10
11	*Llarg animat* "Asterix i la sorpresa del Cesar 73'	*Llarg animat* "Tin-tin i el temple del sol" 78'	BON DIA COMUNITAT VALENCIANA 41-43 EN CASA DE BARBARA 470-472/489			"Sebastià l'os sideral: 1ª missió" 79' "De la A a la Z" 914	@RRELS 24/25	11
12	*SESSIÓ MATINAL* Presentació 98	*SESSIÓ MATINAL* Presentació 99	LA MÚSICA ES LA PISTA 1019-1021			*SESSIÓ MATINAL* Presentació 100	*SESSIÓ MATINAL* Presentació 101	12
13	"Mi amigo el fantasma" 102' (T.P.)	"El dragón del lago de fuego" 107' (T.P.)	RADIO NOTICIES III 18-20/24 SHASTA 19-21/22 EL PRINCIPE DE BELAIR III 11-13/24			"El gangster y la corista" 96' (N.R.13)	"Confianza y triunfo" 93' (t.p.)	13
14	Comiat	Comiat				Comiat	Comiat	14
15	Maestrat de València		NOTÍCIES 9			NOTÍCIES 9		15
16	TELA MARINERA 903	*TARDES DE CINE* "Fluke" 86' (T.P.)	TELA MARINERA 904-906			*TARDES DE CINE* "Los inmortales III: el hechicero" 91' (N.R.13)	*TARDES DE CINE* "Más allá del odio" (90') (N.R.13)	16
17	OFRENA DE FLORS	BOUS DES DE VALÈNCIA	PUNT DE MIRA 737-739					17
18		(Enrique Ponce, Vicente Barrera, El Califa) (Dir.)	*CINE DE L'OEST* "Mátalo!" 80' (N.S.)	*CINE DE L'OEST* "El sendero de la muerte" 79' (t.p.)	*CINE DE L'OEST* "Dos hombres van a morir" 81' (N.R.18)	*TARDES DE CINE* "Black rain" 117' (N.R.13)	*TARDES DE CINE* "Al filo de la sospecha" 102' (N.R.13)	18
19								19
20		DOSSIERS 347 (r) (Gr.)	QUEDA'T AMB MI 105-107			DOSSIERS 348 NOTÍCIES 9	EL Y ELLA (R) NOTÍCIES 9	20
21			NOTÍCIES 9				MINUT A MINUT 12	21
22	EL Y ELLA 112,116,121/125 CANAL 9 PRESENTA Presentació 38 "Anaconda" 82' (N.R.13)	NIT DE LA CREMÀ 259	TÓMBOLA	FUTBOL Copa UEFA València Inter de Milà	EL Y ELLA 101 INVESTIGACIÓ TV	FUTBOL Betis Sevilla	*CINE TOTAL* Presentació 19 "Quédate a mi lado" 118'	22
23								23
24	*CINE DE NIT* "Las dos caras de la verdad" NOTÍCIES 9 3ª ED. 122' (N.R.18)			*CINE D'ACCIÓ* "Infierno de cristal" 22 NOTÍCIES 9 3ª EDICIÓ 86' (n.r.18)	22	*CINE D'ACCIÓ* "Sabotaje" 97' (n.r.18) MIKE HAMMER 4/24	(T.P.) Serie POLTERGEIST EL LEGADO II 4/24	24
01					PANORAMA D'ACTUALITAT 22/24		MEDIAS DE SEDA VII 1/22	01
02	*CINE DE MITJANIT* "Grito de redención" 90' (N.R.18)	*CINE DE MITJANIT* "Perversiones de mujer" 108' (N.R.18)	Serie Cinco en familia IV 16/24	*CINE DE NIT* "Sociedad anónima" 88' (N.S.) *CINE DE MITJANIT* "La vida de Lilian" 91' (N.R.18)	*CINE DE MITJANIT* "Diablo de asfalto" 101' (N.S.)	EL FARO DE ALEJANDRIA 134/136	COLP D'ULL 245 (R) *CINE DE MITJANIT* "Enemigos de guerra" 91' (T.P.)	02
03								03
04								04
05								05

"Notícies 9 3ª edició Dill-Dium. 23:30h.

Parrilla Genérica de Programación

	LUNES	MARTES	MIERCOLES	JUEVES	VIERNES	SABADO	DOMINGO
12:00						MUSICA I PUNT	VIATJES INCREIBLES
13:00						MEDIAMBIENT (R)	BASQUET LIGA ACB
13:30						SOLIDARIS (R)	
14:00			BABALA (Infantil)			BABALA (Infantil)	BABALA (Infantil)
15:00			A FLOR DE PELL (Telenovela)			CARTELL DE BOUS	TRINQUET
16:00						LA LLIGA	
16:30			MUSICA I PUNT				
17:00						FUTBOL 2ªB	SPORTS
18:00			BABALA (Infantil)				
19:00			INFORMATIVO METROPOLITANO			FUTBOL 2ªA	
19:30			TEMPS DE JOC (Deportes)				EUROPA AL DIA
20:00							EL NOU EUROPEU
20:30			DOCUMENTAL			MOTOR A PUNT	MEDITERRANEO
21:00			LA PANTALLA DE LA SORT (Concurso)			CORTS VALEN.	CIFESA (R)
21:30			SERIE			NOTICIES DEL MON	
22:00	ENTRE BASTIDORS	SENSE FILTRE	MEDIAMBIENT	CIFESA	SOLIDARIS		MINUT A MINUT
22:30	CRONIQUES DE LA TERRA	CINE MADE IN C.V.	DOCUMENTAL	CINE V.O.	CINE CICLOS	LA CAMERA DEL TEMPS	
23:00	TELEMANIA X		DOCUMENTS				
23:30			MONUMENTS HISTORIES VIVES				
24:00	SERIE	IMATGES DE LA MEMORIA	COLP D'ULL ENTREVISTAS	CORTOS	COLP D'ULL		FUTBOL 1ª (R)
24:30			ULTIMA HORA (Informativo)				
01:30			MUSICA I PUNT			EN CONCERT	MUSICA I PUNT (R)

F

Figura 2

En ambos caso, se puede percibir que la información que suministra la parrilla respecto de la programación de la cadena, está estructura por filas de horas y columnas de días y se puede abarcar de un golpe de vista para toda la semana. Es simple, compacta y estructurada por bloques destacados de repetición según la periodicidad semanal que puedan presentar los diversos programas. Como también se apreciará, en el modelo publicado (figura 2) tan sólo se indica en nombre genérico de los espacios o programas que componen la parrilla, mientras que en el modelo profesional (figura 1) aparecen además los títulos específicos de las piezas que esa semana ocupan diferencialmente cada espacio o programa.

En la figura 3 aparece, a modo de ejemplo, parte del minutado de un día de emisión.

Minutat de L'Emissió
DIJOUS 21/03/02 Num D'Emissió: 4547 Cadena: CANAL 9

HORA D'INICI	DURACIÓ	PROGRAMA	TIME CODE	FONT VIDEO/AUDIO	DLS	HORA DE DIFUSIÓ	Nº DE CINTA
14:52:38	0:03:52	Bloc 405H PUBLICIDAD 31870 UNILEVER/REXONA XM5 31828 PESCANOVA PJ2 31647 PASCUAL/BIOFRUTAS BF5 31788 PROMEDIATE/LEVANTE AND 31841 UNILEVER/KNORR KC1 30007 BENCKISER/COLON CR1 31468 P & GMAX FACTOR HY1 31606 P & GMAX/GAL IL12 31905 LECHE PASCUAL/NATA NP6 2 de 2					
14:56:30	0:00:29	9FUTHJ FUTBOL HUI DIJOUS					
14:56:59	0:00:08	CCA103 CORTINETA INFORMACIÓ					
14:57:07	0:00:06	Bloc 406A PUBLICIDAD 31983 31982C9E C.RURAL ENT PRCE					
14:57:13	0:00:01	ORATM L'ORATGE					
14:57:14	0:00:06	Bloc 406B PUBLICIDAD 31984 31982C9E C.RURAL SAL PRCS					
14:57:20	0:23:20	PO088431 NOTICIES 9 14H DILLUNS-DIVENDR 58 NOTICIES 9 14H DILLUNS-DIVENDR 3 de 3		DIREC			
15:20:40	0:00:04	COPY3 COPY C9 2002-03					
15:20:44	0:00:30	ACTELAD A CONTINUACIÓ TELA MARINERA					
15:21:14	0:00:08	CCA104 CORTINETA FESTA					
15:21:22	0:00:50	Bloc 406H PUBLICIDAD 31216 CAJA RURAL CJ2 31505 HERBA/LA FALLERA PMM1 29631 DANONE/PETIT PA2 1 de 4					
15:22:12	0:00:26	QUEDA4HJ QUEDA T AMB MI HUI DIJOUS 2 de 4					
15:22:37	0:03:40	Bloc 406H PUBLICIDAD 31815 UNILEVER DOVE DS1 31496 G BLANCA/SALSAS LAS					

RTVV

DEPARTAMENT DE EMISSIONS/PLANIFICACIÓ DE L'EMISSIÓ

Figura 3

Como se puede apreciar, el minutado presenta formato apaisado, dada la necesidad de incorporar gran cantidad de información en las columnas, como es, en las principales, hora de inicio, duración, nombre completo y código identificador, fuente de vídeo y audio si es pertinente. Y eso para cada programa, pieza o unidad programática que compone la emisión de ese día, incluyendo, además de los programas en sí (ya sean grabados o en directo), todos y cada uno de los espot publicitarios, de las promociones, copys, cortinillas, etc. Como también se puede apreciar, cada una de las unidades, además de llevar indicado el código correspondiente, aparece asociado a un bloque, en el caso de la publicidad, así como indicada la parte del total, en el caso de programas. Además, la indicación de su hora de emisión aparece fijada con la precisión de horas, minutos y segundos. Por lo tanto, el minutado es el documento principal de referencia y trabajo para el personal de continuidad. Como se ve, a diferencia de la parrilla semanal, que ocupa una sola página, el minutado diario ocupa varias páginas, llegando, según la densidad y variedad de programas y publicidad, a extenderse a lo largo de varias decenas de páginas. El minutado suele llegar a la sala de continuidad a mediado o final del día anterior al que corresponde (salvo para los días correspondientes al fin de semana o festivos, que suele llegar con mayor antelación) y debe ser transcrito y ajustado por los operadores de continuidad a la aplicación informática equivalente, denominada *play-list*, que se encargara de su ejecución automatizada a través de las diversas máquinas, dispositivos y sistemas que componen el equipamiento material de la gestión e implementación de la continuidad televisiva. Igualmente, es a través del minutado que, con la suficiente antelación, debe hacerse la comprobación de que se dispone del material a emitir (a veces, cuando alguna pieza o unidad se retrasa, puede ser cuestión de minutos y suele ser el jefe de sala quien determina el momento y toma la decisión de hacer modificaciones en la emisión prevista por la no disponibilidad del elemento programado. Lo mismo pasa con las emisiones en directo, si bien, respecto de estas, se comprueban reiteradamente las líneas a medida que se acerca su momento).

Otros documentos de gran importancia en la gestión e implementación de la continuidad televisiva son:

- La lista de promoción de la emisión, que recoge todas las piezas promocionales con identificación de nombres, códigos, duraciones, hora y posición en la programación, etc.
- El listado de bloques para emisión de la publicidad, que recoge todos los espot que se emiten en el día, agrupados por bloques

de emisión, con indicación, igualmente, de nombres, códigos, duraciones, hora y posición en la programación, etc.

— Partes de modificaciones e inclusiones, que recogen las modificaciones de orden u hora de misión e cualquier pieza (en particular promociones y publicidad), así como su eliminación, si es el caso.

— Partes de repicado de cinta para emisión, que especifican todas las características, particularidades o defectos de las cintas a emitir.

— Parte de incidencias, donde se recoge cualquier incidencia ocurrida en la emisión (en particular, emisiones de publicidad fuera de franja por duración excesiva de directos, fallos en la emisión, fallos o defectos en la señal de retorno, etc.), así como la hora de cierre de la emisión diaria.

Es de destacar que la Universitat Jaume I de Castellón, tiene colgados en la página web de su Laboratorio de Comunicación Audiovisual y Publicidad (LABCAP), modelos de parrillas de programación y escaletas de continuidad, a disposición de los alumnos, profesores y profesionales, con los que proyectar y ejecutar diseños de programación televisiva, desde las completas instalaciones técnicas de que dispone al efecto (www.labcap.uji.es).

8.5. LA SALA: SISTEMAS Y EQUIPAMIENTO PARA EL CONTROL Y GESTIÓN DE LA CONTINUIDAD

La implementación, gestión, ejecución y control de la continuidad televisiva se lleva a cabo en una sala principal, denominada como *control de continuidad* o, simplemente, *continuidad*, que se encuentra integralmente enlazada (líneas de señal e intercomunicación) con todos los platós y salas de producción del centro de producción y emisión de programas, así como, lógicamente con control central. A su vez esta sala se coordina con otros departamentos, como el de comercial, el de grafismo, el de archivo y documentación, el de cambio de formato, etc. La sala suele depender del departamento de emisiones, y se complementa con la sala de repicados y visionado, que preparan el material a emitir.

El equipamiento, distribución y organización de la sala pueden ser muy diversos, en función del sistema de emisión, la maquinaria y los programas que utilice la cadena para poner en obra la continuidad de su programación y su emisión. Sin embargo se pueden destacar como nucleares, los siguientes elementos y dispositivos técnicos de gestión de la continuidad, que configuran a su vez grandes áreas de importancia y atención particular dentro de la sala.

- El mezclador de continuidad: es la pieza central del sistema, donde se ejecuta el lanzado al aire de las unidades que componen el minutado o escaleta de continuidad y en la forma prevista. Si bien mantiene su presencia física —con una gran cantidad de buses de línea, botones de activación y configuración, selectores de transición, efectos y máscaras, zonas de keying, de configuración y control de audio, potenciómetros, indicadores, etc.—, este mezclador se encuentra altamente automatizado y en gran medida controlado por sistemas de software e interfaces gráficos asociados. Así, ya no es el dedo, o la mano, del operador de continuidad quien ejecuta las transiciones de programa a publicidad y viceversa (o la que operación de que se trate), aunque, en esos momentos el operador esté bien atento para comprobar que las cosas ocurren como están programadas y subsanarlas "en caliente" si fuera preciso, pinchando directamente sobre el dispositivo activador oportuno.

- El sistema robotizado de gestión de cintas: consiste en un dispositivo equipado con diversos magnetoscopios de emisión que van siendo alimentados desde una serie de bins en que se alojan las cintas de vídeo a emitir. La información que permite al brazo robotizado seleccionar las cintas desde los *bins* y alimentar los magnetoscopios, así como la información que permite al dispositivo saber cuando hacerlo (iniciando o cortando la reproducción) se encuentra en forma de códigos de barras que son leídos óptimamente por el brazo del robot, así como en u-bits grabados en las cintas, que lee el magnetoscopio.

- El sistema informático de automatización del mezclador y de gestión de imagen digitalizada: se compone de ordenadores, discos duros y programas que se presentan bajo la forma de interfaces gráficos, en los que se refleja el minutado tal y como debe ejecutarse, así como el material audiovisual digitalizado para emisión. Estos interfaces gráficos son, principalmente, el del gestor de *play-list* (Figura 4) y el del servidor de imagen digitalizada (Figura 5). En el play-list se refleja el minutado, o escaleta de continuidad, con todos sus componentes y parámetros y, además, todas las determinaciones específicas relativas a tipo de transición. Igualmente, en el play-list se establecen los protocolos de automatización de la emisión.

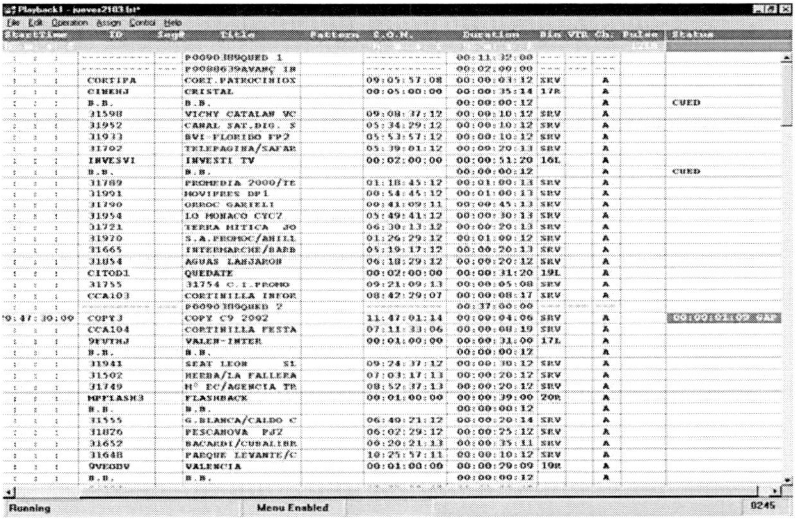

Figura 4

Estos tres elementos trabajan de manera conjunta y coordinada y, por lo tanto, suelen corresponder a un mismo sistema integrado que normalmente pertenece a una misma firma tecnológica (En el caso de Sony, el sistema se denomina *Flexicart*).

Aparte de estos elementos nucleares —entre los que también hay que incluir el sistema de matrices de direccionamiento de señales, así como, lógicamente el panel de monitores— en la sala de continuidad no pueden faltar otra serie de elementos y dispositivos complementarios como, por ejemplo, la tituladora; la librería, o banco, digital de imágenes, cartones y cajas gráficas; el insertador de logo; los magnetoscopios auxiliares y de ingesta digital; los sistemas de intercomunicación; el monitor de retorno; los magnetoscopios de grabación continua de la emisión al aire; etc.

8.6. PROCEDIMIENTOS DE PREPARACIÓN, GESTIÓN, IMPLEMENTACIÓN Y CONTROL DE LA EMISIÓN

El trabajo de producción de la continuidad televisiva puede llegar a ser muy estresante en algunos momentos, dado que la emisión se ejecuta y desarrolla al frame (de hecho, es común trabajar con unidades de 6 frames de negro como separadores brevísimos en los pasos a publicidad desde programa), y también puede ser muy relajada, dado que, cuando no hay problemas, casi todo funciona de manera cuasiautomática y además siempre se tiene todo preparado y listo. En cualquier caso, el trabajar en directo absoluto respecto del servicio del conjunto de la programación a la población en general, exige estar siempre alerta a posibles fallos o problemas. Además, una de la funciones principales de la producción de continuidad es su control, con lo que se tiene que estar permanentemente atento al monitor de programa y al de retorno, para comprobar de manera sistemática y constante que la emisión funciona según lo establecido en el minutado. Por otro lado, la existencia de diversos momentos, o puntos, del minutado en que se va a directo (o se vuelve de él) obliga a estar haciendo frecuentemente verificación de líneas, avisos a equipos de realización en estudio, a hacer cuentas atrás para sincronizarse mediante intercomunicación, etc. Así mismo, como dijimos en la introducción, la continuidad televisiva es en realidad una práctica de sutura de una fragmantación inducida: fragmentación de contenidos para recomponerlos tras haberlos amalgamado con la publicidad. Por ello, el minutado está completamente puntuado de transiciones, momentos siempre críticos en que los operadores de continuidad no pueden despistarse para velar por la correcta ejecución de lo previsto.

Por lo tanto, la producción de continuidad televisiva supone tres tipos de actividad bien diferenciada, aunque al servicio de lo mismo, que es, conseguir que, en cada momento del día y de la noche, en los televisores de la población, aparezca (o al menos llegue) sin interrupción, el discurso que desde la cadena se ha proyectado emitir y en el tiempo y forma que se ha diseñado. Estos tres grandes tipos de actividad son los siguientes.

- La preparación de la emisión (tanto del material audiovisual a emitir, como de todos los dispositivos, sistemas y documentos en que se apoya la posibilidad de emitirlo): por un lado, se tendrá que tener listo todo el material de contenido, el de publicidad y el de sintaxis audiovisual articulatoria. Y esto, ya sea en cinta, ya sea en disco duro. Y tenerlo, además de listo, perfectamente codificado e identificado para poder utilizarlo, ya sea por parte del operador, ya sea por parte de la máquina previamente programada. Para ello, se tendrán que haber llevado a cabo las labores previas de visionado y repicado, o, según los casos, de ingesta digital, del material en sí. Pero además, por otro lado, se tendrá que haber analizado y transcrito a su destino, toda la documentación que recoja, justamente la configuración de la emisión para el día. Es decir, tendrán que haberse mantenido los protocolos comunicativos de intercambio de información entre los diversas partes, responsables e integrantes de los equipos y departamentos implicados en la producción de continuidad y programación de la cadena.

— La ejecución de la emisión: supone implementar lo establecido en el minutado de emisión, a la vez que reflejar los cambios que, durante la propia emisión, puedan llegar desde instancias de responsabilidad superior. Igualmente supone reaccionar a los imprevistos y situaciones críticas o complicadas. Al respecto, la suspensión (por ejemplo por lluvia) de un espectáculo deportivo que está siendo retransmitido en directo, puede descasar todo el timing previsto y obligar a un rediseño parcial del minutado ayudándose de material de tipo *colchón* para poder rellenar el *gap*. El caso contrario vendría representado por la retransmisión en directo de un acto importante que se alargara fuera de toda expectativa, con lo que podría peligrar la emisión de los bloques de publicidad dentro de la franja horaria que les corresponde, planteándose entonces la disyuntiva de suprimir o acortar elementos de contenido o bien de mantener lo establecido para ellos en el minutado a costa de tener que indemnizar a las empresas anunciantes. También son especiales los casos de emisión de continuidad en simultaneidad para otras cadenas, o la recepción de señales vía enlace. En ambos casos la coordinación entre puntos y el mantenimiento de una intercomunicación permanente es fundamental para asegurar el éxito de la continuidad de la emisión.

— El control de la emisión: esta actividad tiene por finalidad el detectar y subsanar todo fallo técnico o de implementación del minutado a lo largo de cada instante de emisión. Así, se tendrá que avisar al departamento de difusión cuando, funcionando todo bien en la continuidad, falle la señal de retorno. Otro problema que puede producirse es un fallo de reproducción —ya sea en cinta o en disco— de cualquier elemento del minutado. En ese caso, si se trata de un elemento de contenido, se pasa a la copia *dub*, de la que se suele disponer, haciendo los ajustes de sincronización pertinentes para producir, si es posible, una conmutación invisible estando al aire. Y, si se trata de un elemento de publicidad, se pasará al *volcado*, que es una cinta en que se graba por bloques programados, el día anterior a la emisión, el total de los spot que se van a emitir, y en el mismo orden, aunque se repitan. Aquí la sincronización para el corte invisible al aire estará asegurado por el procedimiento que se sigue de lanzar sistemáticamente en paralelo el *volcado*, cada vez que se entra en un bloque de publicidad. Esto demuestra la primacía que ostenta el material publicitario frente al de contenido, en cuanto a la garantía de su emisión en tiempo, forma y calidad (una primacía que también queda demostrada por el hecho de que, el logo de la cadena, se incruste sobre todo elemento de contenido —lastimándolo en una pequeña parte de la esquina de la pantalla— mientras que sobre la publicidad no se incruste el logo, dejando el encuadre como tal). En casos muy esporádicos, se dan errores en la identificación del material a emitir, produciéndose repeticiones de capítulos de series o emitiéndose espot que no corresponden, lo cual deberá ser detectado para indicarlo en el parte de incidencias y subsanarlas (esto suele ser difícil de detectar y es por lo que, como dijimos en partes anteriores de este capítulo, los horarios de los operadores de continuidad suelen ser extensos y de siete días seguidos a la semana, con descanso posterior de otros siete, pues así se está más metido en el material que se está emitiendo y se puede ser más consciente de errores como los que se acaban de describir).

8.7. APUNTE SOBRE LA CONTINUIDAD Y PROGRAMACIÓN TELEVISIVAS TRAS EL APAGÓN ANALÓGICO

Si bien nos hemos referido en este capítulo a la producción de continuidad y programación de televisión generalista, la gran pregunta que queda por resolver ante el cese de las emisiones analógicas es si, a pesar de que la televisión se haga interactiva, a pesar de la convergencia con Internet y los sistemas *P2P* y *peer-to-peer*, a pesar de los canales temáticos y del vídeo bajo demanda, a pesar de los sistemas digitales receptores con capacidad de segregación y recuperación de programación, etc., si a pesar de todo eso, el concepto de televisión generalista seguirá perviviendo. Es decir, si seguiremos con una media de 4 horas diarias de dedicación a consumir aquello que no venga previamente formateado en su flujo discursivo (o que venga formateado de manera diferente en otro tipo de flujo de penetración, sin duda, igualmente "hipodérmica"). Seguramente, salvo que se produzca un cambio en el sustrato cultural de nuestra sociedad, los nuevos procedimientos de consumo audiovisual doméstico, que implican un cierto esfuerzo de actuación y/o selección por parte del espectador, no acabarán con la práctica de sentarse a ver "qué ponen" o "qué echan". Entre otras cosas, está en juego una forma de comunicación publicitaria cuya efectividad alcanzada hasta ahora, es difícil de igualar en perversión relativa a la inducción de hábitos de consumo, comportamiento, pensamiento, incluso voto. Sin duda, las prácticas publicitarias en las nuevas formas de televisión digital, distribuida e interactiva, pasan por otorgar un papel preponderante y creciente a las técnicas de grafismo encargadas de generar sobreimpresiones publicitarias —ya sean comerciales ya sean de la propia programación—. Sobre los elementos de contenido (las piezas y los programas), como ya se está viendo que ocurre en las pantallas de nuestros caducos televisores. Pero, en cualquier caso, frente al consumo de la próxima televisión, que suponga que haya que ir a buscarla al ciberespacio, en vez de esperarla en casa con la boca abierta, seguro que pervivirán formas de televisión generalista basadas en la producción de continuidad y programación audiovisual *ready-made, pret à porter* o, digamos —haciendo un juego de palabras con la terminología digital— de ingesta directa y sin pasar por el cerebro. De hecho, también en la retransmisión de directos, sobre todo de espectáculos deportivos, la televisión basada en continuidad y programación puede tener futuro, máxime cuando la compra de derechos es lo que determina a veces la preeminencia, incluso la supervivencia.

Para terminar este capítulo, pensemos que el poder de la continuidad televisiva reside, no sólo en su alcance emisor sobre la población, sino, sobre todo, en la sincronicidad de ese alcance.

CAPÍTULO 9
EL GUIÓN EN LA PRODUCCIÓN AUDIOVISUAL DE FICCIÓN

Francisco Javier Gómez Tarín

9.1. EL GUIÓN EN LA TEORÍA

9.1.1. El guión como proceso en permanente construcción

El guión audiovisual es siempre un producto "en construcción". Esta característica es esencial para entender los procesos por los que pasa y su desarrollo final. Se trata de un texto nacido para morir, abocado a su utilización como herramienta, efímero; su cambio nunca se detiene, nunca podemos hablar de un "guión final", salvo aquel que se construye a partir del film terminado, leyendo y anotando cada una de sus partes y evoluciones. Desde esta perspectiva, podría pensarse que se trata de un material inútil e inservible, pero nada más lejos de la realidad, puesto que sin él difícilmente puede llevarse a cabo una producción audiovisual.

Este matiz tiene una importancia capital porque debe hacer consciente al guionista de que su trabajo nunca puede ser una "obra terminada" y, por lo tanto, su destino efímero le obliga a desvincularse de él, a no hacerlo propio, cual si se tratara de una obra literaria, sobre todo si tenemos en cuenta que el guión literario (que es lo que aquí nos ocupa de momento) es una pieza de uso y redefinición. El realizador, junto al ayudante de realización y, en contadas ocasiones, del guionista, reelabora posteriormente el texto del guión y su visualización en planos. Lo cual nos permite indicar una cuestión de suma importancia: un guión audiovisual no es una obra literaria ni debe utilizar los esquemas lingüísticos de esta. Este es uno de los errores más frecuentes en los principiantes y debe ser eliminado desde un primer momento.

Aunque más tarde insistiremos en ello, hay unas premisas que deben ser respetadas de forma ineludible: en un guión la narración debe hacerse en presente (sin valoraciones ni elementos que no sean "visualizables"), el aspecto formal requiere cumplir una serie de normas elementales, los aspectos técnicos (planificación) no deben indicarse, ya que no son competencia del guionista. Será bueno ejercitarse desde un primer momento con estas normas.

Partiremos del establecimiento de una línea imaginaria que divide dos continentes, Europa y América[1]. Aquí nos encontramos con la primera diferenciación: una visión distinta de la creatividad cinematográfica desde cada lado del océano.

Las definiciones siempre son odiosas y necesariamente parciales. En un afán por sintetizar, Syd Field define el guión como *una historia contada en imágenes, y añade que trata sobre una persona o personas, en un lugar, o lugares, que hacen una cosa.* Para los teóricos americanos, una película debe ser ante todo *acción* (en un sentido amplio del término) y la definición de Field responde claramente a esa premisa, siendo lo suficientemente ambigua como para poder ser aceptada en general. En ella se esboza ya un elemento tan concreto como la(s) *unidad(es) espacial(es).*

Obsérvese cómo la obsesión americana por el cine de acción lleva a una confusión elemental entre la "actividad" y "el acto", puesto que la concepción de acción americana va casi inmediatamente ligada a la espectacularidad. Sin embargo, la acción —que sí es una base ineludible del guión— es algo mucho más precioso: puede haber acción interior, en la línea de la transformación de un personaje o de conflicto, como veremos.

Carrière y Bonitzer, por su parte, hacen una definición sensiblemente diferente, ya que para ellos *es la descripción más o menos precisa, coherente, sistemática y, en lo posible, comprensible y atrayente, de un suceso o de una serie de sucesos, cualesquiera que éstos sean.* Aquí encontramos dos elementos que interesa especialmente destacar: *en lo posible* y *cualesquiera.* Estas palabras confieren un cierto grado de indefinición a la propuesta europea, que abre un margen prácticamente infinito para el guionista. Es decir, el guión es *preferiblemente*

---

[1]   Trabajaremos esencialmente sobre cuatro textos canónicos: Field (1995), Carrière y Bonitzer (1991), Blacker (1993) y Chion (1989). Para la agilidad de nuestro texto evitaremos citarlos repetidamente (la formulación de nuestra exposición irá colocando en su lugar cada autoría). Además, haremos uso de otros planteamientos teóricos cuya citación sí se llevará a cabo de forma normalizada.

una descripción / historia contada, pero sólo preferiblemente. Poéticamente se subraya esta interpretación al redefinirlo como *el sueño de una película*.

Michel Chion respeta la definición de Field, pero introduce la diferenciación entre historia y discurso. Pese a no profundizar excesivamente en esta distinción, se hace patente la discrepancia en la base de las concepciones americana y europea. Esta, la europea, es más dada a la teorización, pero deja el camino libre a las diversas formas de creatividad; aquella, la americana, es absolutamente práctica, precisa, no contempla posibilidades arriesgadas. Este es un esquema que debemos mantener en mente porque, como veremos, condiciona el tipo de trabajo a desarrollar por el guionista ya que detrás de las opciones teóricas planteadas hay muy determinados y, en algunos casos, normativizados modelos de representación que obedecen a objetivos concretos en cuanto a la plasmación de las ideas en el terreno audiovisual.

9.1.2. Propuesta de definición

Intentando una conciliación entre las diversas teorías sobre la materia, definiremos el guión como un *discurso escrito a través del cual es posible describir en imágenes algún hecho, acción o sensación*. Evidentemente, hemos optado por una mayor amplitud y ambigüedad que pueda dar cabida a cierto riesgo, aliándonos de esta forma con la visión europea pero sin despreciar la americana. Y aquí se hace patente cómo estamos reivindicando una concepción mucho más amplia, sin renunciar a algunas de sus esencias:

- *Discurso escrito*: el guión debe necesariamente presentarse en un soporte literario, aunque, como veremos, ese no sea su formato de escritura. Esto implica que su finalidad sea meramente práctica, que esté abocado a un proceso sin fin en el cual no hay otro destino que el uso y la superación. El guión, como antes hemos indicado, nunca es un "producto final".

- *a través del cual:* he aquí una insistencia en el mecanismo de "proceso", de "medio" y no de "fin". El guión establece un puente entre la película imaginada y la película en creación, pero su objeto se cumple en el momento del rodaje y el producto resultante es otro muy distinto.

- *es posible*: primer uso de un nivel de ambigüedad, que nos permite pensar en una opción entre otras al tiempo que afirma la calidad de plasmar por escrito nuestra imagen mental.

- *describir en imágenes*: la esencia del guión no es otra que la descripción en presente, tal y como las imágenes mentales nos permiten visualizar ese film todavía no realizado. Hay que entender claramente que esta descripción no implica en modo alguno florituras literarias, inscripciones axiológicas ni componentes técnicos o de planificación.

- *algún hecho, acción o sensación*: frente al afán normativo del modelo americano, proponemos un enriquecimiento considerable de las posibilidades al incorporar la posible descripción de hechos (acontecimientos verdaderos o ficcionales, que nos acercarían a un método de trabajo de carácter documental), acciones (tal y como propugnan los manuales americanos al uso) y/o sensaciones (con lo que se deja abierta la opción de un relato intimista, subjetivo, cuyo entorno no esté justificado por acciones o, al menos, no en una medida prioritaria).

Han aparecido ya dos términos esenciales: historia y discurso. Una distinción básica entre ambos, que afectará al desarrollo de nuestra exposición posterior, consiste en diferenciarlos y dotarles de contenido. La historia no es ni más ni menos que aquello que narramos, "la serie cronológica de los acontecimientos relatados, por oposición al *relato*, que es la manera de relatarlos" (Gaudreault y Jost, 1995: 43); en consecuencia, alteraremos a partir de aquí nuestro léxico para hablar de *historia* y *relato*, dejando el término discurso para utilizaciones de otro calibre que se salen de los objetivos que tenemos planteados pero que, no obstante, afectan a la concepción global de cualquier proyecto. *Grosso modo*, historia es aquello que contamos y relato la forma en que lo contamos.

¿De dónde obtener una idea de partida? ¿qué nos mueve para desarrollar una historia y ponerla en imágenes? No es este un trabajo de inspiración (sin despreciar lo que esta puede aportarnos), sino de reflexión, de observación, de detenimiento y especulación.

Tomemos una noticia cualquiera de la página de sucesos de un periódico: *un indigente encontrado muerto en el interior de un vehículo calcinado*. Ya tenemos una base para trabajar: ¿quién era esa persona? ¿por qué apareció muerta en el vehículo? ¿quién incendió el coche? ¿es un asesinato? ¿es un hecho fortuito: la muerte le sorprendió mientras dormía en el interior? La historia que construyamos va a servirse de un acontecimiento real para extrapolar una ficción. Siguiendo con nuestro ejercicio, tomaremos como *leit motiv* esta noticia y seguiremos reflexionando sobre ella a lo largo de las páginas sucesivas.

Inmediatamente comprendemos que no es posible construir un relato a partir de este esquema inicial si antes no somos capaces de establecer aquello que nos mueve: tenemos un acontecimiento, pero nos falta una idea de base sustentada en un tema moral.

Hallado el cadáver de una persona en el interior de un coche calcinado en Valencia

EFE

VALENCIA

Los bomberos han localizado en el interior de un coche que se había incendiado en una calle de la ciudad de Valencia el cadáver calcinado de una persona, según han informado fuentes de la Jefatura Superior y de los Bomberos.

La víctima es, según las primeras investigaciones policiales, un indigente, del que, por el momento, no se han precisado datos sobre su identidad.

El incendio se ha originado, por causas no precisadas, alrededor de las 04:15 horas de esta madrugada en la calle Francisco Tormo, en una zona próxima a la intersección con la calle Pablo Meléndez, donde se ha producido el incendio de un Volskwagen Passat.

El cadáver se encontraba en la parte delantera del vehículo y la policía ha iniciado una investigación para esclarecer los hechos.

9.1.3. IDEA Y TEMA. TRAMA Y ARGUMENTO

Si optamos por el ajuste de cuentas, por el crimen, estaremos más cerca de una concepción anclada en la acción; si, por el contrario, nos inclinamos por una reflexión sobre las condiciones de vida del indigente, la construcción de ambientes y personajes adquirirá una fuerza inusitada y quizás prefiramos un carácter íntimo para el relato, sosegado y poco manejable con los criterios de la acción. Así pues, la misma historia (el acontecimiento) discurre por diversos caminos y hace posible diversas formas de narración (relato).

Pero necesitamos algo más: ¿de qué hablamos en realidad? La corrupción, el malestar social, la pobreza… El tema habrá de encauzar todo el trabajo del guionista a lo largo de su recorrido. Habrá que tomar decisiones. Hagámoslo: nuestro tema será la crisis social; construiremos una historia sobre un hombre de clase media que se ve empujado a la indigencia por la sociedad tras perder su trabajo y, como consecuencia, su familia. Resultado de todo ello, decide acabar con su vida.

Con un tema que nos guía, la historia ha sido acotada y es necesario plasmarla en un texto. Podemos comenzar por el final (el descubrimiento del cadáver), o narrar de forma lineal, desde los días en que esa persona era feliz con los suyos, o alternar recuerdos… La historia es la misma en todos los casos, el relato cambia. Ese relato es la base sobre la que se habrá de realizar el producto audiovisual, es el guión.

El guión, pues, necesita de una estructura sobre la que sustentarse y que le dé consistencia y efectividad. En este terreno, las coincidencias entre la posición americana y la europea son más que notables, lo que indica a las claras que el trabajo creativo obedece a consideraciones prácticas universales.

Syd Field estableció su famoso *paradigma*, que prácticamente se ha convertido en un clásico de la teoría del guión y puede decirse es aceptado por todos los autores, con mayores o menores reticencias a la hora de su aplicación. Basándose en la división en tres actos heredada de la tradición aristotélica, identificados como *principio, confrontación y resolución*, el paradigma puede mostrarse gráficamente como:

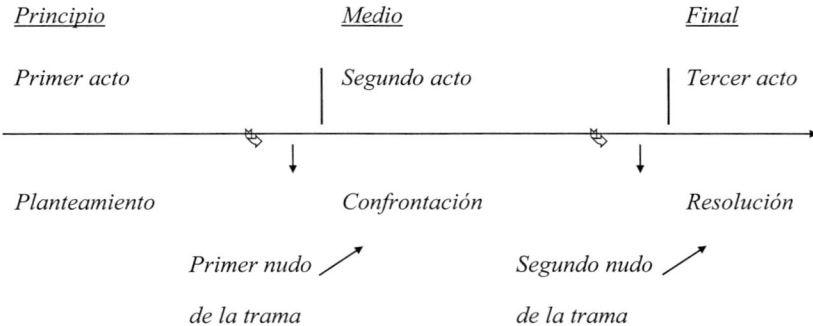

Field añade a su estructura concreciones tales como que una página de guión equivale a un minuto de película terminada o que el planteamiento va hasta la página 30, el conflicto hasta la 90 y la resolución hasta la 120; incluso marca la posición para los nudos de la trama. Este hermetismo obedece a la tradición dogmática de manual (una especie de hágalo usted mismo, pero siga estas normas), en la que nosotros no nos detendremos por estimar que difícilmente puede calibrarse este tipo de exactitudes y correspondencias. Ahora bien, el *paradigma* no se pone en cuestión por otros autores debido a las similitudes prácticas y es bien cierto que la mayoría de las producciones de largometraje tienen una estructura de 30-60-30 minutos, con una tendencia a reducir los tiempos de la parte inicial y final.

Repasemos los elementos:

- *Primer acto* → Planteamiento que permitirá conocer lo esencial de la trama: QUIÉN es el personaje principal, de QUÉ trata el relato y CUÁL es la situación (DÓNDE y CUÁNDO). Su contenido es esencialmente informativo.

- *Segundo acto* → Confrontación del personaje con sus obstáculos u oponentes para la consecución de su objetivo. Evidentemente, estos elementos no necesariamente son materiales. Esta confrontación es asimilada generalmente a conflicto, aunque se trata de un carácter semántico.

- *Tercer acto* → Resolución del conflicto y desenlace, sin dejar cabos sueltos.

- *Nudos de la trama (Plots points)* → Field los define como *acontecimientos que se enganchan a la historia y la hacen girar en otra dirección*. Se trata de eslabones, elementos sorprendentes que generan nuevas expectativas en el relato. Es esencial que hagan avanzar la acción, por ello los sitúa en su paradigma justo antes del cambio de cada acto, es decir, el *plot point* desencadena la nueva perspectiva. Esto no quiere decir que solamente hayan dos a lo largo del guión, sino que estos dos para Field son indispensables.

Field define la estructura dramática como *una disposición lineal de incidentes, episodios o acontecimientos relacionados entre sí que conducen a una resolución dramática*. En realidad, esta estructura general es aplicable asimismo a cada una de las secuencias en que se divide el film.

Podemos aceptar estas definiciones siempre que las interpretemos con la mayor amplitud y nos permitan insertar en ellas la *dicotomía cine de plot (americano) versus cine de caracteres (europeo)*, formulada por Pascal Bonitzer. Es decir, incidente, episodio o acontecimiento sería cualquier tipo de acto, incluso íntimo o sensitivo/sensorial (pensemos en films en los que no existe acción en modo alguno y la relación se establece entre cámara y rostros de personajes u objetos; esto no implica que no se dé un *acontecimiento*). Por otro lado la linealidad también se puede aceptar en cuanto a disposición física en el film, como continuidad, al igual que acontece con la relación entre los componentes. Optamos por una interpretación muy amplia de estas definiciones y por lo tanto no nos parece aceptable estimar número de escenas concreto o posicionamientos físicos del *plot point* en una página del guión preseñalizada.

Otros autores mantienen la posibilidad de una estructura en cuatro actos:

> "El tercer acto de Field contiene dos partes muy importantes y muy diferentes una de la otra: la resolución —que pronto llamaremos clímax— y el epílogo, que corresponde a mi concepción del tercer acto. Estas dos partes son tan diferentes que otro teórico, Robert McKee, optó por referirse a la existencia de 4 actos, es decir, 3 actos y un epílogo.
>
> No he entendido el interés por separar lo que Field llama el segundo acto de ese momento capital en que se resuelve la acción. Y sigo pensando que la ruptura "durante el objetivo —después del objetivo" es mucho más fuerte, más evidente, que la ruptura "segundo acto de Field— tercer acto de Field" que curiosamente el autor de *Screenplay* nunca justifica" (Lavandier, 2003: 158-159)

Así, el nudo de la trama más importante sería el que se da en el momento del *clímax* (Lavandier, 2003: 160) y un segundo nudo dramático en importancia sería el *incidente desencadenante*, que se produce en el primer acto como una ruptura de la situación de normalidad cotidiana del protagonista, "hasta el día que..." (Lavandier, 2003: 163). La coincidencia con las propuestas de Syd Field no impide que hayan puntos de discrepancia.

Por otra parte, la estructura que distribuye el esquema presentación → conflicto → desenlace y sus puntos de giro, puede y debe ser reproducida a nivel de las unidades menores discursivas, como es el caso de las secuencias. Por ello, el propio Field propone una segunda delimitación para fijar un punto medio en la trama (*mid-point*) para que se establezca una relación de continuidad similar a la del *plot* entre las dos partes del segundo acto, que denomina *pinch I* y *pinch II*. Tal *mid-point* serviría para impedir que la acción decaiga (Brenes, 2001: 52)

Tenemos, eso sí, un punto de acuerdo general: el personaje cambia a lo largo del film, se transforma. Esta esencia del conflicto es reivindicada por todos los autores hasta tal punto que para Pascal Bonitzer un guión se define como *la historia de un envejecimiento o un rejuvenecimiento (renacer)... un "hacerse algo"*. Tal cambio se desarrolla a lo largo de todo el guión hasta alcanzar un clímax (explosión) que se cierra con un desenlace (reajuste, vuelta a la normalidad). El final, para todos los autores, será siempre irrefutable.

Otro punto de acuerdo es la *ley de progresión continua* del guión; las escenas deben encadenarse de forma que aporten información nueva, que hagan avanzar la historia (Si una escena no causa la siguiente, la trama se desarticula y sólo obtenemos una serie de retablos narrativos inconexos, según Blacker). Denominaremos *causalidad* a esta premisa.

Independientemente de los elementos mencionados, es frecuente que se den añadidos, tales como *teasers* en el inicio, con el objetivo de captar la atención del espectador, o epílogos que eliminen la posibilidad *de cabos sin atar*, como es el caso de los *ganchos* (*cliff-hanger*), que son nudos dramáticos situados al final de una obra y que suscitan el deseo de conocer lo que en teoría habría de venir a continuación (Lavandier, 2003: 174). Como vemos, la tradición aristotélica planea como un inmenso manto sobre las concepciones estructurales del guión.

Todo guión trata sobre algo, una premisa, un concepto moral de base, una idea principal a través de la cual gira todo y que obliga a rechazar todo aquello que no la alimente o desarrolle. Para Blacker esa premisa puede ser explicitada en una frase, es el cimiento sobre el que se construye (Por ejemplo, *la ambición conduce a la auto-destrucción*, en *Macbeth*).

La trama del film responde a esa idea, la ejemplifica. Esto no implica la inexistencia de *intrigas secundarias*, que son deseables siempre que apoyen la principal. La trama sería el correlato del conflicto; dicho de otra forma, el conflicto es la visualización de la trama.

"... además de aquello de lo que se habla (el tema) es necesario saber lo que se dice (la tesis). Ninguna historia tiene sentido, fuerza o interés más que si se enuncia una proposición (tesis) sobre un sujeto general (tema).

La cuestión de la escritura es, pues, triple:

- ¿Qué *contar* (la historia)?
- ¿De qué se *habla* en lo que se cuenta (tema)?
- ¿Qué se *dice* (tesis)?

Es de hecho imposible fijar un orden para resolver estas cuestiones. A veces el deseo de enunciar un propósito preciso (una tesis) arrastra al resto y se presenta claramente a la consciencia". (Maillot, 1989: 24)

Aunque, en apariencia, la decisión sobre el tema a tratar es un proceso previo a la redacción del guión, la propia coherencia de su desarrollo pone de manifiesto la práctica imposibilidad de gestionarlo de forma desvinculada del resto de parámetros, hechos y/o acciones a desarrollar, y, cómo no, de la consistencia de los personajes, que, si se trabaja bien, deben tener personalidad propia y responder siempre a tal delimitación. El "tema" da unidad a la acción, compacta la trama argumental, pero sólo es desvelado al final como consecuencia del desarrollo completo del guión (Brenes, 2001: 75).

Volviendo a nuestro ejemplo, tenemos un tema (la crisis social provoca la degradación personal) y debemos ilustrar una tesis: la muerte del indigente es consecuencia de la carencia de valores en la sociedad capitalista, la mano que ejecuta no es la del suicida sino la del contexto social. Presentación, desarrollo y desenlace parecen, así, evidentes, pero no podremos captar la atención del espectador sin una cuidada evolución del personaje y de sus vicisitudes.

En consecuencia, la película se habrá de sustentar sobre el conflicto, que demanda una serie de requisitos esenciales. Por encima de todo, debe darse la causalidad y continuidad ascendente entre las distintas escenas, pero hay algunos elementos que ayudan a captar y mantener la atención del espectador tales como que su formulación se lleve a cabo de inmediato, con el fin de centrarlo; el desarrollo de la acción en un tiempo determinado, lo que añade un factor de suspense, una lucha contra el reloj; que se vea, no se cuente verbalmente; que incluya planteamientos de tipo moral o intelectual que eleven la dimensión ética del film; la visión desde diversos puntos de vista de una misma trama, incorporando la fuerza de los personajes; la implicación en él del protagonista de forma absoluta, y otros recursos similares.

Blacker enumera una tipología de conflictos:

- *Conflicto entre el hombre y la sociedad.*

- *Conflicto de un hombre consigo mismo.*
- *Conflicto entre dos hombres.*
- *Conflicto entre el hombre y la naturaleza.*

Michel Chion, sin entrar en contradicción con las indicaciones de Blacker, y citando a autores como Dwight V. Swain o Vale, hace una exposición más interesante, en nuestro criterio. De un lado, establece los cinco factores esenciales de un guión:

- Existencia de un personaje principal,
- creación de una situación difícil,
- fijación de un objetivo,
- introducción de alguien o algo como antagonista, y
- existencia de un peligro terrible y amenazador.

Como puede verse, estos elementos coinciden plenamente con los relacionados por Field y Blacker, aunque Chion los expone desde una perspectiva estructural menos esquemática al insertarlos en el seno de una caracterización del conflicto más ambiciosa.

Partiendo de Chion, podemos reconstruir la estructura del conflicto con tres procesos esenciales:

- *Perturbación* → Toda la dinámica de un film está basada en perturbaciones de los personajes, que evolucionan en cuatro etapas: *estado no perturbado, perturbación, conflicto* o *lucha*, y *reajuste*. Todo ello da lugar a una perturbación general (a lo largo de toda la historia) y a otras secundarias.

  En esencia, se pueden desencadenar dos tipos de conflicto, el estático y el dinámico. El primero es vivido por el personaje de forma pasiva, no reacciona ante él, en tanto que el segundo lo es de forma activa, reacciona y lucha por superarlo (Lavandier, 2003: 48-49)

- *Dificultades* → La necesidad de una oposición al objetivo del personaje protagonista, determina una serie de inconvenientes que pueden ser clasificados en:

  o *El obstáculo* → Circunstancial y estático.

El obstáculo se define, por lo tanto, en relación con una voluntad, un deseo, a un ansia. El individuo, el objeto, el rasgo, la situación, el sentimiento son obstáculos sólo en la medida en que se oponen a aquello que llamamos objetivo. Es así como nace el conflicto: de la oposición entre el objetivo y el obstáculo.

o *La complicación* → Accidental y temporal.

o *La contra - intención* → Intención del antagonista por alcanzar la misma meta o impedir que la alcance el héroe.

En consecuencia, se pueden distinguir dos tipos de tensión: las generadas por problemas concretos y mecánicos; y las endógenas, generadas por el enfrentamiento de personalidades.

- *Meta* → Esencial para la historia y la trama del personaje, ya que nunca ha de perderse de vista. Debe reunir una serie de requisitos: ser específica y concreta, ser inmediata, estar fuertemente motivada y claramente establecida.

Además, Chion otorga una entidad relevante a los *accesorios*, que cumplen papeles funcionales como instrumentos, pero también reveladores, incluso simbólicamente, de los personajes o las situaciones; los clasifica en inertes y activos, haciéndose eco de Vale.

Todos estos elementos pueden adquirir mayor relevancia en nuestra historia si utilizamos un personaje a través del cual se desvele el desgarro social del indigente. Por tanto, el relato podría partir del acontecimiento (hallazgo del vehículo calcinado) y construirse con el soporte de una investigación policial. De esta forma tendríamos una estructura circular y la vivencia del suicida estaría filtrada por otro personaje (por ejemplo, un policía) cuya meta será la de averiguar qué ha ocurrido y, poco a poco, irá constatando el cúmulo de vicisitudes que han arrastrado al indigente hacia la muerte, lo que provocará una reflexión moral y la reconstrucción de dos instancias vitales, la del policía y la del indigente, entre las que convendría establecer paralelismos.

El conflicto, en tal caso, viene asegurado por la lucha de un hombre contra la sociedad, pero también consigo mismo, desvelando capas íntimas de ambas personalidades.

9.1.4. SUCESIÓN Y TRANSFORMACIÓN. PERSONAJES

La *sucesión dramática* es el primer elemento constitutivo de la historia (Carrière, 1993: 34), de lo cual se deduce que el *tiempo* es uno de los factores esenciales en todo relato audiovisual y el guionista debe tenerlo presente en cada una de las fases de su proceso creativo. Todo debe resultar interesante y para ello hay que:

- escoger adecuadamente la historia en función de su espectador potencial,

- relatarla con el ritmo que ella misma demanda,
- procurar que nunca decaiga la atención del público,
- desconfiar de los excesos en la longitud,
- diseminar las sorpresas,
- no sobrepasar límites de la verosimilitud o de una cierta lógica (Carrière, 1993: 117).

> "La norma de las tres unidades (tiempo, espacio, acción) no viene de Aristóteles —que insiste más que nada en la unidad de acción— sino de algunos teóricos italianos del siglo XVI y franceses del XVII. Efectivamente, los autores griegos respetaban las tres unidades la mayor parte de las veces, pero Aristóteles no hizo de ello una ley absoluta. Hoy en día, ya no hay por qué respetar las unidades de tiempo y espacio, sobre todo en el cine, pese a que tienen un cierto fundamento. Sin embargo, la unidad de acción sigue siendo capital y sólo debe infringirse con conocimiento de causa". (Lavandier, 2003: 199)

La acción cobra cuerpo gracias a la construcción de los espacios, la puesta en escena y la configuración de los personajes.

Syd Field lleva a cabo un detallado análisis del concepto de personaje que resulta incontestable en líneas generales. Ordenadamente, traza una serie de puntos cardinales que podemos concretar en tres ejes esenciales:

- Debe haber un *único protagonista*. El guionista debe elegir un personaje como protagonista (no necesariamente humano, puede serlo un edificio o un lugar, por ejemplo, pero, en general, será una persona o estará antropomorfizado). A un protagonista habrá de corresponder la presencia de un *antagonista*, del mismo calibre y entidad.

- Los personajes deben ser trazados teniendo en cuenta los elementos que configuran su *vida interior y exterior*. La vida interior corresponde a su biografía, al espacio de tiempo que va desde su nacimiento al inicio del film, es la forma del personaje. La vida exterior comienza cuando se inicia el film, es el espacio de tiempo narrado y debe centrarse en tres componentes básicos: espacio profesional, espacio personal y espacio privado Todo ello revela al personaje.

- Todos *los personajes* dramáticos *interactúan*:
  - Se enfrentan a conflictos para satisfacer su necesidad dramática.

- Interactúan con otros personajes.
- Interactúan consigo mismos.
- La construcción de un personaje implica la *creación de un contexto y un contenido*. La mirada que el personaje proyecta sobre el mundo es *su punto de vista*, su contexto; esta mirada generará una *actitud* que, a su vez, deberá responder a una *personalidad* interior, dando como resultado final una *conducta* y revelando así el personaje.

Es evidente que una serie de elementos exceden el espacio dramático del film, pero son imprescindibles para que los personajes tengan y muestren coherencia. Este es el caso de la *biografía*, aparentemente innecesaria, que se convierte en pieza fundamental del guión: para poder llevar a cabo con coherencia las diversas situaciones, los comportamientos y las reacciones de los personajes ante ellas (incluso su vestuario y modos psicofísicos de proceder) debe haber una información suficiente sobre sus antecedentes, de ahí que sea siempre aconsejable establecer una biografía en la que, además, se inscriban cuestiones relativas a aspecto, profesión, concepción de mundo, etc.

Para Lavandier, los personajes están directamente ligados a la confluencia de la dualidad objetivo-conflicto, eje central de toda la acción que se ha de desarrollar en el guión. Así, el protagonista no es otro que aquel que vive el mayor conflicto (*conflicto central*), con el que el espectador se identifica emocionalmente y, por ello mismo, le corresponde un único objetivo central, aunque pueda estar sembrado de sub-objetivos parciales; actúa de puente entre el autor y el espectador, ya que también suele responder al mayor proceso de identificación por parte del autor (Lavandier, 2003: 65).

"Para conseguir una historia lograda no basta con dotar de un objetivo único al protagonista. Es igualmente indispensable:

1. Que el espectador conozca o presienta rápidamente cuál es el objetivo. Mientras el espectador no perciba (más o menos conscientemente) la voluntad del protagonista, no empieza la historia y por lo tanto no tiene en cuenta todo aquello que se le está contando. La sensación no se puede soportar durante mucho tiempo. Esta primera condición impone que el autor conozca el objetivo de su protagonista. Es el único medio para construir historias rigurosas.

2. Que el objetivo esté justificado. El protagonista tiene que conseguir que el espectador comparta su deseo. Si éste no comprende

el objetivo (aunque no lo apruebe) no sabe lo que está en juego. Ya lo hemos visto.

3. Que el protagonista tenga problemas para alcanzar su objetivo. No es, sin embargo, necesario que sean demasiado duros o, peor aún, imposibles. Una de las grandes dificultades de la profesión de autor dramático consiste en saber dosificar los obstáculos…

4. Que el protagonista tenga el intenso e inquebrantable deseo de alcanzar su objetivo. Que no dé la sensación de que no le importaría abandonarlo. Cuanto más se empeñe en alcanzarlo, más se interesará el espectador por la historia". (Lavandier, 2003: 76)

En los casos en que el guionista adopte la decisión de no revelar el objetivo de sus personajes al espectador, no debe dejar de la mano la inclusión de un *pista falsa,* un hueso que roer, en términos de Lavandier (2003: 77), que de alguna forma habrá de estar ligado al objetivo central no desvelado. No podemos olvidar que:

"Las acciones son generadas por conflictos. De lo que se deduce que las principales herramientas de caracterización de un personaje son:

– Su manera de ser en situación de conflicto, estático o dinámico

– Su objetivo general o sus objetivos locales

– Las razones de su objetivo, es decir, sus motivaciones, sus deseos

– Los medios que elige para alcanzar el objetivo". (Lavandier, 2003: 120)

9.1.5. EL CONFLICTO INTERNO Y EXTERNO

Todo ello debe estar claramente delimitado y especificado en el guión. En el camino hacia la consecución de sus objetivos, el protagonista va a encontrar una serie de *obstáculos* que son de muy diferente tipología, pero que se pueden enmarcar en tres fundamentales (Lavandier, 2003: 84):

• *Obstáculos internos* → Oposición del personaje consigo mismo

• *Obstáculos externos de origen interno* → Oposición del personaje a otro personaje con el que mantiene relaciones directas de carácter no casual (parientes, amigos, colectivos en los que participa, responsabilidad social, etc.)

- *Obstáculos externos* →Oposición no derivada directa ni indirectamente de la esencia del personaje (el personaje no ha intervenido en la constitución del obstáculo)

Esta serie de relaciones entre personajes —obstáculos— conflicto generan lo que los actores denominan *niveles de tensión* (Davis, 2004. 60).

Lo que sí parece oportuno es revisar los ingredientes más importantes para la creación de un personaje (Davis, 2004: 21-22):

1. Cómo es el personaje cuando nace (por su genética y su entorno)
2. Cómo es el personaje por lo que va aprendiendo y lo que llega a ser a través de la experiencia.

   Estas dos categorías vendrían a ser la naturaleza y la educación (aquello que heredamos y aquello que obtenemos como resultado de nuestras experiencias a lo largo de la vida). Pero para la escritura de guiones hay todavía una tercera categoría:

3. Cómo es el personaje ahora.

Esta tercera categoría es, en cierto modo, más importante si cabe que las dos anteriores, ya que es prácticamente la más visible a los ojos de la audiencia.

Lo cual nos lleva a un esquema gráfico:

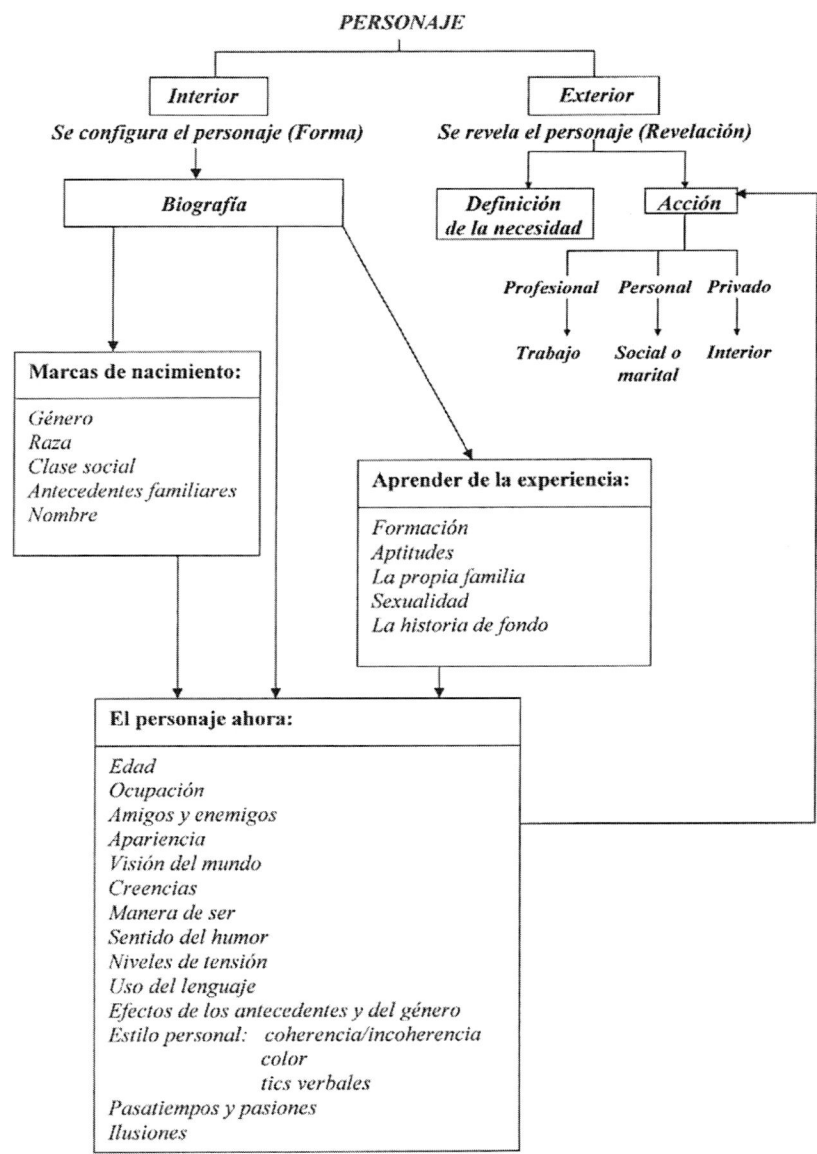

9.1.6. ABECEDARIO DE PRÁCTICAS PARA UN GUIONISTA

El guionista cuenta con resortes que hacen más eficaz su labor de desarrollo de la narración. Casi todos los autores hacen uso nuevamente de la tradición aristotélica: puesto que el objetivo de un film es atraer y mantener la atención del espectador, los personajes habrán de guiarse y configurarse de acuerdo con la teoría de las pasiones (que los mueve y conmueve a los espectadores). Partiendo de esta orientación, Michel Chion ofrece una serie de recursos dramáticos imbricados con su esencia:

- *Identificación* → Se recurre a diversos procedimientos:
  - o Grandes cualidades o grandes debilidades, que convierten al personaje en héroe o antihéroe y que posibilitan su lectura como "modelo". El riesgo sería convertirlos en seres de una sola pieza, planos y sin interés, como acontece en muchas de las películas de acción con fuerte repercusión en taquilla.
  - o Un gran riesgo o desgracia que ponga al espectador de parte del personaje, elemento que provoca la compasión y que tiende a situar al espectador del lado del más débil, aunque se trate de un mecanismo momentáneo.
  - o Mostrar errores leves del personaje, lo cual lo humaniza y aproxima a la experiencia cotidiana del espectador. En este caso, se abre la posibilidad de construir individuos complejos, capaces de tener una personalidad contradictoria y vivir situaciones ambiguas.
  - o La comparación es un elemento permanente de la identificación. A sabiendas de que el individuo establece siempre nexos a partir de esquemas previos, la contextualización del personaje deviene un procedimiento esencial que le aproxima a las vivencias y a la realidad cotidiana del espectador.
- *Temor y piedad* → Lo que no se ve inspira mucho más temor que lo que se ve. El miedo se vehicula hacia el espectador a través de un personaje que lo sienta. La piedad que nos inspira su suerte es proporcional a nuestro grado de familiaridad con él.
- *Cambios de fortuna* → Reconocimiento, equivocación o malentendido, deuda, condición social imbricada como contexto de la acción.
- *Valores morales* → Siempre estarán presentes de forma explícita o implícita. Si no hay ley moral en los personajes, puesto que

todos simulan cinismo, no hay verdadera historia posible. En el cine contemporáneo hay una pérdida drástica de los valores morales y surgen seres inmersos en el caos; con un tratamiento adecuado, esto no elimina la posibilidad de complejidad psicológica, pero es un riesgo añadido si se actúa sobre ellos de forma superficial.

- *Intenciones y voluntades* → Deben ser manifestadas por los personajes a través de su comportamiento, acciones o diálogos. El espectador no debe estar al márgen del devenir causal, salvo que esta sea una figura retórica utilizada por el guionista con premeditación para conseguir efectos de ambivalencia.

- *Dilema* → Resulta más interesante cuando se plantea entre algo material y algo inmaterial, por el plus de complejidad que comporta. En cualquier caso, el personaje avanza a lo largo de la historia a través de una sucesión de acontecimientos que provienen de las relaciones de causalidad y que le llevan a tomar siempre decisiones, elecciones entre opciones diversas.

- *Antagonismo* → El antagonista debe ser creíble y con poder de seducción para el espectador, de lo contrario se trataría de un ente plano y sin vigor. En todos los sentidos, el antagonista debe responder plenamente al protagonista, tener la misma riqueza de rasgos y comportamiento.

La coherencia de los personajes en el seno de esta serie de recursos, determinará la credibilidad de la historia y la respuesta por parte de los espectadores. Ahora bien, encontrar esa coherencia supone para el guionista el ejercicio dialéctico que posibilite una visión amplia sobre cada personaje, su configuración y comportamiento, sus matices. Carrière y Bonitzer proponen un abecedario de prácticas posibles para el guionista:

- Hacer ejercicios de desglose y diálogo,
- trabajar *in situ* el entorno del personaje,
- que el guionista trabaje como actor y tenga nociones precisas del montaje,
- hacer notas críticas sobre films estrenados y *dossiers* de prensa,
- tratar diálogos de época,
- viajar,

- no descuidar el guión documental,
- aprender a cronometrar un guión,
- analizar los publicitarios y los clips musicales,
- aprender a trabajar en varios guiones al mismo tiempo, e, incluso,
- ser capaz de presupuestar.

9.1.7. RELACIONES EN EL SENO DEL GUIÓN

Los personajes se relacionan entre ellos y se definen y redefinen en función de la compleja trama de acciones, encuentros y desencuentros, pero, al mismo tiempo, deben cumplir dos requisitos esenciales: equipararse a *símbolos* (dentro del contexto del tema que el guión desarrolla) y estar configurados con lo que Pierre Jean (1991: 59) ha denominado *tridimensionalidad*, es decir, su diseño debe atender a la determinación lo más exhaustiva posible de sus características psicológicas, sociológicas y fisiológicas, lo cual está directamente relacionado con el desarrollo de la intriga y no con una supuesta corriente psicológica.

Elementos muy vinculados a las características de los personajes y al desarrollo de la acción, son los objetos (*atrezzo*). En un film, decorados y *atrezzo* tienen un destino unívoco: ser vistos por el espectador. Corresponde al guionista integrarlos en el desarrollo del relato, imbricándolos con él a partir del establecimiento de una serie de relaciones (Vanoye, 1996: 66-67):

- Relaciones pragmáticas y funcionales.
- Relaciones expresivas.
- Relaciones dramáticas.
- Relaciones poéticas y simbólicas.

9.2. EL GUIÓN EN LA PRÁCTICA

9.2.1. PLANTEAMIENTO Y DESENLACE. GENERACIÓN DE FIN A PRINCIPIO

Nos encontramos aquí con uno de los nudos de discrepancia esenciales entre los autores americanos y los europeos. Mientras los primeros dan un valor esencial al planteamiento y la resolución del conflicto, los segundos, sin negarlo, se detienen mucho más en los elementos propios del relato; lo cual quiere decir que hay una clara evidencia de los intereses y orientaciones de cada uno de los grupos: los americanos abogan por un guión sistemático, que se encauza a través de unos cánones muy concretos y debe abocar en el éxito comercial; los europeos se preocupan sobre todo por la teoría del discurso, la calidad del resultado y su originalidad, independientemente de su éxito comercial.

Ante estas dicotomías, optamos por la originalidad pero manteniendo como correctas las presuposiciones americanas, que simplemente deberían entenderse con mayor amplitud. Ambas líneas coinciden en la efectividad de los planteamientos informativos y los desenlaces irrefutables; por ello, una vez más, creemos que es la suma, y no la comparación, el método más adecuado para tratar los aspectos relativos a la estructura narrativa.

Para desarrollar el trabajo efectivo que debe desembocar en la generación de un guión con plena coherencia, hay una serie de elementos que deben estar previamente meditados. Se trata de las siete preguntas que, según Cooper y Dancyger (1998: 59) el guionista debe contestar sin ningún género de dudas:

1. ¿Quién es el protagonista?

2. ¿Cuál es la situación del protagonista al comienzo del guión?

3. ¿Quién o qué es el antagonista?

4. ¿Qué suceso sirve de catálisis?

5. ¿Cuál es la acción dramática del protagonista?

6. ¿Cuál es la acción dramática del antagonista?

7. ¿Tienes alguna imagen o idea, aunque no sea definitiva, para el clímax? ¿Y para el final?

Estas preguntas, las formula Lavandier (2003: 454) en términos de construcción del armazón del guión antes de su redacción, convirtiendo cada uno de los parámetros en un mecanismo procedimental:

o *Decisiones previas* → Definición de un protagonista, establecimiento de la naturaleza de los obstáculos y la respuesta dramática que se va a dar a ellos.

o *Preguntas estructurales* → Establecidas las premisas, el guionista debe responder a cómo estas van a ser gestionadas a lo largo del relato:

o Establecimiento del *incidente desencadenante*. ¿Cuál es y cómo se manifiesta?

o   Percepción por parte del espectador del *objetivo* del prota-
    gonista. ¿Cómo se produce la transición del primer acto al
    segundo o, en otros términos, cuál es la demarcación del pri-
    mer gran *plot point*?

o   Situación del *clímax* en el contexto del relato y *respuesta dra-
    mática* que genera. ¿Habrá o no un nuevo *plot point* (golpe de
    efecto) que relance la historia en una nueva dirección antes
    de su final?

o   Definición del conjunto de *personajes* directamente relacio-
    nados con el progreso de la acción. ¿Se ha llevado a cabo una
    correcta *caracterización* y se ha dotado al protagonista de *obs-
    táculos internos* que hagan más compleja su personalidad?

o   Establecimiento de recursos adicionales tales como la *ironía
    dramática* o *golpes de efecto* que propicien un clímax inter-
    medio. Estos mecanismos deben encajar con suavidad en el
    relato para no entrar en colisión con el flujo principal. En su
    caso, ¿hay elementos de *humor* que cumplan funciones de
    reequilibrio?

Como se desprende con facilidad de lo anteriormente expuesto, hay
situaciones y momentos privilegiados en puntos muy específicos del
guión, como son el planteamiento o exposición, el desenlace o resolución, los diálogos, los nudos de la acción, etc. Para todos ellos existen
procedimientos narrativos a considerar.

Dice Blacker que "la exposición consiste, primordialmente, en relatar y mostrar a la audiencia el tiempo y lugar en el que se desarrolla
la historia, los nombres de los personajes, las relaciones entre ellos
y la naturaleza del conflicto. La exposición se introduce al principio,
cuanto antes mejor". En esta definición coinciden todos los autores.
Los recursos para ofrecer al espectador esa información no tienen
que resultar forzados; a este respecto, Blacker apunta una serie de
opciones clásicas:

•   Para situar el tiempo y el espacio:

    o   Voz en off del narrador.

    o   Texto sobreimpresionado en la pantalla.

    o   Dramatización visual.

    o   Titulares de periódicos, anuncios o declaraciones por radio o
        televisión.

    o   Letras de canciones.

- Para situar las relaciones entre los personajes:
  - o Riñas.
  - o Preguntas.
  - o Amigos.

No obstante, *las escenas iniciales deben incluir algo más que exposición*, ya que lo que se expresa indirectamente es el tema esencial. *Se puede ocultar cierta información al espectador, pero sólo hasta que sea necesaria para entender lo que sucederá posteriormente*.

Además, Blacker ofrece una serie de errores comunes que se suelen dar en la exposición, tales como las acotaciones, los soliloquios, el hablar a la cámara, los detalles innecesarios, la excesiva explicación, las cartas, el teléfono, etc... Aunque en esencia estas prácticas pueden considerarse como erróneas, lo cierto es que existen múltiples films en los que han funcionado perfectamente, por lo que es difícil establecerlas como irrebatibles.

> "La dificultad en el manejo de la exposición estriba en que, por lo general, sólo es necesaria para la audiencia. Para los personajes no suele tener interés, porque la mayor parte de las veces se trata de revelar cosas que los personajes ya saben (su propio pasado, sus circunstancias), pero que el espectador tiene que conocer para entender la historia. Un abuso de la exposición hace que la historia se vuelva tediosa. Al aconsejar a los guionistas jóvenes, Howard (David) resume: "No se trata de eliminar la exposición; es un elemento esencial en la cocción de una buena historia, pero debe usarse como especia y no como relleno".

Las reglas básicas para el uso de la exposición se podrían expresar en la siguientes cuatro:

1. Eliminar la exposición de lo que no es esencial o de lo que la misma historia clarificará en el futuro.
2. Presentar la exposición en escenas que contengan conflicto, y si es posible, humor.
3. Retrasar la exposición lo más posible y revelarla en el momento de mayor impacto dramático.
4. Y, siempre, "distribuir la exposición usando un cuentagotas en lugar de un cucharón" (Brenes, 2001: 85)

Syd Field ha expresado con claridad meridiana estos conceptos. Puesto que *la estructura del guión es una progresión lineal de incidentes, episodios y acontecimientos relacionados entre sí que conducen a una resolución dramática*, el final debe estar claro desde el primer momento de la escritura del guión, incluso es lo único imprescindible para comenzar a trabajar, la resolución *es un contexto, el marco que sostiene el final*. En esto coinciden los autores europeos, hasta el punto que algunos realizadores que trabajan sin guión siempre tienen claramente diseñado el desenlace.

Con todo, deben hacerse dos puntualizaciones esenciales: en primer término, la necesidad de avance sistemático hacia ese desenlace, un ordenamiento general de todos los elementos; y, en segundo lugar, la necesidad imperiosa de no dejar cabos sueltos, de que no queden elementos sin explicación.

"Cada escena es un relato en miniatura. Para comunicar algo al espectador el autor tiene dos opciones:

A. Narrarlo, es decir, hacer que uno de los personajes lo cuente. Es lo que vamos a llamar la exposición

B. Mostrarlo, es decir, hacer que lo representen los personajes y para ello tiene tres herramientas:

    1. Lo que los personajes hacen, que llamaremos actividad.

    2. Lo que los personajes dicen, que llamaremos diálogo.

    3. Lo que rodea a los personajes, que llamaremos los efectos, ya sean visuales o sonoros" (Lavandier, 2003: 345)

Nos limitaremos a mencionar las definiciones que hace Syd Field, ya que por sí mismas son suficientemente explicativas.

- *Secuencia. Es el elemento más importante del guión. Es una serie de escenas vinculadas o conectadas entre sí por una misma idea... Una unidad completa de acción dramática, una serie de escenas relacionadas por una única idea con un principio, medio y final.* Como podemos observar, Field incorpora su paradigma del guión a la secuencia y esto le permite proponer una definición del guión como *una serie de secuencias enlazadas o conectadas entre sí por la línea argumental dramática.*

- *Escena. Es la unidad individual más importante del guión. Es el espacio en el que ocurre algo, algo específico. El propósito de la escena es hacer avanzar la historia.* Vemos la relación con el concepto de unidad de tiempo y espacio, que se concreta aún más cuando indica que *cada escena requiere un cambio de la posición de la cámara.* También, para Field, la escena consta de un principio, medio y fin, le es aplicable el paradigma, pero *puede presentarse parcialmente, como un fragmento del todo* (sería el caso de mostrar exclusivamente el final de una escena). Las divide en aquellas en que algo ocurre visualmente y las de diálogo, aunque la mayoría combinan ambos tipos.

Gutiérrez Espada califica la diferencia entre escena y secuencia a partir de un buen hallazgo semántico al definir la secuencia como una *división interna subjetiva* (Ballester, 2005: 345)

Con estas perspectivas, estamos en condiciones de construir un esquema global sobre el que pueda desarrollarse la idea que venimos trabajando. Sabemos que llegaremos al individuo calcinado en el vehículo a partir de la investigación de un policía; por lo tanto hay que de dotar de fuerza psicológica a ambos personajes y colocar en el transcurso de la historia una serie de barreras que intenten impedir al policía lograr el éxito de su investigación (el hecho es anodino para que pueda merecer su atención y los superiores le demandan que abandone; la zona en la que tiene que investigar se cierra en banda ante las preguntas policiales; etc.). De la misma forma, se hace necesario crear tramas secundarias en las que aparezcan personajes relacionados tanto con investigador como con investigado, ya que a través de ellos se reconstruirán vidas y procesos.

La propia dinámica que seguimos nos pide que generemos unas biografías. Solamente mediante ellas obtendremos los perfiles que satisfagan las necesidades del desarrollo del guión y su coherencia interna. Esas biografías serán exhaustivas para el policía y para el suicida, pero deben también estar acompañadas por las de los personajes secundarios, estableciendo un cuadro de relaciones. Por otro lado, es esencial que el paralelismo policía-suicida sea establecido a través del significante, incluso a niveles metafóricos, para lo cual habrá que cuidar especialmente los detalles de puesta en escena.

Todo ello nos sitúa en condiciones de generar un esquema inicial:

o Presentación:

  o Descubrimiento del vehículo.

  o Llegada de la policía. Levantamiento del cadáver.

  o Presentación del personaje protagonista (policía)

  o Establecimiento de identidad del suicida.

o Desarrollo:

  o El policía asume la investigación.

o La superioridad considera que no hay necesidad de averiguar lo que ha pasado en realidad. Es un vagabundo, no tiene interés.

o La esposa del policía intenta disuadirle. Tienen problemas de pareja.

o El policía comienza a investigar.

o Aparición de personajes que conocían al suicida.

- Reconstrucción mediante narraciones de cada personaje (a especificar el orden, si es o no lineal)

- Vida del suicida en decadencia por problemas familiares (de pareja, similares a los del policía)

- Caída y desmoronamiento

o Desenlace:

o El policía presenta su informe a la superioridad y es amonestado, con amenaza de pérdida de empleo por no cumplir las órdenes.

o El policía y su esposa tienen una grave discusión, con violencia.

o Opción abierta a un proceso de degradación similar al del suicida.

o Final abierto.

Como puede observarse, contestando paulatinamente a los interrogantes que más arriba hemos comentado, la construcción del guión se convierte en un proceso delicado y lento, pero perfectamente racional. Obsérvese, no obstante, que estamos ante un planteamiento general al que habrá que dar cuerpo a partir de una serie de condicionantes formales nada despreciables.

Un aspecto que nunca debe dejarse de lado es el *proceso de transformación* del personaje protagonista, lo que se denomina habitualmente el desarrollo del *arco de transformación*: al final del relato el personaje debe cambiar con respecto a su situación inicial, y ese cambio lleva consigo lo que el propio proceso le ha aportado, en tanto que está al servido de la idea.

9.2.2. Diálogos y dramatización. Recursos narrativos

9.2.3. El punto de vista y los saberes

Para Blacker el diálogo cumple una serie de *funciones básicas:*

- *Mover la historia hacia adelante,*
- *revelar aspectos del personaje que de otra manera no son vistos,*
- *presentar exposición y detalles de los hechos pasados, y*
- *establecer el tono de la película.*

Indica, eso sí, que atendiendo a la primacía de la imagen, el diálogo debe ser lo más sucinto posible, y *se construye para crear la ilusión de que lo dicho por los personajes es una conversación real.* Hace referencia a una serie de técnicas, tales como la sencillez, la eliminación de citas o diálogos rimbombantes, la consistencia, el reforzamiento con acciones visuales, el nivel lingüístico, etc.; además, indica errores frecuentes, en coherencia con la estructura de su libro que responde a una sistemática de definición - consejo - error común.

Concluye Blacker asegurando que *el público recuerda los finales y las últimas líneas del diálogo.*

Las funciones son muy similares para Vanoye (1996: 159-160):

- información,
- caracterización,
- dramatización de la acción y
- comentario.

El guionista debe prestar un cuidado muy especial a los modismos del lenguaje, a las determinaciones contextuales, a la interrelación, puesto que hay una gama de *modelos conversacionales e interaccionales:*

a) El esquema de interacción polémica se caracteriza:

  o por la posición de igualdad de los interlocutores;
  o porque pretenden conocer la información decisiva, la verdad, la razón, etc., y niegan esta cualidad al interlocutor;
  o por la dominante aserción/contraaserción, siendo las preguntas, las más de las veces retóricas;
  o porque no hay especialización en un acto de lenguaje;
  o porque, finalmente, la transacción no desemboca en un doble acuerdo

b) El esquema de interacción deidáctica se caracteriza:

  o por las posiciones de desigualdad discursiva de los interlocutores;

o   por el hecho de que uno de los interlocutores dispone de conocimientos o de informaciones que el otro desea obtener;

o   por la dominantes pregunta/respuesta;

o   por la especialización respectiva de los interlocutores en un
acto de lenguaje (preguntar/responder);

o   por el acceso posible a una posición común al final de la transacción, a condición de que ésta sea aceptada por una y otra
parte" (Vanoye, 1996: 173-174)

Entendemos por relato la forma en que se narra una historia. Es
esta una cuestión que nos puede complicar sobremanera, porque los
conceptos de historia, diégesis, relato y discurso, son conflictivos. El
guión es el discurso escrito que dará lugar a una película, pero los
ingredientes están ahí y la estructura narrativa tiene que ser contem-
plada por el autor. Los autores americanos, en su inmediatez práctica,
separan abiertamente la actividad del guionista, que conciben casi
exclusivamente como literaria, de la del realizador, y, en consecuencia, no se plantean elementos conceptuales ni teorías del discurso; los
europeos, por su parte, insisten en la connivencia guión - dirección, y
abordan abiertamente estos mecanismos.

Carrière y Bonitzer se lamentan de la inexistencia de historias
originales; la idea de repetición es consustancial a la de guión, se trata
de contar bajo el dictado de la imagen. *El novelista escribe, mientras
que el guionista trama, narra y describe: la escritura es contingente.*
Se trata de descubrir el *puesto que*, no el *aunque*; *descubrir la lógica
de lo que aparecerá ante el público como contradictorio o absurdo,
desarrollar esta lógica, llevarla hasta su culminación, es la esencia
misma del trabajo del guionista.*

Estos autores, establecen tres tipos de narración:

• *La que alguien conoce y cuenta a gentes que también la conocen*

• *La que alguien conoce y cuenta a gentes que no la conocen*

• *La que alguien desconoce y cuenta a gentes que no saben más
que él.*

En consecuencia, habría dos tipos de películas:

• *Las que todo sucede en la cabeza del público*

• *Las que todo sucede en la cabeza del personaje.*

Aunque no vamos a ampliar estos conceptos, nos remiten a la tipología de Gerard Genette, explicada en su libro *Figuras III*, donde se aborda, desde el punto de vista de la narración literaria, la estructura diegética y narrativa.

Por su parte, Michel Chion aborda los *procedimientos narrativos* con mayor amplitud. Trata de forma indiscriminada los mecanismos retóricos y propone también parámetros que pueden constituirse en auténticas bases para ejercer el trabajo de guionista. Enumeraremos sucintamente, con un breve comentario, su tipología de procedimientos, que no es, desde luego, absoluta, sino que debemos considerar como un punto de partida y una ayuda para la construcción de situaciones.

- *Dramatización* → Requiere tratar el material base con:

  o *Concentración*: Grado de unidad para dar información asimilable al espectador evitando la dispersión y constituyendo un eje de acción perfectamente identificable.

  o *Emocionalización*: Suscitando la participación emocional del espectador a partir de los elementos que anteriormente hemos comentado relativos a las pasiones y a los procesos de identificación.

  o *Intensificación*: Exageración de situaciones o sentimientos que susciten los mecanismos de comparación con la experiencia real cotidiana. No podemos olvidar que siempre hay un cierto factor de utilización del estereotipo a partir de la asequibilidad de los modelos conocidos de comportamiento. Una convención no escrita, pero efectiva, permite que los factores de intensificación sean asumidos como verosímiles. En este contexto, el uso del azar es fundamental.

  o *Jerarquización*: Estructuración de las partes de la historia de acuerdo con los cánones heredados de la narratología y siempre respetando las condiciones de causalidad.

  o *Progresión narrativa*: Creación de una línea curva que mantenga altibajos para dotar de interés a la historia pero sin desviarse de la linealización global del relato a partir de la premisas de causalidad.

No es necesario aplicar todas estas reglas y tampoco hacerlo simultáneamente.

- *Punto de vista* → Tipos de focalización: cero, interna (fija o variable) y externa, siguiendo la terminología de Genette, pero tendiendo muy en cuenta las aportaciones de Jost sobre la separación terminológica entre focalización, ocularización y auricularización. Este es un elemento esencial en la construcción de todo relato. Entendemos por focalización el "saber" de un personaje, que, de acuerdo con el tipo de narración, puede adoptar distintas variantes. La importancia de este tema es tal que debemos dedicarle un importante inciso.

- *Información* → El suministro de información es esencial para el desarrollo de la historia, tanto desde el punto de vista del momento en que se da como a través de qué personaje o contexto. La retención temporal de información puede jugar como un elemento de "enganche" para el espectador.

  "… Hay un personaje que ignora algo importante, y esta ignorancia genera conflicto o puede generarlo. Este recurso es denominado ironía dramática y salpimienta las escenas, genera el efecto cómico y el suspense, lo trágico y lo patético. Consiste, por lo tanto, en poner al espectador al corriente de una información que, al menos, uno de los personajes ignora. A este personaje ignorante lo llamaremos la víctima de la ironía dramática" (Lavandier, 2003: 258)

  "De los tres artífices de una obra dramática —el autor, el protagonista y el espectador—, es el primero el que posee más información. Está en la cima de una teórica escala. Si el autor se preocupa por situar al espectador entre él y su protagonista, crea automáticamente una o más ironías dramáticas. Y todo aquello que separa al espectador del autor se puede abordar bajo la forma de sorpresa o misterio. Lo cual eleva a cuatro las vías de que dispone un autor para trasladas una información:

  — Suministrarla claramente al espectador. Si uno de los personajes de la historia la ignora, estamos ante la ironía dramática. En caso contrario, únicamente existe ironía dramática difusa.

  — Ocultarla completamente para crear un efecto de sorpresa

  — Anunciarla o comunicarla: en ese caso estamos ante la ironía dramática difusa

  — No comunicar más que una parte: se trata del misterio

Toda obra dramática es, por lo tanto, una mezcla de ironía dramática, sorpresa y misterio, sustentados constantemente por la ironía dramática difusa" (Lavandier, 2003: 306)

- *Elipsis* → En general, contribuye a acelerar la acción. Las hay visibles (corte evidente de la acción) e invisibles (suavizadas mediante montaje). También existen las *paralipsis*, que implican el ocultamiento de algo esencial y que conoce el narrador o se le da por supuesto *falsamente* al espectador.

- *Suspense* → Hecho conocido previamente por el espectador y no por los actantes.

- *Sorpresa* → Hecho no conocido previamente por el espectador.

  "A veces, se confunde el misterio con la falsa pista. Hay que comprender que son dos mecanismos diferentes que no generan el mismo estado de ánimo ni el mismo tipo de emoción en el espectador. La falsa pista es una certeza, no deja lugar a la duda, o a la ambigüedad. Por otra parte, si es realmente falsa, el espectador no se da cuenta, está convencido de estar ante la realidad ficticia. Es sólo en el momento de la sorpresa cuando la falsa pista revela su aspecto engañoso. El misterio, por el contrario, se anuncia de golpe al espectador que no ve más que un aspecto de las cosas. Como comprende inmediatamente que le faltan datos, el momento de revelación no lo percibe como algo inesperado. En resumen, mientras la resolución de la falsa pista es una sorpresa, la resolución del misterio es una explicación" (Lavandier, 2003: 304-305).

- *Anticipación, implantación* → No debe tener interés dramático en el momento de su aparición, es catafórica.

- *Hareng-Saur* [Desvío de la atención del espectador para sorprenderle mejor. Se trata de la inclusión en la trama de un *pista falsa* que parece orientar el relato hacia un camino no previsto pero que sólo actúa como reclamo.

- *Caracterización* → Debe mostrarse por la acción. Es importante también para los secundarios. Se crean detalles de caracterización como *tics* (*tags*) pero hay toda otra serie de elementos a considerar: gestualidad, vocabulario, vestuario, etc.

- *Contraste* → Válido para todos los aspectos del guión. En consecuencia, las escenas de relajación o descanso también son imprescindibles.

- *Calderón* → Detención en un detalle cargado de sentido para concluir una escena importante y crear expectativas. Es una figura retórica que funciona como puntuación.
- *Capper*→ Efecto de acentuación de una frase, gesto o nota musical. El clásico es el efecto de trueno en los films de terror.
- *Buttons* → Efectos de final de escena para suscitar el deseo de lo que viene después. Suele actuar lanzando una pregunta al espectador.
- *Repetición* → Esencial para compactar la narración:
  - *Para instalar informaciones*
  - *Para dar sentimiento de unidad*
  - *Para dar sentimiento de lo que cambia* (recordemos el caso de los desayunos en *Citizen Kane*)
- Se dan también *gags repetitivos* que deben ser anulados al final del film (las bromas en *Sucedió una noche* sobre Jericó y la cortina para al final tocar la trompeta). La anulación se conoce como *topper*, el *gag* es invertido.

  "El *topper* consiste en llevar una escena o una situación hasta sus últimas consecuencias. Es la guinda del pastel. En general, se pueden retirar sin que perjudique a la escena o a la historia, aunque siempre es gratificante. En cierta manera, se puede considerar que el *topper* es la recompensa de la recompensa [El ejemplo de 'nadie es perfecto']" (Lavandier, 2003: 251).

- *Montaje secuencia* → Secuencia de planos cortos que muestra una serie de acciones que transcurren dentro de un periodo de tiempo. Christian Metz distingue tres tipos:
- *Sintagma frecuentativo pleno* → Sin idea de sucesión
- *Sintagma semi-frecuentativo* → Con progresividad lenta
- *Sintagma yuxtapuesto* → Breves evocaciones correspondientes a un mismo orden de realidad.
- *McGuffin* → Objeto de búsqueda o deseo que no tiene interés real para la historia o el espectador (fórmula, clave, microfilm, etc.) pero que justifica la acción.
- *Efecto teatral o nudo de la trama* → La *peripeteia* de *Aristóteles*, también conocida como *plot point*
- *Flash-back* → Salto atrás en el tiempo que frena habitualmente la acción. Los hay de diversas clases:

- *Puzzles*. Escenas del pasado mediante relatos de diversos testigos
- Variante del anterior es aquella en que *las versiones se contradicen*
- *Film en flash-back*. Se reconstruye desde un elemento presente. Hay distintas variantes de ese tipo
- *Paseo del personaje sobre su pasado* con presencia física del presente
- *Flash-back trauma*. Recuerdo enterrado.
- Los hay también *insertados, engañosos* o *en escalera*.

9.2.4. LOS ERRORES MÁS FRECUENTES

Como complemento de todos estos resortes narrativos, Chion indica una serie de posibles *fallos del guión*:

- *Que no haya transformación en el personaje*
- *Que haya carencia de estructura interna*
- *Que hayan coincidencias demasiado fuertes*
- *Que hayan puntos flojos en el desenlace*:
  - *Elemento salvador ajeno*
  - *Final súbito*
  - *Final retardado con respecto al clímax*
  - *Demasiadas explicaciones*
- *Que el final no responda al comienzo: Desviación*
- *Diálogos explicativos*
- *Falsas implantaciones*
- *Inverosimilitud, intriga estúpida (Idiot Plot), pobreza de la historia, estancamiento*
- *Defectos en los personajes: marionetas, reacciones inadecuadas, simplismo, no conformes, conversiones repentinas, imprevisibles, ausencia de diferenciación…*
- *Efecto de previsión (se ve venir de antemano)*
- *Agujeros en la historia o en la tensión dramática. Se pueden solucionar*:
  - *Relacionando los hilos dispersos en la intriga*

- *Explicando las ausencias de personajes*
- *Justificando las entradas y salidas*
- *Motivando las coincidencias*
- *Evitando las contradicciones entre los acontecimientos*

La tentación de incorporar en ayuda del protagonista un factor que se pueda percibir como un *deus ex machina*, es necesario 1) presentarlo previamente, y 2) que el protagonista se comporte activamente, no puede estar pasivo ante la recepción de la ayuda puesto que el espectador no creerá en la intervención del azar (Lavandier, 2003: 212)

A lo largo del relato se producen algunas situaciones que deben ser siempre tenidas en cuenta por su relevancia:

- Siempre es deseable que lo último que se vea o escuche de un personaje sea memorable (Davis, 2004: 199)
- La lucha del personaje por alcanzar su meta tendrá muchos altibajos y habrá momentos en los que deberá retroceder para buscar caminos alternativos. Resulta muy rentable generar una situación de aparente caída moral en la que al personaje le parece ya imposible la consecución de su objetivo, este momento se conoce como el *big gloom* (la gran tiniebla) y saldrá de él mediante un giro del relato que relanzará la identificación del espectador (Brenes, 2001:57)

9.2.5. PROCEDIMIENTO ACUMULATIVO

Todo lo anterior, nos aporta la base teórica necesaria para la construcción de un guión a partir de una historia. Tal como hemos dicho, el guión se estructurará mediante secuencias que, a su vez, estarán compuestas de escenas.

Aunque en el terreno del audiovisual la ficción es sólo una de las posibilidades, nos ha parecido importante trabajar sobre una base ficcional porque nos da pie para tener mayores medios sobre los que elaborar nuestras propuestas, ya que la esencia final es la misma.

"La mayor parte de los guiones tienen su origen en tres tipos de puntos de partida:

- los puntos de partida referentes a una *historia*, embrionaria o completa, real o ficticia; anécdota vivida o referida, suceso, acontecimiento histórico, novela, relato breve, otra película, etc.;

– los puntos de partida referentes al propio cine en cuanto institución: encargo de productor, reunión de estrellas,… nueva versión, reutilización de un decorado, necesidad de cumplir un contrato, etc.;

– los puntos de partida referentes a un *tema*, sea de orden político, moral, sociológico, psicológico o estético" (Vanoye, 1996: 23)

Ya hemos dicho que un guión es la plasmación en texto literario de una serie de descripciones de acciones y/o acontecimientos en tiempo presente que nos permite "visualizar" una puesta en imágenes. Ahora bien, se trata de un documento de trabajo —y esto es esencial— que ha de sufrir múltiples variaciones hasta la conclusión del producto audiovisual final. Por ello, es conveniente especificar que un guión es "literario" y no lleva ningún tipo de especificaciones técnicas; el guión técnico es una fase posterior del desarrollo de la producción y no compete al guionista —no al menos sólo a él— sino al realizador y al equipo de producción.

Así pues, un primer desglose tipológico es el de guión literario y guión técnico, teniendo en cuenta que el segundo es un paso sobre el primero y no una alternativa. La otra gran diferenciación es la que se da entre un guión de ficción y uno documental (no ficción); independientemente de las aclaraciones que hubiera que llevar a cabo sobre la procedencia del uso de los términos documental y ficción, puesto que las actuaciones sobre el profílmico son muy diferentes, parece de rigor que el modelo de desarrollo de tales guiones —sobre todo en lo que afecta a las cuestiones técnicas— sea distinta.

Pero, ¿qué proceso seguir para llegar hasta ese guión de trabajo efectivo?

9.2.6. DE LA IDEA INICIAL (STORY LINE) AL GUIÓN LITERARIO

El guión transcurre por una serie de fases en las que cada una va ampliando la información generada en la anterior. Así, cronológicamente, y aunque no todas ellas son imprescindibles, pasará por:

• *Idea* → En el supuesto de que no sea un texto adaptado. Se trata de la base sobre la que se desarrollará el argumento y posteriormente el guión. Cualquier experiencia o acontecimiento real o imaginario pueden servir de punto de partida, pero el eje inicial, la fuerza que mueve a los actantes, deberá mantenerse a lo largo de todo el proceso, en tanto que esquema moral o lema genérico.

- *Story line* o *argumento* → Breve relato de la historia que explicite la idea en cuatro o cinco líneas. Debe responder al *qué, quién* e incluir el *desenlace*. Es la aplicación de la idea al acontecimiento elegido para desarrollar. En esta fase, se trata tan sólo de generar con el mínimo de detalles, de forma concentrada, la acción que tendrá lugar, sin olvidar nunca el criterio general que actúa como guía

Conviene tener en cuenta que la gestación de un guión resulta menos sistemática que la relación de fases que aquí venimos comentando. En realidad, el periodo previo es un tanto anárquico, basado en la recogida de información y en la elaboración de posibilidades. La fase de construcción requiere una cadencia previa que implica, en este orden:

1. saber el final, antes que nada (tener claro el sentido de la historia);
2. establecer la segunda articulación dramática mayor;
3. por medio de las relaciones causa-efecto, que hacen devenir el fin inevitable, situar el punto de no-retorno;
4. encontrar el vínculo adecuado para la primera articulación dramática; y
5. identificar el punto de ataque (Jean, 1991: 160).

Es decir, la construcción se hace hacia atrás, del final hacia el principio.

- *Sinopsis* → Ya entramos en la trama; es un texto más largo que supone un desarrollo, resumido (no más de cuatro o cinco páginas). Siguen sin entrar los pormenores, ni el diálogo. Hay que reflejar en ella la acción dramática y perfilar a los personajes. Se puede ir hasta las 20/25 páginas en el caso de una *sinopsis argumental*

Debe incluir otras serie de elementos, además del *qué, quién*, y *desenlace* del *story line*:

- Cuándo → Conceptos de temporalidad
- Dónde → Localización
  - o Espacial geográfica
  - o Social (si la hay)
- Quién → Perfil de los personajes (sobre todo los principales)

- Cómo → Desarrollo de la acción
- *Outline, escaleta o sinopsis de producción* → Sucesión de escenas. Se desarrolla sobre todo para los trabajos en televisión, pero es útil en cualquier caso. Consiste en generar separadamente, según el orden de la historia, cada secuencia y/o escena del futuro guión, con el máximo de detalle, pero sin diálogos todavía, de tal forma que pueda servir para el trabajo previo del equipo de producción en la preparación de plan de rodaje, presupuestos, etc. Para el guionista tiene otra ventaja de singular importancia: la capacidad de desarrollar el argumento sin condicionamientos discursivos, dejando de lado la estructura final y trabajando en sucesión lineal de causa-efecto; después, a la vista de los materiales que ha ido preparando, que se pueden organizar en fichas, tiene una amplia perspectiva para eliminar partes poco convincentes, reestructurar el orden temporal, fijar los momentos más adecuados para los *plots*, etc. Para tener una imagen más gráfica de lo que planteamos, podríamos entender el trabajo con la escaleta como la acumulación en una serie de sobres (las escenas y secuencias) de toda la información que podemos ir suministrando, la acumulamos de forma indiscriminada pero estamos contribuyendo a la concreción del guión en cada paso; luego abrimos los sobres, les damos coherencia interna y comenzamos a ordenarlos y a probar posibilidades hasta que satisfagan nuestras necesidades u opciones.
- *Tratamiento* → Es el desarrollo secuencial de la sinopsis. Descripción detallada de la acción dramática del film, con más detalles y más datos; redactados en pequeños bloques de acción, numerados y ordenados. En realidad ya nos encontramos ante un guión prácticamente terminado, a excepción de los diálogos. Aquí hemos de cuidar de forma fundamental todos los elementos y características de los personajes. Un criterio sólido consiste en no incorporar nunca parámetros accesorios, todo debe tener un sentido y estar ligado directamente al acontecimiento que narramos, de ahí que las biografías de los personajes principales sean un documento esencial, o el trabajo descriptivo de localizaciones, época, condiciones sociales, contexto general, etc. Si bien no incorporamos aún diálogos, aunque sí lo que dicen los personajes en forma narrativizada, hay que cuidar la presencia de "imágenes sonoras y visuales", perfectamente asumibles por los mecanismos de redacción y que, de alguna forma, siempre y

cuando los consideremos de una relevancia primordial, condi-
cionarán la lectura del realizador.

* Continuidad dialogada o guión propiamente dicho

Chion habla además de un *decoupage técnico (shooting script)* e
incluso del *Story-board*, ya fase inminente de la realización, pero estas
son facetas en las que está directamente involucrada la producción
del film y que comentaremos en un capítulo posterior. Nos centramos
ahora en el *guión literario*, que es el guión propiamente dicho.

9.2.7. GUIÓN LITERARIO, GUIÓN TÉCNICO Y STORY-BOARD

Al tratamiento se añaden los diálogos y obtenemos un resultado
final que, como ya habíamos comentado, siempre será revisado, actua-
lizado y, probablemente, cambiado en muchos de sus términos (el guión
definitivo es una utopía). Su apariencia nos pondrá sobre la pista de
una serie de elementos no contemplados hasta este momento y que
tienen que ver con su presentación. Syd Field nos provee de un ejemplo
concreto, que reproducimos:

Escena 25. EXT.: EDIFICIO DE LA UBS-SEXTA AVENIDA-NOCHE.

RETUMBA UN TRUENO – LA LLUVIA azota la calle. Los PEATONES
se debaten contra la lluvia, que corta como un cuchillo. Las calles tienen
un brillo húmedo, el denso TRÁFICO que se dirige al centro se amontona
y hace sonar las BOCINAS, se ven filas irregulares de luces en las calles
oscuras y relucientes…

PLANO MÁS CORTO de la entrada al edificio de la UBS. HOWARD
BEALE, con un abrigo encima del pijama y la canosa pelambrera pegoteada
en surcos sobre la frente, encorvada frente a la lluvia, sube las escaleras,
empuja la puerta de cristal de la entrada y pasa al interior…

Escena 26. INT.: EDIFICIO UBS – VESTÍBULO

DOS GUARDIAS DE SEGURIDAD en recepción ven pasar a
HOWARD…

GUARDIA DE SEGURIDAD

¿Qué tal está, Mr. Beale?

HOWARD se detiene, da media vuelta y se queda mirando con ojos extraviados al GUARDIA DE SEGURIDAD.

HOWARD

(*totalmente ido*)

Tengo que presentar mi testimonio

GUARDIA DE SEGURIDAD

(*un tipo simpático*)

Desde luego, Mr. Beale.

HOWARD se dirige con paso lento al ascensor.

Estas dos breves secuencias nos ayudan a ilustrar claramente la forma en que debe presentarse un guión, puesto que ponen en evidencia parámetros que antes no habíamos mencionado: las mayúsculas, los sangrados, las cursivas, el tiempo de la narración, etc. Sin embargo, nosotros propondremos una presentación ligeramente diferente, que, en cualquier caso, obedece a cuestiones tan concretas como:

- *Narración siempre en presente*: Cuestión fundamental y pocas veces tenida en cuenta por los guionistas primerizos. Puesto que debemos "describir" una mirada sobre el acontecimiento, sólo es posible la redacción en presente y hablando de aquello que va a estar ineludiblemnete inscrito en el encuadre, lo que no obsta para que podamos incluir imágenes acústicas e incluso visuales con una procedencia diferente, siempre y cuando la redacción no se desvíe de la "presencia en imagen". Así pues, no es posible introducir lo que siente un personaje si esto no se ve reflejado bien por una voz en *off*, bien por sus actos (esta opción es siempre preferible). Por ejemplo:

- *Pedro abre la puerta, entra en la casa y se deja caer sobre el sillón:* es una descripción válida pero sin riqueza visual;

- *Pedro llegó temprano, había venido del trabajo cansado; nada más abrir la puerta, se ha dejado caer sobre el sillón, sin ánimos para hacer la terrible cantidad de cosas que tenía pendientes:* es una descripción incorrecta porque no respeta el tiempo presente e incorpora elementos que son ajenos a lo que vemos en la imagen (se supone que el guionista imagina ese film terminado). Ahora bien, sí es posible indicar el cansancio o que el personaje tiene muchas cosas pendientes.

- *La puerta se abre lentamente, mientras llega un sonido de cacerolas desde la cocina; suena el tintineo de las llaves y Pedro entra trabajosamente; se despoja con parsimonia de su abrigo. María, su mujer, le grita desde la cocina: ¿Ya estás aquí? ¡Recuerda que hoy ibas a arreglar las persianas!… Pedro revuelve las cartas pendientes de leer que hay sobre la mesa y, de un manotazo, las arroja al suelo. Hace un gesto de impotencia y se deja caer sobre el sillón:* como puede verse, la información suministrada es ahora mucho mayor, incluso con la incorporación de elementos externos a la imagen para inscribir informaciones adicionales, pero siempre respetando el tiempo presente y el contenido del encuadre.

- *Indicación de número de secuencia / escena* → Siempre se comenzará cada cambio de secuencia (o escena, la terminología es bastante diferente por lo que respecta a las versiones americana y europea; nosotros, habitualmente, hablamos de secuencias) con numeración en orden estricto, tal y como el film va a quedar una vez montado. La cronología forma parte de la estructura temporal y no afectará a la presentación del guión puesto que, en esta fase, la lectura se corresponde con el orden de visión y no con el de rodaje o con el diegético.

- *Exterior (EXT), Interior (INT), Día o Noche y localización* → Indicaciones que irán inmediatamente tras el número de secuencia y que sitúan el lugar y momento de la acción a representar. Juntos, estos parámetros son una línea aparte (se puede incluso saltar página detrás de cada secuencia) que suele presentarse en negrita, con algunas de sus indicaciones esenciales (secuencia, localización y EXT/INT) en mayúsculas.

- *Todas las entradas de personajes, atrezzo, sonido o cámara, en mayúsculas* → Con lo que se facilita la lectura por parte del realizador y el equipo de producción, en primer lugar, y de todos y cada uno de los miembros del personal implicado posteriormente. Al aparecer en mayúsculas el nombre de cada personaje, el actor reconoce inmediatamente sus entradas (es frecuente que en la primera aparición se añada la negrita); otro tanto ocurre con el sonido o la cámara respecto a los técnicos que deben manejar los respectivos equipos, y también por lo que se refiere a los efectos sonoros y visuales. Aunque en el guión literario no se deben especificar posiciones ni desplazamientos de la cámara, la fijación del "punto de vista" sí se ve reflejada: *Pedro ve el correo sobre la mesa*, demanda un plano de detalle… Respecto al *atrezzo*, también es importante que su primera aparición en cada escena sea rubricada por las mayúsculas; de esta forma se hace más viable el trabajo de *découpage* que sigue a la primera elaboración del guión.

  - *La descripción de lado a lado (60 x 60 habitualmente)* → Requisito habitual para formato de DIN A4, pero que no debemos tomar como inexorable, es simplemente aconsejable.

  - *Los diálogos con indicación previa del personaje centrado y en mayúscula. El texto del diálogo se escribe con sangrado a cada lado y con límites inferiores a la descripción* [Una convención que va en la línea del punto anterior, es una fórmula heredada de la presentación teatral. Lo ideal es tener unas plantillas con los sangrados adecuados para cada uno de los elementos.

  - *Las indicaciones de escena entre paréntesis y con cursiva* [También, como en el caso anterior. Son indicaciones marginales que ayudan a la interpretación.

La forma de redactar es el resultado de un trabajo concienzudo. Para comunicar un sentimiento —esencial en el discurso— hay que apoyarse en elementos escenográficos, plásticos y dramáticos. Esto se traduce en una postura narrativa que a través del estilo condiciona una interpretación en imagen: la redacción del texto, la forma, indica los lapsos, los tiempos, los sentimientos (*Se detienen. Se miran. Ella sonríe. Entran* no es lo mismo que *Se detienen y se miran; entonces ella le sonríe. Entran*) Obsérvese que, según la posición de los tiempos verbales, la puntuación, los sustantivos y los adjetivos, se obtienen elementos de sentido que condicionan la lectura del realizador para que este lleve a cabo el guión técnico. No podemos, por ejemplo, decir que se haga una panorámica sobre un paisaje, sin embargo, sí es viable *Su mirada se pasea por el cauce del río*, lo que está pidiendo ese tratamiento visual.

Finalmente, como conclusión, sin miedo a repetirnos, hay que decir que solamente el realizador leerá por completo el guión, es un elemento efímero, que se usa y destruye (o modifica sin paliativos); pero el guión es YA la película, la PRIMERA FORMA de una película, por lo que *debe imaginarse, verse, oírse, componerse y por consiguiente escribirse como una película*.

Carriére y Bonitzer, al tratar de establecer algunas de las cualidades que debe poseer el guionista, desarrollan un decálogo que aquí reproducimos por su claridad y efectividad:

- *El guionista es a menudo un individuo móvil y curioso*
- *El guionista sabe bastante bien, la mayoría de las veces, cómo se hace una película*
- *Sucede con bastante frecuencia que un guionista es una persona cultivada*
- *Existen reglas, pero para violarlas* → Cautivar y mantener la atención del espectador.
- *Existen vaivenes en el trabajo guionístico*
- *Existe una escritura invisible del guión* → El punto y aparte como cambio de plano. Los pasos del día a la noche actúan sobre el subconsciente y la comprensibilidad.
- *Algunos consejos pueden servir siempre* → Dar su oportunidad a los personajes, cultivar la ambigüedad, no hay que temer partir del cliché, *No anunciar lo que va a verse, no contar lo que se ha visto*, la literatura es el mayor enemigo, imagen central alrededor de la cual se construye la escena, *todo acontecimiento dramático, para ser plenamente satisfactorio, debe ser a la vez inesperado e inevitable*, el sonido es esencial.

- *El guionista entrena su imaginación como un músculo* → Nuestra imaginación carece de límites.
- *Incluso las observaciones anteriores son peligrosas*
- *La objetividad del guión es afortunadamente imposible* → No importa el *tono* personal

9.2.8. PLAN DE PRODUCCIÓN Y RODAJE: DÉCOUPAGE

Dependiendo de cada productora y cada guionista, el formato de presentación de guiones puede sufrir bastantes cambios. Lo fundamental es desarrollar un método de trabajo que resulte cómodo para el guionista y lo más claro posible a la hora de ser interpretado por otras personas. Se habla de la existencia de distintos modelos de guión literario: americano (una columna) o europeo (dos o más columnas). Aquí trabajaremos sobre la idea de una sola columna, aunque será útil conservar el planteamiento de dos o más columnas para el desarrollo del guión técnico.

Los modelos utilizados para la elaboración de guiones son muy variados y hay tratamientos individualizados según las características de cada entidad productora. En líneas generales, podemos decir que hay una orientación amplia en televisión hacia la utilización de columnas, sobre todo cuando se trata de guión técnico, lo que permite mayor claridad en la disociación de elementos: elementos prescriptivos y designativos (lugar, movimientos), diálogos, música, *off*. Esta formulación utiliza habitualmente cuatro columnas y obedece a un modelo de procedencia documental en el que es muy útil desarrollar el contenido de las imágenes por un lado, la voz en *off* de otro y la música y efectos por separado.

Puede apreciarse de inmediato cómo hay una fase literaria que no implica en absoluto un número de parámetros que sí aparecerán en la técnica. Sin embargo, conviene matizar también que habría que hablar de un guión técnico intermedio, previo al rodaje, que, conservando el formato del literario, incorporase elementos de transición y se desarrollase por planos. Este guión es un instrumento de trabajo que aboca al llamado "*découpage*" o desglose completo (al que se asemeja más) y que se denomina así tanto si se efectúa antes del rodaje como si se trata de una deconstrucción de un film ya terminado.

El detalle en el guión repercute muy positivamente en los resultados finales.

A partir del guión literario, el realizador desarrolla el técnico, que es el documento con el que trabajará todo el equipo durante el rodaje y que servirá al equipo de producción para llevar a cabo el presupuesto del film y el plan de rodaje una vez controladas las necesidades mediante el establecimiento de sucesivos desgloses (personajes, *atrezzo*, localizaciones, vehículos, equipamiento, etc.).

Cuanto más completo y exhaustivo sea el guión técnico, más factible será el proyecto que presentamos. No obstante, hemos de ser conscientes de que este guión técnico habrá de sufrir numerosas modificaciones a lo largo de la producción, especialmente tras el rodaje o toma de las imágenes brutas.

Puede darse el caso de que el guionista siga participando en el proceso de generación del guión técnico, pero no es lo más habitual. Esto sucede cuando las figuras de director y guionista coinciden.

9.2.9. NORMAS DE PRESENTACIÓN DEL GUIÓN TÉCNICO

Características formales y literarias de un guión técnico:

- Existen tantos modelos de presentación como producciones.
- El guión técnico es responsabilidad del equipo de realización.
- Generalmente, para que quepa toda la información, se suele utilizar el folio DIN-A4 en formato horizontal (apaisado).
- En la parte superior izquierda deben figurar los siguientes datos: Número de Bloque o Secuencia, Número de Secuencia o Escena, Nombre o Título del Bloque o Secuencia, Exterior o Interior, Lugar y Momento del día.
- El cambio de Bloque o de Secuencia debe suponer el cambio de hoja.
- Entre las columnas a incluir podemos destacar las siguientes: núm. de Bloque, núm. de Secuencia, Tipo de Plano (abreviado: PP, PM, PA, PG, etc.), Descripción del Plano (señalar cuando proceda punto de vista de la cámara —picado, contrapicado, etc.—, movimientos de cámara, composiciones del plano especiales, efectos de iluminación relevantes, etc.) y Sonido, con columnas especificando Pista 1 (CH1), donde incluimos la Voz en *off* (se indica el comienzo y el pie del texto redactado, no se transcribe el texto, situando la voz en *off* en relación con los planos) y los Diálogos (o sonido directo —si es una entrevista o habla un

personaje) y Pista 2 (CH2), donde incluiremos el Sonido Ambiente (indicando si debe haber sonidos especiales), Efectos de Sonido (reverberación, eco, retardos, distorsiones, etc.) y Música (indicando el tema musical que suena en cada momento de la acción).

El propio formato del guión técnico ya prevé gran parte de los instrumentos que harán posible los sucesivos desgloses necesarios para llevar a buen fin el proyecto audiovisual. Sin embargo, conviene comentar los sucesivos pasos a dar por el equipo de producción, una vez en sus manos el guión técnico dado por bueno por el director:

- *Desglose de guión.* En la medida en que el guión técnico esté detallado, será posible realizar un buen desglose del mismo. En este apartado, procederemos a reordenar los planos y secuencias o bloques por localizaciones y por tomas o planos que habremos de realizar, especificando las necesidades técnicas que se deducen de nuestra propuesta de guión técnico. Entre los datos que pueden figurar, cabe destacar el *atrezzo*, los decorados, la iluminación, los figurantes, actores, personajes entrevistados, vestuario y maquillaje, elementos especiales (efectos visuales y de sonido), músicas, etc.

- *Plan de producción.* A partir del desglose de guión que hemos realizado, estamos en condiciones óptimas para proceder a diseñar un plan de producción concreto, con un análisis de los recursos económicos que habrán de ser necesarios. El plan de producción debe contemplar, en el caso de una producción audiovisual: material técnico necesario (cámaras, iluminación, necesidades de sonido, baterías, cableado y conectores, trípodes, etc.), personal técnico necesario (operadores y ayudantes), películas de negativo o cintas de vídeo de rodaje necesarias (formato, duración), etc. Otros aspectos a tener en cuenta: alquiler de equipos especiales (fuentes de iluminación especiales, filtros, máquina de vapor, grupo electrógeno, necesidades especiales de sonido, etc.), personal artístico, escenografía, transporte, viajes y dietas, seguros e impuestos (si procede), gastos generales, gastos de explotación y financiación, entre otros. Lo fundamental es saber con certeza qué coste tiene el audiovisual que tenemos intención de producir y qué plazos temporales prevemos para esta producción. Todo ello se traduce en la elaboración de un presupuesto.

- *Plan de Rodaje*. Concretando un poco más esto último, en este apartado hemos de cuantificar los días de rodaje previstos, especificando las fechas de trabajo, las horas de día, los lugares y el número de tomas a realizar. Este trabajo permitirá diseñar fácilmente un guión de cámara claro y sencillo. Es conveniente diseñar planes alternativos, por si las condiciones metereológicas, las bajas por enfermedad y otros aspectos imprevisibles se vuelven en contra nuestra en el último momento.

- *Montaje*. Esta fase es posterior a la de rodaje y, por tanto, casi imposible de diseñar *a priori*. No obstante, hemos de señalar el número de días y horas de trabajo de montaje que podremos necesitar.

El desglose detalla todos los elementos que intervienen en el rodaje, tanto humanos como técnicos, con una columna de actores (principales, secundarios, figuración, especialistas), otra actancial (caracterización), una tercera de puesta en escena y semovientes, así como la consideración de efectos especiales. Respecto al equipo técnico se desglosa a su vez en materiales y personas. En el capítulo de observaciones se hace posible añadir cualquier otro elemento no contemplado o consideraciones sobre el lugar o posibles incidencias. Ni que decir tiene que estos documentos son indispensables pero no suficientes; cada responsable elabora a su vez otra serie de impresos de no menor importancia que aquí solamente mencionamos a modo de información adicional.

Tal como venimos comentando, el trabajo de producción es muy sistemático y riguroso; lógicamente, a partir de los desgloses es posible establecer:

- Lista de personajes
- Lista de decorados
- Lista de localizaciones
- Lista de animales o semovientes
- Lista de efectos visuales
- Lista de música
- Lista de vestuario y maquillaje
- Lista de atrezzo
- Lista de iluminación
- Lista de sonido

Con esta documentación trabaja tanto el equipo de producción como los diferentes responsables implicados. Es el primer paso que permite establecer el plan de rodaje definitivo, elaborar los presupuestos más detallados y poner en marcha los mecanismos de control que, durante el rodaje, a su vez, irán generando nuevos documentos.

Si es necesario crear una ambientación especial o una composición, montaje, punto de vista, etc., especiales, se recomienda dibujar los planos master o de situación principales. En ocasiones, si la planificación de la secuencia(s) lo exige, puede ser necesario dibujar el plano alzado (la planta) del decorado, especificando las situaciones de cámara(s), las fuentes de iluminación, las tomas de sonido, las posiciones de los personajes, etc. Un *storyboard* claro permite visualizar mejor la iluminación concebida, el color, la composición, en definitiva, la concepción general de la puesta en escena.

El *story-board*, complemento eficaz del guión técnico, que cada vez se elabora con mayor asiduidad, se llama también en Estados Unidos *shooting-board* y en Francia *scénarimage*. Se trata del desarrollo en forma de cómic del proyecto completo, a partir del guión técnico, con detalle de planificación (encuadres y elementos de puesta en escena), direcciones de mirada y movimientos (utilizando líneas cinéticas o desglosando las tomas cuando hay movimientos de cámara de cierta complejidad). Resulta evidente el considerable ahorro que puede suponer y la cohesión que aporta al equipo técnico para entender las instrucciones del director sin género de duda; para su elaboración es de rigor la contratación de un dibujante familiarizado con el medio que tiene que trabajar en sintonía con el realizador. Desde *story-boards* con todo lujo de detalles hasta bocetos desmañados en los que se apuntan las miradas mediante flechas de dirección y los rostros son un simple círculo, son hoy un instrumento casi irrenunciable (en publicidad es la base para la aceptación de los proyectos y en las grandes superproducciones se hacen indispensables). Existe *software* para poder diseñarlos por ordenador, pero su uso no está muy extendido.

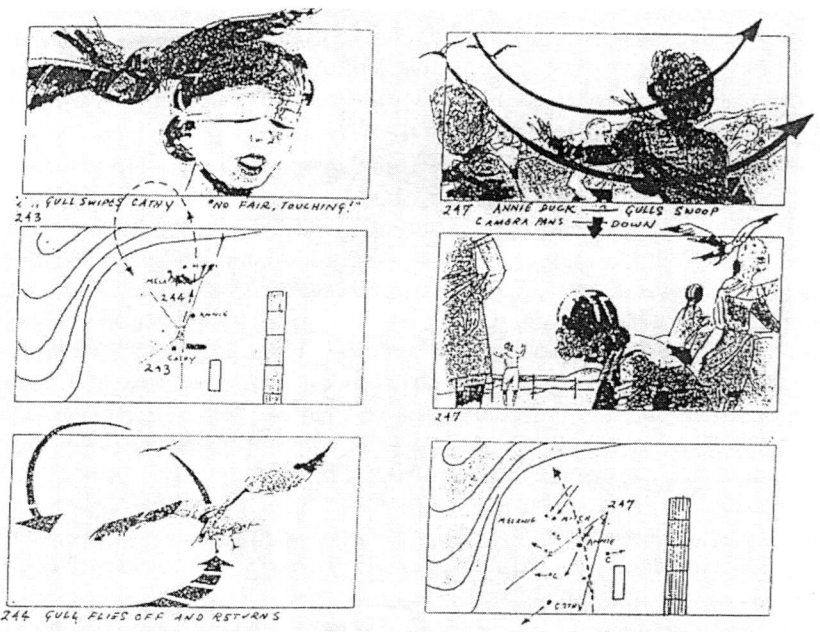

Las localizaciones son, como su nombre indica, encuentros de lugares apropiados para el rodaje de determinadas secuencias. Puede tratarse de espacios naturales, espacios exteriores urbanos o interiores, que serán convenientemente transformados. En líneas generales, se prefiere el rodaje en interiores, en el plató, siempre que se puedan reconstruir con escenarios las necesidades del guión, debido a que el control sobre los medios es mucho mayor y no se dan dependencias de factores foráneos (climatología), con lo que los costes, en última instancia, para las grandes producciones, es inferior. Este trabajo es competencia del ayudante de dirección, aunque suele hacerse en connivencia con el director. Puesto que los lugares que se encuentren y resulten apropiados pueden ser de carácter público o privado, será necesario gestionar los correspondiente permisos para filmar, así como indicar si hay necesidades de efectuar cambios o vaciar calles, etc., en cuyo caso las autoridades dotarán a la producción de los servicios adecuados (policía de tráfico, por ejemplo). Deben elaborarse unas fichas de localización, muy bien documentadas, en las que se reflejen no sólo los datos de idoneidad sino también de infraestructura (accesos, catering, hoteles, comunicaciones, etc.)

9.2.10. Tipologías genéricas

Al margen del entorno en el que vayamos a presentar un guión, los contenidos de ficción pueden también adscribirse a géneros narrativos y/o a propuestas durativas diferenciadas.

Así, el humor es uno de los mecanismos más rentables en la construcción de guiones, independientemente del tipo de narración que se genere, ya que todo relato debe tener puntos de inflexión.

Hay una vinculación directa entre el *gag* y la *ironía dramática* cuando se produce una reacción diferida o *doble take* (respuesta mental doble), que acontece cuando el personaje retarda su respuesta ante un hecho inusual, terrible o espectacular (muy frecuente en los dibujos animados y en el *burlesque*). En otras ocasiones podemos encontrarnos ante la *ironía dramática difusa*, que juega con la propia respuesta del espectador en tanto que conocedor de su situación ante el discurso fílmico (Lavandier, 2003: 292)

La técnica de la comedia se sustenta sobre esta serie de principios:

1. Antes que nada, hay que burlarse de los personajes…
2. Escenificar el fracaso, lo cual no es más que una manera de burlarse de los personajes. Esquemáticamente el drama puede ser comparado con ir franqueando una serie de obstáculos cada vez más altos. El protagonista no alcanza inmediatamente su objetivo, sino que se acerca. En la comedia, sin embargo, la primera pared ya es demasiado alta para el protagonista. Y no sólo tiene que medirse con otra, sino que eso le pone de mal humor
3. Hay que poner de manifiesto que los personajes están convencidos. Tienen obsesiones vanas, limitaciones ridículas, pero eso les absorbe. En otras palabras, no tienen ninguna perspectiva ni sobre sí mismos, ni sobre lo que viven. Esta regla se refiere igualmente a actores que deben representar una comedia lo más seriamente posible…
4. Mantener la perspectiva del espectador evitando el sufrimiento, y para ello hay que exagerarlo todo y crear desfases…

5. Mantener la perspectiva del espectador instalando una o más ironías dramáticas (pesadas). No por casualidad la ironía dramática está omnipresente en la comedia

6. Concentrarse tanto en el elemento cómico generado por el carácter de cada cual, como en el elemento que se desprende de una situación, en lugar de depender únicamente de los *gags* locales o de los diálogos graciosos, sobre todo cuando ambas herramientas son excluyentes.

7. Utilizarlo todo, hasta el final...

8. Mimar a su Niño Libre [planteamiento que hace Lavandier sobre la "visión de mundo" del autor] (Lavandier, 2003: 333-334)

Los términos de la burla pueden ir desde la indulgencia hasta la vejación, de ahí que la comedia posea la gran capacidad de utilizar sus mecanismos para construir discursos morales.

Por otro lado, el cortometraje tendrá características diferenciales con respecto al largometraje, como señala Lavandier en esta extensa cita que, por su claridad, hemos decidido transcribir completa:

"He aquí algunas sugerencias destinadas a los autores de cortos dispuestos a probar con el relato, que deberían permitirles construir una historia con un principio, un nudo y un desenlace. Son válidas para cualquier extensión, de 2 a 30 minutos.

1. Concebir un primer acto en tres fases muy sencillas: forma de vida del futuro protagonista, incidente desencadenante, paso del primer al segundo acto (declaración del objetivo). Cada fase puede ser objeto de una escena corta o incluso las tres pueden desarrollarse en la misma escena

2. Pensar en un objetivo claro y universal

3. Pensar en la actividad para caracterizar al futuro protagonista

4. Concebir el clímax

5. Poner obstáculos en el camino del protagonista que llenen el segundo acto. Aunque es preferible un obstáculo bien explotado a una acumulación de obstáculos

6. Reducir el tercer acto al mínimo

7. Concebir un remate. A veces, este nudo dramático es casi el primer elemento que posee el autor, antes incluso que el clímax -si no se confunden los dos. En ocasiones, se encuentra al final.

Al igual que para una obra más larga, puede ser interesante preguntarse por qué se desea contar esa historia. La respuesta a este interrogante puede influir en el contenido del remate...

Si las sugerencias arriba mencionadas parecen demasiado rígidas, he aquí algunas más generales y bastarán para conseguir un corto de calidad:

- Evitar la introspección egocéntrica
- Evitar un tramo de vida sin conflicto ni originalidad
- Evitar los fantasmas, en los dos sentidos del término: poesía alucinadora y proyección ideal de vida
- Resistir a la tentación de incluir espectacularidad: centrarse en una aventura humana
- Incluir conflicto, conflicto y más conflicto
- Pensar, eventualmente, en incluir una pincelada de humor" (Lavandier, 2003: 516-517)

Aunque, en principio, para las series de televisión las características y procedimientos serían idénticos, en el caso de series, conviene resaltar (Lavandier, 2003: 481)

1. Un objetivo general para toda la serie
2. Objetivos locales para cada episodio
3. Un gancho al final de cada episodio
4. Si hay varias intrigas, pasar con agilidad entre ellas y frecuentemente

En cualquier caso, si el guión que hemos de desarrollar es por encargo, se nos proporcionará una *biblia* que actúa como referente para personajes y situaciones. Se llama biblia al conjunto de requisitos formales y estructurales que están determinados por parte de la productora para la ejecución de los guiones; en ella se incluyen las biografías de personajes y sus características esenciales, la estructura del relato, los escenarios, tramas genéricas, subtramas, etc.

Hay que destacar la importancia que tiene registrar nuestro guión en el *Registro de la Propiedad Intelectual*. Un argumento también puede ser registrado, no hace falta tener un guión literario para esta operación, todo dependerá de lo importante que sea el proyecto y la necesidad que estimemos de proteger nuestros derechos.

9.2.11. A MODO DE EJEMPLO

Imaginemos la secuencia inicial de la idea que veníamos desarrollando, de la cual ya teníamos clara la sinopsis, tema, trama, etc.

¿Cómo redactar el guión para cumplir los requisitos de visualización de forma adecuada?

Una vez el esquema decidido, antes de iniciar la fase de tratamiento, escribiríamos una *sinopsis argumental detallada*:

SEC. 1 – EXT. NOCHE. DESCAMPADO.

Barrizal junto a una carretera con poco tráfico. Hay algunos arbustos. La noche es cerrada y apenas se distinguen los faros de los coches que circulan. Iluminan intermitentemente. Un par de metros por debajo de la carretera hay un vehículo ardiendo. Desde arriba, un coche de bomberos intenta aplacar el fuego. Hay otros dos vehículos, de policía, con las sirenas encendidas, girando velozmente. Se escuchan algunos gritos de los bomberos indicando que hay que tener cuidado para que el fuego no se propague.

Llega un Ford Mondeo aparentemente particular con una ruidosa sirena en su techo y se detiene en el extremo de la carretera. Descienden dos hombres y bajan corriendo hacia la zona incendiada. Uno de ellos pregunta si ya han avisado al forense.

Títulos de crédito

Fundido

La idea es poder desarrollar esquemáticamente este ejemplo mínimo. Lógicamente, tras el fundido pararíamos a una secuencia en la que el fuego estaría ya apagado y el policía estaría haciendo comprobaciones en torno al cadáver, con lo que se iniciaría la trama propiamente dicha.

Como puede observarse, la sinopsis argumental no lleva indicaciones concretas de diálogos y la exposición de los hechos es bastante esquemática todavía. El paso siguiente (no se olvide que es un proceso acumulativo) consiste en desarrollar mejor este segmento y generar su *tratamiento*:

SEC. 1 – EXT. NOCHE. DESCAMPADO

Barrizal junto a una carretera con poco tráfico. Hay algunos arbustos. La noche es cerrada y apenas se distinguen los faros de los coches que circulan. Iluminan intermitentemente. Un par de metros por debajo de la carretera hay un vehículo ardiendo del que es difícil distinguir la marca. Por su aspecto, da la impresión de haber estado abandonado, ya que no tiene puertas delanteras y los cristales están hechos añicos. El fuego es escaso, apenas unas llamas que se sofocan por la abundante agua que reciben puesto que, desde arriba, un coche de bomberos intenta aplacarlo.

Hay otros dos vehículos (Citroen), de policía, con las sirenas encendidas, girando velozmente. Dos policías miran cómo los bomberos hacen su trabajo. Se escuchan algunos gritos de los bomberos indicando que hay que tener cuidado para que el fuego no se propague.

Llega un Ford Mondeo aparentemente particular con una ruidosa sirena en su techo y se detiene en el extremo de la carretera. Descienden dos hombres. Visten con traje oscuro y son de mediana edad. Uno es calvo y el otro tiene el pelo canoso. Bajan corriendo hacia la zona incendiada. El del pelo canoso pregunta si ya han avisado al forense.

Títulos de crédito

Fundido

La incorporación de los diálogos y la identificación de todos los elementos importantes, personajes, etc. —no se olvide el constante proceso de reformulación y mejora—, dará como resultado el *guión literario*:

SEC. 1 – EXT. NOCHE. DESCAMPADO.

Barrizal junto a una carretera con poco tráfico. Hay algunos arbustos. La noche es cerrada y apenas se distinguen los faros de los coches que circulan. Iluminan intermitentemente. Un par de metros por debajo de la carretera hay un VEHÍCULO ARDIENDO del que es difícil distinguir la marca. Por su aspecto, da la impresión de haber estado abandonado, ya que no tiene puertas delanteras y los cristales están hechos añicos. El fuego es escaso, apenas unas llamas que se sofocan por la abundante agua que reciben puesto que, desde arriba, un COCHE DE BOMBEROS intenta aplacarlo.

Hay otros DOS VEHÍCULOS (Citroen), de policía, con las sirenas encendidas, girando velozmente. **POLICIA 1** y **POLICIA 2** miran cómo los **BOMBEROS** (un grupo de tres: **BOMBERO 1**, **BOMBERO 2**, **BOMBERO 3**) hacen su trabajo.

BOMBERO 1

(gritando)

Ten cuidado para que no se propague

BOMBERO 3

Ya veo… Más a la derecha…

Llega un FORD MONDEO aparentemente particular con una ruidosa sirena en su techo y se detiene en el extremo de la carretera. Descienden dos hombres. Visten con traje oscuro y son de mediana edad. Uno, **JUAN**, es calvo y el otro, **ANTONIO**, tiene el pelo canoso. Bajan corriendo hacia la zona incendiada.

ANTONIO

(dirigiéndose a POLICIA 1)

¿Dónde está el cadáver? ¿Habéis avisado al forense?

Llega hasta el vehículo indenciado y hace gestos de impaciencia.

ANTONIO

(dirigiéndose a los bomberos)

¡A ver si acabáis de una puta vez!

Títulos de crédito

Fundido

Sobre el guión literario, tendría lugar la planificación, que desarrollaría el director del film con el apoyo del ayudante de dirección y, en algunos casos, del propio guionista, con lo que obtendremos el *guión técnico*:

SEC. 1 – EXT. NOCHE. DESCAMPADO.

1. PG

Barrizal junto a una carretera con poco tráfico. Hay algunos arbustos. La noche es cerrada y apenas se distinguen los faros de los coches que circulan. Iluminan intermitentemente.

TRAVELLING LATERAL

Un par de metros por debajo de la carretera hay un VEHÍCULO ARDIENDO del que es difícil distinguir la marca. Por su aspecto, da la impresión de haber estado abandonado, ya que no tiene puertas delanteras y los cristales están hechos añicos.

2. PGC ligero picado

Vehículo ardiendo. El fuego es escaso, apenas unas llamas que se sofocan por la abundante agua que reciben

3. PGC contrapicado

desde arriba, un COCHE DE BOMBEROS intenta aplacarlo.

Hay otros DOS VEHÍCULOS (Citroen), de policía, con las sirenas encendidas, girando velozmente. **POLICIA 1** y **POLICIA 2** miran cómo los **BOMBEROS** (un grupo de tres: **BOMBERO 1**, **BOMBERO 2**, **BOM-BERO 3**) hacen su trabajo.

BOMBERO 1

(gritando)

Ten cuidado para que no se propague

BOMBERO 3

Ya veo… Más a la derecha…

4. PG (escorzo de BOMBERO 3)

Llega un FORD MONDEO aparentemente particular con una ruidosa sirena en su techo y se detiene en el extremo de la carretera.

5. PA

Descienden dos hombres. Visten con traje oscuro y son de mediana edad. Uno, **JUAN**, es calvo y el otro, **ANTONIO**, tiene el pelo canoso.

6. PG (como 1)

Bajan corriendo hacia la zona incendiada.

7. PM

ANTONIO

(dirigiéndose a POLICIA 1)

¿Dónde está el cadáver? ¿Habéis avisado al forense?

Panorámica de seguimiento

Llega hasta el vehículo indenciado y hace gestos de impaciencia.

ANTONIO

(dirigiéndose a los bomberos)

¡A ver si acabáis de una puta vez!

8. PG (Como 1)

Títulos de crédito

Fundido

.

CAPÍTULO 10
GESTIÓN ECONÓMICA Y FINANCIACIÓN DE PRODUCCIONES AUDIOVISUALES

Francisco López Cantos

10.1. EL PRESUPUESTO DE LAS OBRAS CINEMATO-GRÁFICAS Y VIDEOGRÁFICAS

Una vez que se han determinado todas las necesidades de producción, así como su distribución temporal, se está en disposición de elaborar un presupuesto estimativo, cuya función es determinar los costes sobre los que se ha de valorar si la producción es viable. Para ello se confecciona un plan de viabilidad, en el que se detallan tanto los costes de producción como su forma de financiación, incluyendo también la rentabilidad obtenida a partir de la explotación de ese producto audiovisual, instrumentos especialmente críticos en las producciones de ficción por sus elevadas necesidades financieras.

Una vez decidida la viabilidad de un producto particular se comienza a elaborar un presupuesto preventivo, a partir del momento en que se empiezan a cerrar los acuerdos de toda índole necesarios para llevar adelante la producción. Esto incluye, por supuesto, la contratación de los recursos humanos, el alquiler de los espacios y equipos necesarios, y todos aquellos otros gastos previstos durante todo el proceso, desde el inicio del proyecto a su finalización, dejando un cierto margen de error, alrededor de un 5% ó 10% del presupuesto total para imprevistos.

Todo proceso presupuestario o de planificación conlleva cierto margen de error, por lo que siempre estará sujeto a una posible revisión y, por lo tanto, no debemos considerar nunca un presupuesto como definitivo. Bien al contrario, la realización de las previsiones debe completarse con las necesarias revisiones periódicas para, de este modo, prever las desviaciones que se puedan producir en el futuro ya que, al ser acumulativas, una falta de control puede dar lugar a serios problemas que, si no se detectan a tiempo, pueden paralizar la producción. Ello se hace mediante el plan de tesorería, en el que se cuida que las previsiones de cobros y pagos estén ajustadas a la capacidad financiera de la producción.

10.1.1. Los costes de producción. Las partidas presupuestarias

Todo presupuesto es la relación de los costes de producción que corresponden a cada Todo presupuesto es la relación de los costes de producción que corresponden a cada área de gasto y, como tal, se agrupa en torno a las llamadas partidas presupuestarias, que agrupan estas áreas para obtener una visión clara de la distribución del gasto.

Cada partida presupuestaria refleja la cantidad asignada para cubrir ese gasto y, cuando este se ejecute, se corresponderá con el apunte contable correspondiente que permitirá el seguimiento económico de la empresa. Cada partida presupuestaria, por ello, se consolida como gasto cuando existe una factura que justifica que se ha realizado el mismo. Hasta entonces, cada partida presupuestaria como cada presupuesto, indica sólo la previsión de un gasto determinado que corresponderá a determinada área de gasto.

Las partidas presupuestarias se agrupan en capítulos presupuestarios, integrándose así en unidades de gasto mayores que permiten una visión más global de cada gran área de gasto.

Tal como se puede ver en este ejemplo, un gran capítulo presupuestario como la escenografía estaría subdividido a su vez en varias partidas con epígrafes relativos, en este caso, a decorados y escenarios y otro a ambientación, para luego volver a subdividirse en partidas presupuestarias sobre las que se imputaría el gasto concreto de cada uno de los aspectos relativos a la producción, algunos como jardinería, comidas, etc., tal como se muestra a continuación:

CAPÍTULO 04.- ESCENOGRAFIA

04.01 DECORADOS Y ESCENARIOS

04.01.01	CONSTRUCCION Y MONTAJE DECORADOS EN PLATO
04.01.02	DERRIBO DECORADOS
04.01.03	CONSTRUCCION EN EXTERIORES
04.01.04	CONSTRUCCION EN INTERIORES NATURALES
04.01.05	MAQUETAS
04.01.06	FORILLOS
04.01.07	ALQUILER DECORADOS
04.01.08	ALQUILER DE INTERIORES NATURALES

04.02 AMBIENTACION

04.02.01	MOBILIARIO ALQUILADO
04.02.02	ATREZZO ALQUILADO
04.02.03	MOBILIARIO ADQUIRIDO
04.02.04	ATREZZO ADQUIRIDO
04.02.05	JARDINERIA
04.02.06	ARMERIA
04.02.07	VEHICULOS EN ESCENA
04.02.08	COMIDAS EN ESCENA
04.02.09	MATERIAL EFECTOS ESPECIALES

10.1.2. EL CICLO PRESUPUESTARIO. ESTIMACIÓN Y AJUSTE

Todo ello, como decimos, se realiza a modo estimativo para, después, ir supervisando durante todo el ciclo presupuestario la manera en que esta previsión se acaba ejecutando y en qué medida se producen las desviaciones para corregirlas.

A tal fin se utiliza el mencionado plan de tesorería, para estructurar aquel presupuesto en varios tramos temporales que corresponderán con los períodos en que se habrá de revisar. No existe tampoco una norma para ello pero, por lo general, suele ser adecuado un presupuesto distribuido por semanas, de manera que cada capítulo presupuestario o cada partida, si se quiere, refleje el momento en que recibirá la imputación de un gasto.

La distribución temporal debe abarcar todo el período de producción en el que se van liberando las distintas cantidades económicas para cubrir cada gasto y, para completar la información sobre la situación real de liquidez, se habrá de elaborar junto con ello la previsión de ingresos o disponibilidad económica que se va a tener.

Como se ve en el ejemplo siguiente, de lo que se trata es de conocer en todo momento si se van a poder afrontar los compromisos económicos derivados del presupuesto de producción que se ha estimado y, finalmente, si se habrán de hacer ajustes temporales para dilatar los pagos o se necesitarán nuevos recursos financieros para poder asumirlos. Y todo ello se ha de hacer con la suficiente antelación como para que no suponga un problema que pueda interrumpir o dificultar la producción de la obra audiovisual.

04.02 AMBIENTACIÓN		Semana 1	Semana...
04.02.01	MOBILIARIO ALQUILADO		
04.02.02	ATREZZO ALQUILADO		
04.02.03	MOBILIARIO ADQUIRIDO		
04.02.04	ATREZZO ADQUIRIDO		
04.02.05	JARDINERIA		
04.02.06	ARMERIA		
04.02.07	VEHICULOS EN ESCENA		
04.02.08	COMIDAS EN ESCENA		
04.02.09	MATERIAL EFECTOS ESPECIALES		
04.02.10	....		
INGRESOS			
DISPONIBLE			

De este modo, se realizan los ajustes presupuestarios necesarios para poder desarrollar la producción sin sobresaltos de carácter económico y, en definitiva, se facilitan las tareas de producción y se aporta la tranquilidad necesaria a los equipos creativos para poder llevar adelante su trabajo sin problemas.

El presupuesto, en fin, es el documento de carácter económico y provisional que refleja la labor de cada uno de los integrantes de los equipos de producción y de cada uno de los aspectos de la misma mediante una cuantificación de su coste económico. Dado que los recursos financieros y económicos siempre suelen ser escasos y limitados, acaba por ser el documento que sirve a los encargados de la producción para determinar si ese proyecto va a ser viable y, en caso de que lo sea, controlar que las desviaciones sobre la situación prevista son mínimas.

Cada empresa de producción, en función de sus necesidades y el ámbito de trabajo donde se desenvuelva, puede elaborar presupuestos diferentes que, en todo caso, deben responder al gasto real que implica la elaboración de cada producto particular. Es, en general, en el ámbito de la ficción en el que suelen intervenir mayor número de profesionales y la complejidad suele ser mayor y, por tanto, utilizaremos como ejemplo para su análisis pormenorizado un presupuesto dirigido a esta área de actividad, concretamente el modelo oficial que se utiliza en el Instituto de Cinematografía y de las Artes Audiovisuales (ICAA), dependiente del Ministerio de Cultura, para solicitar las subvenciones y ayudas que este organismo destina a la producción audiovisual y que, como tal, se ha convertido en un modelo muy utilizado en todo el ámbito de la producción española.

10.2. EL MODELO OFICIAL DEL PRESUPUESTO DEL ICAA

Este modelo presupuestario, tal como vamos a ver enseguida, está agrupado en los correspondientes capítulos presupuestarios y subdividido en las partidas necesarias, de manera que se puedan integrar globalmente el gasto de cada área y conocer el total parcial que supone cada una de ellas.

Además, en este modelo particular, y dado su uso como documento económico que permitirá subvencionar parte de la producción por la administración española, incluye subdivisiones para cada capítulo y partida presupuestaria que indican qué parte de la producción corresponde a productoras españolas y cuál a extranjeras para así ajustar sus ayudas en función de la participación autóctona.

Además de ello, en lo relativo a la forma en que se imputan los gastos de personal y los impuestos que de ello se derivan, las indicaciones de este modelo presupuestario señalan que los importes de las retribuciones del personal se deberán consignar en bruto, es decir, incluyendo la parte correspondiente al trabajador de Seguridad Social e IRPF, y el resto de impuestos, a asumir por el empresario, se incluirán en el capítulo correspondiente a esta partidas de impuestos.

Tal como se ve a continuación, todas las partidas presupuestarias acumuladas en los capítulos correspondientes, se presentan a modo resumido en una única página que permite distinguir cual será la distribución del presupuesto una vez elaborada toda la previsión.

		ESPAÑA	
CAP.01	GUION Y MUSICA	0	0
CAP.02	PERSONAL ARTISTICO	0	0
CAP.03	EQUIPO TECNICO	0	0
CAP.04	ESCENOGRAFIA	0	0
CAP.05	ESTUDIOS ROD/SON. Y VARIOS PRODUCCION	0	0
CAP.06	MAQUINARIA, RODAJE Y TRANSPORTES	0	0
CAP.07	VIAJE, DIETAS Y COMIDAS	0	0
CAP.08	PELICULA VIRGEN	0	0
CAP.09	LABORATORIO	0	0
CAP.10	SEGUROS E IMPUESTOS	0	0
CAP.11	GASTOS GENERALES	0	0
CAP.12	GASTOS EXPLOTACION COMERCIO Y FINANCIACION	0	0
	TOTAL	0	0

En la segunda columna y posteriores, se debe indicar la participación de cada uno de los co-productores y su país de origen, en caso de que los hubiera. Cada una de las filas que componen el presupuesto corresponde a un capítulo presupuestario.

De este modo, tal como se puede consultar a continuación, y se recoge en el Anexo en el que se incluye el detalle del modelo oficial de presupuesto, también disponible on-line en el Laboratorio de Comunicación Audiovisual y Publicidad – LABCAP en *www.labcap.uji. es*, el Capítulo 1 está estructurado de manera que cada subdivisión corresponde a las partidas presupuestarias relativas al coste de los derechos de autor y los distintos trabajos y fases de elaboración de los guiones y la música original, incluyendo la creación y, en el caso de la música, la interpretación de la misma.

Como se puede ver, se distingue entre la participación española y foránea y, también, tratándose de partidas presupuestarias sujetas a tributación fiscal, a efectos de facilitar la lectura y conocer los costes reales, se distingue, en caso de que se trate de partidas sujetas a IRPF y Seguridad Social, las cantidades que sobre el total bruto suponen para el trabajador. Igualmente, las dietas se anotan aparte porque se trata de un concepto que se habrá de contabilizar por separado y no forma parte del salario como tal.

CAPITULO 01.- GUION Y MUSICA

01.01 GUIÓN

		REMUNERACIONES BRUTAS	RETENCIONES IRPF	RETENCIONES SEG. SOCIAL	DIETAS	PARTICIPACION EXTRANJERA
01.01.01	DERECHOS DE AUTOR		0	0		
01.01.02	ARGUMENTO ORIGINAL		0	0		
01.01.03	GUION		0	0		
01.01.04	DIALOGOS ADICIONALES		0	0		
01.01.05	TRADUCCIONES		0	0		
			0	0		
			0	0		
01.02 MÚSICA						
01.02.01	DERECHOS AUTOR MUSICAS		0	0		
01.02.02	DERECHOS AUTORES CANCIONES		0	0		
01.02.03	COMPOSITOR MUSICA DE FONDO		0	0		
01.02.04	ARREGLISTA		0	0		
01.02.05	DIRECTOR ORQUESTA		0	0		
01.02.06	PROFESORES GRABACION CANCIONES		0	0		
01.02.07	IDEM MUSICA DE FONDO		0	0		
01.02.08	CANTANTES		0	0		
01.02.09	COROS		0	0		
01.02.10	COPISTERIA MUSICAL		0	0		
			0	0		
			0	0		
			0	0		
	TOTAL CAPITULO 01	0	0	0	0	0

Los capítulos 2 y 3, correspondientes a personal igualmente, tienen una estructura similar, y en ellos se incluyen todas las categorías profesionales necesarias para llevar adelante la producción.

La distinción entre personal artístico y técnico, aun siendo ciertamente arbitraria en tanto que la aportación a la creación puede ser muy diversa, está, no obstante, relacionada con el régimen de cotización a la Seguridad Social a que están obligados los trabajadores y, en ese sentido, dependiendo si cotizan por el Régimen General —los técnicos— o por el especial —los artistas—, se incluyen en un capítulo u otro aunque, como es evidente, el director de fotografía, siendo considerado un técnico, tiene importantes responsabilidades artísticas.

En el resto de capítulos, como podemos consultar en el Anexo, basta con imputar la previsión del gasto determinando qué parte corresponde a la producción española y cuál a otros coproductores, acumulando los correspondientes totales al final del documento.

Las partidas presupuestarias más usuales vienen reflejadas en el presupuesto oficial pero, sin embargo, cualquier otro gasto se habrá de computar y para ello expandir cada uno de los epígrafes con las partidas presupuestarias que sean necesarias, es decir, no se trata de documentos cerrados sino sólo de documentos orientativos.

De igual manera, cuando la partida presupuestaria se pueda denominar para hacerla más específica, caso de que se trate de personal o de lugares o equipos concretos o similar, es conveniente y necesario reflejarlo en el presupuesto al lado del concepto genérico, pues luego facilitará mucho las labores posteriores, tal como ocurre, por ejemplo, en las partidas correspondientes a gastos de viaje o el material de rodaje.

Es importante, igualmente, el capítulo dedicado específicamente a los distintos seguros a la producción que se pueden suscribir, en tanto que pueden llegar a suponer porcentualmente un coste importante respecto al total presupuestado y, en todo caso, supone un gasto más a añadir al resto.

CAPITULO 10.- SEGUROS

10.01 SEGUROS

	ESPAÑA			
10.01.01 SEGURO DE NEGATIVO				
10.01.02 SEGURO DE MATERIALES DE RODAJE				
10.01.03 SEGURO DE RESPONSABILIDAD CIVIL				
10.01.04 SEGURO DE ACCIDENTES				
10.01.05 SEGURO DE INTERRUPCION DE RODAJE				
10.01.06 SEGURO DE BUEN FIN				
10.01.07				
10.01.08 SEG. SOCIAL (REG. GENERAL) (CUOTA EMPRESA)				
10.01.09 SEG. SOCIAL (REG. ESPECIAL) (CUOTA EMPRESA)				
TOTAL CAPITULO 10	0	0	0	0

Como gastos generales, tal como se puede ver en el Anexo, se consideran todos aquellos gastos corrientes de funcionamiento que, sirva como guía, conforman un capítulo presupuestario como el que vemos a continuación.

Finalmente se considera, por otro lado, un capítulo aparte para los gastos propios derivados de la explotación de la película, integrando en el mismo capítulo aquellos intereses resultantes de las obligaciones financieras contraídas por la productora para llevar adelante el proyecto de producción.

En general, los costes publicitarios suelen agruparse en torno a un plan de *marketing* que elabora una empresa de publicidad especializada que facturará sus servicios globalmente aunque, en muchos casos, es conveniente conocer la asignación presupuestaria que se realiza para cada partida y, por supuesto, se ha de supervisar minuciosamente todo el proceso desde la producción.

Finalmente, y como complemento de todos los datos vertidos en el presupuesto y el resumen de todo ello, se añade en este modelo oficial del ICAA un último documento-resumen en el que se indican los totales y se han de ajustar a los límites marcados por este organismo en cuanto a la proporción de gasto que supone cada capítulo específico, tal como se puede ver en el siguiente gráfico.

De este modo, respecto a la suma de los capítulos 1 al 10, es decir, respecto al coste de realización efectivo de la obra audiovisual sin contar la remuneración del productor, éste tiene, según este organismo, un límite del 5% para calcular su retribución. Igualmente, se establece un límite del 30% para la publicidad, un 10% para hacer frente a intereses de préstamos, o un 5% para gastos generales, cantidades que en una producción que no opte a subvención pueden ser variables en función de los intereses del productor pero que, en este caso y si se quiere optar a estas ayudas, ha de respetar los límites fijados en la política de ayudas y subvenciones oficial del ICAA.

RESUMEN COMPLEMENTARIO

	TOTALES	OBSERVACIONES
CAP. 01	0	
CAP. 02	0	
CAP. 03	0	Sin incluir productor ejecutivo
CAP. 04	0	
CAP. 05	0	
CAP. 06	0	
CAP. 07	0	
CAP. 08	0	
CAP. 09	0	
CAP. 10	0	
COSTE DE REALIZACION	**0**	Subtotal
Productor Ejecutivo	0	Limite máximo: 5% del subtotal
Gastos Generales (cap.11)	0	Limite máximo: 5% del subtotal
Publicidad (cap.12.02)	0	Limite máximo: 30% del subtotal
Intereses Pasivos (cap. 12.03)	0	Limite máximo: 10% del subtotal
Copias (cap. 12.01)	0	
Doblaje/subtitulado		A cualquier idioma
Informe E. Auditoria		
COSTE TOTAL	**0**	Subtotal

En definitiva, y a modo de resumen, el modelo de presupuesto del ICAA resulta válido y útil como guía general para la elaboración de presupuestos. Es conveniente hacer uso de él en la medida en que es un documento formal aceptado por toda la industria, ya que facilita la lectura de los gastos previstos para cualquier producción allá donde quiera que se vaya a presentar para buscar financiación en cualquiera de las modalidades posibles.

10.3. FINANCIACIÓN DE PRODUCCIONES AUDIOVISUALES

Tal como venimos expresando, una vez elaborado el presupuesto y, por tanto, cuando se dispone de un conocimiento más exacto y detallado del coste total de la producción, se ha de determinar la viabilidad de ese proyecto a partir de que sea posible su financiación.

Para ello se elabora un plan financiero, que debe reflejar los tipos de recursos obtenidos para cubrir los costes presupuestados y su distribución a lo largo de todo el ciclo de vida del producto. Se ha de tener en cuenta que, muy comúnmente, no suele coincidir la finalización del producto audiovisual con la obtención del equilibrio presupuestario y, además, son habituales los pagos diferidos y alcanzar ese equilibrio una vez el producto haya sido distribuido.

Entre las fuentes de financiación, se pueden distinguir las siguientes:

- Inversiones de las televisiones en la producción de varias maneras:
  - Co-producción o encargo.
  - Compra derechos de emisión.
  - Acuerdos marco de financiación anual con asociaciones de productores.
- Compra previa y acuerdos con distribuidores.
- Financiación bancaria mediante:
  - Descuento de los contratos de preventa de distribución y explotación.
  - Préstamos específicos para el sector y acuerdos marco.
  - Préstamos en general.
- Ayudas y subvenciones.

- Europeas, a través de los programas MEDIA y otros.
- Iberoamericanas.
- Nacionales.
- Autonómicas.
- Acuerdos publicitarios.
  - *Merchandising.*
  - *Product Placement.*
  - Patrocinio.
- Inversores privados.
- Co-producciones.
- Autofinanciación.

Todas estas formas de financiación, entre otras aquí recogidas y que se exponen con profusión en el imprescindible texto editado por la consultora Écija y Asociados sobre las estrategias eficientes para producir, distribuir y financiar películas (Écija, 2000)[1], son utilizables en función del tipo de producto audiovisual a elaborar, y son necesarias para obtener los recursos necesarios para hacer viable el proyecto de producción. Para realizar esta tarea de manera eficaz, igualmente, es imprescindible distribuir las previsiones de pagos a lo largo de todo el ciclo de vida del producto para conocer la disponibilidad financiera requerida en cada momento.

En nuestro país, el sistema audiovisual en su conjunto depende en gran medida de la salud financiera de las televisiones puesto que se trata, sin duda, del motor alrededor de cuyo eje gira toda la industria. La participación de las televisiones en el sistema se realiza de diversas maneras, pero en todo caso, como principales exhibidores de todos los productos audiovisuales, su influencia sobre la producción de contenidos es enorme.

En general, las cadenas de televisión suelen mantener acuerdos de producción bilaterales con empresas externas y suscriben acuerdos marco de financiación anual o plurianual con las asociaciones de productores, en gran medida porque la legislación audiovisual obliga a los concesionarios de licencias de televisión a destinar un porcentaje de su facturación a la inversión en la industria audiovisual pero, también,

---

[1]   Se puede consultar también al respecto Cuevas (1999) y Calvo Herrero (2003).

porque las televisiones son, obviamente, los primeros consumidores de productos audiovisuales.

En ocasiones, las televisiones intervienen en la producción de programas audiovisuales como productores de obras propias, aunque lo más habitual es que para los programas no estrictamente televisivos sólo utilicen la compra de derechos, o participen en algún modo utilizando fórmulas de co-producción o encargo, aunque en estos últimos casos los riesgos para la televisión son mayores puesto que su participación va más allá del mero compromiso de compra, que siempre se puede revocar utilizando las fórmulas contractuales adecuadas, y, por tanto, cuando se participa en la inversión los riesgos aumentan, como es obvio.

La participación de las televisiones, en cualquier caso, es imprescindible para cualquier producción o, cuanto menos, necesaria si se quiere contar con un mínimo de credibilidad para encontrar posibles socios financieros, puesto que las preventas a las televisiones suponen un fuerte espaldarazo para atraer recursos económicos privados o subvenciones.

Estas compras previas que, como decimos, son absolutamente necesarias, a veces no se realizan directamente a los exhibidores finales, caso de las producciones cinematográficas sobre todo[2], sino también cuando se quiere acceder a mercados y circuitos internacionales.

En todos los casos se puede buscar la participación y el apoyo de estructuras comerciales ya establecidas a través de intermediarios, los distribuidores, que permitirán establecer acuerdos y recibir financiación por adelantado, bien directamente desde los distribuidores, o negociando en los bancos esos acuerdos a cambio de recibir las cantidades necesarias, y el pago de los intereses correspondientes, lo que se conoce como el descuento de los contratos en las entidades bancarias.

Además de la posibilidad de negociar esos contratos de preventa en los bancos, las entidades financieras mantienen los mecanismos

---

[2]   Normalmente los acuerdos de distribución con los exhibidores se pactan en porcentajes 50%-50% o 40%-60%, para el distribuidor y el exhibidor respectivamente, una vez obtenida del productor una licencia o mandato de distribución a cambio de una parte de ello o una cantidad fija preestablecida, y este reparto porcentual con los exhibidores se va invirtiendo a favor de estos a medida que pasan las semanas y hasta que la película desaparece de la cartelera una vez proyectada el número de pases pactados.

de préstamo habituales para cualquier empresa, para lo que serán necesarias las garantías y avales exigidos por el banco.

No obstante, los organismos oficiales mantienen convenios para facilitar líneas de financiación preferentes para la producción audiovisual a través del Instituto de Crédito Oficial (ICO), o mediante acuerdos con entidades bancarias que permitan el descuento de las ayudas oficiales y tipos de interés ajustados.

El sector de producción está considerado, a efectos de apoyo administrativo, como un sector cultural que necesita medidas específicas de fomento para facilitar su consolidación como industria y, en ese sentido, las distintas administraciones, europea, española y autonómicas, impulsan medidas legales que facilitan tal objetivo, a veces con mayor o menor acierto y cuyas políticas actuales se analizan con precisión en el exhaustivo análisis que realiza Álvarez Monzoncillo de las estrategias públicas ante los mercados digitales (Álvarez Monzoncillo y López Villanueva, 2006).

A continuación se puede ver un resumen de las ayudas y convenios promovidos desde el Instituto de Cinematografía y de las Artes Audiovisuales (ICAA):

- Ayudas para la realización de largometrajes
- Ayudas para la producción de Cortometrajes (PROYECTOS DE CORTOMETRAJES)
- Ayudas para la producción de Cortometrajes (CORTOMETRAJES REALIZADOS)
- Distribución de películas cinematográficas comunitarias
- Ayudas al desarrollo de guiones para películas de largometraje para el cine o la televisión
- Ayudas para el desarrollo de guiones para películas de largometraje
- Ayudas a la conservación de negativos y soportes originales
- Subvenciones para la organización y desarrollo en España de festivales de cinematografía y artes audiovisuales
- Convenio entre el I.C.A.A. y el I.C.O para el establecimiento de una línea de financiación para la producción cinematográfica
- Convenio entre el I.C.A.A. y el I.C.O. para el establecimiento de una línea de financiación para la exhibición cinematográfica

y para adquisición y mejora de equipamientos de producción cinematográfica

- Ayudas para la participación y la promoción de películas seleccionadas en festivales internacionales

La nueva Ley del Cine, 55/2007, entre las Medidas de fomento e incentivos a la cinematografía y al audiovisual recogidas en el Capítulo III introduce como novedad la inclusión de incentivos fiscales para aquellas empresas que inviertan en la producción audiovisual, ya que se trata de inversiones de riesgo[3].

Desde la Unión Europea, por su parte, El **Programa MEDIA** (Mesures pour Encourager le Développement de l'Industrie Audiovisuelle) es el Programa comunitario de apoyo a la industria europea del audiovisual. En enero de 2007 se ha lanzado el nuevo Programa MEDIA 2007-2013 que estará vigente hasta diciembre del 2013 y, a través de diversas iniciativas, este programa subvenciona o apoya a diversos ámbitos de actividad de todo el sector audiovisual, subdividiendo su actividad en las siguientes áreas:

- MEDIA i2i
- MEDIA FORMACION
- MEDIA DESARROLLO
- MEDIA PROMOCIÓN
- MEDIA DISTRIBUCIÓN

Algunas de las cuales, como vemos a continuación, realizan diversas convocatorias a los agentes del sector con el objeto de dinamizar la industria audiovisual europea en su conjuntos.

- MEDIA i2i
- Convocatoria 11/2007: Audiovisual
- Convocatoria 11/2007: i2i EACEA
- MEDIA FORMACION
- Convocatoria 10/2007 EACEA
- Convocatoria 10/2007 EACEA

---

[3]   El Instituto de la Cinematografía y de las Artes Audiovisuales, "dentro de los límites presupuestarios" aprobados en cada ejercicio apoyará, "en el marco de la legislación tributaria, la aplicación de distintas medidas o regímenes que contribuyan al fomento de la cinematografía y del audiovisual". Ley 55/2007, Artlo. 19 d).

- MEDIA DESARROLLO
- Convocatoria 10/2007: Formación Inicial
- Convocatoria 16/2007: Desarrollo de Proyectos individuales
- Convocatoria 17/2007: Desarrollo de obras interactivas
- MEDIA PROMOCIÓN
- Convocatoria 14/2007 Acceso a Mercados
- Convocatoria 15/2007 Festivales en Terceros Estados
- Convocatoria 18/2007 Apoyo a Festivales
- Convocatoria 14/2007 Accesoa mercados EACEA
- Convocatoria 09/2007 Apoyo a Festivales
- MEDIA DISTRIBUCIÓN
- Convocatoria EACEA 24/2007: Agentes de Ventas
- Convocatoria 06/2007: Difusión TV
- Convocatoria 13/2007. Apoyo para Vídeo a la Carta y Distibución digital de obras cinematográficas
- Convocatoria 04/2007. Distribución Selectiva
- Convocatoria 05/2007. Distribución Automática

Igualmente, las Comunidades Autónomas apoyan y subvencionan la industria audiovisual, de diversas formas, y, como es habitual, requieren la documentación necesaria para evaluar la viabilidad de la producción. En general, se proponen modelos de presupuesto propios, como se puede ver en lo relativo al Instituto Valenciano de la Cinematografía (IVAC), que distribuye su actuación en las siguientes áreas y para acceder a ellas demanda la documentación que se reproduce más abajo, tal y como figura en la hoja de solicitud oficial, que también reproducimos:

- Ayudas a la producción audiovisual.
- Ayudas a la realización de actividades cinematográficas.
- Ayudas a la formación.
- Ayudas a la escritura de guiones.

PRESUPUESTO PARA SERIES DE FICCIÓN (Extracto)

Denominación	N° de personas	Tipo de relación: Prof.	Auto	Labo	Unidad Tipo	N° de Unidades en: P	R	T	Total Unidades	Precio unidad	Total Retrib.	Seguridad Social	Total Coste	Coste por capítulo
PERSONAL ARTISTICO														
Presentador/a														
Artistas														
Figurantes														
Coreógrafo														
Bailarines														
Director orquesta														
Musicos														
Solistas														
Total Personal artístico	0													
PERSONAL TÉCNICO														
Director														
Ayudante dirección														
Productor Ejecutivo														
Realizador														
Ayudante ralización														
Productor														
Ayudante producción														
Auxiliar Producción														
Guionista														
Redactor														
Documentalista														
Asesor en....														
Arreglista musical														
Coordinador público e invitados														
Azafatas														
Regidor														
Operador de cámara														
Operador de sonido														
Iluminador														

GENERALITAT VALENCIANA

SOL·LICITUD D'AJUDES PER A LA PRODUCCIÓ AUDIOVISUAL EN LA COMUNITAT VALENCIANA
SOLICITUD DE AYUDAS PARA LA PRODUCCIÓN AUDIOVISUAL EN LA COMUNITAT VALENCIANA

NOM I COGNOMS DEL SOL·LICITANT / NOMBRE Y APELLIDOS DEL SOLICITANTE | TÍTOL DEL PROJECTE / TÍTULO DEL PROYECTO

E | **DADES BANCARIES (*)** (S'haurà de fer constar que la persona titular del C/C, és la mateixa que la persona sol·licitant de la subvenció)
DATOS BANCARIOS (*) (Se hace constar que la persona titular de la C/C, deberá ser la misma que la persona solicitante de la subvención)

BANC / BANCO | CODI BANC / CÓDIGO BANCO | CODI SUCURSAL / CÓDIGO SUCURSAL | NÚMERO DE COMPTE / NÚMERO DE CUENTA

F | **DOCUMENTACIÓ / DOCUMENTACIÓN**

Un exemplar de la següent documentació (marqueu amb una creu la documentació presentada):
Un ejemplar de la siguiente documentación (marcad con una cruz la documentación presentada):

☐ Fotocopia del DNI / *Fotocopia del DNI.*

☐ Document acreditatiu d'estar facultat per a ostentar la representació, conforme a l'article 32 de la Llei 30/1992, de Règim Jurídic de les Administracions Públiques i del Procediment Administratiu Comú.
Documento acreditativo de estar facultado para ostentar la representación, conforme al artículo 32 de la Ley 30/1992, de Régimen Jurídico de las Administraciones Públicas y del Procedimiento Administrativo Común.

☐ CIF de l'empresa / *CIF de la empresa.*

☐ Declaració de les subvencions sol·licitades, percebudes o concedides i pendents de percepció per altres administracions o institucions públiques i privades per a la mateixa finalitat, justificant documentalment la quantia de les mateixes.
Declaración de las subvenciones solicitadas, percibidas o concedidas y pendientes de percepción por otras administraciones o instituciones públicas y privadas para la misma finalidad, justificando documentalmente la cuantía de las mismas.

☐ Certificat original expedit per la Tresoreria Territorial de la Seguretat Social d'estar al corrent de les obligacions de Seguretat Social.
Certificado original expedido por la Tesorería Territorial de la Seguridad Social de estar al corriente de las obligaciones de Seguridad Social.

☐ Certificat original expedit per l'Agència Estatal d'Administració Tributària d'estar al corrent de les seues obligacions tributàries estatals.
Certificado original expedido por la Agencia Estatal de Administración Tributaria de estar al corriente de sus obligaciones tributarias estatales.

☐ Certificat expedit per la Conselleria d'Economia, Hisenda i Ocupació d'estar al corrent de les seues obligacions tributàries, respecte a la Comunitat Valenciana.
Certificación expedida por la Consellería de Economía, Hacienda y Empleo de estar al corriente de sus obligaciones tributarias, respecto a la Comunidad Valenciana.

☐ Acreditació de posseir els pertinents drets de propietat intel·lectual sobre el guió, i si és procedent, el d'opció sobre l'obra preexistent.
Acreditación de poseer los pertinentes derechos de propiedad intelectual sobre el guión, y en su caso, el de opción sobre la obra preexistente.

☐ En el cas de coproduccions, còpia compulsada del contracte de coproducció.
En el caso de coproducciones, copia compulsada del contrato de coproducción.

Huit exemplars de la següent documentació (marqueu amb una creu la documentació presentada):
Ocho ejemplares de la siguiente documentación (marcad con una cruz la documentación presentada):

☐ Guió / *Guión.*

☐ Sinopsi del guió (màxim 10 folis). / *Sinopsis del guión (máximo 10 folios).*

☐ Historial professional de l'empresa productora. / *Historial profesional de la empresa productora.*

☐ Pressupost de la producció / *Presupuesto de la producción.*

☐ Pla de finançament / *Plan de financiación.*

☐ Pla de comercialització / *Plan de comercialización de la producción.*

☐ Pla de treball, amb indicació del temps de rodatge, dates i localitzacions.
Plan de trabajo, con indicación del tiempo de rodaje, fechas y localizaciones.

☐ Composició de l'equip tècnic i artístic / *Composición del equipo técnico y artístico.*

☐ Currículum del director i del guionista de la producció.
Currículum del director y del guionista de la producción.

☐ Empreses de serveis que participen en el projecte.
Empresas de servicios que participen en el proyecto.

(*) Les dades personals que conté l'imprès podran ser incloses en un fitxer per al tractament per la Conselleria de Cultura, Educació i Esport, en ús de les funcions pròpies que té atribuïdes en l'àmbit de les seues competències, i es podrà dirigir a qualsevol òrgan seu per a exercir els drets d'accés, rectificació, cancel·lació i oposició, segons disposa la Llei Orgànica 15/1999, de 13 de desembre, de Protecció de Dades de Caràcter Personal (BOE núm. 298, de 14/12/99).
Los datos personales contenidos en este impreso podrán ser incluidos en un fichero para su tratamiento por la Conselleria de Cultura, Educación y Deporte, en el uso de las funciones propias que tiene atribuidas en el ámbito de sus competencias, pudiendo dirigirse a cualquier órgano de la misma para ejercitar los derechos de acceso, rectificación, cancelación y oposición, según lo dispuesto en la Ley Orgánica 15/1999, de 13 de diciembre, de Protección de Datos de Carácter Personal (BOE nº 298, de 14/12/99).

INSTITUT VALENCIÀ DE CINEMATOGRAFIA RICARDO MUÑOZ SUAY
INSTITUTO VALENCIANO DE CINEMATOGRAFÍA RICARDO MUÑOZ SUAY

En definitiva, las administraciones fomentan la industria audiovisual en su ámbito territorial de competencias, en un intento de impulsar las industrias autónomas consideradas como industrias culturales y, por ello, susceptibles de protección.

Además de las vías de financiación mencionadas hasta ahora, se pueden obtener recursos económicos para hacer viable la producción a través de acuerdos publicitarios con patrocinadores a cambio de aparecer como tales en los títulos de crédito y en todo el material promocional que se genere para la obra. También es posible captar recursos económicos mediante el emplazamiento de productos o marcas, *product placement*, en lugares visibles de la escenografía, aunque la legislación mantiene restricciones a esta modalidad. Igualmente, aunque ya *a posteriori*, se pueden obtener otros ingresos a través del establecimiento de acuerdos comerciales con empresas de publicidad para la creación de productos secundarios para la venta, que puedan surgir de la propia obra audiovisual o que, en colaboración con otras marcas o productos, la utilicen para promocionarse a sí mismos, lo que se conoce como *merchandising*. En este sentido, tal como recogen y analizan autores como Ignacio Redondo (2000), el marketing promocional y las acciones de explotación comercial son intrínsecas a la propia concepción de la película desde sus orígenes. Alejandro Pardo (2003), en este sentido, asocia cada una de las fases de la producción a sendas estrategias de márketing, distinguiendo así entre *marketing de desarrollo o financiación*, haciendo notar que las películas hoy en día primero se venden y luego se producen, *marketing de producción*, realizado con el objetivo de aumentar las expectativas del espectador sobre la película, y *marketing de distribución* en la que se realiza la campaña promocional y publicitaria comercial. Una estrategia mercantil por otra parte bien conocida y utilizada profusa y magistralmente en el entorno de la industria de producción hollywoodense y cuyas particularidades han tratado con precisión Jöel Augros (200) o Miller (2005), entre otros.

Por supuesto, para hacer posible la producción también se recurre a inversores privados que, a cambio de su aportación, tendrán una participación en los beneficios, lo que se estipulará mediante el correspondiente acuerdo, de igual manera que se establecerá el grado de implicación económica o de otro tipo que tendrá cada una de las productoras en caso de que se utilicen fórmulas de co-producción.

Finalmente, como es obvio, la propia empresa de producción como tal puede disponer de recursos propios obtenidos a partir de la aportación de capital o resultantes de otras producciones o trabajos anteriores que puede invertir para autofinanciar la obra audiovisual.

Naturalmente, todas las formas de financiación descritas pueden ser concurrentes y habitualmente se utilizan de manera simultánea para poder costear los gastos que conlleva una producción y, en la medida en que los recursos financieros sean mayores, la viabilidad del proyecto es más clara y, en definitiva, mejor se garantiza la calidad final del producto audiovisual.

CAPÍTULO 11
PRODUCCIÓN MULTIMEDIA E HIPERMEDIA

EMILIO SÁEZ SORO

11.1. INTRODUCCIÓN. HIPERTEXTO, HIPERMEDIA Y PLATAFORMAS PARA NUEVOS MEDIOS DE COMUNICACIÓN

Los productos multimedia ofrecen la posibilidad de acceder a múltiples elementos informativos con las cualidades que además ofrecen las herramientas informáticas aplicadas a la imagen, el sonido, así como a diversos objetos informativos vinculados al manejo de texto: hiperenlaces, bases de datos, etc. Es, sin embargo, ese rasgo de presentación visual animada y sonora la que otorga a los productos multimedia sus mejores cualidades. Un producto multimedia, implica interacción con sus elementos y entre los mismos, por lo que la creación de un buen producto supone la necesidad de considerar en su diseño y desarrollo las mejores características para la naturaleza de cada tipo. Un buen entorno de interacción con el usuario supondrá, además de un cuidado diseño, una buena disposición de los diferentes elementos para su mejor uso y visibilidad, de una ejecución atractiva y eficaz en el cumplimiento del objetivo para el que se realiza.

El potencial de utilidades de productos multimedia es tan enorme que las posibilidades de articular el diseño de los mismos se hace ilimitado. En este sentido las particularidades del diseño será necesario contrastarlas de forma recurrente con el cliente final para adecuar tanto el continente como el contenido al objetivo de uso final del mismo. Por otra parte, de esa misma variedad se difiere la posibilidad de que se puedan construir artefactos multimedia con combinaciones distintas tanto del tipo de información y su formato, como de la relación y acceso a las mismas. Por ejemplo, a un conjunto de imágenes, podemos acceder por menús ordenados, enlaces hipertextuales ubicados en un texto de referencia, a través de una base de datos, en una secuencia controlada o no, en elementos diseñados *ad hoc* como un puzzle o diversos tipos de juegos, etc. Cada tipo de complejo informativo necesitará un planteamiento específico para el formato de presentación de su información, así como el establecimiento de las secuencias adecuadas para la aparición de la misma.

Hay que considerar que los objetos multimedia, no se tienen porque atener a una narratividad concreta, sino que el acceso a la información, a los diferentes elementos que contiene puede ofrecer múltiples combinaciones y posibilidades. Se nos plantea así la necesidad de considerar un objeto multimedia como un elemento polimórfico en todas sus partes, tanto en las que lo componen como en las formas que se puede plantear su acceso.

Del multimedia al hipermedia sólo hay un paso, pero éste supone un salto de enormes consecuencias en la concepción de los productos multimedia, llevándolos a proporcionar una capacidad de relación con el usuario redoblada, así como unas posibilidades de distribución y proyección social inimaginables con anterioridad. Existe un elemento fundamental inédito en cualquier otro producto multimedia previo y es que uno de los aspectos más importantes a considerar en un proyecto hipermedia es la relación, la comunicación con el usuario, a nivel personal o grupal. Este aspecto supone la entrada de lo productos multimedia-hipermedia del ámbito de los objetos al de los medios de comunicación. El diseñador de este tipo de productos tiene que controlar la adecuada disposición y funcionamiento de los canales de comunicación vinculados a su sitio para que ese aspecto fundamental funcione de forma muy eficaz.

Aunque la mayoría de desarrollos de diseño en productos multimedia e hipermedia proviene en sus bases del ámbito del diseño gráfico editorial, es necesario comprender que dicho ámbito está sustancialmente trascendido por las posibilidades formales, funcionales y conceptuales de los mismos, por lo que aunque en determinadas utilidades puede ser un base útil y fuerte de construcción de entornos multimedia, para otras puede ser un gran inconveniente aplicar dicho patrón. Las tecnologías puestas a disposición de los diseñadores multimedia permiten una enorme flexibilidad de construcción y creación que ha de estar al servicio de crear buenas ideas para conseguir los objetivos que se plantean.

11.2. PLANIFICACIÓN Y DISEÑO MULTIMEDIA

En el momento de iniciar un proyecto multimedia es de suma importancia plantearse en un primer lugar los objetivos que se pretenden conseguir con el mismo: de entretenimiento, educativos, organizativos, creativos, etc. Dichos objetivos han de ser el eje vertebrador de todas las acciones en la producción del proyecto. En ningún momento se debe plantear el uso de medios tecnológicos o contenidos que primen aspectos (como una mayor espectacularidad, estética o sofisticación) que no son específicamente el que mueve la puesta en marcha del proyecto. Existe tanto en diseñadores como en usuarios una fascinación por la tecnología que en ocasiones desvirtúa la utilidad de un proyecto convirtiéndolo en algo de poca utilidad o directamente inservible.

La orientación que nos proporcionan los objetivos que tratamos para el diseño de un producto multimedia ha de ser la que guíe la elección de la tecnología, las características del diseño, así como el tipo de información y la organización de la misma.

En estos momentos existe una gran diversidad de soportes materiales en los que alojar productos multimedia. Los más utilizados en los últimos años han sido los CD-Roms, sustituidos por DVD-ROMS en los casos en los que hay que alojar una gran cantidad de información, especialmente indicados para el formato de vídeo.

Sin embargo, la proliferación de soportes con memorias estables y la facilidad de transferencia de información hace posible la extensión de medios y formatos en la elaboración de productos multimedia. Ya no solo los ordenadores son el vehículo antes natural para consumir-utilizar este tipo de productos. Desde la telefonía móvil, las consolas de juego, la televisión, los navegadores GPS, junto a una larga lista de dispositivos pueden ser ya el vehículo para estos productos. Este elemento soporte marca dos variables condicionantes en el desarrollo del producto: la capacidad de almacenamiento y el *interface* específico de cada medio (tamaño de pantalla, tipo de teclas, sonido, etc.).

Respecto a la tecnología utilizada para la producción existe también un amplio catálogo de posibilidades: tecnología HTML igualmente válida para el hipermedia pero circunscrita a un entorno cerrado, entornos interactivos con programas de autor (*Director, Acrobat, Flash*, etc.). Estos sistemas tienen la posibilidad de producir ellos sistemas adaptables a múltiples formatos y ser incluso alojados en páginas web.

Hay que considerar que el sector multimedia vive un proceso de expansión de gran dinamismo por la sucesiva incorporación de formatos técnicos muy populares como los teléfonos móviles, las consolas de juego en sus diferentes tamaños, PDA y otros para utilidades específicas. Esta situación no sólo hace necesario pensar en un diseño para artefactos más pequeños, sino que además se requiere tener en cuenta las condiciones en las que habitualmente se utilizarán: en movimiento, tiempos muy fragmentados de uso, situaciones de relativa confusión, rodeado de gente, etc. Sólo los productos que valoren todo este tipo de elementos cumplirán con éxito los objetivos propuestos inicialmente en el desarrollo y producción de productos multimedia. En este sentido, es necesario abandonar la idea de que en muchos casos prejuicia el desarrollo base de productos multimedia desde una concepción para ordenadores de sobremesa.

La geometría de los productos multimedia-hipermedia está totalmente abierta por lo que es necesario tener un visión muy flexible sobre las posibilidades en la concepción y diseño de cualquier proyecto.

11.2.1. PLANIFICACIÓN

En la puesta en marcha del proyecto es necesario aclarar algunas cuestiones iniciales que guíen su desarrollo. Dentro de los objetivos generales mencionados con anterioridad es necesario precisar con más detalle los que se plantean de forma más concreta y fácilmente visualizable. Por ejemplo, en un producto orientado al autoaprendizaje del inglés, se pueden concretar objetivos como: aprendizaje de vocabulario, aprendizaje de pronunciación, aprendizaje de formas verbales, aprendizaje de reconocimiento de habla, etc. Desde esos objetivos más concretos se puede comenzar a desarrollar los primeros pasos en el diseño de proyecto que estarán orientados al logro de esas metas. Es necesario detallar los *subobjetivos* prácticos tanto como sea posible porque así podremos orientar todos los elementos del proyecto, tanto los de disposición de los componentes, como el tipo de información, su diseño, etc.

Asimismo en este proceso previo es importante conocer el público al que va destinado el producto a realizar. Siguiendo el ejemplo de un producto multimedia para el aprendizaje del inglés, serán muy diferentes todos los parámetros que forma el proyecto si éste se destina a un público adulto o a uno infantil, si es para personas iniciadas en el idioma o es para personas que no tienen ningún conocimiento previo. Será muy diferente a su vez en estos casos tanto el tipo de información utilizada, su presentación, los elementos de interacción, diseños, duración de las distintas partes. En este caso, para desarrollar el proyecto sería necesario estar orientados por especialistas en pedagogía y enseñanza de idiomas. Un proyecto multimedia es al fin y al cabo un vehículo en el que dirigir múltiples acciones y según su naturaleza la orientación del diseño puede tener que ser apoyada por especialistas que nada tienen que ver con el diseño multimedia. De esta manera, es el cliente el que tiene que proporcionar toda la información e instrucciones precisas de la forma en la que hay que diseñar el producto para que cumpla bien los objetivos planteados. Se hace necesario una comunicación muy fluida con el cliente a lo largo del desarrollo de todo el proyecto y dependiendo de la envergadura del mismo una participación directa.

La planificación de los elementos técnicos tiene una importancia crucial y la elección de éstos determinará en muchas cuestiones las características del proyecto. En primer lugar escoger el sistema o sistemas operativos en los que funcionará la aplicación. Sistemas propietarios, sistemas abiertos, esto es aplicable tanto en plataformas tipo PC, como en PDA o telefonía móvil, etc. Es importante si se elige la *retrocompatibilidad* con otros sistemas anteriores o se renuncia a ella en pos del uso de tecnologías más avanzadas.

El soporte elegido para el uso del producto multimedia también es un elemento importante. Una vez más el objetivo del proyecto y el tipo de público al que se dirige ha de determinar dicha elección. Si por ejemplo el curso de inglés interactivo se plantea en su uso con dispositivos móviles para personas que utilizan tiempos muertos en este cometido, será necesario concebir el uso de cartuchos tipo consola de juegos, tarjetas tipo memoria flash (SD, compact flash, etc.) o incluso sin soporte material en su distribución al descargarse en un teléfono móvil, etc. Resulta claro que la elección de formatos móviles y sus posibilidades de almacenamiento condicionan de forma notable el desarrollo del proyecto al tener que trabajar con cantidades no excesivamente grandes de información, reduciendo por ejemplo el uso de vídeo. Si utilizamos soportes de mayor capacidad tipo CD-Rom o DVD-ROMS se puede plantear un proyecto con mayor riqueza de elementos multimedia pero es necesario situar su uso en plataformas de sobremesa, ya sea ordenadores o dispositivos reproductores de DVD.

Si finalmente utilizamos soporte CD o DVD para el proyecto es necesario acotar las características que ha de tener el dispositivo en el que se ha de usar. Diferentes ordenadores con el mismo sistema operativo pueden acceder o no a los contenidos de un disco multimedia dependiendo de las capacidades técnicas de los mismos. Es necesario definir los siguientes parámetros mínimos con los que ha de contar el aparato reproductor para que el contenido del disco funcione correctamente: velocidad de reloj del procesador, memoria RAM, memoria de vídeo, capacidad mínima necesaria en el disco duro y tipo de dispositivo de sonido. Dependiendo de las exigencias técnicas previstas se podrá alcanzar en la distribución del productos un mayor o menor parque de aparatos. Esta decisión tiene que estar enmarcada en la estrategia de distribución del producto porque puede condicionar el alcance del mismo. Por ejemplo un producto para la enseñanza de idiomas con grandes requisitos técnicos no podría distribuirse por la mayoría de centros educativos que suelen tener un parque de ordenadores relativamente obsoletos.

Otro elemento importante a considerar en la planificación es la necesidad de instalación o no del producto y el soporte necesario para el uso del mismo. Si el producto necesita instalarse, igualmente hay que prever si es necesaria la existencia de otras instalaciones previas o complementarias. Por ejemplo, si usamos tecnologías como *flash, java* o formatos de vídeo que no podemos presuponer que están soportados por todos los ordenadores, será necesario incorporar en la instalación los complementos para que el producto pueda funcionar correctamente. Igualmente será necesario decidir según la envergadura del proyecto la oportunidad de que exista un servicio de asistencia técnica para la resolución de problemas en el uso del producto. A mayor complejidad del proyecto se planteará una mayor necesidad de atención al usuario.

También es necesario describir el tipo de archivos utilizados para el desarrollo del producto, así como los formatos de los mismos. Esto se extiende a todos los elementos que lo componen, desde sonido, vídeo y fotografías. La calidad de la imagen y el sonido redunda de forma notable en el tamaño de los contenidos a alojar, por lo que además es importante determinar formatos de compresión equilibrados para conseguir una buena relación entre el tamaño de los archivos y la fidelidad deseada en la reproducción.

Otra parte relevante en la planificación es la decisión sobre la presentación y soporte del producto: el tipo de recipiente, caja, envoltorio, los materiales de los mismos, así como el acompañamiento de contenidos complementarios: instrucciones de instalación y uso, presentaciones de contenidos internos, créditos de producción, elementos promocionales, etc.

El conjunto de aplicaciones utilizadas para el desarrollo del producto así como la versión de las mismas también ha de estar definido desde un primer momento. En la medida en la que cualquier proyecto puede tener diferentes implicados hay que evitar todo tipo de posibles incompatibilidades tanto por el tipo de programa como por las versiones de los mismos.

Finalmente cuando se han definido todos los elementos que serán necesarios para el desarrollo hay que proceder a una contabilización detallada de los costes del proyecto teniendo en cuenta todos los factores que intervienen en el mismo: costes del *software* y *hardware* necesario para la ejecución del proyecto, salarios del personal implicado, compra de contenidos como fotografías, vídeos, etc., costes de subcontrataciones en los diversos apartados como: producción audiovisual, fotografía, bases de datos, diseño gráfico, etc.; el desarrollo del contenido específico para la aplicación, traducciones, asesoramiento técnico específico según el producto desarrollado, así como otros elementos que sean relevantes para las características específicas de cada proyecto.

ORIENTACIÓN PRODUCTO

DEFINICIÓN OBJETIVOS

DEFINICIÓN USUARIOS

ELECCIÓN SISTEMA OPERATIVO

PLANIFICACIÓN

ELECCIÓN SOPORTE UTILIZADO

NECESIDADES TÉCNICAS USO

INSTALACIÓN Y EJECUCIÓN

TIPO DE ARCHIVOS

APLICACIÓNES DESARROLLO

PRESUPUESTO MEDIOS

11.2.2. ESTRUCTURA INFORMATIVA PARA EL DESARROLLO DEL PROYECTO

Un proyecto multimedia puede alojar una enorme cantidad de información de muy diversa naturaleza, tanto interna como formal. Un primer paso será organizar toda la información previamente creada estructurándola de forma clara respecto a su ubicación y disposición en el proyecto. Esta organización de los contenidos es esencial, pues cualquier proyecto incluso los más pequeños aloja en su interior una cantidad de información tal que de no estar convenientemente preparada podría demorar la marcha de los trabajos y crear muchos problemas de errores en su ubicación.

Dos son las formas de organizar la información disponible. La primera es la indexación categórica de los contenidos para una fácil localización atendiendo a diversos criterios relacionados con la naturaleza del proyecto, desde quién ha desarrollado esos contenidos, su formato, etc. Para esta función se pueden usar plantillas de bases de datos prediseñadas para la catalogación de archivos multimedia. La segunda forma de organizar la información nos sirve para ubicar cada pieza en su lugar, definiendo la posición de los contenidos en cada una de las partes que componen el proyecto. En este caso es necesario combinar criterios jerárquicos, de continuidad secuencial en el tiempo, de interactividad, elección, etc.

En este último caso no sólo estamos describiendo la ubicación de los contenidos en el conjunto del proyecto sino la propia estructura de éste. En este paso es necesario establecer todos los recorridos posibles a plantear al usuario, describiendo los mecanismos de acceso a las diferentes fases, así como el diseño de navegación por el conjunto del producto. Asimismo será necesario detallar los elementos tecnológicos que intervienen en cada momento de desarrollo del proyecto y en que medida intervienen (si son de uso pasivo como *codecs* o activo, como autoejecutables, etc.), si es necesario hacer programaciones específicas en determinados momentos de desarrollos, como uso de formularios, acceso a base de datos, etc. También serán necesarios materiales de referencia como *storyboards* o ejemplos gráficos que marcan elementos a tener en cuenta en el desarrollo del proyecto.

La última parte en esta fase es la integración temporal y de recursos con el desarrollo anterior de la estructura del proyecto. No sólo hace falta tener bien preparados todos los recursos técnicos y de contenidos, es necesario establecer un protocolo de ejecución del proyecto en el que se tenga en cuenta la combinación del tiempo y los recursos materiales y humanos disponibles. Hay que distribuir la relación de diferentes tareas a desarrollar de manera que se pueda cumplir con los plazos acordados. Esta tarea supone un cálculo de estimación razonable sobre las cargas de trabajo a repartir entre los diferentes miembros del equipo, así como en la disposición de los medios técnicos para llevarlas a cabo. También es importante establecer una secuencia de ejecución de las diferentes tareas que tengan en cuenta las dependencias entre los distintos trabajos. Es necesario establecer de forma adecuada dicha consecución para que no se queden estancados distintas partes del trabajo. Para llevar a cabo esta planificación existen programas específicos que resultan de enorme utilidad para reflejar todos los aspectos comentados, desde los mapas de secuenciación de las distintas partes del proyecto, hasta la organización de todos los elementos vinculados al mismo, permitiendo a la vez la observación del desarrollo y avance del proyecto en todas sus partes. Asimismo este trabajo nos servirá para determinar los costes económicos del proyecto de una forma detallada, algo especialmente útil antes de firmar un contrato con el cliente.

En *software* libre podemos encontrar el programa *Open Workbench* y como *software* comercial Microsoft Project, como los más conocidos.

11.2.3. Diseño del producto

Una vez el proyecto está acordado con el cliente en todos sus términos y firmado el contrato se iniciará el desarrollo del proyecto. Sobre la plataforma interactiva elegida, con los medios decididos y con todos los elementos informativos aportados (tanto por el cliente como por el productor) se comienza a diseñar, desarrollar el proyecto decidido.

En esta parte podemos organizar las principales tareas en los siguientes apartados:

a) Material gráficos, fotografías y películas. En esta parte se incluiría su creación, recopilación, localización y compra y petición de permisos, así como solicitar los que pueda poseer el cliente.

b) Producción de información textual. A través de la creación propia, escribir, traducir los textos necesarios, ubicarlos en cada una de las partes, editarlos con el formato conveniente.

c) Desarrollo de los elementos maestros del producto: plantillas de todos los componentes principales, guías de estilo aplicables a las distintas partes del producto atendiendo la forma y disposición de todos los elementos del diseño.

d) Vinculación de la programación del producto en las partes definidas en la planificación. Tanto los aspectos de interactividad, gestión de datos, *inputs, outputs,* como los elementos específicos diseñados para el producto en desarrollo.

Aunque no es precisamente un componente de los proyectos multimedia o hipermedia es importante aplicar un sistema de criterios de usabilidad. No sólo se trata de que todos los contenidos sean accesibles sino que dicho acceso sea óptimo. En ocasiones la solución de diseño con una estética más sorprendente o atractiva no es necesariamente la más útil según la naturaleza del proyecto. Una buena usabilidad siempre será bien recibida, pero si además estamos ante un producto en el que hay interactuar de forma bastante intensiva (proyectos basados en el aprendizaje, manejo de datos, etc.) se vuelve vital contar con un concepto de base potente en cuanto a criterios de usabilidad. Un producto en el que está toda la información necesaria, con una presentación atractiva y bien dirigido a las necesidades del cliente, puede fracasar si su uso se hace engorroso o difícil en cuestiones como visualización de textos, fotografías, navegación poco clara o lenta, etc. La usabilidad en este sentido se define no de forma monolítica sino también orientada con cierta flexibilidad según la naturaleza de cada proyecto. Por lo cual es necesario reflexionar en la fase de diseño la orientación necesaria en el caso que nos ocupe.

11.2.4. EJECUCIÓN Y DESARROLLO

Una vez ultimados todos los detalles en la preparación del diseño hay que pasar a la fase de ensamblaje de las diferentes partes que conforman el proyecto. La realización cuidada y precisa de las fases anteriores permite que la ejecución del proyecto se realice con más fluidez, además de evitar todo tipo de problemas relacionados con las expectativas finales de lo que tiene que resultar como producto final.

Los elementos más relevantes en los que intervenir en la fase de ejecución podemos contar con:

- Organización de contenidos bien establecida con sus rutas de paso y mecanismos de navegación desarrollados. Los contenidos en su plasmación y acceso tienen que haber utilizado los criterios de usabilidad definidos en el diseño.
- *Interface* de presentación y marcos o *frames* de las distintas fases terminados con todos sus elementos bien ubicados y resueltos en su funcionamiento.
- La programación específica resuelta en los términos previstos.
- Las bases de datos resueltas y a su vez vinculadas a los distintos marcos de visualización, tanto para consulta de información como para su introducción. Además se han de incorporar los conjuntos de datos necesarios para aportarles contenido y funcionalidad.
- Soporte y materiales complementarios. Asimismo es necesario preparar el soporte de grabación del producto final, eligiendo medios fiables tanto en la calidad del material como en la ejecución de la grabación. La preparación de materiales como guías o manuales de uso, carátulas, materiales promocionales, etc., habrán de estar preparados para la elaboración del producto final.

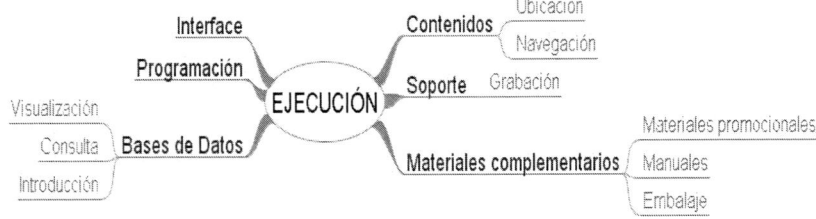

11.2.5. EVALUACIÓN Y TESTEO

Una parte muy importante del desarrollo del proyecto multimedia es la comprobación final de que todo está en orden. Una vez se integran todas las partes que conforman el proyecto es necesario comprobar que todo se ajusta a lo planeado y que todo funciona de forma adecuada.

- Comprobación de contenidos. Comprobar que toda la información prevista está presente además de estar en su lugar y en adecuada disposición para su uso. Comprobar que los textos se pueden leer con claridad y en el caso de que sean extensos que es posible manejarse con ellos con comodidad. También hay que comprobar la adecuada disposición y acceso a los elementos gráficos o audiovisuales que sean parte del compendio informativo a utilizar. Así, tanto la resolución adecuada, su ajuste a la pantalla, reproducción de vídeo sin cortes u otros problemas y la audición de los archivos de sonido deben estar adecuadamente sincronizados.

- Comprobación de diferentes funcionalidades y aplicaciones insertas. Todas las aplicaciones y programaciones específicas que mantienen la interactividad del producto deben ser testadas comprobando que no existan errores de ejecución y que cumplan su misión de forma adecuada.

- Test de navegabilidad. Comprobar que los recorridos definidos en el producto multimedia se han desarrollado tal como estaba previsto y que los criterios de usabilidad se han cumplido correctamente.

- Copias de seguridad. Aunque no es propiamente una tarea de evaluación, sí que es necesario que a lo largo de todo el desarrollo del proyecto se realicen copias de seguridad habituales tanto de las partes como del conjunto del trabajo realizado. Igualmente una vez finalizado todo el producto, es necesario hacer varias copias de seguridad ubicadas en diferentes lugares para salvaguardar el trabajo realizado.

- Master. Se realizará una copia en un soporte de alta calidad que servirá como elemento de referencia y para realizar el resto de copias.

11.2.6. Distribución

Cómo se realiza la distribución afecta más a lo que es la preparación del producto, pues en principio no se trata de afrontar la propia distribución sino de cómo desarrollar el producto para que se distribuya de la mejor forma posible. Por otra parte también es necesario preparar los materiales necesarios para incorporarlos a la posible publicidad del proyecto. Así, una selección de fotografías, de "pantallazos", de clips seleccionados del uso del programa, etc., serán muy útiles para preparar dicha actividad.

11.3. ESPECIFICIDADES EN LA PLANIFICACIÓN Y DISEÑO HIPERMEDIA

El paso del multimedia al hipermedia ha supuesto un salto cualitativo muy interesante, pues el segundo sistema engloba al primero incrementando sus posibilidades y al mismo tiempo generando otra cosa diferente. Podríamos simplificar diciendo que el hipermedia es el multimedia sin límites, abierto y enlazado a muchos otros contenidos de autoría diversa y formas de uso como medio de comunicación. Desde ese punto de vista cualquier producto multimedia inserto en la red y vinculado hacia y desde otros sitios con otros contenidos ya se convierte en un producto hipermedia. Sin embargo esto que en esencia es así no es lo más deseable cuando planteamos el diseño de producto hipermedia. La esencia de un buen producto hipermedia es que esté orientada hacía ese escenario abierto y dinámico. Hay que tener en cuenta que los productos hipermedia, además de ser un vehículo para el desarrollo y acceso al conocimiento también lo es de comunicación entre un potencial ilimitado de interlocutores.

Estos dos factores novedosos respecto al diseño multimedia, entornos abiertos de información y el ser herramientas de comunicación, suponen variaciones y ampliaciones en el concepto de desarrollo de cualquier producto para el entorno hipermedia que básicamente se circunscribe a Internet.

La producción de un producto hipermedia además de tener en cuenta los elementos distintivos que se mencionan en uno multimedia, no supone grandes variaciones en cuanto al sistema de trabajo. Evidentemente, todo lo relacionado con el soporte se cambia porque no desaparece un soporte material de distribución por uno inmaterial. Sin embargo, las plataformas de uso pueden ser casi las mismas por haberse generalizado el uso de conexiones telemáticas vinculadas a casi todos los dispositivos mencionados anteriormente. Este hecho nos libera de algunos componentes en la producción pero nos genera otras obligaciones como tener en cuenta el ancho de banda necesario, promoción dentro y fuera de la red para que el sitio sea visible, si es necesario disponer de algún medio material complementario para poder usar de forma adecuada el producto, etc.

Veamos a continuación los elementos distintivos que es necesario tener en cuenta en cada una de las fases de producción.

11.3.1. PLANIFICACIÓN

El soporte técnico cambia y se virtualiza pero ello no supone una mayor simplicidad sino todo lo contrario, el número de elementos a controlar se incrementa y además tenemos un factor diferencial importante, en la medida en la que queramos que el producto siga en funcionamiento hay que pagar de forma indefinida los servicios de alojamiento en la red del mismo. Este hecho supone una de las primeras decisiones que hay que adoptar la de quién hará el servicio de alojamiento y mantenimiento técnico. Las opciones que se pueden plantear las del propio cliente, la empresa productora o una empresa especializada. Dependiendo de la naturaleza del producto y de la disposición de las distintas partes puede ser más interesante cualquiera de dichas posibilidades. También se pueden plantear diferentes fases, un alojamiento por el productor hasta que este totalmente desarrollado el producto y luego por el cliente o una empresa contratada a posteriori.

La plataforma de servidor elegida es importante en función de la tecnología que se pretenda utilizar para el desarrollo. Si optamos por plataformas de *software* libre como la combinación de *Linux*, servidor *Apache*, gestión de base de datos con *MySQL* y *php* y *java* como lenguajes de programación interno, tendremos un conjunto muy eficaz, potente y económico para desarrollar cualquier proyecto. Si optamos por entornos comerciales basados en programas servidores de *Microsoft*, bases de datos *SQL*, entorno de programación *asp*, igualmente tendremos un sistema versátil con muchas herramientas facilitadoras de la programación pero con una sobrecarga de costes considerable.

El software de recepción del producto también es importante definirlo. Habitualmente es típico acceder a contenidos en Internet a través de un navegador de páginas web, pero en otras ocasiones puede ser necesaria una aplicación específica con funcionalidades ampliadas respecto las que ofrecen estos navegadores. Tanto en el último caso como en el primero es necesario definir estos aspectos. Todos los navegadores no funcionan igual y existen páginas que sólo se pueden visualizar bien en alguno de ellos, habitualmente esto sucede con *Internet explorer*. Hemos de decidir qué criterio seguir en estos casos.

Un elemento relevante y distintivo a decidir es el hecho de que cualquier sitio hipermedia tiene un nombre. Dicho nombre puede derivar de otros o ser específico. En todo caso, una vez más, la elección tiene que ser consecuente con la naturaleza del proyecto en marcha. Son preferibles los nombres cortos y sencillos tanto de escribir como de recordar, con ello no sólo facilitamos su inserción en el navegador correspondiente, sino que además facilitamos las tareas publicitarias de difusión.

Otro elemento de gran relevancia es la arquitectura del sitio respecto a sus funcionalidades y su relación con el público:

- Sitios abiertos a todo el público por igual con contenidos accesibles. Son sitios que difunden información de cualquier tipo y tienen un nivel de interacción básico para la localización de sus responsables.
- Sitios cerrados al público en general y con funcionalidades para un grupo restringido. Llamados *Intranets* son espacios para el trabajo, con herramientas de difusión y organización de información, así como elementos para la colaboración y comunicación en el seno de un grupo.
- Sitios que seleccionan al público por tipos y les proporciona diferentes accesos e información. Las llamadas *Extranets* ofrecen una

segmentación de niveles de acceso que permite que diferentes usuarios accedan a diferentes recursos.

— Una combinación de elementos. Es muy habitual que los sitios tengan diferentes niveles funcionales y esta cualidad permite adaptar arquitecturas de acceso a la información de similar complejidad que los grupos a los que van dirigidos.

Además de la plataforma de software para el desarrollo es necesario tener claro las necesidades de *hardware* que en principio se tienen que basar en la estimación del tráfico generado por el producto. Cuanto mayor tráfico se espere más potente habrá de ser el soporte físico, tanto en lo referente a prestaciones de los servidores como a la dotación de ancho de banda. Como evidentemente el precio de todas estas prestaciones se incrementa con la mayor capacidad hay que hacer una previsión de tal manera que siempre es preferible contratar algo más de lo que se espera. No es conveniente que los proyectos hipermedia mueran de éxito por no calcular bien las expectativas de uso y se saturen en su funcionamiento. Igualmente es necesario prever una escalabilidad en la contratación de los servicios de alojamiento tanto al alza como a la baja.

Es importante preparar un sistema de contabilización de visitas y uso del sitio que proporcione una auditoria interna del uso. Esta posibilidad nos aporta a diferencia de los productos multimedia un análisis del funcionamiento real del producto con la utilidad que ello supone para conocer mejor los posibles problemas en el mismo. Igualmente los productos hipermedia permiten ser mejorados una vez puestos en funcionamiento.

Como se comentaba anteriormente un producto hipermedia necesita un mantenimiento (aunque sea mínimo) continuo en el tiempo. Este mantenimiento tiene dos vertientes, la del funcionamiento del propio producto, así como la de la plataforma técnica que lo aloja. El mantenimiento del alojamiento normalmente va vinculado al contrato de servicio, salvo que existan necesidades especiales por la naturaleza del proyecto caso que habría que contemplar en dicho contrato. El mantenimiento del funcionamiento del producto será más complejo cuanto mayores elementos de interacción y comunicación con los usuarios existan. De esta forma se puede plantear una atención al producto desde algo simbólico en caso de sitios sencillos con poca interactividad, a varias personas con atención veinticuatro horas al día.

11.3.2. Estructura informativa

La estructura informativa de un proyecto hipermedia no necesita una sistematización diferente a la que se aplica a un proyecto multimedia convencional. Sin embargo por las diferencias mencionadas de ser herramientas de comunicación y abiertas a la red es donde devienen las principales diferencias. La posibilidad de construir sistemas diferenciados para el acceso de grupos de usuarios nos añade un nivel de complejidad diferente comparado con la clasificación informativa con carácter temático.

La posibilidad de construir sistemas diferenciados para el acceso de grupos de usuarios nos añade un nivel de complejidad diferente comparado con la única existencia de una clasificación taxonómica. De esta manera, además de casos de sitios en los que tendremos una organización estrictamente temática, en muchos de ellos se entrecruzará la clasificación temática con una social de la información. Este tipo de clasificación nos obliga a establecer rutas de paso entre la información según quién sea el que la busca pudiendo llegar a una máxima sofisticación en la relación temática-social. Resulta claro que este tipo de diseños ofrece una mayor dificultad en el desarrollo de cualquier proyecto pero al mismo tiempo aporta un gran potencial de posibilidades de uso y adaptación a necesidades muy diversas, tanto en el terreno educativo como en el empresarial, organizativo, etc.

El otro aspecto relevante es el de cómo plantear la conexión del sitio con el resto de sitios y a través de que medios. No sólo es relevante el hecho de que los productos hipermedia se conecten a otros en mayor o menor medida, sino que además suele existir un gran interés en que se generen muchos vínculos externos hacía dicho producto para elevar sus posibilidades de uso y localización (excepto en los sitios *intranet* para uso restringido).

El planteamiento inicial para la ubicación de esas conexiones externas tiene que buscar la utilidad de las mismas dependiendo de los objetivos del proyecto. Si se trata de un proyecto de naturaleza pedagógica, una abundancia de enlaces externos bien planteados sobre fuentes de ampliación informativa será de gran utilidad. Si es un proyecto de tipo comercial, los enlaces pueden estar orientados a buscar fuentes que amplíen la información de los productos ofrecidos, etc. El conjunto de enlaces externos se ha de tratar en el proyecto como un otro elemento fundamental más, considerando tanto la naturaleza de la información que aportan los mismos, como su ubicación y resultado en la navegación.

En cualquier proyecto multimedia o hipermedia la introducción de herramientas de búsqueda de información puede ser muy útil, pero especialmente lo es en los entornos hipermedia, ya que algunos de éstos tienden a proliferar en el crecimiento de la información de los mismos y la búsqueda con criterios taxonómicos en ocasiones se hace demasiado larga y farragosa. La introducción de motores de búsqueda está más que justificada en cualquier proyecto hipermedia y especialmente en los que van renovando de forma continua sus contenidos.

11.3.3. DISEÑO DEL SITIO

Respecto a los elementos diferenciadores en el diseño del sitio hipermedia hemos de fijarnos en una cuestión importante; la información que reciben los usuarios habitualmente va a circular por una vía mucho con menos capacidad de transferencia informativa que si dicho producto se ejecuta en el propio aparato como es el caso de los productos multimedia. Ese hecho determina una visión muy diferente de la naturaleza de los elementos informativos y su disposición. Una máxima que es necesario buscar en todo el desarrollo de un producto hipermedia es el de la ligereza. Hay que optimizar la relación volumen de información y calidad de visualización-reproducción de todos los tipos de archivos insertos. La palabra "compresión" es fundamental y toda la información excepto la textual ha de ir debidamente comprimida para facilitar su circulación. En este sentido, hay que trabajar con escalas de reducción, independientemente de que cada vez sean más numerosas las conexiones de banda ancha, hay que tener en cuenta el numeroso grupo de usuarios que utilizan vías más restringidas en ancho de banda y en la medida de lo posible diseñar productos para el mayor número de tipos de conexión.

11.3.3.1. Diseño de los canales de comunicación

Una de las especificidades que cambia respecto al diseño de un producto multimedia es la inclusión de herramientas comunicativas en el conjunto del sitio. Existe un nutrido conjunto de posibilidades para dotar de medios de comunicación a un sitio hipermedia: formularios de correo, foros de debate, canales de conversación o *chat*, videoconferencia, envío de mensajes cortos, además de los sitios específicamente diseñados como herramientas de comunicación (caso de los *blogs)*. La elección de este tipo de herramientas vendrá una vez más determinada por los objetivos del proyecto. Evaluar si la comunicación que se tiene que desarrollar es sincrónica o asincrónica, si tiene que quedar registro de dicha comunicación o no, si será abierta o restringida, etc.

Según el tipo de canales elegidos será necesario incorporar los aditamentos necesarios en el servidor de alojamiento, servidores para *irc*, herramientas para gestión de páginas web dinámicas, como los mencionados gestores de bases de datos *SQL, MySql,* etc, entornos de ejecución de instrucciones como *php, asp, java;* servidores de vídeo para videoconferencia, etc. Las posibilidades técnicas en este apartado son enormes y no dejan de evolucionar, porque en cada caso es necesario analizar el estado del arte en el tema que queremos incluir para adoptar las tecnologías que mejor cumplan el objetivo propuesto.

Es conveniente evitar cualquier tipo de sobrecarga en el uso de este tipo de medios, porque las herramientas de comunicación que añadamos al proyecto, y no se usen de forma efectiva, implican una mayor dificultad de ejecución, un mantenimiento más laborioso y, en caso en el que sea patente que no se usen, cierto desprestigio para el equipo desarrollador en la medida en la que resulte evidente una inadecuación entre el diseño y la eficacia del producto para conseguir sus objetivos.

11.3.4. EJECUCIÓN DE UN PROYECTO HIPERMEDIA

La distinción en la ejecución en un proyecto hipermedia comparándolo con uno multimedia se plasma en algunos detalles importantes. En primer lugar no hay que preparar soporte físico ni materiales complementarios. Sí que es necesario hacer la instalación de todos los medios de alojamiento o contratar los mismos para comenzar a trabajar. Se puede trabajar contra el servidor o en remoto siempre que se instalen todos los complementos necesarios. Trabajar sobre el servidor nos garantiza que luego obtendremos los resultados que hemos ido desarrollando durante el trabajo de creación.

Debido al tipo diferente de interactividad de los medios hipermedia es conveniente utilizar probadores desde distintos lugares o características técnicas (diferentes navegadores, sistemas operativos, tipos de conexión) para acceder al sitio e ir comprobando la adecuación de los desarrollos para que pueda ser funcional en los diferentes entornos. Hay que tener en cuenta que a diferencia de los entornos multimedia en los que se suele trabajar para una sola plataforma, en los sitios hipermedia es prioritario adaptarlos al mayor número de plataformas posibles, incluso algunas tan diferentes como las de la telefonía móvil. Esto supone un gran reto para los desarrolladores que han de buscar soluciones de equilibrio que en muchas ocasiones no son totalmente satisfactorias.

La vida de un producto hipermedia puede ser muy larga y el desarrollo del mismo continuo. Es coherente pensar en un proyecto de duración indefinida, en el que después de la entrega no sólo se plantea el mantenimiento sino la mejora continua. Cualquier lugar hipermedia se plantea como algo vivo en el que si el proyecto está bien definido, y número de usuarios se puede plantear una modificación para mejorar prestaciones etc. Evidentemente existen sitios hipermedia de carácter promocional que ya cuando aparecen tienen los días contados, pero incluso éstos pueden formar parte de una red que los engloba y transforma. No hay en ese sentido un patrón único para considerar la evolución de los sitios hipermedia, sí la idea clara de que su naturaleza es evolutiva.

11.3.5. DIFUSIÓN DEL PRODUCTO

La difusión de un sitio hipermedia tiene elementos comunes con los productos multimedia y elementos diferenciales. Independientemente de que un sitio pueda ser difundido por los medios de promoción convencionales (prensa, televisión, radio, folletos, etc.), una de las vías más útiles es la del posicionamiento en buscadores y la difusión en los sitios de naturaleza similar para que nuestro sitio sea conocido por personas interesadas en temáticas similares al nuestro puedan conocerlo o visitarlo.

La difusión de sitios en Internet es toda una disciplina en sí y la naturaleza de las estrategias estará muy en relación con el tipo de producto que tengamos entre manos. Pero hay otro factor también diferencial, en la medida en la que un producto hipermedia tenga una vida indefinida, también la promoción del mismo ha de serlo para que no quede arrinconado y crezca progresivamente en usuarios.

BIBLIOGRAFÍA

- Aguilar García, J. A. (2005): *Aplicación del sistema de zonas a la fotografía actual en color.* Barcelona: Tesis Doctorals en Xarxa, Consorci de Biblioteques Universitàries de Catalunya (CBUC) i el Centre de Supercomputació de Catalunya (CESCA). Tesis Dirigida por el Dr. Javier Marzal Felici, Universitat Jaume I de Castellón. Disponible en www.tdx.cbuc.es.
- Alberich, Jordi y Roig, Antonio (coords.) (2005): *Comunicación audiovisual digital.* Barcelona: UOC.
- Almendros, N.(1983): *Días de una cámara.* Barcelona, Seix Barral.
- Alonso García, Luis (coord.) (2003): *Once miradas sobre la crisis y el cine español.* Madrid: Ocho y medio, Libros de Cine.
- Alten, S.R. (1994): *El manual del audio en los medios de comunicación.* Andoain: Esc. Cine y Vídeo.
- Altheide, David L.; Snow, Robert P. (1991): *Media worlds in the postjournalism era.* New York: Aldine de Gruyter.
- Altman, Rick (2000): Los géneros cinematográficos. Barcelona: Paidós.
- Álvarez Monzoncillo, J.M., López Villanueva, J. (2006): La situación de la industria cinematográfica española. Políticas públicas entre los mercados digitales. Madrid: Fundación Alternativas.
- Álvarez Monzoncillo, J.M. (2000): "La televisión en España: el eslabón perdido de la cadena" en Benavides Delgado, Juan; Alameda García, David y Fernández Blanco, Elena (eds.): *Las convergencias de la comunicación. Problemas y perspectivas investigadoras.* Madrid: Fundación General de la Universidad Complutense y Ayuntamiento de Madrid.
- Alonso García, L. (2003): *Once miradas sobre la crisis y el cine español.* Madrid: Ocho y Medio.
- Amoedo, A. (2002): *"La producción radiofónica de los programas informativos",* en Martínez-Costa, María Pilar (2002): *Información radiofónica.* Barcelona: Ariel.
- Armentia Vizuete, José Ignacio; Caminos Marcet, José María (2002): *Fundamentos de periodismo impreso.* Barcelona: Ariel.
- Arnheim, Rudolf (1980): *Estética radiofónica.* Barcelona: Gustavo Gili.
- Artero, J. Pablo (2007): *Modelos estratégicos de Telecinco (1990-2005).* Madrid: Fragua.
- Augros, Joël (2000): *El dinero de Hollywood. Financiación, producción, distribución y nuevos mercados.* Barcelona: Paidós.
- Aumont, J.; Bergala, A. y otros (1984): *Estética del cine.* Barcelona: Paidós.
- Badia, L. (1992): *De la persuasió a la tematització. Introducció a la comunicació política moderna.* Barcelona: Pòrtic.
- Ballester Añón, Rafael (2005): *Manuales de construcción de guiones en España.* Valencia: Ediciones de la Filmoteca (Instituto Valenciano de Cinematografía Ricardo Muñoz Suay).
- Balsebre, A. (1994): *El lenguaje radiofónico.* Madird: Cátedra.

– Balsebre, A.(1994): *La credibilidad de la radio informativa*. Barcelona, Feed-Back Ediciones.

– Balsebre, A.; Mateu, M. y Vidal, D.(1998): *La entrevista en radio, televisión y prensa*. Madrid: Cátedra.

– Bandrés, E.; García Avilés, J. A.; Pérez, Gabriel; Pérez, Javier (2000): *El periodismo en la televisión digital*. Barcelona: Paidós.

– Barea, P. y Montalvillo, R. (1992): *Radio: Redacción y guiones*. Ed. Universidad del País Vasco.

– Barnouw, E. (1996): *El documental: historia y estilo*. Madrid: Gedisa.

– Barrera, C.; Jimeno, A. (1991): *La información como relato*. Serv. Publ. Univ. Navarra.

– Barroso, J. (1992): *Proceso de la información de actualidad en televisión*. Madrid: IORTV

– Barroso, J. (1994): *Técnicas de realización de reportajes y documentales para televisión*. Madrid: IORTV.

– Barroso, J. (1996): *Realización de los géneros televisivos*. Madrid: Síntesis.

– Bassat, Ll. (2001): *El libro rojo de la publicidad*. Barcelona: Plaza & Janes.

– Benavides Ledesma, J. L.; Quintero Herrera, C. (2004): *Escribir en prensa*. Madrid: Pearson. 2ª ed.

– Benavides, J. y Rodríguez del Barrio, A. (2000): "La presencia del universo de la discapacidad en Internet" en Benavides Delgado, Juan; Alameda García, D. y Fernández Blanco, E. (eds.): *Las convergencias de la comunicación. Problemas y perspectivas investigadoras*. Madrid: Fundación General de la Universidad Complutense y Ayuntamiento de Madrid.

– Benoit, H. (1998): *Televisión digital*. Madrid: Paraninfo.

– Berger, Peter L.; Luckmann, Thomas (1968): *La construcción social de la realidad*. Buenos Aires: Amorrortu editores.

– Berger, Peter L.; Luckmann, Thomas (1997): *Modernidad, pluralismo y crisis de sentido. La orientación del hombre moderno*. Barcelona: Paidós

– Bernardo Paniagua, J. M. (2006): *El sistema de la comunicación mediática*. Valencia: Tirant lo Blanch.

– Blacker, Irwin R. (1993): *Guía del escritor de cine y televisión*. Barañáin, Ediciones Universidad de Navarra, S.A. (EUNSA).

– Bonitzer, P. & Carriere, J.C.(1991): *Práctica del guión cinematográfico*. Barcelona: Paidós.

– Bordwell, D.; Thompson, K. y Staiger, L. (1997): *El cine clásico de Hollywood. Estilo cinematográfico y modo de producción hasta 1960*. Barcelona: Paidós.

– Borrat, H. (1989): *El periódico, actor político*. Barcelona: Gustavo Gili

– Borrat, H. (2003): "Las relaciones noticiables: fuentes-actores", en Losada Vázquez, Ángel; Esteve Ramírez, Francisco (eds.): *El periodismo de fuente*. Salamanca: Publicaciones de la Universidad Pontificia de Salamanca

- Borrat, H. (2006): "Los periódicos, narradores en interacción", en Fontcuberta, Mar de; Borrat, Héctor: *Periódicos, sistemas complejos, narradores en interac-ción*. Buenos Aires: La Crujía
- Boullosa Guerrero, N. (2004): *Proyectos multimedia. Imagen, sonido y vídeo*. Anaya Multimedia.
- Brenes, Carmen S. (2001): *¿De qué tratan realmente las películas?*. Madrid: Ediciones Internacionales Universitarias.
- Burch, Noël (1987): *El tragaluz del infinito*. Madrid: Cátedra.
- Bustamante, E. (1999): *La televisión económica. Financiación, estrategias y mercados*. Barcelona: Gedisa.
- Bustamante, E. (1999): "La televisión digital: referencias básicas" en Bustamente, E. y Álvarez Monzoncillo, J. M. (eds.): *Presente y futuro de la televisión digital*. Madrid: Edipo.
- Bustamante, E. (coord.) (2002): *Comunicación y cultura en la era digital. Industrias, mercados y diversidad en España*. Barcelona: Gedisa.
- Bustamante, E. (coord.) (2003): *Hacia un nuevo sistema mundial de comunicación. Las industrias culturales en la era digital*. Madrid: Gedisa.
- Cabezón, L. A.; Gómez-Urdá, F. (1999): *La producción cinematográfica*. Madrid: Cátedra.
- Caplin, Steve (2007): *Photoshop CS3: retoque y montaje*. Madrid: Anaya Multimedia/Anaya Interactiva.
- Carmona, R. (1991): *Cómo se comenta un texto fílmico*. Madrid: Cátedra.
- Carrière, Jean-Claude (1993): *Raconter une histoire*. Paris, Institut de Formation et d´enseignement pour les métiers de l´image et du son.
- Carrière, Jean-Claude y Bonitzer, Pascal (1991): *Práctica del guión cinematográfico*. Barcelona: Paidós Comunicación.
- Casero, A. (2004): "Medios de comunicación y actores políticos en situaciones de crisis: la producción negociada de la realidad política", *en ZER – Revista de estudios de comunicación*, 17: 143-164.
- Casetti, F. (1989): *El film y su espectador*. Madrid: Cátedra.
- Casetti, F. y Di Chio, F. (1991): *Cómo analizar un film*. Barcelona: Paidós.
- Castellblanque, Mariano R. (2001): *Estructura de la actividad publicitaria. La industria de la publicidad de la A a la Z. España: un caso extrapolable*. Barcelona: Paidós.
- Cebrian Herreros, M. (1994): *Información radiofónica, Mediación técnica, tratamiento y programación*. Madrid: Síntesis.
- Cebrián Herreros, M. (1998): *Información televisiva. Mediaciones, contenidos, expresión y programación*. Madrid: Síntesis
- Cebrián Herreros, M. (2004): *La información en televisión. Obsesión mercantil y política*. Barcelona: Gedisa
- Chatman, S. (1989) *Historia y discurso. La estructura narrativa en la novela y en el cine*. Madrid: Taurus.
- Chion, M. (1989): *Cómo se escribe un guión*. Madrid: Cátedra.
- Chion, M. (1992): *El cine y sus oficios*. Madrid: Cátedra.

- Cicanci, P. (2007): *HDTV y la transición a la difusión digital*. Andoain: Escuela de cine y vídeo.
- Clauso, R. (2007): *Cómo se construyen las noticias. Los secretos de las técnicas periodísticas*. Buenos Aires: La Crujía.
- Clemente, J. (2004): *Introducción al software de gestión en la producción audiovisual*. Madrid: Fragua.
- Company, J.M. (1987): *El trazo de la letra en la imagen*. Madrid: Cátedra.
- Comparato, D. (1988): *El guión. Arte y técnica de escribir para cine y televisión*. Madrid: IORTV.
- Comparato, D. (1992): *De la creación al guión*. Madrid: IORTV.
- Contreras, J. M.; Palacio, M. (2001): *La programación de televisión*. Madrid: Síntesis.
- Cooper, P. y Dancyger, K. (1998): *El guión de cortometraje*. Madrid: IORTV [Writing the Short Film by Daneyger, Butterworth-Heinemann Ltd, 1994].
- Coorugh, C.; Shuman, J. (2005): *Multimedia para la web*. Anaya Multimedia. 2005.
- Corman, R. (1992): *Cómo hice cien films en Hollywood y nunca perdí ni un céntimo*. Barcelona: Laertes.
- Costa, Joan (2006): *Identidad televisiva en 4D*. La Paz, Bolivia: Grupo Editorial Desing.
- Cox, Mike y Tadic, Linda (2007): *Metadatos descriptivos para televisión*. Andoain: Escuela de cine y vídeo.
- Crespo, J. (2003): *Música Digital*. Anaya Multimedia.
- Cuevas Puente, A. (1999): *Economía cinematográfica. La producción y el comercio de películas*. Madrid: Imaginógrafo-EGEDA.
- Dadek, W. (1962): *Economía cinematográfica*. Madrid: Rialp.
- Daly, Tim (2004): *Enciclopedia de Fotografía Digital*. Barcelona: Blume.
- Davies, Adrian (2003): *Guía básica de la Fotografía Digital*.
- Davis, D. (1996): *Gramática de la producción*. Madrid: IORTV.
- Davis, Rib (2004): *Escribir guiones: desarrollo de personajes*. Barcelona: Paidós [Developing Characters for Script Writing, London, A & C Publishers Limited, 1995]
- Deleuze, G. (1984): *La imagen-movimiento*. Barcelona: Paidós.
- Deleuze, G. (1984): *La imagen-tiempo*. Barcelona: Paidós.
- Díaz Arias, R. (2006): *Periodismo en televisión. Entre el espectáculo y el testimonio de la realidad*. Barcelona: Bosch.
- Díaz Nosty, B. (2005): *El déficit mediático. Donde España no converge con Europa*. Barcelona: Bosch.
- Diez de Castro, E.C. y Martín Armario, E.(1993): *La planificación publicitaria*. Madrid: Pirámide.
- Dodsworth, C. *Digital illusion entertaining the future with high technology*. New York: Addyson Wesley.
- Doménech Fabregat, Hugo (2005): *La fotografía informativa en la prensa generalista. Del fotoperiodismo clásico a la era digital*. Barcelona: Tesis Doctorals en Xarxa, Consorci de Biblioteques Universitàries de Catalunya

(CBUC) i el Centre de Supercomputació de Catalunya (CESCA). Tesis Dirigida por el Dr. Javier Marzal Felici, Universitat Jaume I de Castellón. Disponible en *www.tdx.cbuc.es*.

– Écija & Asociados (2000): *Libro blanco del audiovisual. Cómo producir, distribuír y financiar una obra audiovisual*. Madrid: Grupo Export-Film.

– Eco, U., (1986): *La estrategia de la ilusión*. Madrid: Lumen.

– Eguizábal, R. (2001): *Fotografía publicitaria*. Madrid: Cátedra.

– Entman, Robert M. (1993): "Framing: Toward Clarification of a Fractured Paradigm", *Journal of Communication*, 43: 51-58.

– Epstein, Edward Jay (2007): *La gran ilusión. Dinero y poder en Hollywood*. Barcelona: Tusquets.

– Fernández de Arroyabe, A.; López, N.; Peñafiel, C. (2005): *La transición digital de la televisión en España: tecnología, contenidos y estrategias*. Barcelona: Bosch.

– Fernández Díez, F.; Martínez Abadía, J. (1996): *La dirección de producción para cine y televisión*. Barcelona: Paidós.

– Fernández F.; Blasco, J. (1995): *Dirección y gestión de proyectos. Aplicación a la producción audiovisual*. Barcelona: UPC.

– Field, Syd (1995): *El libro del guión*. Madrid: Plot.

– Franquet, R./ Marti, J. M. (1985): *La radio. De la telegrafía sin hilos a los satélites (Cronología 1780-1984)*. Barcelona: Mitre

– Fontcuberta, Joan (1992): *Fotografía: conceptos y procedimientos*. Barcelona: Gustavo Gili.

– Gans, H. (1979): *Deciding What's News. A Study of CBS Evening News, NBC Nightly News, Newsweek and Time*. New York: Pantheon Books.

– García, F. y Herrero, R.(1987): *Los procesos de producción de series argumentales*. Madrid: IORTV.

– García, P.; Ramírez, M. (2004): *Creando empresas para el audiovisual: cine, televisión, documental y animación*. Sevilla: Fundación Audiovisual de Andalucía.

– Gaudreault, A. y Jost, F. (1995): *El relato cinematográfico*. Barcelona: Paidós.

– Gawlinski, M. (2004): *Producción de Televisión Interactiva*. Andoain: Escuela de cine y vídeo.

– Goddard, L.A. (1989): *Guionismo*. Ed. Diana.

– Goffman, Erving (2006): *Frame Análisis. Los marcos de la experiencia*. Madrid: CIS´-Siglo XXI.

– Golding, P.; Elliot, P. (1979): *Making News*. London: Longman.

– Gomery, D. (1992): *El sistema de estudios*. Madrid: Verdoux.

– Gomery, D. (1992): *Shared Pleasures. A History of Movie Presentation in the United States*. Madison, Wisconsin: University of Wisconsin Press.

– Gomery, D. (1998): "Hacia una nueva economía de los medios"; en *Archivos de la Filmoteca*, núm. 29. Valencia: Filmoteca de la Generalitat Valenciana, pp. 152-169.

– Gómez Bermúdez de Castro, R. (2005): *El dinero contra el cine*. Madrid: Compañía Audiovisual Imaginógrafo.

– Gómez de Castro, R. (1988): *Iniciación a la producción en televisión*. Unidad didáctica nº 128. Centro de Formación de RTVE.

– Gómez Mompart, J. L. (2004): "Complexitat social i qualitat informativa: cap a un periodisme 'glocal'", en *Quaderns de Filologia – Estudis de Comunicació*, 2: 13-30.

– Gómez Parro, E. (1991): *La supervisión del guión*. Madrid: IORTV.

– Gomis, L. (1991): *Teoría del periodismo*. Barcelona: Paidós.

– González Conde, M. J. (2001): *Comunicación radiofónica*. Madrid: Universitas.

– González Oñate, C. (2007a). *La continuidad televisiva en la era digital. Nuevos discursos publicitarios de expresión de Identidad Corporativa. El nacimiento de Cuatro.* Castellón: Universitat Jaume I. Disponible en www.tdx.cesca.es).

– González Oñate, C. (2007b): *Nuevas estrategias de televisión: el desafío digital. Identidad marca y continuidad televisiva.* Madrid: Ediciones de las Ciencias Sociales.

– González Requena, J. y Ortiz Zárate, A. (1995): *El espot publicitario, la metamorfosis del deseo*. Madrid: Cátedra.

– Green, T. (2004): *Studio MX Creación de sitios web*. Anaya Multimedia.

– Grossi, G. (1985a): *Rappresentanza e rappresentazione*. Milano: Franco Angeli.

– Grossi, G. (1985b): "Professionalità giornalistica e costruzione sociale della realtà", en *Problemi dell'Informazione*, X, 3: 375-388.

– Gueuens, J.P. (2000): *Film Production Theory*. Nueva York: SUY Press.

– Gutiérrez, M. y Perona, J.J. (2002): Teoría y técnica del lenguaje radiofónico, Barcelona; Bosch.

– Gutman, L. *Edición especial Dreamweaver MX*. Prentice Hall. Madrid.

– Hart, D. (2000): *El ayudante de cámara*. Madrid: IORTV.

– Hervás, C. (2002): *El diseño gráfico en televisión*. Madrid: Cátedra.

– Hills, G. (1981): *Los informativos en radiotelevisión*. Madrid: IORTV.

– Humanes, María Luisa; Igartua, Juan José (2004): "El encuadre noticioso de la realidad. Reflexiones teórico-metodológicas sobre el concepto de framing", en *Quaderns de Filologia – Estudis de Comunicació*, 2: 201-218.

– Izquierdo, J. (2007): *Distribución y exhibición cinematográficas en España. Un estudio de situación del negocio en la transición tecnológica digital.* Tesis Doctorals en Xarxa. Barcelona: Consorcio de Bibliotecas Universitarias de Cataluña (CBUC) y Centro de Supercomputación de Cataluña (CESCA). Se puede consultar en http://www.tdx.cesca.es/.

– Jacoste Quesada, J. G. (1996): *El productor cinematográfico*. Madrid: Síntesis.

– Jauset, J. (2000): *La investigación de audiencias en televisión*. Barcelona: Paidós.

- Jean, P. (1991): *Techniques du scénario*. Paris: Institut de Formation et d'enseignement pour les métiers de l'image et du son.
- Jiménez Losantos, E.; Sánchez-Biosca, Vicente (eds.) (1989): *El relato electrónico*. Valencia: Filmoteca de la Generalitat Valenciana.
- Kehoe, V.(1987): *Técnica del artista de maquillaje profesional para cine y televisión*. Madrid: IORTV.
- Keith, M. C. (1992): *Técnicas de producción de radio*. Madrid: IORTV.
- Kindem, G. y Musburger, R. (2007): *Manual de producción audiovisual digital*. Barcelona: Omega.
- Krug, Steve. *No me hagas pensar. Una aproximación a la usabilidad en la web*. Prentice Hall. Madrid.
- Lakoff, G. (2007): *No pienses en un elefante. Lenguaje y debate político*. Madrid: Editorial Complutense.
- Langford, Michael J. (1994): *Fotografía básica*. Barcelona: Omega.
- Langford, Michael J. (1990): *La fotografía paso a paso.. Un curso completo*. Barcelona: Blume.
- Langford, Michael J. (1990): *Manual del laboratorio fotográfico*. Barcelona: Blume.
- Lara, A. (2005): *El cine ha muerto. Larga vida al cine. Pasado, presente y futuro de la postproducción*. Madrid: T&B.
- Larrañaga Zubizarreta, J. (2006): *Redacción y locución de la información audiovisual*. Bilbao: Servicio Editorial de la UPV.
- Lavandier, Y. (2003): *La dramaturgia. Los mecanismos del relato: cine, teatro, ópera, radio, televisión, cómic*. Madrid: Ediciones Internacionales Universitarias [La dramaturgie, Paris, Le Clow et l'Enfant, 1994, 1997]
- León Gross, T. (2005): *El periodismo débil*. Madrid: Almuzara.
- León Gross, T. (2006): "La agenda de los noticiarios", en Díaz Nosty, Bernardo (dir.): *Tendencias'06. Medios de comunicación. El año de la televisión*. Madrid: Fundación Telefónica.
- Lippmann, W. (2003): *La opinión pública*. Madrid: Langre.
- Livolsi, M. (2004): *Manuale di sociologia della comunicazione*. Roma-Bari: Laterza. 3ª ed.
- Llorens, V. (1995): *Fundamentos tecnológicos de vídeo y televisión*. Barcelona: Paidós.
- LEFF, Leonard J. (1991): *Hitchcock & Selznick. Barcelona:* Laertes.
- López Cantos, F. (2005): *La situación de la televisión local en España. Análisis del sector en la provincia de Castellón*. Barcelona: Universidad Autónoma de Barcelona, Universidad Pompeu Fabra / Valencia: Universidad de Valencia / Castellón: Universidad Jaume I.
- López Cantos, F. (2004): *Gestión de Producción Audiovisual. Una propuesta de diseño de documentos de producción*. Valencia: Ed. Reproexpress.
- López Lita, R. (2001): *Las agencias de publicidad: evolución y posicionamiento futuro*. Castellón: Servei de Comunicació y Publicacions, Universitat Jaume I de Castellón.

- Luhmann, N. (2000): *La realidad de los medios de masas*. Barcelona: Anthropos – Universidad Iberoamericana.
- Maherzi, L. (1999): *Informe mundial sobre la comunicación. Los medios frente al desafío de las nuevas tecnologías*. Madrid: Ediciones UNESCO / CINDOC & Fundación Santa María.
- Maillot, P. (1989): *L'ècriture cinématographique*. Paris: Meridiens Klincksieck.
- Manfredi, J. L. (2000): *Manual de producción periodística*. Sevilla: MAD.
- Marcos, T. (1995): *Publicidad: hablando con Teófilo Marcos*. Madrid: Acento.
- Marín, C. (2006): *Periodismo audiovisual. Información, entretenimiento y tecnologías multimedia*. Barcelona: Gedisa.
- Marletti, C. (1985*): Prima e dopo. Tematizzazione e comunicazione politica*. Torino: ERI-RAI.
- Marti i Martí, J. M.(1993): *Modelos de programación radiofónica*. Feed-Back Ediciones.
- Martín Proharam, M. A. (1988): *La organización de la producción en el cine y la televisión*. Madrid: Forja.
- Martín Sabarís, R. M. (1999): *La organización informativa y los procesos de producción de la noticia. La información diaria en Euskal Telebista*. Bilbao: Servicio Publicaciones UPV.
- Martínez Vallvey, F. (1995): *La entrevista periodística desde el punto de vista conversacional*. Salamanca: Publicaciones Universidad Pontificia de Salamanca.
- Martínez, D. (2004): *De Super Mario a Lara Croft*. Palma Mallorca: Dolmen Editorial.
- Martínez, J.; Serra, J. (2001): *Manual básico de técnica cinematográfica y dirección de fotografía*. Barcelona: Paidós.
- Martínez, J.; Vila, P. y otros (2004): *Manual básico de tecnologías audiovisuales y técnicas de creación, emisión y difusión de contenidos*. Barcelona: Paidós.
- Martínez-Costa, María del Pilar y Díaz Unzueta, José Ramón (2005): *Lenguaje, géneros y programas de radio. Introducción a la Narrativa Radiofónica*. Pamplona: Eunsa.
- Marzal, J. J. (1998): "Blackton, Porter e Ince", en *Historia general del cine*. Vol. II. Madrid: Cátedra.
- Marzal, J. J. (1994): *Estructuras de reconocimiento y de serialidad ritual: el modelo Melodrama en los films de David Wark Guiffik 1918-21*. Valencia: Servei de Publicacions de la Universitat de València.
- Marzal J. J. (1996): *Melodrama y géneros cinematográficos*. Valencia: Episteme.
- Marzal, J. J., Casero, A. (eds.) (2007): *El desarrollo de la Televisión digital en España*. La Coruña: Netbiblo.
- Mateos Sainz de Medrano, V. (2003): *La radio: voz, sonido e información*. Madrid. Universidad Antonio de Nebrija.
- Mattelart, A. (1991): *La publicidad*. Barcelona: Paidós.

– McCombs, M. (2006): *Estableciendo la agenda. El impacto de los medios en la opinión pública y en el conocimiento*. Barcelona: Paidós.
– McLeish, R. (1985): *Técnicas de creación y realización en radio*. Madrid: IORTV.
– Merayo Pérez, A. (2003): *Para entender la radio: Estructura del proceso informativo radiofónico*. Salamanca.: Universidad Pontificia.
– Miguel de Bustos, Juan Carlos (2006): *Cultura, comunicación y desarrollo: análisis y propuestas*. Madrid: AECI-Agencia Española de Cooperación Internacional. Servicio de Publicaciones de la Dirección General de Relaciones Culturales y Científicas.
– Miller, P. (1987): *La supervisión del guión*. Madrid: IORTV.
– Miller, T.; G., N.; McMurria, J.; Maxwell, R. (2005*): El nuevo Hollywood. Del imperialismo cultural a las leyes del marketing*. Barcelona: Paidós.
– Millerson, G. (1990): *Diseño escenográfico para televisión*. Madrid: IORTV.
– Millerson, G. (1983): *Técnicas de realización y producción en televisión*. Madrid: I.O.R.T.V.
– Mordden, E. (1988): *Los estudios de Hollywood*. Barcelona: Ultramar Editores.
– Moreno, Jiménez y otros – (Eds). (2007): *Los desafíos de la televisión pública en Europa*. Barañáin: Eunsa.
– Muñoz, J.J. y Gil, C. (1986): *La radio. Teoría y práctica*. Madrid: IORTV.
– Murciano, M. (2004): *Poder económico e influencia social: los retos de la concentración mediática para la democracia*, en *Doxa*, 2: 41-51.
– Neale, S. (1980): *Genre*. London: BFI.
– Nieto, J. (1997): *Música para la imagen*. Madrid, Sociedad General de Autores de España (SGAE).
– Ogilvy, D. (1990): *Ogilvy & Publicidad*. Madrid, Folio.
– Oliva, L.; Sitjà, X. (2007*): Las noticias en radio y televisión. Periodismo audiovisual en el siglo XXI*. Barcelona: Omega. 5ª ed.
– Onaindia, M. (1996): *El guión clásico de Holly*wood. Barcelona: Paidos.
– Ortega, F.; Humanes, M. L. (2000): A*lgo más que periodistas. Sociología de una profesión*. Barcelona: Ariel.
– Ortiz, A; Volpini, F. (1995): *Diseño de programas en radio*. Barcelona: Paidós.
– Ortiz, M. A. y Marchamalo, J. (1994): *Técnicas de comunicación en radio. La realización radiofónica*. Barcelona: Paidós.
– Palacio Herranz, M. (2001): *Historia de la televisión en España,* Barcelona: Gedisa.
– Pardo, A. (2003):"Producción", en Sánchez Escalonilla, Antonio (coord.)(2003): *Diccionario de creación cinematográfica*. Madrid: Ariel, pp. 151-220.
– Parratt, S. F. (2003): *Introducción al reportaje. Antecedentes, actualidad y perspectivas*. Santiago de Compostela: USC.
– Pena de Oliveira, F. (2006): *Teoría del periodismo*. Sevilla: Comunicación Social.

– Peñafiel, C. y López, N. (2001): *Tecnología de la televisión*. Bilbao: Universidad del Pais Vasco.
– Peralta, M. (2005): *Teleinformatius. La transmissió televisiva de l'actualitat*. Barcelona: Trípodos.
– Pérez de Silva, J. (2000): *La televisión ha muerto. La nueva producción audiovisual en la era de internet: la tercera revolución industrial*. Barcelona: Gedisa.
– Pérez Gómez, G. (2003): *Curso básico de periodismo audiovisual*. Pamplona: Eunsa.
– Pérez Ruíz, M. A. (1996): *Fundamentos de las estructuras de la publicidad*. Madrid: Síntesis.
– Poole, C. (2005): *Manual del profesional de los medios digitales*. Andoain: Escuela de Cine y Vídeo.
– Pradera, Alejandro (2005): *El libro de la fotografía*. Madrid: Aliznza Editorial.
– Prado, E. (1981): *Estructura de la información radiofónica*, Barcelona: ATE
– Prado, E. (1981): "El movimiento por la libertad de emisión en España", en L. Bassets (ed.): *De las ondas rojas a los radios libres,* Barcelona: Gili.
– Prado, E. (1984): *Estructura de la información radiofónica*. Barcelona: ATE
– Prado, E. y Franquet, R. (1998): "Convergencia digital en el paraiso tecnológico: claroscuros de una revolución" en *ZER*, nº 4. Bilbao: Servicio de Publicaciones de la Universidad del País Vasco.
– Prado, E.; Franquet, R.; Ribes, X.; Soto, M.; Fernández Quijada, D. (2006): *Televisión interactiva. Simbiosi tecnològica i sistemes d'interacció amb la televisió*. Barcelona: Consell de l'Audiovisual de Catalunya.
– Propp, V. (1974): *Morfología del cuento*. Madrid: Ed. Fundamentos.
– Puig, J.J. (1990): *La redacción de guiones para cine, televisión y radio*. Barcelona: Mitre.
– Rabiger, M. (1987): *Dirección de documentales*. Madrid: IORTV.
– Randall, J. (1994): *Películas de bajo presupuesto*. Madrid: D.O.R.s.l.
– Rea, P.; Irving, D. (1995): *Producción y dirección de cortometrajes y videos*. Madrid: IORTV.
– Recuero López, M. (1992): *Técnicas de grabación sonora*. Madrid: IORTV.
– Redondo I. (2000): *Marketing en el cine*. Madrid: Pirámide.
– Reig, Ramón (2007): *El periodista en la telaraña. Nueva economía, comunicación, periodismo, públicos*. Rubí: Anthropos.
– Reisz, K. (1986): *Técnica del montaje cinematográfico*. Madrid: Taurus.
– Ricoeur, P. (1987): *Tiempo y narración I. Configuración del tiempo en el relato histórico*, Madrid: Ed. Cristiandad.
– Ricoeur, P. (1987): Tiempo y narración II. Configuración del tiempo en el relato de ficción. Madrid: Ed. Cristiandad.
– Rodero Antón, E. (2005): *Producción radiofónica*. Madrid: Cátedra.

– Rodrigo Alsina, Miquel (2005): *La construcción de la noticia*. Barcelona: Paidós.

– Rodríguez Pastoriza, F. (2003): *La mirada en el cristal. La información en televisión*. Madrid: Fragua.

– Rojo Villada, P. A. (2003): *Tecnología y contextos mediáticos. Condicionamientos socioeconómicos y políticos de la comunicación de masas en la Sociedad de la Información*. Sevilla: Comunicación Social.

– Rosello Dalau, R. (1981): *La técnica de sonido cinematográfico*. Madrid: Forja.

– Rositi, Franco (1982*): I modi dell'argumentazione e l'opinione pubblica*. Torino: RAI-ERI.

– Rowlands, A. (1991): *La continuidad en cine y televisión*. Madrid: IORTV.

– Rowlands, A.(1985): *El guión en el rodaje y la producción*. Madrid: IORTV.

– Rubio Alcover, A. (2006): *La postproducción cinematográfica en la era digital: efectos expresivos y narrativos*. Castellón: Universitat Jaume I, tesis doctoral en línea: *http://www.tdx.cesca.es/TESIS_UJI/AVAILABLE/TDX-0710106-115725//rubio.pdf.*

– Rumsey, F. y McCormick, T.(1994): *Introducción al sonido y la grabación*. Madrid: IORTV.

– Sáez, A. (1999): *De la representació a la realitat*. Barcelona: Dèria.

– Sainz, M. (1996): *Manual básico de producción en televisión*. Madrid: IORTV.

– Sainz, M. (1999): *El productor audiovisual*. Madrid: Síntesis.

– Samuelson, D. (1988): *La cámara de cine y el equipo de iluminación*. Madrid: IORTV.

– Sánchez-Biosca, V. (1991): *Teoría del montaje cinematográfico*. Valencia: Filmoteca de la Generalidad Valenciana.

– Sánchez-Biosca, V. (1995): *Una cultura de la fragmentación. Pastiche, relato y cuerpo en el cine y la televisión*. Valencia: Filmoteca de la Generalidad Valenciana.

– Saperas, E. (1987): *Los efectos cognitivos de la comunicación de masas*. Barcelona: Ariel.

– Saperas, E. (2000): "Mitjans de comunicació i mediació social. Com coneixem el món a través dels mitjans de comunicació en la societat digital", en AA.VV.: *La informació, el coneixement i la saviesa a través de les noves tecnologies. Què guanyem? Què perdem?* Lleida: Edicions de la Universitat de Lleida.

– Schütz, A. (1995): *El problema de la realidad social*. Buenos Aires: Amorrortu, 2ª ed.

– Schütz, A.; Luckmann, Thomas (2003): *Las estructuras del mundo de la vida*. Buenos Aires: Amorrortu, 1ª reimp.

– Seger, L. (1991): *Cómo convertir un buen guión en un guión excelente*. Madrid: Rialp.

- Silverstone, R. (1996): *Televisión y vida cotidiana*. Buenos Aires: Amorrortu.
- Soengas, X. (2003): *El tratamiento informativo del lenguaje audiovisual*. Madrid: Laberinto.
- Solarino, Carlo (2000): *Cómo hacer televisión*. Madrid: Cátedra.
- Solaroli, L. y Otero, J. (1972): *Cómo se organiza un film. Manual del jefe de producción*. Madrid: Rialp.
- Soler Campillo, M. (2005): *Estructura del sector fotográfico: análisis de la actividad económica y de las políticas de comunicación de las empresas de fotografía en la Comunidad Valenciana*. Barcelona: Tesis Doctorals en Xarxa, Consorci de Biblioteques Universitàries de Catalunya (CBUC) i el Centre de Supercomputació de Catalunya (CESCA). Tesis Dirigida por el Dr. Rafael López Lita, Universitat Jaume I de Castellón. Disponible en www.tdx.cbuc.es.
- Soler Campillo, M. (2007): *Las empresas de fotografía ante la era digital. El caso de la Comunidad Valenciana*. Madrid: Ediciones de las Ciencias Sociales.
- Sorrentino, C. (2002): *Il Giornalismo*. Roma: Carocci.
- Sorrentino, C. (2006): "I newsmaking", en Mancini, Paolo y Marini, Rolando (eds.): Le comunicazioni di massa. Roma: Carocci.
- Sorrentino, C. (2007): *Tutto fa noticia*. Roma: Carocci.
- Squire, Jason E. (ed.) (2006): *El juego de Hollywood. The Movie Business Book*. Madrid: T&B.
- Thompson, J. B. (1998): *Los media y la modernidad. Una teoría de los medios de comunicación*. Barcelona: Paidós.
- Toledo, F.G. (1943): *Cómo se escribe un guión cinematográfico*. Madrid: Ed. Afrodisio Aguado S.A.
- Toran, E. (1997): *Tecnología audiovisual II*. Madrid: Síntesis.
- Trueba, F. (1997): *Diccionario de cine*. Barcelona: Planeta.
- Tuchman, G. (1983): *La producción de la noticia*. Barcelona: Gustavo Gili.
- Úbeda, J. (1993): *Reportaje en TV: el modelo americano*. Barcelona: Íxia.
- Vale, E.(1989): *Técnicas del guión para cine y televisión*. Barcelona: Gedisa.
- Vanoye, F. (1996): *Guiones modelo y modelos de guión*. Barcelona: Paidós. [Scénarios modèles, modèles de scénarios, Paris, Nathan, 1991].
- Velasco, T.. *Flash MX*. Edición Especial. Pearson Education. Madrid.
- Vidal Castell, David (2002): "La transformació de la teoria del periodisme: una crisi de paradigma?", en *Anàlisi*, 28: 21-54.
- Vilain, D. (1993): *El montaje cinematográfico*. Madrid: Cátedra.
- Vilalta Casas, J. (2006): *El espíritu del reportaje*. Barcelona: Publicacions i Edicions UB.
- Vilalta Casas, J. (2007): *El reportero en acción. Noticia, reportaje y documental en televisión*. Barcelona: Publicacions i Edicions UB.
- Vilches, Lorenzo (1989): *Manipulación de la información televisiva*. Barcelona: Paidós.

– Vilches, L. (1993): *La televisión. Los efectos del bien y del mal*. Barcelona: Paidós.
– Vilches, L. (2001): *La migración digital*. Barcelona: Gedisa.
– Vilches, L. (comp.) (2007): *Culturas y mercados de la ficción televisiva en Iberoamérica*. Anuario OBITEL 2007. Barcelona: Gedisa.
– Villafañe, J. (1999): *El estado de la publicidad y el corporate en España*. Madrid: Pirámide.
– Villafañe, J.; Bustamante, E.; Prado, E. (1987): *Fabricar noticias. Las rutinas productivas en radio y televisión*. Barcelona: Mitre.
– Welling, L. *Desarrollo web con PHP y MySQL*. Madrid: Anaya Multimedia. Madrid.
– Wilkie, B. (1992): *Efectos especiales para televisión*. Madrid: IORTV.
– Wolf, M. (1987): *La investigación de la comunicación de masas. Crítica y perspectivas*. Barcelona: Paidós.
– Wyatt, J. (2000): *High Concept. Movies and Marketing in Hollywood*. Austin: University of Texas Press.
– Zallo, R. (2000): "La crisis general de paradigmas. El caso de la economía y política de la comunicación y de la cultura" en Benavides Delgado, J.; Alameda García, D. y Fernández Blanco, E. (eds.): *Las convergencias de la comunicación. Problemas y perspectivas investigadoras*. Madrid: Fundación General de la Universidad Complutense y Ayuntamiento de Madrid.

SOBRE LOS AUTORES

JAVIER MARZAL FELICI. CO-EDITOR

Doctor en Filosofía y Licenciado en Comunicación Audiovisual, Filología Hispánica y Filosofía por la Universitat de València, Máster en Comunicación y Educación por la Universitat Autònoma de Barcelona es Profesor Titular de Comunicación Audiovisual y Publicidad de la Universitat Jaume I. Entre sus principales publicaciones destacan *David Wark Griffith* (Madrid: Cátedra, 1998); el ensayo *La mirada cautiva. Formas de ver en el cine contemporáneo* (Valencia: Conselleria de Cultura de la Generalitat Valenciana, 1999), con Juan Miguel Company (Universitat de València); la edición del libro *Metodologías de análisis del film* (Madrid: Edipo, 2007), con Francisco Javier Gómez Tarín; la compilación de textos sobre *El desarrollo de la televisión digital en España* (La Coruña: Netbiblo, 2007), con Andreu Casero Ripollés, y el ensayo *Cómo se lee una fotografía. Interpretaciones de la mirada* (Madrid: Cátedra, 2007). Paralelamente, ha compatibilizado esta actividad investigadora con el ejercicio profesional en los medios fotográfico, radiofónico y televisivo, y la actividad docente como profesor de Teoría y Análisis de la Imagen, Estructura del Sistema Audiovisual, Tecnología de los Medios Audiovisuales, Producción y Realización Audiovisuales. Es co-Director de la colección de libros "Guías para ver y analizar cine", publicadas por las editoriales Nau Llibres de Valencia y Octaedro de Barcelona, Director del Departamento de Ciencias de la Comunicación y Subdirector del Laboratorio de Comunicación Audiovisual y Publicidad de la Universitat Jaume I.

FRANCISCO LÓPEZ CANTOS. CO-EDITOR

Doctor en Comunicación Audiovisual y Publicidad por la Universitat Jaume I, con la Tesis Doctoral *La televisión local en el contexto audiovisual. Análisis del sector en la provincia de Castellón* (Castellón: CBUC y CESCA, 2003), bajo la dirección de Javier Marzal Felici, es Profesor Contratado Doctor en la Universidad Jaume I de Castellón. Ha participado en diversos proyectos de innovación educativa y realizado varias estancias de trabajo en universidades de otros países, centrando su labor investigadora en las áreas de televisión universitaria y producción audiovisual en general. Fruto de ello ha publicado diversos artículos en revistas internacionales entre los que cabe reseñar "Formación de capital social en democracia.

Sociedad civil y modelos comunicativos", en *Global Media Journal*, y "Universidades haciendo televisión. Diálogos posibles", en *Comunicaçao e Espacio Publico*. Entre otros, ha publicado los libros *La situación de la televisión local en España* (2005), en la colección Aldea Global coeditada conjuntamente entre la Universitat Autónoma de Barcelona, Universitat Jaume I, Universitat Pompeu Fabra y Universitat de Valencia; *Gestión de la producción audiovisual*, en el año 2001; y recientemente *El show de Truman* (2007), en la colección "Guías para ver y analizar cine" de las editoriales Nau Llibres y Octaedro.

JOSÉ AGUILAR GARCÍA

Licenciado en Ciencias de la Información, 1985, por la Universidad Complutense de Madrid. Doctor en Comunicación Audiovisual y Publicidad por la Universitat Jaume I, con la *Tesis Aplicación del sistema de zonas a la fotografía actual en color*, (Castellón: CBUC y CESCA, 2005), bajo la dirección de Javier Marzal Felici. Actualmente es Profesor Colaborador en la UJI. Ha realizado cursos de Postgrado en St. Cloud University, University of California en Los Angeles y en la Universidad de Colorado. Ha participado en Proyectos de investigación UJI-Bancaja desde 2004 como: "Nuevas tecnologías de la comunicación, lenguaje hipermedia y alfabetización audiovisual. Una propuesta metodológica para la producción de recursos educativos", y del Ministerio "Diseño de una base de datos sobre patrimonio cinematográfico en soporte hipermedia. Catalogación de recursos expresivos y narrativos en el discurso fílmico". Es autor de diversos libros para editorial Draco, Prensa Española S.A., Plaza y Janés o Ediciones del Prado, y de artículos en revistas como Foto-vídeo Profesional, y participado en múltiples congresos. Ha desarrollado una extensa carrera como fotógrafo profesional para agencias importantes como EFE, Europa Press, Cordon Press, etc. Actualmente, es Director de la Cátedra de Gastronomía y Nutrición de la Universitat Jaume I.

ROBERTO ARNAU ROSELLÓ

Licenciado en Comunicación Audiovisual por la Universidad de Valencia desde 1997, ha trabajado en la Universidad de Franche Comté (Besançon, Francia) realizando tareas técnicas, docentes y de investigación los años 2000-2001. También ha realizado múltiples obras audiovisuales, como "Cuando Sol y miel se confunden" 1er premio sección documental del Festival Murbiter de Sagunto, "José Martí: Raíces vivas", "1º/oo" y participado en numerosas producciones como el Documental "La sombra del iceberg" como director de fotografía. (1er Premio festival Internacional

Monterrey, México 2007 y 1er Premio Festival Internacional de Documental DocuSur). Desde 2006 es Doctor en Comunicación Audiovisual por la Universitat Jaume I de Castellón, con la Tesis *La guerrilla del celuloide: resistencia estética y militancia política en el cine español (1967-1982)* (Castellón: CBUC y CESCA, 2006), bajo la dirección de Javier Marzal Felici y Francisco Javier Gómez Tarín. Ha publicado textos en distintos congresos internacionales sobre medios de comunicación y audiovisuales. Actualmente es Profesor de la Titulación de Comunicación Audiovisual en el Departamento de Ciencias de la Comunicación, del Programa Oficial de Posgrado "Nuevas Tendencias y Procesos de Innovación en Comunicación" y Director del Laboratorio de Comunicación Audiovisual y Publicidad (LABCAP) de la Universitat Jaume I.

ANDREU CASERO RIPOLLÉS

Profesor en la Universitat Jaume I de Castellón, donde, además, es director de la titulación de Comunicación Audiovisual. Es doctor por la Universitat Pompeu Fabra de Barcelona, donde ha sido becario de investigación y profesor asociado. Además, ha impartido docencia en la Escuela Superior de Relaciones Públicas, adscrita a la Universidad de Barcelona, y en la Universitat Rovira i Virgili de Tarragona. Igualmente, ha sido *visiting researcher* en la Università degli Studi di Milano-Bicocca (Itàlia). En el campo profesional, ha trabajado en el Consell de l'Audiovisual de Catalunya (CAC) y como periodista audiovisual en medios locales. Sus líneas de investigación tienen que ver con el estudio de la estructura del sistema audiovisual, les dinámicas relacionadas con la comunicación política, la construcción periodística de la realidad y el análisis crítico del discurso mediático, especialmente en relación con el fenómeno de la inmigración. Ha publicado diversos artículos en revistas científicas como *Zer*, *Signo y Pensamiento*, *Sphera Publica*, *Trípodos* o *Razón y Palabra*. Recientemente, acaba de co-editar, con el profesor Javier Marzal, el libro *El desarrollo de la televisión digital en España* (Netbiblo, 2007).

HUGO DOMÉNECH FABREGAT

Licenciado en Ciencias de la Información por la Universidad Pontificia de Salamanca. Actualmente es Profesor Colaborador a tiempo completo en el Departamento de Ciencias de la Comunicación de la Universitat Jaime I de Castellón (UJI) en la que se doctoró con la máxima calificación con la defensa de la tesis titulada *La fotografía informativa en la prensa generalista. Del fotoperiodismo clásico a la era digital* (Castellón: CBUC y CESCA, 2005), bajo de dirección de Javier Marzal Felici. Asimismo, es Especialista Universitario en Fotografía y Arte por la Universitat Politècnica de València (UPV) y cursó estudios de guión en el Centre d´Estudis Cinematogràfics de Catalunya. Profesionalmente ha trabajado como redactor en RTVE dentro de los Servicios Informativos Nacionales de la cadena y en programas deportivos como "Estudio Estadio", "Liga de Campeones", "Grada Cero", etc. También ha colaborado como redactor en Diario 16. Recientemente ha ejercido como Co-guionista y co-director del largometraje documental «La Sombra del Iceberg». Producción de Dacsa Productions S.L., RTVV-I.V.A.C; y la Universitat Jaime I. Emitido por RTVV en 2007 y premiada en diversos festivales tanto nacionales como internacionales.

CÉSAREO FERNÁNDEZ FERNÁNDEZ

Doctor por la Universitat Jaume I de Castelló en Comunicación Empresarial e Institucional en 2004, con la Tesis *El anverso infinito: arte y comunicación en la era digital. Del hipertexto al hipermedia*, dirigida por Javier Marzal Felici. Licenciado y DEA por la Universitat de València en Comunicación Audiovisual, es Técnico Especialista en Operaciones de Imagen y Sonido por el IFP La Marxadella de Torrent. Posee estudios inacabados de primer y segundo ciclo en la Licenciatura de Física de la Universitat de València. Es Profesor Colaborador de la Universitat Jaume I de Comunicación Audiovisual y Publicidad desde 2004, fue Profesor Asociado de la Universitat de València en Comunicación Audiovisual y Periodismo, entre 2000 y 2004. Es Investigador de comunicación en el INTRAS (Instituto Universitario de Tráfico y Seguridad Vial) de la Universitat de València desde 1999, y ha sido Periodista-Redactor y Guionista en el Departamento de Informativos de RTVV entre 1999 y 2002, Operador de Equipos de Continuidad en el Departamento de Emisiones de RTVV entre 1997 y 1999. Ha sido Cofundador y Coordinador de Ciber@RT - Muestra Internacional de Nuevas Tecnologías en Arte y Comunicación entre 1995 y 1999. Posee numerosas publicaciones y ha impartido conferencias sobre comunicación, especialmente en torno a las nuevas tecnologías. Ha participado en la realización de cortometrajes, documentales y videoarte, y como Jurado de diversos festivales internacionales de cine, vídeo, infografía y animación.

PABLO FERRANDO GARCÍA

Doctor en Comunicación Audiovisual por la Universitat de València, con la Tesis *Trilogía de la Guerra de Roberto Rossellini: La Ficción de la Experiencia* (Valencia: CBUC y CESCA, 2005), bajo la dirección de Juan Miguel Company. Actualmente ejerce como profesor en los Ciclos

Formativos de Grado Superior de Formación Profesional de la Familia de Comunicación, Imagen y Sonido en el Colegio Juan Comenius (Valencia). También es Profesor Asociado en la Universitat Jaume I de Castelló donde imparte Narrativa y Tecnología Audiovisual, además de Estructuras de la Comunicación. Ha trabajado en Televisión Valenciana durante la temporada 91-92 como ayudante de realización en el programa cultural *Enquadres*. Ha participado en diversas publicaciones como *Qué y Dónde*, *Banda Aparte*, *La Madriguera de El Viejo Topo*, *Mono*, *Shangri-La* y en *Quaderni del CSCI (Rivista Annuale di Cinema Italiano)*, y en numerosos congresos, jornadas y encuentros internacionales y participado en diversos proyectos de investigación competitivos del Ministerio y de la Universitat Jaume I. Acaba de presentar un monográfico sobre *Roma, ciudad abierta* para las editoriales Nau Llibres-Octaedro. Es miembro de la Asociación Española de Historiadores del Cine (AEHC).

FRANCISCO JAVIER GÓMEZ TARÍN

Doctor en Comunicación Audiovisual por la Universitat de València. Ha publicado monografías sobre *Arrebato* y *A bout de souffle*. Su tesis doctoral, *Lo ausente como discurso: elipsis y fuera de campo en el texto cinematográfico*, dirigida por Juan Miguel Company, está editada en CD-Rom por la Universidad de Valencia. Es autor de *Más allá de las sombras: Lo ausente en el discurso fílmico desde los orígenes al declive del clasicismo (1895-1949)* y *Discursos de la ausencia: elipsis y fuera de campo en el texto fílmico*. En prensa, tiene un estudio sobre el realizador *Wong Kar-wai*. Como co-editor ha coordinado los volúmenes *El análisis de la imagen fotográfica* y *Metodologías de análisis del film*. Ha participado en diversos libros colectivos, como *Historias sin argumento. El cine de Pere Portabella*, *Once miradas sobre la crisis y el cine español*, *Bienvenido Mister Marshall… 50 años después*, *El cine y las pasiones del alma*, *Nouvelle Vague: una revolución tranquila*. Tiene amplia experiencia en guión, montaje y dirección de audiovisuales. Miembro de la Junta Directiva de la Asociación Española de Historiadores del Cine. Es Profesor de *Narrativa Audiovisual* y *Teoría y técnica del guión* en la Universitat Jaume I de Castellón, Vicedecano Director de la Titulación de Publicidad y Relaciones Públicas.

AGUSTÍN RUBIO ALCOVER

Licenciado en Comunicación Audiovisual por la Universitat de València (Premio Extraordinario, 2001) y Doctor por la Universitat Jaume I de Castellón con la Tesis *La postproducción cinematográfica en la era digital: efectos expresivos y narrativos* (Castellón: CBUC y CESCA, 2006), bajo la dirección de Javier Marzal Felici. Desde el curso 2006-2007 es profesor de Comunicación Audiovisual y Publicidad en la Universitat Jaume I, con docencia en asignaturas como "Producción y gestión de proyectos audiovisuales", "Modos de representación en el cine contemporáneo" y "Teoría y técnica del montaje y la edición digital". En la actualidad, es Secretario de la titulación en Comunicación Audiovisual de la citada universidad. Miembro de la Asociación Española de Historiadores del Cine (AEHC), ha participado en numerosos cursos, congresos y encuentros científicos, con ponencias y comunicaciones relacionadas con las materias aludidas. Es autor de sendos trabajos monográficos de análisis fílmico, acerca de *Se7en* (David Fincher, 1995) y *Dos en la carretera* (*Two for the Road*, Stanley Donen, 1967), en la colección "Guías para ver y analizar cine" de las editoriales Nau Llibres y Octaedro, de la que es coordinador técnico. Ha publicado artículos en volúmenes colectivos como *El análisis de la imagen fotográfica* y *Metodologías de análisis fílmico*, así como de *El productor cinematográfico* y en sendos manuales de producción audiovisual en general y documental en particular, entre otros trabajos de próxima aparición. Asimismo, ha ejercido la crítica cinematográfica en prensa escrita y radiofónica, y ha sido guionista, director, montador y productor de cortometrajes y mediometrajes en vídeo (*Caridad*, 1997; *Llegará el día*, 2007).

EMILIO SÁEZ SORO

Licenciado en Sociología y Ciencias Políticas por la UNED, Doctor en Comunicación Audiovisual y Publicidad en la Universitat Jaume I, con la Tesis *El teletrabajo de los profesionales. La flexibilización de la flexibilidad* (2002) bajo la dirección de Rafael López Lita. Máster en Comunicación y Periodismo por la Universitat de València y el Diario Levante EMV. Ha trabajado como profesional en el ámbito de la consultoría en investigación sociológica, desarrollo rural y turismo rural, organización productiva relacionada con TIC y teletrabajo. Investiga desde mediados de los noventa en el mundo del teletrabajo y sus implicaciones organizativas, las comunidades virtuales, así como el desarrollo de metodologías para la investigación social a través de Internet. En estos momentos es Profesor Colaborador del Departamento de Ciencias de la Comunicación en la Universitat Jaume I, impartiendo entre otras la asignatura de Producción y Realización Hipermedia y Producción y Realización de Videojuegos. Ha participado en numerosos congresos, jornadas y encuentros internacionales y participado en diversos proyectos de investigación competitivos del Ministerio y de la Universitat Jaume I. Actualmente, es Secretario del Departamento de Ciencias de la Comunicación de esta universidad.

MARIA SOLER CAMPILLO

Licenciada en Ciencias Económicas y Empresariales por la Universitat de València, y Máster en Asesoría Fiscal por el Instituto de Estudios Superiores del C.E.U. "San Pablo" de Valencia, es Profesora Colaboradora de "Empresas de comunicación" y "Empresa audiovisual" en la Universitat Jaume I. Su Tesis Doctoral, con el título *Estructura del sector fotográfico: análisis de la actividad económica y de las políticas de comunicación de las empresas de fotografía de la Comunidad Valenciana*, dirigida por Rafael López Lita, ha sido publicada por el Consorcio de Bibliotecas Universitarias de Catalunya (CBUC) y el Centro de Supercomputación de Cataluña (CESCA). Ha publicado el libro *Las empresas de fotografía ante la era digital. El caso de la Comunidad Valenciana* (Madrid: Ediciones de las Ciencias Sociales, 2007), y participado con numerosas comunicaciones y ponencias en congresos y jornadas especializadas en temas de economía y empresa audiovisual. Además, participa en varios proyectos de investigación sobre la comunicación de productos financieros y la gestión de intangibles comunicativos bajo la dirección de Rafael López Lita. Es miembro del Grupo de Investigación "Observatorio en Nuevas Tendencias y Procesos de Innovación en Comunicación" de la Universitat Jaume I. Entre los años 1995 y 2005, ha sido profesora en las Familias Profesionales de Administración y Comercio y Marketing en la Escuela Profesional "La Salle" de Paterna (Valencia).

ANEXO. DOCUMENTOS DE TRABAJO

Los siguientes documentos, disponibles en la página web www.labcap.uji.es, se proponen como plantillas de trabajo que el estudiante o usuario puede adoptar a us necesidades. Cada documento viene precedido por un breve explicación sobre su configuración

Departamento Ciencias de la Comunicación LAB-CAP	PROYECTO DE PRODUCCIÓN FOTOGRÁFICA	
	Profesor	**Asignatura**

Practica **Título**

Alumno o Grupo **Curso** **Grupo**

Descripción del Proyecto **Día entrega**

Plan de Producción

Día	Tarea	Localización

Equipos necesarios

Captación	Registro	Soportes y accesorios

Puesta en escena	Tratamiento

 **UNIVERSITAT JAUME·I**	**Departamento** **Ciencias de la Comunicación** **LAB-CAP**	**PROYECTO DE PRODUCCIÓN FOTOGRÁFICA**

FINALIDAD

Es un documento que justifica las características del trabajo que va a realizar el estudiante o grupo de estudiantes, detallando todos los recursos técnicos y elementos que van a tener en cuenta para realizar dicho trabajo. Este documento se cumplimentará con antelación a la realización del trabajo, con lo que el estudiante o grupo de estudiantes está obligado a reflexionar *a priori* sobre el trabajo que va a realizar. Habrá de explicitar los criterios que sigue para la realización del trabajo.

INSTRUCCIONES DE CUMPLIMENTACIÓN

Cabecera

Práctica   Número de práctica según la propuesta docente del curso.
Título   Nombre de la práctica y, en su caso, título del proyecto a realizar por el alumno.
Alumne   Nombre del alumno. Puede ser uno o varios en caso de trabajo en grupo.
Curso y Grupo Al que pertenece el alumno.

Detalle

Descripción   Definición del proyecto. Planteamiento conceptual indicando tipo de público/cliente al que está dirigido y descripción de las técnicas a emplear
Fecha de entrega
     Fecha en que el alumno ha de entregar el trabajo, bien por indicación del profesor o por compromiso del propio alumno.
Plan de Producción
     Breve reseña de la planificación a seguir para la consecución del proyecto por días, tareas y espacios. Justificación de la(s) técnica(s) a utilizar por el estudiante.
Equipos necesarios
     Estimación de necesidades técnicas para realizar el trabajo, indicando el formato y los equipos de captación, soporte para registro y accesorios de iluminación, soportes, y elementos de atrezzo y puesta en escena, y tratamiento final de la imagen.

UNIVERSITAT JAUME·I	**Departamento** Ciencias de la Comunicación LAB-CAP	**MEMORIA PRODUCCIÓN FOTOGRÁFICA**

FINALIDAD

Es el documento que deben entregar los estudiantes o grupo de estudiantes al finalizar la práctica correspondiente, contrastando lo que habían proyectado con los resultados obtenidos y realizando una valoración.

Se trata un documento que resume el trabajo realizado por el alumno y que permite al profesor realizar una valoración global de los materiales entregados a partir de las especificaciones del documento del proyecto inicial y calibrar el grado de madurez y reflexión del estudiante o grupo de estudiantes.

Los campos sombreados son cumplimentados por el profesor.

INSTRUCCIONES DE CUMPLIMENTACIÓN

Cabecera
___

Práctica   Número de práctica según la propuesta docente del curso.
Título   Nombre de la práctica y, en su caso, título del proyecto a realizar por el alumno.
Alumno   Nombre del alumno. Puede ser uno o varios en caso de trabajo en grupo.
Curso y Grupo Al que pertenece el alumno.

Fecha Entrega Fecha de entrega de la práctica.
Valoración   Calificación de la práctica. A cumplimentar por el profesor o tutor.

Detalle
___

Dificultades

      Descripción de los problemas encontrados y el grado de consecución de los objetivos planteados en la práctica.

Equipos utilizados

      Equipos y materiales utilizados efectivamente para la práctica.

Datos técnicos Número, descripción y datos técnicos de cada una de las fotografías presentadas.

UNIVERSITAT JAUME·I	Departamento Ciencias de la Comunicación LAB-CAP	MEMORIA PRODUCCIÓN FOTOGRÁFICA

Profesor	Asignatura

Práctica   Título

Alumno	Curso	Grupo

Fecha Entrega	Valoración

Dificultades y grado de consecución de los objectivos iniciales

Captación	Registro

Proceso	Tratamiento

N	Descripción	Datos Técnicos

Departamento Ciencias de la Comunicación LAB-CAP	PROYECTO PRODUCCIÓN RADIOFÓNICA

FINALIDAD

Este documento justifica las características del trabajo que van a realizar el estudiante o grupo, detallando todos los recursos y elementos que van a tener en cuenta para realizar dicho trabajo.

Es un documento necesario tanto para los propios promotores del proyecto como para los responsables de la emisora. Permite obtener una visión clara de las características del proyecto y su público potencial, así como la envergadura de los recursos humanos y técnicos que se han de movilizar. Ha de servir para clarificar suficientemente la información del proyecto en sus inicios.

INSTRUCCIONES DE CUMPLIMENTACIÓN

Cabecera

Título	Nombre provisional del proyecto.
Autor	Responsable del proyecto. Puede tratarse del nombre de una persona física o jurídica.
Género	Tipo de programa radiofónico: magacine, dramático, informativo, musical, etc.
Duración	Duración aproximada.
Curso y Grupo	Que llevará a cabo el proyecto y regularidad con que se emitirá.
Fecha	Fecha de confección del documento.

Detalle

Descripción	Sinopsis clara y convincente de los elementos significativos del audiovisual y su desarrollo visual y narrativo. Ha de ser atractiva y precisa pues en muchos casos el lector será un posible socio financiero. Debe expresar cómo mínimo el público a que se dirige y describir el tipo de tratamiento sonoro que se realizará.
Personal	Distribución de funciones, distinguiendo la funciónes ejercida para el desarrollo del proyecto asimiladas a las categorías laborales más habituales, como realizador, productor, técnico de sonido, documentalista, redactor, guionista, ambientador musical, etc.
Equipos	Breve detalle de los equipos técnicos que se utilizarán, lo cual refuerza la lectura general del proyecto proporcionandomayor fiabilidad y solvencia técnica al proyecto.
Observaciones	Todo lo que se considere oportuno para profundizar y dar solidez al proyecto.

Departamento **Ciencias de la Comunicación** **LAB-CAP**	**PROYECTO PRODUCCIÓN RADIOFÓNICA**
	Profesor | **Asignatura**

Título _____ **Género** **Duración** **Curso** **Grupo** **Fecha**

Descripción del Proyecto

Personal   **Equipamiento**

Observaciones

	Departamento Ciencias de la Comunicación LAB-CAP	ESCALETA PROGRAMA RADIOFÓNICO

FINALIDAD

Este documento sirve para conocer el orden temporal en que se desarrolla el programa y las distintos bloques que lo componen. Es válido tanto para el equipo técnico de realización como para los conductores del programa y, aunque sujeto a variaciones y desajustes temporales, suele coincidir bastante con el programa efectivamente emitido. Se puede utilizar igualmente para un programa informativo, magacine o de radio fórmula.

INSTRUCCIONES DE CUMPLIMENTACIÓN

Cabecera

Título	Nombre del programa
Editor	Responsable de programa.
Fecha	Día de realización.
Inicio	Hora de inicio de emisión.
Final	Hora fin del programa
Duración	Duración en minutos y segundos.

Detalle

Nº Bloque   Número de bloque de programa
Inicio   Hora inicio.
Duración   Duración del bloque.
Locución   Título del bloque y a partir de la segunda linea el texto de la locución para el presentador.
Se indica el nombre del presentador (o LOC/LOA 1...), y los invitados si los hubiera.
Si se trata de un reportaje, un paso publicitario o cualquier otra cosa se consignará igualmente. En este último caso es provechoso que se centre el texto para tener una columna diferenciada a la izquierda con las locuciones y centradas el resto de partes del programa.
Fuente   En el caso de un grabado se indicará el número de cinta y el código de tiempo de inicio y la duración.
En el caso de una conexión en directo se indicará el lugar donde se hace la conexión.
Control   Indicaciones de mezcla y operación de equipos.
Se puede incluir cualquier indicación que se considere oportuna para la continuidad de los distintos bloques y, especialmente, los pies y colas que dan paso al siguiente bloque y la forma de transición entre los distintos elementos. Para esto último es conveniente seguir esta nomenclatura establecida convencionalmente en función de los planos sonoros y la forma de mezcla:

F Fundido	PP Primer Plano
C Corte	PM Plano Medio
M Mezcla	PF Plano de Fondo
FF Mezcla y fundido encadenado	Z Silencio

Por ejemplo, en un informativo en que el presentador introduce la cabecera despues de la careta de entrada por corte podríamos poner algo así "Loc1 C a PP y Sintonia F a PFZ", si entrase y la sintonia se desvanece hasta no escucharse.
Parcial   Duración del bloque.
Total   Duración acumulada

UNIVERSITAT JAUME·I

Departamento
Ciencias de la Comunicación
LAB-CAP

ESCALETA PROGRAMA RADIOFÓNICO

Profesor	Asignatura				
Fecha	Inicio	Final	Duración	Pag.	

Título | Editor

Nº Bloque	Locución				

Fuente	Control	Parcial	Total

UNIVERSITAT JAUME·I	**Departamento** **Ciencias de la Comunicación** **LAB-CAP**	**GUIÓN DRAMÁTICO RADIO**

FINALIDAD

Este documento sirve para conocer el orden temporal en que se desarrolla el programa y las distintos bloques que lo componen. Es válido tanto para el equipo técnico de realización como para los conductores del programa y, aunque sujeto a variaciones y desajustes temporales, suele coincidir bastante con el programa efectivamente emitido.

INSTRUCCIONES DE CUMPLIMENTACIÓN

Cabecera

Tíulo	Nombre provisional del documental.Si es una serie se indica el número de capítulo y el título a continuación y separados del nombre de la serie con un guión.
Autor / Grupo	Responsable del guión.
Curso y Grupo	Al que pertenece el autor
Fecha	Fecha de confección del documento.
Versión	Número de versión.

Detalle

Bloque	Número de bloque de guión.
Locución	Se indica, precedido por el nombre del actor, el texto que le corresponda. Entre paréntesis las indicaciones de interpretación.
Control	Indicaciones de mezcla y otras fuentes, incluidos ambientes y efectos sonoros.
Observaciones	Se puede incluir cualquier indicación que se considere oportuna para la continuidad de los distintos bloques y, especialmente, los pies y colas que dan paso al siguiente bloque.
Parcial	Duración del bloque.
Total	Duración acumulada.

UNIVERSITAT JAUME·I

**Departamento
Ciencias de la Comunicación
LAB-CAP**

GUIÓN DRAMÁTICO RADIO

Profesor	Asignatura

Título

Autor	Curso	Grupo	Fecha	Versión	Pag

Nº Bloque	Locución	Control	Observaciones	Parcial	Total

UNIVERSITAT JAUME·I	Departamento Ciencias de la Comunicación LAB-CAP	GUIÓN DE CUÑA PUBLICITARIA RADIOFÓNICA

FINALIDAD

Se trata de una plantilla de trabajo, estrictamente formal, que permite organizar la estructura del guión técnico de una cuña publicitaria radiofónica.
Este documento sirve para conocer la concepción de piezas publicitarias destinadas al medio radiofónico, en la que se planificará tanto el texto que se habrá de locutar como los efectos sonoros.

INSTRUCCIONES DE CUMPLIMENTACIÓN

Cabecera

Título	Nombre del producto.
Cliente	Nombre del anunciante.
Autor / Grupo	Responsable de la concepción del guión.
Curso y Grupo	Al que pertenece el autor.
Fecha	Fecha de confección del documento.
Versión	Número de versión.

Detalle

Locución Se indica, precedido por el nombre del actor o locutor(a) –en mayúsculas-, el texto que le corresponda. Entre paréntesis las indicaciones de interpretación.

Efectos sonoros Se indican entre paréntesis. En la casilla inferior y bajo del texto, en los lugares adecuados, se indicará cualquier apoyo sonoro. Esto se realizará utilizando la linea inferior, y en la superior de la misma casilla se marcará con una linea continua la duración del efecto. Si se superponen varios se pueden utilizar lineas de distintos colores.

Observaciones Cualquier indicación que se considere pertinente, especialmente las relativas a la forma de inserción de los distintos elementos sonoros.

Duración parcial Indica el tiempo en segundos que dura el bloque o sección.

Duración total Indica el tiempo en minutos y segundos que se va sumando a los bloques anteriores, para controlar la duración final de la cuña.

UNIVERSITAT JAUME-I

Departamento
Ciencias de la Comunicación
LAB-CAP

GUIÓN DE CUÑA PUBLICITARIA RADIOFÓNICA

Profesor	Asignatura				

Título	Cliente	Autor / Grupo	Curso	Grupo	Fecha	Versión	Pag

Locución y efectos sonoros

Observaciones

	Duración Parcial	Duración Total

UNIVERSITAT JAUME·I	**Departamento** **Ciencias de la Comunicación** **LAB-CAP**	**DESGLOSE DE PROGRAMA RADIOFÓNICO**

FINALIDAD

Este documento sirve para conocer las necesidades de producción que se plantean para la grabación de un programa radiofónico. Para los casos de producciones complejas, como los programas magazine, cuñas radiofónicas muy elaboradas y los "radiodramas", se propone un modelo de desglose de guión radiofónico que permite evaluar las necesidades materiales, recursos humanos y técnicos, para llevar adelante dicha producción.

INSTRUCCIONES DE CUMPLIMENTACIÓN

Cabecera

Título	Nombre provisional del programa.Si es una serie se indica el número de capítulo y el título a continuación y separados del nombre de la serie con un guión.
Realización	Responsable del programa.
Fecha	Fecha de confección del documento.
Versión	Número de versión.

Detalle

Bloque	Número de bloque de programa. El número debe corresponder con la escaleta. En caso de que se trate de un bloque cuya producción sea estremadamente compleja se puede dividir en subbloques, que se denominarán con el número de bloque principal y una letra correlativa que identifique la parte.
T	Tiempo estimado para la producción, expresado en fracciones de jornada.
Descripción	Breve descripción del bloque.
Actores	Se indican todos los actores que intervienen en ese bloque precedidos por su nombre.
Fuentes	Todas las fuentes sonoras, e incluso textuales, que pueden servir para la grabación efectiva del programa o para facilitar su confección final.
Equipamiento	Todas aquellas necesidades técnicas específicas para este bloque incluido, en caso de grabación en exteriores, los vehículos para el transporte. Los equipos que se utilizarán durante toda la grabación se indicarán al final del documento, en la casilla correspondiente.
Observaciones	Todo lo que se considere oportuno reseñar. En caso de exteriores especialmente el lugar donde se realizará la grabación; en caso de entrevistas, el nombre y forma de localización del entrevistado, etc.
Equipos y Espacios	Equipos necesarios globalmente para toda la producción y, sobre todo necesidades de cabinas de locución y realización, etc.
Personal técnico	Necesidades de personal para llevar adelante la grabación. Si hay parte del programa que tenga mayores necesidades de personal se puede indicar entre paréntesis en qué bloques serán necesarios.

UNIVERSITAT JAUME·I

Departamento Ciencias de la Comunicación LAB-CAP

DESGLOSE DE PROGRAMA RADIOFÓNICO

Profesor

Asignatura

	Curso	Grupo	Fecha	Versión	Pag

Título

Realización

Equipamiento	Observaciones

Nº Bloque	T	Descripción	Actores	Fuentes

 UNIVERSITAT JAUME·I	**Departamento** **Ciencias de la Comunicación** **LAB-CAP**	**PLAN DE PRODUCCIÓN RADIO**

FINALIDAD

Para los casos de producciones complejas, como los programas magazine y los "radiodramas", se propone un modelo de plan de producción que sirva de ayuda para temporalizar las necesidades materiales y organizativas del programa. Este documento sirve para planificar semanalmente las distintas tareas que se llevarán a cabo en toda la fase de producción. El documento inicial se rellena marcando las casillas para obtener una visión general del tiempo de trabajo que necesitará cada tarea, mientras que el segundo permite especificar todo ello.

INSTRUCCIONES DE CUMPLIMENTACIÓN

Cabecera

Título	Nombre del programa seguido de guión, capítulo y título en el caso de series.
Realización	Responsable de programa.
Fecha	Fecha de confección del documento.
Versión	Número de versión.

Detalle

Se indicará para cada hora y día de la semana las tareas a realizar y el responsable de llevarla a término.

**Departamento
Ciencias de la Comunicación
LAB-CAP**

UNIVERSITAT
JAUME-I

PLAN DE PRODUCCIÓN RADIO

Profesor

Asignatura

Título

Realización   Curso   Grupo   Fecha   Versión

Semana					
Día					
Cambios Guión					
Documentación textual					
Contratación					
Documentos sonoros					
Viaje					
Grabación					
Postproducción					
Emisión					
Coste (miles)					

UNIVERSITAT JAUME-I

Departamento
Ciencias de la Comunicación
LAB-CAP

PLAN DE PRODUCCIÓN RADIO

Profesor

Asignatura

Título

Realización | Curso | Grupo | Fecha | Versión

DÍA DE LA SEMANA

HORA

UNIVERSITAT JAUME·I	Departamento Ciencias de la Comunicación LAB-CAP	MODELO DE ENTREVISTA

FINALIDAD

Este documento sirve al entrevistador como guía para conducir el diálogo con el entrevistado y como soporte de datos accesorios que sirvan para contextualizar esa entrevista.

INSTRUCCIONES DE CUMPLIMENTACIÓN

Cabecera

Nombre	Nombre del entrevistado.
Tfno	De contacto.
Periodista	Entrevistador.
Registro	Si se ha grabado en imágenes, sólo audio o unicamente se han tomado notas sobre papel.
Fecha	Día de realización.
Inicio	Hora de inicio de la entrevista. Si esta hecha en directo no se pone hora, sino el nombre del programa en que se emite.
Lugar	Lugar de realización de la entrevista.

Detalle

Tema	Tema genérico al que se refieren las preguntas
Documentación	Documentos accesorios que contextualizan y amplian el tema y que se reunen en un dossier anexo y al que se llega indicando en este campo el título genérico del documento y el número de página del dossier. Se debe incluir todo lo referente a datos biográficos y situación profesional.
Pregunta	Relación de preguntas ordenadas posibles sobre el tema ordenadas según su grado de profundización en el mismo.

| UNIVERSITAT JAUME·I | Departamento Ciencias de la Comunicación LAB-CAP | MODELO DE ENTREVISTA |

Profesor	Asignatura

Nombre	Periodista	Registro	Fecha	Inicio	Lugar

Tfno. Contacto

Tema	Documentación	Pregunta

Departamento **Ciencias de la Comunicación** **LAB-CAP**	**PARRILLA PROGRAMACIÓN RADIO**

FINALIDAD

Este documento sirve para planificar semanalmente los distintos programas que se emitirán en la cadena.
Existiendo la posibilidad de emitir programas de radio, se ofrece el modelo de parrilla de programación, de carácter institucional, que servirá para organizar las emisiones radiofónicas a lo largo de las semanas y las temporadas que se determinen.

INSTRUCCIONES DE CUMPLIMENTACIÓN

Cabecera

Emisor   Nombre de la cadena de radio.
Fecha   Semana de emisión.

Detalle

Se indicará para cada hora y día de la semana el programa que se emitirá.

UNIVERSITAT JAUME·I

**Departamento
Ciencias de la Comunicación
LAB-CAP**

PARRILLA PROGRAMACIÓN RADIO

Profesor	Asignatura

Emisor   Fecha

	Hora	Lunes	Martes	Miercoles	Jueves	Viernes	Sabado	Domingo
MAÑANA								
MEDIODIA								
TARDE								
NOCHE								
MADRUGADA								

UNIVERSITAT JAUME·I	**Departamento Ciencias de la Comunicación LAB-CAP**	**MEMORIA PRODUCCIÓN RADIOFÓNICA**

FINALIDAD

Es el documento que deben entregar los estudiantes o grupo de estudiantes al finalizar la práctica correspondiente, contrastando lo que habían proyectado con los resultados obtenidos y realizando una valoración.

Se trata un documento que resume el trabajo realizado por el alumno y que permite al profesor realizar una valoración

global de los materiales entregados a partir de las especificaciones del documento del proyecto inicial y calibrar el

grado de madurez y reflexión del estudiante o grupo de estudiantes.

Los campos sombreados son cumplimentados por el profesor.

INSTRUCCIONES DE CUMPLIMENTACIÓN

Cabecera

Práctica   Número de práctica según la propuesta docente del curso.
Título   Nombre de la práctica y, en su caso, título del proyecto a realizar por el alumno.
Alumno   Nombre del alumno. Puede ser uno o varios en caso de trabajo en grupo.
Curso y Grupo   Al que pertenece el alumno.

Fecha Entrega   Fecha de entrega de la práctica.
Valoración   Calificación de la práctica. A cumplimentar por el profesor o tutor.

Detalle

Dificultades   Descripción de los problemas encontrados y el grado de consecución de los objetivos planteados en la práctica.

Equipos utilizados
                    Equipos y materiales utilizados efectivamente para la práctica.

Datos técnicos Características técnicas del programa realizado.

Departamento Ciencias de la Comunicación LAB-CAP	MEMORIA PRODUCCIÓN RADIOFÓNICA	
	Profesor	**Asignatura**

Práctica	**Título**		**Alumno**	**Curso**	**Grupo**
			Fecha Entrega	**Valoración**	

Dificultades y grado de consecución de los objectivos iniciales

Equipos utilizados

Datos técnicos

UNIVERSITAT JAUME·I	Departamento Ciencias de la Comunicación LAB-CAP	PROYECTO PRODUCCIÓN VIDEOGRÁFICA
	Profesor	Asignatura

FINALIDAD

Este documento justifica las características del trabajo que van a realizar el estudiante o grupo, detallando todos los recursos y elementos que van a tener en cuenta para realizar dicho trabajo.

Es un documento necesario tanto para los propios promotores del proyecto como para los responsables de la emisora. Permite obtener una visión clara de las características del proyecto y su público potencial, así como la envergadura de los recursos humanos y técnicos que se han de movilizar. Ha de servir para clarificar suficientemente la información del proyecto en sus inicios.

INSTRUCCIONES DE CUMPLIMENTACIÓN

Cabecera

Título	Nombre provisional del proyecto.
Autor	Responsable del proyecto. Puede tratarse del nombre de una persona física o jurídica.
Formato	Soporte de grabación.
Género	Tipo de programa: dramático, magacine, informativo, musical, documental, espot, etc.
Duración	Duración aproximada.
Curso y Grupo	Quién llevará a cabo el proyecto.
Fecha	Fecha de confección del documento.

Detalle

Descripción	Sinopsis clara y convincente de los elementos significativos del audiovisual y su desarrollo visual y narrativo. Ha de ser atractiva y precisa pues en muchos casos el lector será un posible socio financiero. Debe expresar cómo mínimo el público a que se dirige y describir el tipo de tratamiento sonoro que se realizará.
Personal	Distinguiendo la funciónes ejercida para el desarrollo del proyecto asimiladas a las categorías laborales más habituales, como realizador, productor, técnico de sonido, documentalista, redactor, guionista, ambientador musical, etc.
Equipos	Breve detalle de los equipos técnicos que se utilizarán, lo cual refuerza la lectura general del proyecto proporcionandomayor fiabilidad y solvencia técnica al proyecto.
Observaciones	Todo lo que se considere oportuno para profundizar y dar solidez al proyecto.

| | Departamento Ciencias de la Comunicación LAB-CAP | PROYECTO PRODUCCIÓN VIDEOGRÁFICA |

Profesor	Asignatura

Título	Formato	Género	Duración	Curso	Grupo	Fecha

Descripción del Proyecto

Personal   **Equipamiento**

Observaciones

                                        COSTE APROXIMADO

	Departamento Ciencias de la Comunicación LAB-CAP	ESCALETA PROGRAMA INFORMATIVO

UNIVERSITAT JAUME·I

FINALIDAD

Este documento sirve para conocer el orden temporal en que se desarrolla el programa y las distintos bloques que lo componen. Es válido tanto para el equipo técnico de realización como para los conductores del programa y, aunque sujeto a variaciones y desajustes temporales, suele coincidir bastante con el programa efectivamente emitido.

INSTRUCCIONES DE CUMPLIMENTACIÓN

Cabecera

Título	Nombre del programa
Editor	Responsable de programa.
Realización	Responsable técnico del programa.
Producción	Responsable de producción.
Fecha	Día de realización.
	En caso de que sea en directo sólo aparecerá una fecha; en caso de que sea diferido aparecerán dos. La primera la de grabación y la segunda la de emisión.
Inicio	Hora de inicio de emisión
Final	Hora fin del programa
Duración	Duración en minutos y segundos.

Detalle

Nº Bloque	Número de bloque de programa
Título	Título del bloque.
	En caso de que sea una locución se indica el nombre del presentador, y los invitados si los hubiera (Si existe un guión predeterminado entre paréntesis se inserta el número de documento anexo que es).
	Si se trata de un reportaje, un paso publicitario o cualquier otra cosa se consignará igualmente. En este último caso es provechoso que se centre el texto para tener una columna diferenciada a la izquierda con las locuciones y centradas el resto de partes del programa.
Fuentes	En el caso de un grabado se indicará el número de VTR.
	En el caso de una conexión en directo se indicará el lugar donde se hace la conexión indicando PTO y el número de plato a continuación en caso de que sea en estudio.
Observaciones	Se puede incluir cualquier indicación que se considere oportuna para la continuidad de los distintos bloques y, especialmente, los pies y colas que dan paso al siguiente bloque.
Parcial	Duración del bloque.
Total	Duración del bloque.

UNIVERSITAT JAUME·I

**Departamento
Ciencias de la Comunicación
LAB-CAP**

ESCALETA PROGRAMA INFORMATIVO

Título

Profesor

Asignatura

Fecha	Inicio	Final	Duración

N°Bloque	Título	Editor	Realización	Producción	Fuente	Observaciones	Parcial	Total

UNIVERSITAT JAUME·I	**Departamento** **Ciencias de la Comunicación** **LAB-CAP**	**ESCALETA PROGRAMA MAGACINE**

FINALIDAD

Este documento sirve para conocer el orden temporal en que se desarrolla el programa y las distintos bloques que lo componen. Es válido tanto para el equipo técnico de realización como para los conductores del programa y, aunque sujeto a variaciones y desajustes temporales, suele coincidir bastante con el programa efectivamente emitido.
Este documento permite la cumplimentación de las informaciones necesarias para organizar la estructura de un programa magacine en el medio televisivo.

INSTRUCCIONES DE CUMPLIMENTACIÓN

Cabecera
_____

Título	Nombre del programa
Dirección	Responsable de programa.
Realización	Responsable técnico del programa.
Fecha	Día de realización.
	En caso de que sea en directo sólo aparecerá una fecha; en caso de que sea diferido aparecerán dos.
	La primera la de grabación y la segunda la de emisión.
Inicio	Hora de inicio de emisión
Final	Hora fin del programa
Duración	Duración en minutos y segundos.

Detalle
_____

Nº Bloque	Número de bloque de programa
Título	Título del bloque.
	En caso de que sea una locución se indica el nombre del presentador, y los
	invitados si los hubiera (Si existe un guión predeterminado entre paréntesis se inserta el número de documento anexo que es).
	Si se trata de un reportaje, un paso publicitario o cualquier otra cosa se consignará igualmente. En este último caso es provechoso que se centre el texto para tener una columna diferenciada a la izquierda con las locuciones y centradas el resto de partes del programa.
Fuentes	En el caso de un grabado se indicará el número de VTR.
	En el caso de una conexión en directo se indicará el lugar donde se hace la conexión indicando PTO y el número de plato a continuación en caso de que sea en estudio.
Observaciones	Se puede incluir cualquier indicación que se considere oportuna para la continuidad de los distintos bloques y, especialmente, los pies y colas que dan paso al siguiente bloque.
Parcial	Duración del bloque.
Total	Sumas de los bloques anteriores para establecer duración total.

UNIVERSITAT JAUME·I

Departamento
Ciencias de la Comunicación
LAB-CAP

ESCALETA PROGRAMA MAGACINE

Profesor

Asignatura

Título

Título	Dirección	Realización

Fecha   Inicio   Final   Duración

Fuente	Observaciones	Parcial	Total

NºBloque	Título				

UNIVERSITAT JAUME·I	**Departamento Ciencias de la Comunicación LAB-CAP**	**DESGLOSE DE PROGRAMA TELEVISIÓN**

FINALIDAD

Este documento sirve para conocer las necesidades de producción que se plantean para la grabación de un programa informativo o magacine u otro típicamente televisivo.

Para los casos de producciones complejas, como los programas magacine de TV, programas dramáticos, cortometrajes, etc., se propone un modelo de desglose de guión videográfico que permite evaluar las necesidades materiales, recursos humanos y técnicos, para llevar adelante dicha producción.

INSTRUCCIONES DE CUMPLIMENTACIÓN

Cabecera

Título	Nombre provisional del programa.Si es una serie se indica el número de capítulo y el título a continuación y separados del nombre de la serie con un guión.
Realización	Responsable del programa.
Fecha	Fecha de confección del documento.
Versión	Número de versión.

Detalle

Bloque	Número de bloque de programa. El número debe corresponder con la escaleta. En caso de que se trate de un bloque cuya producción sea estremadamente compleja se puede dividir en subbloques, que se denominarán con el número de bloque principal y una letra correlativa que identifique la parte.
T	Tiempo estimado para la producción, expresado en fracciones de jornada.
Descripción	Breve descripción del bloque.
Actuación	Se indican todos los actores, invitados o presentadores que intervienen en ese bloque precedidos por su nombre.
Fuentes	Todas las fuentes sonoras, e incluso textuales, que pueden servir para la grabación efectiva del programa o para facilitar su confección final.
Equipamiento	Todas aquellas necesidades técnicas específicas para este bloque incluido, en caso de grabación en exteriores, los vehículos para el transporte. Los equipos que se utilizarán durante toda la grabación se indicarán al final del documento, en la casilla correspondiente.
Observaciones	Todo lo que se considere oportuno reseñar. En caso de exteriores especialmente el lugar donde se realizará la grabación; en caso de entrevistas, el nombre y forma de localización del entrevistado, etc.

Equipos y Espacios

	Equipos necesarios globalmente para toda la producción y, sobre todo necesidades de cabinas de locución y realización, etc.
Personal técnico	Necesidades de personal para llevar adelante la grabación. Si hay parte del programa que tenga mayores necesidades de personal se puede indicar entre paréntesis en qué bloques serán necesarios.

UNIVERSITAT JAUME·I

Departamento
Ciencias de la Comunicación
LAB-CAP

DESGLOSE DE PROGRAMA TELEVISIVO

Profesor | Asignatura

Título

Curso   Grupo   Fecha   Versión   Pag

Realización

Nº Bloque	T	Descripción	Actuación	Fuentes	Equipamiento	Observaciones

UNIVERSITAT **JAUME·I**	**Departamento** **Ciencias de la Comunicación** **LAB-CAP**	**PLAN DE PRODUCCIÓN TELEVISIÓN**

FINALIDAD

Para los casos de producciones complejas, como los programas magazine de TV, programas dramáticos, cortometrajes, etc., se propone un modelo de plan de producción que sirva de ayuda para temporalizar las necesidades materiales y organizativas de la producción.

Este documento sirve para planificar semanalmente las distintas tareas que se llevarán a cabo en toda la fase de producción. El documento inicial se rellena marcando las casillas para obtener una visión general del tiempo de trabajo que necesitará cada tarea, mientras que el segundo permite especificar todo ello.

INSTRUCCIONES DE CUMPLIMENTACIÓN

Cabecera

Título	Nombre del programa seguido de guión, capítulo y título en el caso de series.
Realización	Responsable de programa.
Fecha	Fecha de confección del documento.
Versión	Número de versión.

Detalle

Se indicará para cada hora y día de la semana las tareas a realizar y el responsable de llevarla a término.

UNIVERSITAT JAUME·I

Departamento
Ciencias de la Comunicación
LAB-CAP

PLAN DE PRODUCCIÓN TELEVISIÓN

Profesor	Asignatura

Título

Realización	Curso	Grupo	Fecha	Versión

Semana								
Día								
Cambios Escaleta								
Documentación textual								
Contratación								
Documentos audiovisuales								
Viaje								
Grabación								
Postproducción								
Emisión								
Coste (miles)								

UNIVERSITAT JAUME·I

**Departamento
Ciencias de la Comunicación
LAB-CAP**

PLAN DE PRODUCCIÓN TELEVISIÓN

Profesor

Asignatura

Título

Realización	Curso	Grupo	Fecha	Versión

HORA	DÍA DE LA SEMANA									

| | **Departamento**
Ciencias de la Comunicación
LAB-CAP | **MEMORIA PRODUCCIÓN VIDEOGRÁFICA** |

FINALIDAD

Es el documento que deben entregar los estudiantes o grupo de estudiantes al finalizar la práctica correspondiente, contrastando lo que habían proyectado con los resultados obtenidos y realizando una valoración.
Se trata un documento que resume el trabajo realizado por el alumno y que permite al profesor realizar una valoración

global de los materiales entregados a partir de las especificaciones del documento del proyecto inicial y calibrar el

grado de madurez y reflexión del estudiante o grupo de estudiantes.

Los campos sombreados son cumplimentados por el profesor.

INSTRUCCIONES DE CUMPLIMENTACIÓN

Cabecera
___

Práctica   Número de práctica según la propuesta docente del curso.
Título   Nombre de la práctica y, en su caso, título del proyecto a realizar por el alumno.
Alumno   Nombre del alumno. Puede ser uno o varios en caso de trabajo en grupo.
Curso y Grupo Al que pertenece el alumno.

Fecha Entrega Fecha de entrega de la práctica.
Valoración   Calificación de la práctica. A cumplimentar por el profesor o tutor.

Detalle
___

Dificultades   Descripción de los problemas encontrados y el grado de consecución de los objetivos planteados en la práctica.

Equipos utilizados
                    Equipos y materiales utilizados efectivamente para la práctica.

Datos técnicos Características técnicas del programa realizado.

	Departamento **Ciencias de la Comunicación** **LAB-CAP**	**MEMORIA PRODUCCIÓN VIDEOGRÁFICA**

Profesor	**Asignatura**

Práctica   Título

Alumno	**Curso**	**Grupo**

Fecha Entrega	**Valoración**

Dificultades y grado de consecución de los objectivos iniciales

Equipos utilizados

Datos técnicos

	Departamento **Ciencias de la Comunicación** **LAB-CAP**	**MODELO DE ENTREVISTA**

FINALIDAD

Este documento sirve al entrevistador como guía para conducir el diálogo con el entrevistado y como soporte de datos accesorios que sirvan para contextualizar esa entrevista.

INSTRUCCIONES DE CUMPLIMENTACIÓN

Cabecera

Nombre	Nombre del entrevistado.
Tfno	De contacto.
Periodista	Entrevistador.
Registro	Si se ha grabado en imágenes, sólo audio o unicamente se han tomado notas sobre papel.
Fecha	Día de realización.
Inicio	Hora de inicio de la entrevista. Si esta hecha en directo no se pone hora, sino el nombre del programa en que se emite.
Lugar	Lugar de realización de la entrevista.

Detalle

Tema	Tema genérico al que se refieren las preguntas
Documentación	Documentos accesorios que contextualizan y amplian el tema y que se reunen en un dossier anexo y al que se llega indicando en este campo el título genérico del documento y el número de página del dossier. Se debe incluir todo lo referente a datos biográficos y situación profesional.
Pregunta	Relación de preguntas ordenadas posibles sobre el tema ordenadas según su grado de profundización
en el mismo.	

Departamento **Ciencias de la Comunicación** **LAB-CAP**	**MODELO DE ENTREVISTA**	
	Profesor	Asignatura

Nombre		Periodista	Registro	Fecha	Inicio	Lugar

Tfno. Contacto

Tema	Documentación	Pregunta

	Departamento Ciencias de la Comunicación LAB-CAP	GUIÓN DE CONTINUIDAD TELEVISIÓN
UNIVERSITAT JAUME·I		

FINALIDAD

Este documento se utiliza para desarrollar la emisión diaria de la programación prevista en la cadena.

INSTRUCCIONES DE CUMPLIMENTACIÓN

Cabecera

Emisor	Nombre de la cadena emisora.
Fecha	Fecha de emisión.

Detalle

Inicio	Hora, minuto y segundo (y frame si es necesario) en que comienza la emisión del bloque.
Final	Hora, minuto y segundo (y frame si es necesario) en que finaliza la emisión de ese bloque.
Observaciones	Indicaciones de pies y colas de programas.
Programa	Nombre del bloque. Puede ser un título de un programa o publicidad. En este último caso se debe centrar para facilitar la lectura.
VTR	En caso de que sea un programa ya grabado se indica el código de tiempo donde comienza y donde acaba. Si se trata de varios VTR se indican en lineas posteriores.
Directo	Si se trata de un programa que se emite en directo se indicará el estudio (PTO-1 por ejemplo) donde se realiza, que permitirá adquirir la señal desde el enrutamiento adecuado.
Conexión	Sólo en caso de que se trate de programas realizados fuera de los estudios de televisión y se haya de utilizar enlaces de radiodifusión terrestre o satélite. En este caso servirá tambien para preveer el correcto enrutamiento de la señal y que previamente todo está preparado para esa recepción.
Parcial	Duración aproximada en horas, minutos y segundos del bloque.
Total	Acumulado total.

UNIVERSITAT JAUME·I

Departamento Ciencias de la Comunicación LAB-CAP

GUIÓN DE CONTINUIDAD TELEVISIÓN

Profesor | **Asignatura**

Emisor | Fecha

Inicio	Final	Observaciones	Programa	VTR	Directo	Conexión	Parcial	Total

 **UNIVERSITAT JAUME·I**	**Departamento Ciencias de la Comunicación LAB-CAP**	**PARRILLA PROGRAMACIÓN TELEVISIÓN**

FINALIDAD

Este documento sirve para planificar semanalmente los distintos programas que se emitirán en la cadena.
Existiendo la posibilidad de emitir programas de televisión, se ofrece el modelo de parrilla de programación, de carácter institucional, que servirá para organizar las emisiones televisivas a lo largo de las semanas y las temporadas que se determinen.

INSTRUCCIONES DE CUMPLIMENTACIÓN

Cabecera

Emisor	Nombre de la cadena de televisión.
Fecha	Semana de emisión.

Detalle

Se indicará para cada hora y día de la semana el programa que se emitirá. Cuando los programas no empiecen o acaben a las horas exactas, al lado del título del programa se indicará la hora exacta a que empieza.

Departamento Ciencias de la Comunicación LAB-CAP	PARRILLA PROGRAMACIÓN TELEVISIÓN
	Profesor Asignatura

Emisor	Fecha

	Hora	Lunes	Martes	Miercoles	Jueves	Viernes	Sabado	Domingo
MAÑANA								
MEDIODIA								
TARDE								
NOCHE								
MADRUGADA								

 UNIVERSITAT JAUME·I	**Departamento** **Ciencias de la Comunicación** **LAB-CAP**	**GUIÓN LITERARIO ESPOT PUBLICITARIO**	
		Profesor	**Asignatura**

FINALIDAD

En este documento es necesario para detallar textual y gráficamente la concepción del spot. En él se esboza lo que se espera de cada plano y se utilizará para la posterior planificación del trabajo. Lo cumplimenta el creativo de la agencia o la productora y, en su caso, ayudado por un ilustrador. Dada la especificidad de este tipo de productos audiovisuales el trabajo se detalla siempre a nivel de plano, no utilizando el concepto de secuencia pues se considera el spot como de secuencia única.

INSTRUCCIONES DE CUMPLIMENTACIÓN

Cabecera

Título	Nombre del spot.
Cliente	Nombre del anunciante.
Autor	Responsable de la concepción del spot.
Curso y Grupo	Al que pertenece.
Fecha	Fecha de confección del documento.
Versión	Número de versión.
Dur.	Duración total prevista del espot.

Detalle

Num	Número de plano.
Presentación	Breve exposición del planteamiento, objetivos y público al que va dirigido el espot. Debe glosar las virtudes de la producción planteada, incidiendo en la originalidad y coherencia de la propuesta.
Descripción	Desarrollo de la acción y la concepción de la imagen.
Esquema	Plano de planta de decorados y cámaras o, en su caso, dibujo de los elementos del plano.
	Efectos Imagen Todo aquello que se considere modificará la imagen, indicando precedido con POST si se realizará en postproducción.
	Efectos Gráficos Todos aquellas adiciones tipográficas, gráficas o de imagen de síntesis no registrables desde una cámara de captación.
Sonido	Aquí se incluyen los diálogos y slogans.
Efectos sonoros	Cualquier tipo de efecto sonoro indicando si se precede por POST que no se realizará en directo.

UNIVERSITAT JAUME·I	Departamento Ciencias de la Comunicación LAB-CAP	GUIÓN LITERARIO ESPOT PUBLICITARIO	
		Profesor	Asignatura

Título	Cliente	Autor	Curso	Grupo	Fecha	Versión	Dur	Pag

Presentación

Num	Descripción Imagen

Esquema	Efectos Imagen
	Efectos Gráficos

Sonido	Efectos Sonoros

UNIVERSITAT JAUME·I	Departamento Ciencias de la Comunicación LAB-CAP	GUIÓN TÉCNICO ESPOT PUBLICITARIO

FINALIDAD

Este documento es necesario para detallar todas las indicaciones técnicas para la realización de un espot publicitario y poder tener una visión global de la concepción estética del mismo. Lo cumplimenta el ayudante de dirección o, si no lo hay el propio realizador, a partir del story-board. Dada la especificidad de este tipo de productos audiovisuales el trabajo se detalla siempre a nivel de plano, no utilizando el concepto de secuencia pues se considera el spot como de secuencia única (salvo excepciones)

INSTRUCCIONES DE CUMPLIMENTACIÓN

Cabecera

Título	Nombre del spot.
Cliente	Nombre del anunciante.
Autor	Responsable de la concepción del spot.
Curso y Grupo	Al que pertenece.
Fecha	Fecha de confección del documento.
Versión	Número de versión.

Detalle

Num	Número de plano.
Localización	Lugar de rodaje.
	Si se trata de un plató en el que se han construído un set o varios, se indicará el número de plató seguido de un guión y el nombre del decorado.
Condiciones	Tipo de iluminación que se ha de reproducir.
Descripción	Breve descripción de lo que ocurre en el plano.
Imagen	Tipo de plano

Abreviaturas:

PPP	Primerísimo primer plano	PP	Primer plano
PD	Plano detalle	PM	Plano medio
PA	Plano americano	PE	Plano entero
PC	Plano conjunto	PG	Plano general
GPG	Gran plano general	PS	Plano subjetivo

Atendiendo a la angulación de cámara respecto a los personajes,

PC	Picado	CPC	Contrapicado	CN	Cenital
ND	Nadir (Gusano)				

Atendiendo al movimiento de cámara y a la dirección de movimiento

TR	Travelling	SG	Seguimiento	PA	Panorámica
ST	Steady-cam	A-B	Arriba-Abajo	B-A	Abajo-arriba
I-D	Izqda.-Dcha.	D-I	Dcha.-Izqda.		

De esta manera, una imagen se podría describir como PG-TR-I-D-PP indicando que se empieza en plano general y el travelling izquierda derecha llega hasta un primer plano.

Sonido	Aquí se incluyen los diálogos y los efectos sonoros y ambientaciones.
Efectos	Cualquier tipo de efecto indicando si se precede por POST que no se realizará en directo.
Parcial	Se especifica la duración del plano.
Total	Se indica la duración acumulada para controlar el tiempo total del espot.

UNIVERSITAT JAUME-I

Departamento
Ciencias de la Comunicación
LAB-CAP

GUIÓN TÉCNICO ESPOT PUBLICITARIO

Profesor

Asignatura

Título

Cliente

Autor

Curso

Grupo

Fecha

Versión

Pag

Num	Localización	Condiciones	Imagen	Sonido	Efectos	Parcial	Total

UNIVERSITAT JAUME·I	**Departamento Ciencias de la Comunicación LAB-CAP**	**DESGLOSE DE ESPOT PUBLICITARIO**

FINALIDAD

Este documento se utiliza para conocer con exactitud las necesidades técnicas y humanas que se han de movilizar para rodar cada secuencia. Se confecciona, por tanto, a partir del guión técnico y, si este no existe, del guión literario. Es el documento inicial de trabajo del director de producción y sobre el que se planificará posteriormente el flujo de trabajo para que la producción sea efectiva. Es imprescindible que este documento se realice con sumo cuidado y precisión.

INSTRUCCIONES DE CUMPLIMENTACIÓN

Cabecera

Título	Nombre del programa seguido de guión, capítulo y título en el caso de series.
Realización	Responsable técnico del programa.
Producción	Director de Producción.
Curso y Grupo	Al que pertenecen.
Fecha	Fecha de confección del documento.
Versión	Número de versión.
Plano	Número de plano.
Localización	Lugar de rodaje. Si se trata de un plató en el que se han construído un set, se indicará el número de plató seguido de guión y el nombre del decorado.
Condiciones	Tipo de iluminación que se ha de reproducir.
Pags. Guión	Números de página en que se desarrolla la secuencia en el guión.
Jornada	Tiempo en que se considera se ha de rodar la secuencia, expresado en fracciones si es inferior a 1 día.
Num. Pag.	Número de página y total de hojas de desglose del guión.

Detalle

Principales	Nombres de personajes principales.
Secundarios	Nombres de personajes secundarios.
Figuración	Número de hombres, mujeres o niños.
Especialistas	Nombre del personaje que tendrá un doble u otros especialistas.
Caracterización	Común a los anteriores: vestuario, maquillaje y peluquería.
Atrezzo	Accesorios que intervienen dramáticamente en la acción.
Vehiculos	Vehículos a motor o mecánicos.
Animales	Animales o móviles de traccion animal.
Efectos	Cualquier tipo de efecto.
Camara	Equipos de captación utilizados.
Iluminación	Equipos de iluminación.
Sonido	Equipos de captación de sonido.
Soportes	Soportes, incluidos pertigas, torres de iluminación, gruas, dollys, travellings, etc.
Accesorios	Desde juegos de ópticas a banderas, esticos, gasas, filtros, paravientos, generadores, etc.
2ª Unidad	En caso de utilizar una segunda o incluso tercera unidad, se indican los equipos que la componen.
Observaciones	Todo aquello que se considere oportuno reseñar
Equipo Técnico	Reseña del personal necesario para llevar a cabo la producción de la secuencia.

* Comunmente se suele llevar un cierto equipamiento durante todo el rodaje. En ese caso basta con detallarlo en la primera secuencia desglosada y en las siguientes referirse a el como kit básico, y sólo detallar aquello que se utilice exclusivamente en esa secuencia. De igual manera ocurre con el personal técnico.

UNIVERSITAT JAUME·I

Departamento
Ciencias de la Comunicación
LAB-CAP

DESGLOSE DE ESPOT PUBLICITARIO

Profesor | Asignatura

Título

Realización | Producción | Curso | Grupo | Fecha | Versión

Plano | Localización | Condiciones | Pags. Guión | Jornada | Nº Pags.

Principales | Caracterización | Attrezzo | Camara | Soportes | Accesorios

Secundarios | Vehículos | Iluminación

Figuración | Animales | Sonido

Especialistas | Efectos Especiales | 2ª Unidad

Observaciones | Equipo Técnico

Departamento Ciencias de la Comunicación LAB-CAP	PLAN PRODUCCIÓN ESPOT PUBLICITARIO

FINALIDAD

En este formulario, dividido en dos partes, se desarrolla tanto una planificación general de todas las tareas desde la preproducción, como una detallada ordenación del rodaje. Ambos documentos sirven para supervisar el ritmo de trabajo en función de las pautas establecidas, permitiendo evaluar si se cumpliran las previsiones relativas a costes y plazos de entrega del producto final. Se confecciona a partir de la ordenación de los documentos de desglose de cada secuencia. Lo común es que esa ordenación se haga por localizaciones, aunque cualquier otra forma de trabajo, aunque menos efectiva, es posible.

INSTRUCCIONES DE CUMPLIMENTACIÓN

Cabecera

Título	Nombre del programa seguido de guión, capítulo y título en el caso de series.
Realización	Responsable técnico del programa.
Producción	Director de Producción.
Curso y Grupo	Al que pertenecen.
Fecha	Fecha de confección del documento.
Versión	Número de versión

Detalle Planificación General

Distribuido por meses y semana se han de rotular las casillas correspondientes a cada uno de los conceptos para tener una visión clara de el tiempo que ocupará cada tarea. Es importante también indicar el coste por semana aproximado que se habrá de afrontar para preveer la disponibilidad económica necesaria.

Detalle Planificación Rodaje

Día rodaje	Número de dia de rodaje.
Fecha	Día y mes.
Día semana	Día semana. Normalmente dejando un día de descanso cada 7, si es posible.
Localización	Lugar de rodaje.
	Si se trata de un plató en el que se han construído un set o varios, se indicará el número de plató seguido de un guión y el nombre del decorado.
Condiciones	Condiciones de iluminación.
	Abreviaturas:
	I Interior E Exterior
	N Noche D Día T Tarde
	AN Anochecer AT Atardecer
Planos	Relación de todos los planos que se ruedan en ese día y en esas condiciones y localización.
Principales	En la parte superior se ponen los nombres y en la inferior se marca la casilla en caso de que actúen ese día.
Secundarios	Como los anteriores.
Figuración	Se detalla el número de hombres, mujeres o niños que se necesitan, así como si es necesario algún especialista.
Atrezzo	Los elementos dramáticos accesorios.
Vehículos	Al igual que todo lo anterior y los campos restantes extrayendolo de los documentos de desglose.
2ª Unidad	En caso de que se utilice.
Sesiones	Numero acumulado de días de cada una de las casillas relativasa principales, etc.

UNIVERSITAT JAUME·I

Departamento
Ciencias de la Comunicación
LAB-CAP

PLAN DE PRODUCCIÓN ESPOT PUBLICITARIO

Profesor

Asignatura

Título

Realización Producción Curso · Grupo Fecha Versión

Mes
Semana
Cambios Guión
Localizaciónes
Casting
Contratación i permisos
Ensayos

Rodaje

Postproducción

Copia Emisión

Coste(miles)

	Departamento Ciencias de la Comunicación LAB-CAP	GUIÓN LITERARIO DOCUMENTAL
UNIVERSITAT JAUME·I		

FINALIDAD

Este documento se utiliza para desarrollar el proyecto inicial y conformar la estructura que se pretende tenga el documental en su montaje final. Describe cada uno de los distintos bloques en que se subdivide tematicamente.

INSTRUCCIONES DE CUMPLIMENTACIÓN

Cabecera

Título   Nombre provisional del documental.Si es una serie se indica el número de capítulo y el título a continuación y separados del nombre de la serie con un guión.

Autor   Responsable del guión.

Curso y Grupo   Al que pertenece.

Fecha   Fecha de confección del documento.

Versión   Número de versión.

Pag   Número de página de guión y separado con barra el total.

Número de Bloque y/o Secuencia   Indica el bloque, secuencia y escena en la que nos encontramos. En el caso del guión literario documental se suele emplear únicamente la denominación "Bloque".

Localización   Se refiere al lugar donde transcurre la acción.

Momento del día   Se refiere al momento del día en el que transcurre la acción.

Detalle

Bloque   Número de bloque temático.

Título   Tema genérico que se trata en el bloque.

Descripción   Detalle de lo que ocurre en el bloque, describiendo acciones, tipo de imágenes e incluso desarrollando la voz en off que conducirá el documental. En este último caso es conveniente que el off esté en cursiva o negrita, centrado y espaciado con las descripciones anteriores y posteriores para facilitar la lectura.

Parcial   Duración aproximada en minutos y segundos del bloque.

Total   Total acumulado de las duraciones parciales de los bloques anteriores.

UNIVERSITAT JAUME-I

**Departamento
Ciencias de la Comunicación
LAB-CAP**

GUIÓN LITERARIO DOCUMENTAL

Profesor	Asignatura

Título

Autor		Curso	Grupo	Fecha	Versión	Pag

Número de Bloque y/o Secuencia	Localización	Momento del día

Bloque	Título	Descripción	Duración	Total

UNIVERSITAT JAUME·I	**Departamento Ciencias de la Comunicación LAB-CAP**	**LOCALIZACIONES PRODUCCIÓN VÍDEO DOCUMENTAL / INSTITUCIONAL TV**

FINALIDAD

Es un documento necesario para conocer los espacios donde se realizará la producción y que servirá de apoyo para la planificación del trabajo y la obtención de permisos. Se puede adjuntar al mismo indicando el número de localización los planos de situación y acceso que serán de gran utilidad en producciones complejas y realizadas en lugares diversos. Se utiliza para cualquier proyecto videográfico o, incluso, fotográfico.

INSTRUCCIONES DE CUMPLIMENTACIÓN

Cabecera

Título	Nombre del programa seguido de guión, capítulo y título en el caso de series.
Realización	Responsable técnico del programa.
Curso y Grupo	Al que pertenece el alumno.
Fecha	Fecha de confección del documento.
Versión	Número de versión.

Detalle

Num	Número de espacio de rodaje.
Localización	Nombre del espacio de rodaje. Si se trata de un plató se indicará el nombre del plató y el nombre del set.
Bloques	Número de los bloques o secuencias a rodar.
Población	Población y provincia.
Dirección	Dirección completa.
Coste aprox.	Inversión aproximada necesaria para acometer el proyecto.
Teléfono	Teléfonos de contacto y persona de contacto.
Permisos	Se indicará, en caso de que sea necesario pedir el permiso, el lugar donde se ha de solicitar. En caso de que se trate de un alquiler se indicará igualmente. Este campo prevee posibles olvidos o malentendidos que puedan entorpecer o atrasar el rodaje.

UNIVERSITAT JAUME·I

Departamento
Ciencias de la Comunicación
LAB-CAP

LOCALIZACIONES
PRODUCCIÓN VÍDEO
DOCUMENTAL / INSTITUCIONAL TV

| Profesor | | Asignatura | |

Título

| Realización | Producción | Curso | Grupo | Fecha | Versión | Pag |

Num	Localización	Bloques/Secuencias	Población	Dirección	Teléfono	Permiso

UNIVERSITAT JAUME·I	Departamento Ciencias de la Comunicación LAB-CAP	GUIÓN TÉCNICO DE VÍDEO DOCUMENTAL O INSTITUCIONAL TV

FINALIDAD

En el caso de los documentales este es un guión que se confecciona a partir del visionado del material grabado y del guión inicial que se habia planificado. Tambien se conoce como guión de montaje, y en él se detalla con exactitud la locución y el resto de imágenes y sonidos con los que se sincronizará.

INSTRUCCIONES DE CUMPLIMENTACIÓN

Cabecera

Título	Nombre provisional del documental.Si es una serie se indica el número de capítulo y el título a continuación y separados del nombre de la serie con un guión.
Autor	Responsable del guión.
Curso y Grupo	Al que pertenece.
Fecha	Fecha de confección del documento.
Versión	Número de versión.
Pag	Número de página de guión y separado con barra el total.

Número de Bloque y/o Secuencia	Indica el bloque, secuencia y escena en la que nos encontramos. En el caso del guión literario documental se suele emplear únicamente la denominación "Bloque".
Localización	Se refiere al lugar donde transcurre la acción.
Momento del día	Se refiere al momento del día en el que transcurre la acción.

Detalle

Nº Bloque	Número de bloque temático. Tema genérico que se trata en el bloque.
Núm. Plano	Número de plano que se procede a describir.
Imagen	Descripción breve del tipo de imagen y encuadre de que se trata.
Locución CH1	Voz en off, reestructurada a partir de planificada en el guión inicial, en caso de que existiese, que ha de ser grabada en la pista 1.
Sonido CH-2	Comunmente, se utiliza en video el canal 1 para la voz y el 2 para inclur la mezcla del resto de sonidos. En este campo se debe detalla cualquier otro sonido que no sea voz en off indicando de que música o efectos se trata o si es sonido ambiente, voz o cualquier otro sonido ya grabado junto a la imagen.
Cinta	Número de cinta en la que está registrado el plano.
Inicio-Pie TC	Código de tiempo donde comienzan y finaliza el plano.
Parcial	Duración en minutos y segundos del plano.
Total	Acumulado de las duraciones parciales de cada bloque o plano.

* Para cada bloque habrá varias locuciones y series de planos, de manera que sólo se pondrá el título del bloque una vez y se desarrollarán todas las imágenes y sonidos que lo compongan hasta que se pase a un nuevo bloque temático.

UNIVERSITAT JAUME-I

Departamento
Ciencias de la Comunicación
LAB-CAP

GUIÓN TÉCNICO DE VÍDEO DOCUMENTAL O INSTITUCIONAL TV

Título

Editor

Localización

Profesor	Asignatura			
Curso	Grupo	Fecha	Versión	Pag

Momento del día

Número de Bloque y/o Secuencia								
Bloque	Núm. Plano	Imagen	Locución CH1	Sonido CH2	Cinta	Inicio-Pie TC	Parcial	Total

  UNIVERSITAT JAUME·I	**Departamento** **Ciencias de la Comunicación** **LAB-CAP**	**PLAN DE PRODUCCIÓN DE VÍDEO** **DOCUMENTAL / INSTITUCIONAL**

FINALIDAD

Este documento sirve para planificar semanalmente las distintas tareas que se llevarán a cabo en toda la fase de producción. El documento inicial se rellena marcando las casillas para obtener una visión general del tiempo de trabajo que necesitará cada tarea, mientras que el segundo permite especificar todo ello.

INSTRUCCIONES DE CUMPLIMENTACIÓN

Cabecera

Título	Nombre del programa seguido de guión, capítulo y título en el caso de series.
Realización	Responsable técnico del programa.
Producción	Director de Producción.
Curso y Grupo	Al que pertenecen.
Fecha	Fecha de confección del documento.
Versión	Número de versión

Detalle

Se indicará para cada hora y día de la semana las tareas a realizar y el responsable de llevarla a término.

UNIVERSITAT JAUME·I

Departamento
Ciencias de la Comunicación
LAB-CAP

PLAN DE PRODUCCIÓN DOCUMENTAL

Profesor

Asignatura

Título

Realización | Producción | Curso | Grupo | Fecha | Versión

Semana						
Día						
Cambios Guión						
Documentación						
Contratación i permisos						
Viaje						
Rodaje						
Postproducción						
Copia Distribución						
Coste (miles)						

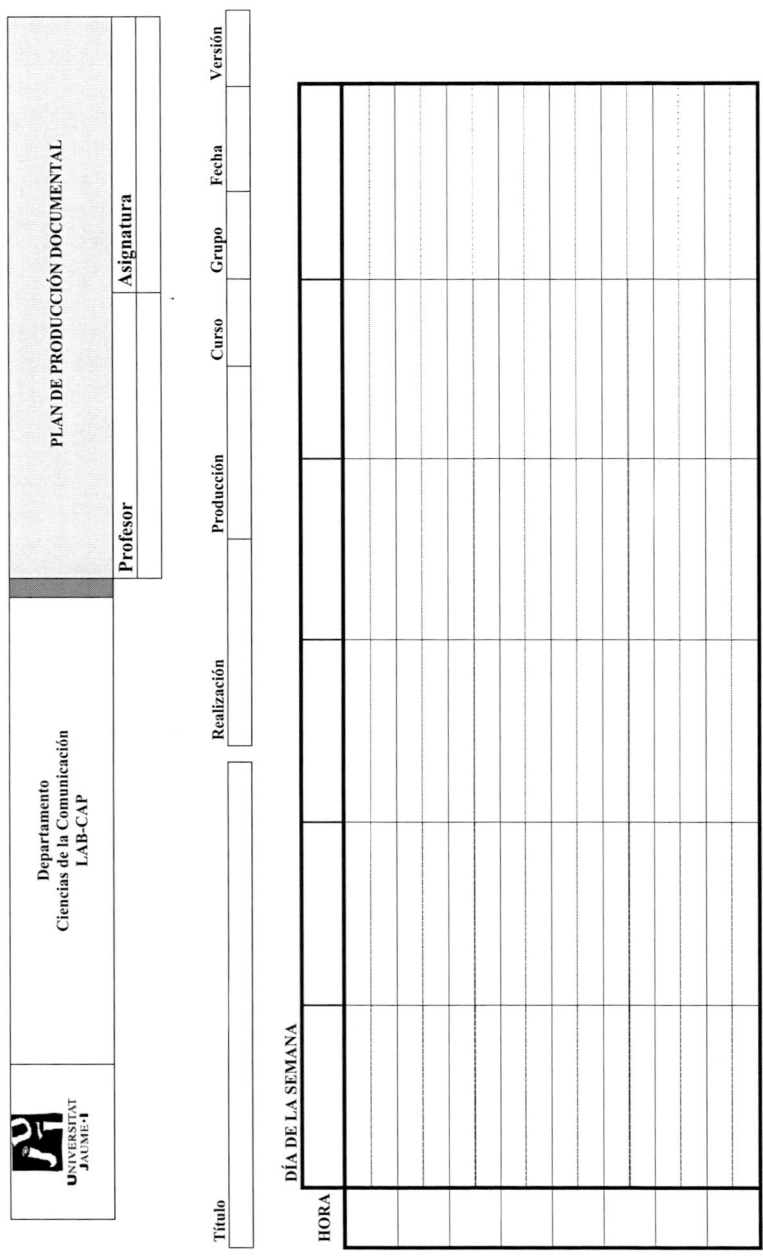

UNIVERSITAT JAUME·I	**Departamento** **Ciencias de la Comunicación** **LAB-CAP**	**GUIÓN LITERARIO DE FICCIÓN**

FINALIDAD

Se trata de una plantilla de trabajo, estrictamente formal, que permite organizar la estructura del guión literario de un cortometraje, comedia de situación, programa dramático, etc., en el medio videográfico, televisivo o cinematográfico (corto o largometraje).

INSTRUCCIONES DE CUMPLIMENTACIÓN

Cabecera

Título   Nombre del programa seguido de guión, capítulo y título en el caso de series.
Autor   Responsable literario.
Fecha   Fecha de confección del documento.
Versión   Número de versión. Idioma especificado, si existen varias versiones.

Número de
Secuencia   Indica el bloque, secuencia y escena en la que nos encontramos. En el caso del guión literario documental se suele emplear únicamente la denominación "Bloque".
Localización   Se refiere al lugar donde transcurre la acción.
Momento del
día   Se refiere al momento del día en el que transcurre la acción.

Detalle

Secuencia   Número de secuencia.
Localización   Lugar de rodaje.
                    Si se trata de un plató en el que se han construído un set o varios, se indicará el número de plató seguido de un guión y el nombre del decorado.
Condiciones   Tipo de iluminación que se ha de reproducir.

Desarrollo formal

Los nombres de los personajes siempre en mayúsculas. La primera vez que aparecen en negrita.

Los diálogos encabezados por el nombre del personaje en negrita y con el texto centrado. Si se hace alguna indicación de interpretación aparecerá al lado del nombre del personaje o entre el diálogo entre paréntesis. El diálogo propiamente dicho aparece tambien centrado y en cursiva.

En las descripciones el texto justificado y la primera linea con una sangría de 0,5cm.

La tipografía de todo el texto "Times New Roman" 12 puntos.

Si se hace alguna indicación de transición entre secuencias se justifica a la derecha y en mayúsculas.

UNIVERSITAT JAUME·I	**Departamento** **Ciencias de la Comunicación** **LAB-CAP**	**GUIÓN LITERARIO DE FICCIÓN**

Profesor	**Asignatura**

Título	**Autor**	**Curso**	**Grupo**	**Fecha**	**Versión**	**Pag**

Número Secuencia		**Localización**		**Momento día**	

UNIVERSITAT JAUME·I	Departamento Ciencias de la Comunicación LAB-CAP	GUIÓN TÉCNICO DE FICCIÓN

FINALIDAD

Este documento es necesario para detallar todas las indicaciones técnicas para la realización de la ficción y poder tener una visión global de la concepción dramática de la misma. Lo cumplimenta el ayudante de dirección, o si no lo hace el propio realizador, a partir del guión literario.

INSTRUCCIONES DE CUMPLIMENTACIÓN

Cabecera

Título	Nombre del programa seguido de guión, capítulo y título en el caso de series.
Realización	Responsable técnico del programa.
Fecha	Fecha de confección del documento.
Versión	Número de versión.

Número de
Secuencia	Indica la secuencia y la escena (o secuencia mecánica) en la que nos encontramos.
Localización	Se refiere al lugar donde transcurre la acción.
Momento del día	Se refiere al momento del día en el que transcurre la acción.

Detalle

Núm. Plano	Número de plano que se procede a describir.
Imagen	Descripción breve del tipo de imagen y encuadre de que se trata.
Locución CH1	Voz en off, reestructurada a partir de planificada en el guión inicial, en caso de que existiese, que ha de ser grabada en la pista 1.
Sonido CH-2	Comunmente, se utiliza en video el canal 1 para la voz y el 2 para incluir la mezcla del resto de sonidos. En este campo se debe detalla cualquier otro sonido que no sea voz en off indicando de que música o efectos se trata o si es sonido ambiente, voz o cualquier otro sonido ya grabado junto a la imagen. Si los Efectos de Sonido se harán en postproducción se indicará POST.
Cinta	Número de cinta en la que está registrado el plano.
Inicio-Pie TC	Código de tiempo donde comienzan y finaliza el plano.
Parcial	Duración en minutos y segundos del plano.
Total	Acumulado de las duraciones parciales de cada bloque o plano.

Abreviaturas:

PPP	Primerísimo primer plano	PP	Primer plano	
PD	Plano detalle	PM	Plano medio	
PA	Plano americano	PE	Plano entero	
PC	Plano conjunto	PG	Plano general	
GPG	Gran plano general	PS	Plano subjetivo	

Atendiendo a la angulación de cámara respecto a los personajes,

PC	Picado	CPC	Contrapicado	CN	Cenital
ND	Nadir (Gusano)				

Atendiendo al movimiento de cámara y a la dirección de movimiento

TR	Travelling	SG	Seguimiento	PA	Panorámica
ST	Steady-cam	A-B	Arriba-Abajo	B-A	Abajo-arriba
I-D	Izqda.-Dcha.	D-I	Dcha.-Izqda.		

De esta manera, una imagen se podría describir como PG-TR-I-D-PP indicando que se empieza en plano general y el travelling izquierda derecha llega hasta un primer plano.

9788498762204

form

UNIVERSITAT JAUME·I

Departamento
Ciencias de la Comunicación
LAB-CAP

GUIÓN TÉCNICO DE FICCIÓN

Profesor   Asignatura

Realización   Curso   Grupo   Fecha   Versión   Pag

Título

Número de Secuencia / Escena   Localización   Momento del día

Núm. Plano	Imagen	Locución CH1	Sonido CH2	Cinta	Inicio-Pie TC	Parcial	Total

	Departamento Ciencias de la Comunicación LAB-CAP	DESGLOSE DE GUIÓN DE FICCIÓN

FINALIDAD

Este documento se utiliza para conocer con exactitud las necesidades técnicas y humanas que se han de movilizar para rodar cada secuencia. Se confecciona, por tanto, a partir del guión técnico y, si este no existe, del guión literario. Es el documento inicial de trabajo del director de producción y sobre el que se planificará posteriormente el flujo de trabajo para que la producción sea efectiva. Es imprescindible que este documento se realice con sumo cuidado y precisión.

INSTRUCCIONES DE CUMPLIMENTACIÓN

Cabecera

Título	Nombre del programa seguido de guión, capítulo y título en el caso de series.
Realización	Responsable técnico del programa.
Producción	Director de Producción.
Fecha	Fecha de confección del documento.
Versión	Número de versión.
Sec	Número de secuencia.
Localizació	Lugar de rodaje. Si se trata de un plató en el que se han construido un set, se indicará el número de plató seguido de guión y el nombre del decorado.
Condiciones	Tipo de iluminación que se ha de reproducir.
Pags. Guión	Números de página en que se desarrolla la secuencia en el guión.
Jornada	Tiempo en que se considera se ha de rodar la secuencia, expresado en fracciones si es inferior a 1 día.
Num. Pag.	Número de página y total de hojas de desglose del guión.

Detalle

Principales	Nombres de personajes principales.
Secundarios	Nombres de personajes secundarios.
Figuración	Número de hombres, mujeres o niños.
Especialistas	Nombre del personaje que tendrá un doble u otros especialistas.
Caracterización	Común a los anteriores: vestuario, maquillaje y peluquería.
Atrezzo	Accesorios que intervienen dramáticamente en la acción.
Vehiculos	Vehículos a motor o mecánicos.
Animales	Animales o móviles de traccion animal.
Efectos	Cualquier tipo de efecto.
Camara	Equipos de captación utilizados.
Iluminación	Equipos de iluminación.
Sonido	Equipos de captación de sonido.
Soportes	Soportes, incluidos pertigas, torres de iluminación, gruas, dollys, travellings, etc.
Accesorios	Desde juegos de ópticas a banderas, esticos, gasas, filtros, paravientos, generadores, etc.
2ª Unidad	En caso de utilizar una segunda o incluso tercera unidad, se indican los equipos que la componen.
Observaciones	Todo aquello que se considere oportuno reseñar
Equipo Técnico	Reseña del personal necesario para llevar a cabo la producción de la secuencia, indicando sus funciones.

* Comunmente se suele llevar un cierto equipamiento durante todo el rodaje. En ese caso basta con detallarlo en la primera secuencia desglosada y en las siguientes referirse a el como kit básico, y sólo detallar aquello que se utilice exclusivamente en esa secuencia. De igual manera ocurre con el equipo técnico.

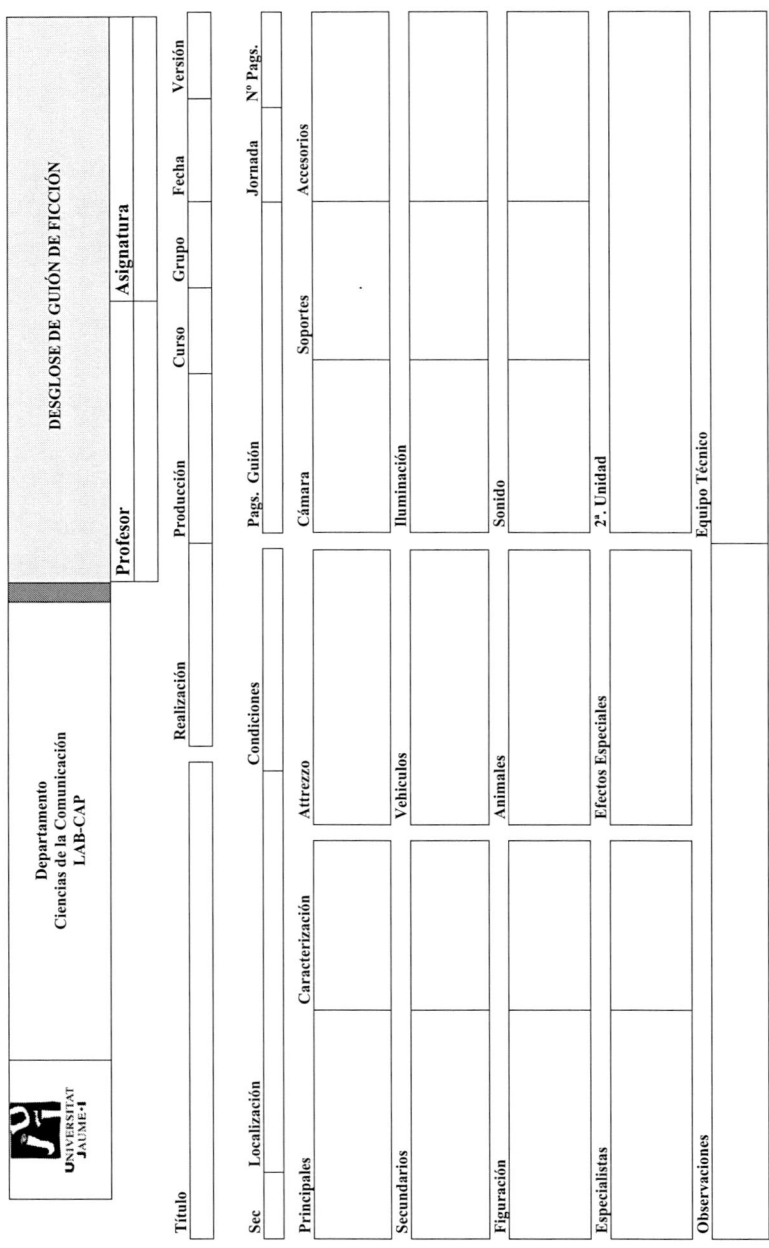

UNIVERSITAT JAUME·I	**Departamento Ciencias de la Comunicación LAB-CAP**	**PLAN DE PRODUCCIÓN DE FICCIÓN**

FINALIDAD

En este formulario, dividido en dos partes, se desarrolla tanto una planificación general de todas las tareas desde la preproducción, como una detallada ordenación del rodaje. Ambos documentos sirven para supervisar el ritmo de trabajo en función de las pautas establecidas, permitiendo evaluar si se cumpliran las previsiones relativas a costes y plazos de entrega del producto final. Se confecciona a partir de la ordenación de los documentos de desglose de cada secuencia. Lo común es que esa ordenación se haga por localizaciones, aunque cualquier otra forma de trabajo, aunque menos efectiva, es posible.

INSTRUCCIONES DE CUMPLIMENTACIÓN

Cabecera

Título	Nombre del programa seguido de guión, capítulo y título en el caso de series.
Realización	Responsable técnico del programa.
Fecha	Fecha de confección del documento.
Versión	Número de versión.

Detalle Planificación General

Distribuido por meses y semana se han de rotular las casillas correspondientes a cada uno de los conceptos para tener una visión clara de el tiempo que ocupará cada tarea. Es importante también indicar el coste por semana aproximado que se habrá de afrontar para preveer la disponibilidad económica necesaria.

Detalle Planificación Rodaje

Día rodaje	Número de dia de rodaje.
Fecha	Día y mes.
Día semana	Día semana. Normalmente dejando un día de descanso cada 7, si es posible.
Localización	Lugar de rodaje.
	Si se trata de un plató en el que se han construído un set o varios, se indicará el número de plató seguido de un guión y el nombre del decorado.
Condiciones	Condiciones de iluminación.
	Abreviaturas:

I	Interior	E	Exterior		
N	Noche	D	Día	T	Tarde
AN	Anochecer	AT	Atardecer		

Secuencias	Relación de todas las secuencias que se ruedan en ese día y en esas condiciones y localización.
Principales	En la parte superior se ponen los nombres y en la inferior se marca la casilla en caso de que actúen ese día.
Secundarios	Como los anteriores.
Figuración	Se detalla el número de hombres, mujeres o niños que se necesitan, así como si es necesario algún especialista.
Atrezzo	Los elementos dramáticos accesorios.
Vehículos	Al igual que todo lo anterior y los campos restantes extrayendolo de los documentos de desglose.
2ª Unidad	En caso de que se utilice.
Sesiones	Numero acumulado de días de cada una de las casillas relativasa principales, etc.

UNIVERSITAT
JAUME·I

Departamento
Ciencias de la Comunicación
LAB-CAP

PLAN DE PRODUCCIÓN DE FICCIÓN

Profesor

Asignatura

Título

Realización   Producción   Curso   Grupo   Fecha   Versión

Mes											
Semana											
Cambios Guión											
Localizaciones											
Casting											
Contractación i permisos											
Ensayos											
Rodaje											
Postproducción											
Copia Distribución											
Coste(miles)											

UNIVERSITAT JAUME·I

Departamento Ciencias de la Comunicación LAB-CAP

PLAN DE PRODUCCIÓN DE FICCIÓN

Profesor

Asignatura

Día Rodaje	Fecha	Día Semana	Localización	Condiciones	Secuencias	Principales	Secundarios	Figuración H M N Espec.	Atrezzo	Animales	Vehículos	Efectos Especiales	Varios	2° un

Sesiones

	Departamento Ciencias de la Comunicación LAB-CAP	PRESUPUESTO DE PRODUCCIONES AUDIOVISUALES – MODELO ICAA

Profesor	Asignatura

	CAPÍTULO 01. -Guión y música.						HABER	SUMA Y SIGUE
N° Cuenta		Unidad tipo	N° UNIDADES	Precio unitario				
	01.01. Guión.							
01.01.01.	Derechos de autor							
01.01.02.	Argumento original							
01.01.03.	Guión							
01.01.04.	Diálogos adicionales							
01.01.05.	Traducciones							
01.01.06.	....							
01.01.07.	....							
01.01.08.	....							
	Total 01.01. Guión.							
	01.02. Música.							
01.02.01.	Derechos autor músicas							
01.02.02.	Derechos autores canciones							
01.02.03.	Compositor música de fondo							
01.02.04.	Arreglista							
01.02.05.	Director orquesta							
01.02.06.	Profesores grabación canciones							
01.02.07.	Idem música de fondo							
01.02.08.	Cantantes							
01.02.09.	Coros							
01.02.10.	Copistería musical							
01.02.11.	....							
01.02.12.	....							
01.02.13.	....							
	Total 01.02. Música.							
	Total Capítulo 01.							
	CAPÍTULO 02.-Personal artístico.						HABER	SUMA Y

									SIGUE
N° Cuenta		Tanto alzado	N° SESIONES	Importe sesión					
	02.01. Protagonistas.								
02.01.01.	................................D.								
02.01.02.	................................D.								
02.01.03.	................................D.								
02.01.04.	................................D.								
02.01.05.	................................D.								
.	Total 02.01. Protagonistas.								
	02.02. Pricipales.								
02.02.01.	................................D.								
02.02.02.	................................D.								
02.02.03.	................................D.								
02.02.04.	................................D.								
02.02.05.	................................D.								
02.02.06.	................................D.								
02.02.07.	................................D.								
02.02.08.	................................D.								
	Total 02.02. Principales.								
	02.02. Secundarios.								
02.03.01.	................................D.								
02.03.02.	................................D.								
02.03.03.	................................D.								
02.03.04.	................................D.								
02.03.05.	................................D.								
02.03.06.	................................D.								
02.03.07.	................................D.								
02.03.08.	................................D.								
02.03.09.	................................D.								
02.03.10.	................................D.								
02.03.11.	................................D.								
	Suma y sigue CAPÍTULO 02.								
	Continuación CAPÍTULO 02.							HABER	SUMA Y SIGUE
N° Cuenta		Tanto alzado	N° SESIONES	Importe sesión					
02.03.12.	................................D.								
02.03.13.	................................D.								

N° Cuenta		Tanto alzado	N° SESIONES	Importe sesión			HABER	SUMA Y SIGUE
02.03.14.	....................................D.							
02.03.15.	....................................D.							
02.03.16.	....................................D.							
02.03.17.	....................................D.							
	Total 02.03. Secundarios.							
	02.04. Pequeñas partes.							
02.04.01.	....							
	Total 02.04. Secundarios.							
	02.05. Figuración.							
02.05.01.	Agrupaciones							
02.05.02.	Local en							
02.05.03.	Local en							
02.05.04.	Local en							
02.05.05.	Dobles de luces							
02.05.06.	....							
02.05.07.	....							
02.05.08.	....							
	Total 02.05. Figuración.							
	02.06. Especialistas.							
02.06.01.	Dobles de acción							
02.06.02.	Maestro de armas ...... D.							
02.06.03.	Especialistas							
02.06.04.	Caballistas							
02.06.05.	Caídas, riesgos, etc.							
02.06.06.	Dobles de luces							
02.06.07.	....							
	Suma y sigue CAPÍTULO 02.							
	CAPÍTULO 02.-Continuación.						HABER	SUMA Y SIGUE
N° Cuenta		Tanto alzado	N° SESIONES	Importe sesión				
02.06.08.	....							
02.06.09.	....							
	Total 02.06. Especialistas.							
	02.07. Ballet y orquestas.							
02.07.01.	Coreógrafo							
02.07.02.	Bailarines							

N° Cuenta		P	R	T	T. SEMANAS	Importe semana			HABER	SUMA Y SIGUE
02.07.03.	Cuerpo de baile									
02.07.04.	Orquestas									
02.07.05.	....									
02.07.06.	....									
	Total 02.07. Ballet y orquestas.									
	02.08. Doblaje y Efectos Sonoros.									
02.08.01.	Director de doblaje........... D.									
02.08.02.	Doblador para.................									
02.08.03.	Doblador para.................									
02.08.04.	Doblador para.................									
02.08.05.	Doblador para.................									
02.08.06.	....									
02.08.07.	....									
02.08.08.	....									
	Total 02.08. Doblaje y Efectos Sonoros.									
	02.09. Doblaje y Efectos Sonoros (continuación).									
02.09.01.	Otros dobladores									
02.09.02.	Ambientes									
02.09.03.	Efectos sala									
02.09.04.	....									
	Total 02.09. Doblaje y Efectos Sonoros (continuación).									
	Total Capítulo 02.									
	CAPÍTULO 03.-Equipo técnico.								HABER	SUMA Y SIGUE
N° Cuenta		P	R	T	T. SEMANAS	Importe semana				
	03.01. Dirección.									
03.01.01.	Director									
03.01.02.	Primer ayudante dirección									
03.01.03.	Secretario de rodaje									
03.01.04.	Auxiliar de dirección									
03.01.05.	Director de reparto									
03.01.06.	Asesor									
03.01.07.	....									
03.01.08.	....									
03.01.09.	....									
	Total 03.01. Dirección.									

	03.02. Producción.								
03.02.01.	Productor ejecutivo								
03.02.02.	Director producción								
03.02.03.	Jefe producción								
03.02.04.	Primer ayudante produc.								
03.02.05.	Regidor								
03.02.06.	Auxiliar producción								
03.02.07.	Cajero-pagador								
03.02.08.	Secretaria producción								
03.02.09.	....								
03.02.10.	....								
03.02.11.	....								
03.02.12	....								
	Total 03.02. Producción.								
	03.03. Fotografía.								
03.03.01.	Director de fotografía								
03.03.02.	Segundo opoerador								
03.03.03.	Ayudante (foquista)								
	Suma y sigue CAPÍTULO 03.								

N° Cuenta	**Continuación CAPÍTULO 03.**	P	R	T	**T. SEMANAS**	**Importe semana**		**HABER**	**SUMA Y SIGUE**
03.03.04.	Auxiliar de cámara								
03.03.05.	Fotógrafo de escenas								
03.03.06.	....								
03.03.07.	....								
03.03.08.	....								
03.03.09.	....								
	Total 03.03. Fotografía.								
	03.04. Decoración.								
03.04.01.	Decorador								
03.04.02.	Ayudante decoración								
03.04.03.	Ambientador								
03.04.04.	Atrecista								
03.04.05.	Tapicero								
03.04.06.	Constructor Jefe								
03.04.07.	Pintor								
03.04.08.	Pintor								
03.04.09.	Carpintero								

Nº Cuenta		P	R	T	T. SEMANAS	Importe semana		HABER	SUMA Y SIGUE
03.04.10.	Carpintero								
03.04.11.	Jardinero								
03.04.12.	Peones								
03.04.13.	Asistencias de rodaje								
03.04.14.	....								
03.04.15.	....								
03.04.16.	....								
03.04.17.	....								
03.04.18.	....								
	Total 03.04. Secundarios.								
	Suma y sigue CAPÍTULO 03.								
	CAPÍTULO 03.-Continuación.							**HABER**	**SUMA Y SIGUE**
Nº Cuenta		**P**	**R**	**T**	**T. SEMANAS**	**Importe semana**			
	03.05. Sastrería.								
03.05.01.	Figurinista								
03.05.02.	Jefe sastrería								
03.05.03.	Sastra								
03.05.04.	....								
03.05.05.	....								
03.05.06.	....								
03.05.07.	....								
	Total 03.05. Sastrería.								
	03.06. Maquillaje.								
03.06.01.	Maquillador								
03.06.02.	Ayudante								
03.06.03.	Auxiliar								
03.06.04.	....								
03.06.05.	....								
	Total 03.06. Maquillaje.								
	03.07. Peluquería.								
03.07.01.	Peluquero								
03.07.02.	Ayudante								
03.07.03.	Auxiliar								
03.07.04.	....								
03.07.05.	....								
	Total 03.07. Peluquería.								

	03.08. Efectos especiales.									
03.08.01.	Jefe									
03.08.02.	Ayudantes									
03.08.03.	Armero									
	Suma y sigue CAPÍTULO 03.									
	CAPÍTULO 03.-Continuación.								**HABER**	**SUMA Y SIGUE**
Nº Cuenta		P	R	T	**T. SEMANAS**	**Importe semana**				
03.08.04.	....									
03.08.05.	....									
	Total 03.08. Efectos especiales.									
	03.09. Semovientes.									
03.09.01.	Encargado									
03.09.02.	Cuadreros									
03.09.03.	Ramaleros									
03.09.04.	Cuidadores									
03.09.05.	Carreros									
03.09.06.	....									
03.09.07.	....									
03.09.08.	....									
	Total 03.09. Semovientes.									
	03.10. Sonido.									
03.10.01.	Jefe									
03.10.02.	Ayudante									
03.10.03.	....									
03.10.04.	....									
	Total 03.10. Sonido.									
	03.11. Montaje.									
03.11.01.	Montador									
03.11.02.	Ayudante									
03.11.03.	Auxiliar									
03.11.04.	....									
03.11.05.	....									
	Total 03.11. Montaje.									

	Suma y sigue CAPÍTULO 03.									
	CAPÍTULO 03.-Continuación.								HABER	SUMA Y SIGUE
Nº Cuenta		P	R	T	T. SEMANAS	Importe semana				
	03.12. Electricistas y maquinistas.									
03.12.01.	Jefe electricistas									
03.12.02.	Electricistas									
03.12.03.	Jefe maquinistas									
03.12.04.	Maquinistas									
03.12.05.	....									
03.12.06.	....									
03.12.07.	....									
03.12.08.	....									
	Total 03.12. Electricistas y maquinistas.									
	03.13. Personal complementario									
03.13.01.	Asistencia sanitaria									
03.13.02.	Guardas									
03.13.03.	Peones									
03.13.04.	....									
03.13.05.	....									
03.13.06.	....									
03.13.07.	....									
03.13.08.	....									
	Total 03.13. Personal complementario									
	03.14. Segunda unidad.									
03.14.01.	Director									
03.14.02.	Jefe producción									
03.14.03.	Primer operador									
03.14.04.	Segundo operador									
03.14.05.	Ayudante dirección									
03.14.06.	Ayudante producción									
03.14.07.	Ayudante cámara									
03.14.08.	Maquillaje									
03.14.09.	Sastrería									
	Suma y sigue CAPÍTULO 03.									
	CAPÍTULO 03.-Continuación.								HABER	SUMA Y SIGUE
Nº Cuenta		P	R	T	T. SEMANAS	Importe semana				
03.14.10.	....									

Nº Cuenta		Unidad tipo	Nº UNIDADES	Precio unitario					HABER	SUMA Y SIGUE
03.14.11.	....									
03.14.12.	....									
03.14.13.	....									
	Total 03.14. Segunda unidad									
	03.15. Horas extraordinarias.									
03.15.01.	Equipo dirección									
03.15.02.	Equipo producción									
03.15.03.	Equipo fotografía									
03.15.04.	Equipo decoración									
03.15.05.	Equipo sastrería									
03.15.06.	Equipo maquillaje									
03.15.07.	Equipo peluquería									
03.15.08.	Equipo electricistas									
03.15.09.	Equipo maquinistas									
03.15.10.	Equipo efectos especiales									
03.15.11.	Equipo semovientes									
03.15.12.	Equipo sonido									
03.15.13.	Equipo montaje									
03.15.14.	Equipo personal complementario									
03.15.15.	Equipo segunda unidad									
03.15.16.	Equipo encargado grupo									
03.15.17.	Equipo conductores turismos									
03.15.18.	Equipo conductores camiones									
03.15.19.	....									
03.15.20.	....									
03.15.21.	....									
03.15.22.	....									
	Total 03.15. Horas extraordinarias.									
	Total Capítulo 03.									0,00
	CAPÍTULO 04. -Escenografía								**HABER**	**SUMA Y SIGUE**
										0,00
Nº Cuenta		**Unidad tipo**	**Nº UNIDADES**	**Precio unitario**						
	04.01. Decorados y escenarios									
04.01.01.	Construcción de platós									
04.01.02.	Construcción en exterior estudios									
04.01.03.	Construcción en exteriores									
04.01.04.	Construcción en interiores naturales									
04.01.05.	Maquetas									
04.01.06.	Forillos									

04.01.07.	Tapicería								
04.01.08.	Exteriores								
04.01.09.	Interiores naturales								
04.01.10.	....								
04.01.11.	....								
04.01.12.	....								
04.01.13.	....								
	Total 04.01. Deco. y escenarios								
	04.02. Ambientación								
04.02.01.	Mobiliario alquilado								
04.02.02.	Atrezzo alquilado								
04.02.03.	Mobiliario alquilado								
04.02.04.	Atrezzo adquirido								
04.02.05.	Jardinería								
04.02.06.	Armería								
04.02.07.	Vehículos en escena								
04.02.08.	Comidas en escena								
04.02.09.	Material efectos especiales								
04.02.10.	....								
04.02.11.	....								
	Total 04.02. Ambientación								
	Suma y sigue Capítulo 04.								0,00

	Continuación CAPÍTULO 04.							HABER	SUMA Y SIGUE
Nº Cuenta		**Unidad tipo**	**Nº UNIDADES**	**Precio unitario**					0,00
	04.03. Vestuario.								
04.03.01	Vestuario alquilado								
04.03.02.	Vestuario adquirido								
04.03.03.	Zapatería								
04.03.04.	Joyas								
04.03.05.	Otros complementos								
04.03.06.	Materiales sastrería								
04.03.07.	....								
04.03.08.	....								
	Total 04.03. Vestuario.								
	04.04. Semovientes y carruajes								
04.04.01.	Animales alquilados								
04.04.02.	Monturas y atalajes								

Nº Cuenta		Unidad tipo	Nº UNIDADES	Precio unitario				HABER	SUMA Y SIGUE
04.04.03.	Cuadras y piensos								
04.04.04.	Animales adquiridos								
04.04.05.	Transportes animales								
04.04.06.	Carruajes								
04.04.07.	....								
04.04.08.	....								
	Total 04.04. Semovientes y carruajes								
	04.05. Varios								
04.05.01.	Material peluqueria								
04.05.02.	Material maquillaje								
04.05.03.	Pelucas, barbas,(alquiler, construcción,etc)								
04.05.04.	....								
04.05.05.	....								
	Total 04.05. Varios								
	Total Capítulo 04.								0,00
	CAPÍTULO 05.-Est.rodaje,sonorización y varios producción							HABER	SUMA Y SIGUE
									0,00
05.01.01.	**05.01. Estudios de rodaje.**								
05.01.01.	Montaje decorados en plató								
05.01.02.	Rodaje en platós								
05.01.03.	Derribo decorados								
05.01.04.	Montaje decorados exterior estudio								
05.01.05.	Rodaje en exterior estudio								
05.01.06.	Derribo decorados exterior estudio								
05.01.07.	Fluído eléctrico								
05.01.08.	Teléfono								
05.01.09.	Instalaciones complementarias								
05.01.10.	Almacenes varios								
05.01.11.	....								
05.01.12.	....								
	Total 05.01. Estudios de rodaje.								
	05.02. Montaje y sonorización.								
05.02.01.	Sala de montaje								
05.02.02.	Sala de proyección								
05.02.03.	Sala de doblaje								
05.02.04.	Sala de efectos sonoros sala								

05.02.05.	Grabación mezclas							
05.02.06.	Grabación sound-track							
05.02.07.	Transcripciones magnéticas							
05.02.08.	Repicado a fotográfico							
05.02.09.	Sala grabación canciones							
05.02.10.	Sala grabación música fondo							
05.02.11.	Alquiler instrumentos musicales							
05.02.12.	Efectos sonoros archivos							
05.02.13.	Derechos discográficos música							
05.02.14.	Derechos discográficos canciones							
	Suma y sigue Capítulo 05.							0,00
	Continuación CAPÍTULO 05.						**HABER**	**SUMA Y SIGUE**
Nº Cuenta		**Unidad tipo**	**Nº UNIDADES**	**Precio unitario**				0,00
05.02.15.	....							
05.02.16.	....							
05.02.17.	....							
05.02.18.	....							
	Total 05.02. Montaje y sonorización.							
	05.03. Varios producción.							
05.03.01.	Gastos confección guión							
05.03.02.	Copias y fotocopias							
05.03.03.	Comidas							
05.03.04.	Gratificaciones varias							
05.03.05.	Gestoría Seguros Sociales							
05.03.06.	Alquiler oficina exteriores							
05.03.07.	Maquinaria oficina							
05.03.08.	Teléfono							
05.03.09.	Campamentos rodaje							
05.03.10.	Limpieza, etc., lugares de rodaje							
05.03.11.	Comunicaciones en rodaje (radios, etc)							
05.03.12.	Caravanas							
05.03.13.	Alquiler camerinos exteriores							
05.03.14.	Almacenes varios							
05.03.15.	Gastos confección proyecto							
05.03.16.	Garajes							
05.03.17.	....							
05.03.18.	....							
05.03.19.	....							
05.03.20.	....							

Nº Cuenta		Unidad tipo	Nº UNIDADES	Precio unitario				HABER	SUMA Y SIGUE
	Total 05.03. Varios producción.								
	Total Capítulo 05.								
	CAPÍTULO 06.-Maquinaria de rodaje y transportes								
	06.01. Maquinaria y elementos rodaje.								
06.01.01.	Cámara principal								
06.01.02.	Cámaras secundarias								
06.01.03.	Objetivos especiales y complementarios								
06.01.04.	Accesorios								
06.01.05.	....								
06.01.06.	....								
06.01.07.	Material iluminación alquilado								
06.01.08.	Material maquinista alquilado								
06.01.09.	Material iluminación adquirido								
06.01.10.	Material maquinistas adquirido								
06.01.11.	Grúas								
06.01.12.	Otros materiales iluminación maquinistas								
06.01.13.	Cámara car								
06.01.14	Plataforma								
06.01.15.	Grupo electrógeno								
06.01.16.	Carburante grupo								
06.01.17.	Helicóptero, aviones, etc.								
06.01.18.	....								
06.01.19.	....								
06.01.20.	....								
06.01.21.	Equipo de sonido principal								
06.01.22.	Equipo sonido complementario								
06.01.23.	Fluido eléctrico (enganches)								
06.01.24.	....								
06.01.25.	....								
	Total 06.01. Maquinaria y elem.rodaje.								
	06.02. Transportes.								
06.02.01.	Coches de producción								
	Suma y sigue CAPÍTULO 06.								
	Continuación CAPÍTULO 06.								HABER	SUMA Y

Nº Cuenta		Unidad tipo	Nº UNIDADES	Precio unitario					SIGUE
06.02.02.	....								
06.02.03.	....								
06.02.04.	....								
06.02.05.	Exceso Km. coches producción								
06.02.06.	....								
06.02.07.	Alquiler coches sin conductor								
06.02.08.	Furgonetas de cámaras								
06.02.09.	Furgoneta de								
06.02.10.	....								
06.02.11.	Camión de								
06.02.12.	Camión de								
06.02.13.	Camión de								
06.02.14.	Camión de								
06.02.15.	....								
06.02.16.	....								
06.02.17.	....								
06.02.18.	Autobús								
06.02.19.	Exceso Km. transporte pesado								
06.02.20.	....								
06.02.21.	....								
06.02.22.	Taxis								
06.02.23.	Gratificaciones coches equipo								
06.02.24.	Facturaciones								
06.02.25.	Aduanas y fletes								
06.02.26.	....								
06.02.27.	....								
06.02.28.	....								
	Total 06.02.Transportes								
	Total Capítulo 06.								
	CAPÍTULO 07.-Viajes, dietas y comidas							HABER	SUMA Y SIGUE
Nº Cuenta		Unidad tipo	Nº UNIDADES	Precio unitario					
	07.01. Localizaciones.								
07.01.01.	Viaje a								
07.01.02.	Viaje a								
07.01.03.	Viaje a								
07.01.04.	Dietas								

07.01.05.	Gastos locomoción								
07.01.06.	....								
07.01.07.	....								
	Total 07.01. Localizaciones.								
	07.02. Viajes.								
07.02.01.	.... personas a								
07.02.02.	.... personas a								
07.02.03.	.... personas a								
07.02.04.	.... personas a								
07.02.05.	....								
07.02.06.	....								
07.02.07.	....								
	Total 07.02. Viajes.								
	07.03. Dietas								
07.03.01	.... actores								
07.03.02.	.... actores								
07.03.03.	.... actores								
07.03.04.	.... actores								
07.03.05.	.... actores								
07.03.06.	.... actores								
07.03.07.	.... técnicos								
07.03.08.	.... técnicos								
	Suma y sigue CAPÍTULO 07.								

							HABER	SUMA Y SIGUE
	Continuación CAPÍTULO 07.							
N° Cuenta		Unidad tipo	N° UNIDADES	Precio unitario				
07.03.09.	.... técnicos							
07.03.10.	.... técnicos							
07.03.11.	.... técnicos							
07.03.12.	.... técnicos							
07.03.13.	.... conductores							
07.03.14.	.... conductores							
07.03.15.	....							
07.03.16.	....							
	Total 07.03. Dietas							

N° Cuenta		Unidad tipo	N° UNIDADES	Precio unitario			HABER	SUMA Y SIGUE
	07.04. Hoteles y comidas.							
07.04.01.	Facturación hotel							
07.04.02.	....							
07.04.03.	Comidas							
07.04.04.	....							
07.04.05.	....							
07.04.06.	....							
07.04.07.	....							
	Total 07.04. Hoteles y comidas.							
	Total Capítulo 07.							
	CAPÍTULO 08. -Película virgen.							
	08.01. Negativo.							
08.01.01.	Negativo de color ....ASA............							
08.01.02.	Negativo de color ....ASA............							
08.01.03.	Negativo de blanco y negro							
08.01.04.	Negativo de sonido							
08.01.05.	Internegativo							
08.01.06.	Duplicating							
08.01.07.	....							
	Total 08.01. Negativo.							
	08.02. Positivo.							
08.02.01.	Positivo imagen color							
08.02.02.	Positivo imagen blanco y negro							
08.02.03.	Positivo primera copia standard							
08.02.04.	Positivo segunda copia standard							
08.02.05.	Interpositivo							
08.02.06.	Lavender							
08.02.07.	....							
	Total 08.02. Positivo.							
	08.03. Magnético y varios.							
08.03.01	Magnético 35/16 mm. (nuevo)							
08.03.02.	Magnético 35/16 mm. (usado)							
08.03.03.	Magnético 1/4 pulgada							
08.03.04.	....							

08.03.05.	Material fotografías escenas								
08.03.06.	Otros materiales fotográficos								
08.03.07.	Soporte y cola blanca								
08.03.08.	Material de montaje								
08.03.09.	....								
	Total 08.03. Magnético y varios.								
	Total Capítulo 08.								
	CAPÍTULO 09.-Laboratorio.							HABER	SUMA Y SIGUE
N° Cuenta		Unidad tipo	N° UNIDADES	Precio unitario					
	09.01. Revelado.								
09.01.01.	De imagen color								
09.01.02.	De imagen B. y N.								
09.01.03.	De internegativo								
09.01.04.	De Duplicating								
09.01.05.	De sonido								
09.01.06.	....								
	Total 09.01. Revelado.								
	09.02. Positivado.								
09.02.01.	De imagen color								
09.02.02.	De imagen B. y N.								
09.02.03.	De interpositivo								
09.02.04.	De Lavender								
09.02.05.	De primera copia standard								
09.02.06.	De segunda copia standard								
09.02.07.	....								
	Total 09.02. Positivado.								
	09.03. Varios.								
09.03.01.	Corte de negativos								
09.03.02.	Descarte								
09.03.03.	Clasificación y archivo								
09.03.04.	Sincronización negativos								
09.03.05.	Otros trabajos								
09.03.06.	Trucajes								
09.03.07.	Títulos de crédito								
09.03.08.	Trayler								
09.03.09.	....								
09.03.10.	Laboratorio fotografías								
09.03.11.	Animación								
09.03.12.	Archivo imagen								
09.03.13.	Recargos y perdidas								
09.03.14.	....								